Esper, Eugenius Johann Christoph

Die Schmetterlinge in Abbildungen nach der Natur

Esper, Eugenius Johann Christoph

Die Schmetterlinge in Abbildungen nach der Natur

Inktank publishing, 2018

www.inktank-publishing.com

ISBN/EAN: 9783747754771

Die

Schmetterlinge

in

Abbildungen nach der Natur

mit Beschreibungen

von

Eugenius Johann Christoph Esper.

Herausgegeben

mit Zusätzen

von

Toussaint von Charpentier,

Königl. Preuß. Berg-Hauptmann und Oberbergamts-Direktor, Ritter des rothen Adler-Ordens dritter Klasse, Mitglied der Leopoldin. Carolin. Academie der Naturforscher zu Bonn; der Gesellschaft naturforschender Freunde zu Berlin; der mineralogischen zu Dresden und zu Jena; der helvetischen Naturforscher; der schlesischen und lausitzischen Gesellschaft für vaterländische Cultur und einiger anderen.

Dritter Theil.

Europäische Gattungen.

Leipzig,

T. O. Weigel.

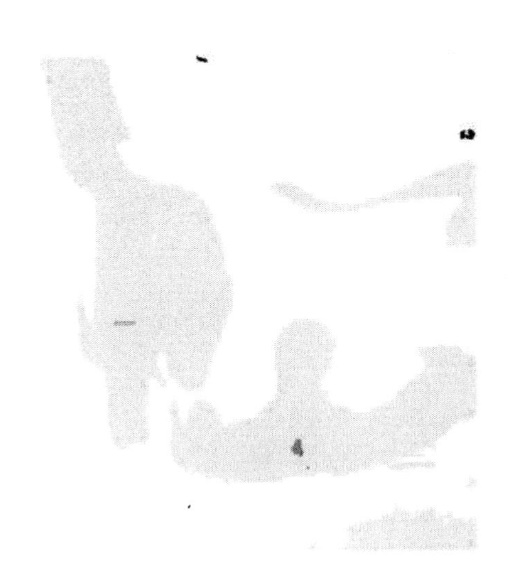

Der

fünften Classe des Thierreichs dritte Ordnung

nach dem Linneischen System

Insecten mit bestäubten Flügeln

Lepidoptera oder Schmetterlinge.

Drittes Geschlecht, Phalaenae. Nachtschmetterlinge, Nachtvögel, Nachtfalter, Nachtpapilionen, Phalänen.

Papillons nocturnes, Phalenès. Souls. Vilties.

So weit haben sich Gattungen bestäubter Flügler in dem Bezirk unsers Welttheils nach Berichtigung beyder erstern Geschlechter entdeckt. Dis ist der Abschluß ihrer Kenntnisse für die Zeiten, in denen wir leben. Keinesweges noch die vollständige Liste dieser in so geraumen Bezirk uns zugetheilten Geschöpfe, doch ein sehr beträchtlicher Zuwachs seit wenigen Jahren! Die Zahl der Gattungen des Papilio und Sphinx hat sich nun gedoppelt vermehrt. Ohne den Fleiß unserer Vorgänger aber war es nicht möglich dahin vorzurücken, wo wir jetzt geblieben. Ihren Bemühungen haben wir diese Ergänzung zu danken. Mir war es Pflicht, das Zerstreute zu sammlen, und zugleich das Neue der Entdeckungen, so weit es Kräfte vermochten, beyzubringen. Welches Gewirre war damals in Ausgleichung zu bringen? Jetzt befremdet es uns, wie sich Anstände darüber erhoben. Aber noch lange nicht sind wir damit ins Reine gekommen. Die Naturgeschichte hat bey vielen ihre beträchtliche Lücken. Selbst Gattungsrechte sind noch nicht entschieden. Wird denn aber ein kommendes Zeitalter jemahlen die gesuchte Vollkommenheit erreichen? wird es möglich seyn, das Unermeßliche der Schöpfung auch nach diesen Geschlechtern je zu begränzen? Zwar mit grösserer Leichtigkeit sind dann Ergänzungen beygebracht, und glückliche Entdeckungen mit minderer Mühe in die vorigen

A 2 einge-

eingetragen. Der Vorrath neuer Tag- und Abendschmetterlinge hat sich nun beynahe erschöpft. Sie sind für jetzt würkliche Seltenheiten geworden. Die ergiebigsten Sammlungen, welche ich benutzt, haben nichts Erhebliches darinnen mehr aufzuweisen. Der unermüdete Fleiß auswärtiger Freunde hat nun seit jährigen Fristen kaum einzelne Entdeckungen beyzubringen vermocht. Neue Gattungen waren anderer Orte eben so sparsam als in unsern Gegenden ausfindig zu machen. Wie leicht war dis vorhin, wie wenig glaubte man ihre Menge erschöpfen zu können. Doch unsere Nachforschungen beziehen sich noch auf kleine Distrikte. Für das Ganze ist die Zahl der Kenner selbsten zu klein. Wir haben Geschöpfe, die ein ganzer Welttheil enthält, für unsere Bearbeitung gewehlt. Eben ein Welttheil, der nach den Erdstrichen am meisten, und in Hervorbringung dieser Thiere vielleicht noch mehr als andere Verschiedenes hat. Von der kältesten Zone bis zu der, die auch dem Asiaten nicht ungewohnt ist, lassen sich grosse Reihen von Manchfaltigkeiten unserer bestäubten Flügler gedenken. Bereits haben sich Gattungen entdeckt, die man vorhin nur in heissen Erdstrichen gesucht. Wie viele hat das wärmere Ungarn, wie viele Italien und Frankreich geliefert? Wie wenig sind aber diese Länder noch selbsten in dieser Absicht erforscht. In den nördlichen Erdstrichen, in den mit Asien begränzten Gegenden ist noch vieles zurück. Das unermeßliche und in seinen Klimaten so verschiedene Rußland entbietet noch grössere Schätze. Sie sind es, die unsere Neugierde schon nach Erzehlungen reizen.

In Behandlung der Geschlechter der vorhin beschriebenen Gattungen habe ich nach allem Bestreben das möglichste zu leisten gesucht. So weit sind mir Tag- und Abendschmetterlinge unsers Welttheils bekannt a). Aus diesem Abschluß ersehen unsere Freunde, was uns noch mangelt. Für Ergänzungen ist immerhin Raum gelassen. Jede Beyträge sind uns willkommen.

a) Fortsetzung der Tagschmetterlinge von Tab. LI. bis LXXXII. und der Abendschmetterlinge von Tab. XXV. bis XXXV. Gerade bey Ausgabe dieses Bogens erhalte ich einen ungemein schätzbaren Beitrag ausserordentlich wichtiger Seltenheiten aus dem südlichen Rußland von einem schon öfters erwähnten Freund, Herrn Professor Böber in Petersburg. Die Entdeckungen bey einer in dem südlichen Rußland bis an die Wolga gemachten Reise sind so merkwürdig, daß ich sie meinen Lesern des ehesten vorzulegen habe. Ein zwölf Gattungen alleine von dem Geschlecht des Papilio habe ich von da beyzubringen, die noch nie bey uns bekannt geworden. Verschiedene Bemerkungen von den Producten dieser Art in den dasigen Gegenden, werden unseren Liebhabern nicht minder angenehm seyn.

men. Doch ich klage über Mängel und eingeschrenkte Kenntnisse, und einige meiner Leser vielleicht über das Weitläufige, über die grosse Anzahl dieser Geschöpfe. Ihrem Urtheil nach sollte die neuentdeckte Gattung in der Reihe der ältern eingetragen erscheinen, die ohne gewisse Erfahrung beygebrachte Varietät sogleich entschieden, und auf etlichen Blättern und in weniger Zeit der ganze Schauplatz dieser Heere vorgestellt werden. Ich bleibe auf diese Vorwürfe die Antwort schuldig. Leser dieser Art haben die Natur darob zu befragen. Da, an Weitläuftigkeit zu denken, wo ein unermeßlicher Umfang unerschöpflichen Vorrath von selbsten entbietet, wäre sehr thöricht. Um jetzt weniger unterbrochen zu werden, war ich dahin bemüht, die Gattungen der erstern Geschlechter zuvor nach möglichster Ergänzung zu liefern. Doch wie sehr es mir angelegen ist, dem Verlangen einiger Freunde zu willfahren, wird die veränderte Einrichtung beweisen, die ich in Bearbeitung dieses Geschlechtes gewehlt. Ich habe mir vorgenommen, nach der Ordnung unsers Systems, zugleich die neuen Entdeckungen einzuschalten. Dadurch wird der Vorrath in den Supplementen vermindert. Das Neue, womit uns die gütigen Beyträge großmüthiger Gönner bereichern, wird dann um so leichter ersichtlich. Seltenheiten sind bey der Anzahl dieser Gattungen am wenigsten für Nachträge auszusetzen. Nach dem gesammelten Vorrath und bey der Unterstützung so reicher Cabinete ist dies auch leichter zu bewürken. Varietäten werden bis zu dem Schluß des Werkes verspart. Nur diejenigen sollen erscheinen, die von gröster Erheblichkeit sind, oder wo es der Raum verstattet. Wir kommen dadurch unserm Endzweck der möglichsten Vollständigkeit näher.

Es ist sonach die **dritte Hauptabtheilung** der Geschöpfe mit schuppigten Flügeln übrig, welche ich jetzt zu bearbeiten mir vorgenommen. Welcher Schauplatz von Manchfaltigkeiten stellet sich unsern Augen dar? Das zahlreichste Heer nach der Menge der Gattungen unter allen übrigen Klassen. Hier sind die Bildungen, der Bau der Glieder, der Ausschnitt der Flügel, Kunsttriebe und Eigenschaften zehenfältig mehr verändert, als an erstern Geschlechtern. Noch sind sie selbsten am wenigsten in Ordnung gebracht. Fast jede einzelne Sammlungen haben Seltenheiten darinnen aufzuweisen. Noch immer hat es der Fleiß unserer Forscher bey diesen gelassen, ihr Eifer schiene ermüdet zu werden. Mich soll es um so mehr ermuntern, die fehlenden Lücken zu füllen. Wie sehr aber bedarf ich hier der Unterstützung großmüthiger Freunde, um meinen Absichten gemäß,

das

das Möglichste leisten zu können. Mit Recht hat unser System bey gewissen Horden dieses Geschlechtes, die auf Gattungen übergetragenen Namen der vorzüglichsten Kenner verewigt. Gerade sind auch hier die meisten Verdienste. Mir wird es zur Pflicht, der Nachwelt zu melden, welche Freunde dieser Kenntnisse unser Zeitalter gehabt, um an lebenden Geschöpfen auch das immer lebende Andenken ihrer Namen auf die Zukunft zu bringen.

In Betrachtung des Umfangs eines so zahlreichen Heeres stellt sich alles Wunderbare unsern Augen dar. Wer hier mit verächtlichen Blicken hinsehen kan, hat wohl niemahlen Gefühl von der Grösse der Allmacht selbsten gehabt. Gehet doch die Geringschätzung des Meisterstücks dem Künstler selbsten sehr nah. Was sind aber Werke menschlichen Verstandes gegen unendliche Weisheit? Hier hat sich die unbegränzte Kraft in Hervorbringung endlicher Wesen für sinnliche Begriffe in unbegreiflicher Grösse herabgelassen. Gewiß sind sie nicht zum Zertreten geschaffen, noch für das fühllose ungesitteter Erdenbewohner. Sie sind von einem Urheber unsers Daseyns mit gleich anstaunender Weisheit hervorgebracht worden. Sie sollen uns zurück zur Erkenntniß der Urquelle aller Wesen wiederum leiten *b*). Wir wollen es wagen, das Ganze in dem Umfang dieses Volkes auch nach den noch unergänzten Lücken zu übersehen. Schon nach dem Maasstab, dessen sich die Natur in der Ausbildung der Körper bedient, ist die gröste Manchfaltigkeit da. Von der Kolossen Grösse der ersten Gattungen an, sind Reihen in stufenweiser Abnahme bis zur belebten Atome geordnet. Sie sind mit eben dem gefiederten Gewand wie jene bekleidet. Je geringer ihre Grösse ist, desto grösser ist Kunst und Auszierung daran verwendet. In dem Kleinen hat die Natur mehr bewundernswürdige Schönheiten entworfen, als da, wo sie riesenmäßige Gestalten gebildet. Wo wir die Gränzen der Schöpfung zu erreichen bedünken, nimmt erst das Vollkommene den Anfang. Die Lebensart dieser Thiere erweckt unser Erstaunen noch mehr. Sie sind für die finster gewordene Schaubühne geschaffen. Nur dann tritt die Phaläne herfür, wenn der ermüdende Flug den Papilio zur Ruhe gelegt, und der schnelle Sphinx in der kurzen Zwischenzeit seine Geschäfte vollbracht. Dann

b) CLERCK in Praef. Icon. Inf. in fine: "Creati sumus, vt ex artificiis cognoscamus artificem. Hoc legitimum nostrum eit officium, quo prae animalibus brutis clarescimus. Cogitemus oportet, minutissima animalcula maximum complere numerum, pluribusque, ac procerissimi incolae, in huius mundi theatro negotiis defungi.,,

Dann belebt die düstere Nacht eine Schaar von Geschöpfen, welche die Zahl derer bey Tag vielfältig übertrift. Für jene ist das Licht, für diese dessen Mangel ein Reiz reger Empfindung. Kaum würden wir selbsten in dieser dem Menschen zur Erhohlung gelassenen Zeit die Hälfte sämtlicher Gattungen kennen. Ihre Ruhe bey Tage hält sie verborgen, und bey dem nächtlichen Flug würden sie unserm Aufsuchen gänzlich entgehen. So werden die meisten uns durch ihre Raupen bekannt. Gerade sind es die, deren Falter uns selten begegnen. Die Larven der Tagschmetterlinge halten sich größtentheils im Grase verborgen, und treten erst des Abends ihr Futter zu suchen hervor. Sie sind uns auch länger nach diesem Stand verborgen geblieben. In die Naturtriebe dieser Thiere ist sonach das Mittel gelegt, sich selbsten unsern Nachforschungen darzubiethen. Noch fragt man: zu was sie wohl nutzen? Ein so weisheitsvoller Bau ist freylich nicht zur Zerstörung für Sperlinge alleine geschaffen, denen der daran verschwendete Putz das Unbedeutendste ist. Muß denn aber jedes Geschöpf dem Menschen unmittelbare Vortheile verschaffen? sind nicht höhere Empfindungen zur Veredlung des Geistes von gleichgewichtigen Werth? Die Käßmilbe denkt sich eben wie der Mensch der Eigenthümer ihres Wohnplatzes zu seyn. Nur dieser aber erkühnet sich die Entwürfe des Schöpfers zu tadeln, wenn ihm nicht jedes Product Speise und Unterhalt schaft. Doch an diesen Gattungen hat der Eigennuß das wenigste auszusetzen. Eine einzige derselben beweißt, wie leicht es der Allmacht ist, für die Bedürfnisse des Unzufriedenen auch das geringste nützlich zu machen. Der verächtliche Seidenwurm muß ein paar Millionen hungriger Einwohner unseres Erdkreises ernähren. Einer vielfältig grössern Anzahl giebt sein zum Schutz sich gefertigtes Gewebe, die vorzüglichste Kleidung. Doch nach den Verwüstungen der meisten dieser Geschöpfe wird man sagen, kommen erstere Vortheile nicht in gleiches Verhältniß. Freylich sind sie da, wo strafende Gerechtigkeit den Schöpfer auffordert, fürchterlicher als verwüstende Armeen. Dann ist aber die kleinste Made auch mächtig genug, die Befehle der Allmacht zu befolgen, und den stolzen Empörer zu besiegen. Eben die Bedürfnisse in der Oeconomie haben die Kenntnisse dieser Thiere unentbehrlich gemacht. Wir haben ihre Naturgeschichte zu erforschen, um für Schaden, der aus Vernachläßigung entsteht, uns sicher zu setzen. Wären ihrer Vervielfältigung nicht Gränzen gesetzt, kaum würde ein lebendes Wesen auf unserm Erdkreis sich enthalten. So sind sie mehrern Feinden preis gegeben. Sie dienen wiederum andern Insekten zur täglichen Speise. Die so zahlreichen Ichnevmons haben sie zur Niederlage ihrer Bruthen gemacht. Eine

B

einzelne Raupe ist öfters die Herberge vieler Hunderte ihrer eigenen Feinde. Unter grössern Thieren müste die Klasse der Singvögel ohne diese Nahrung ihren Untergang finden *c*). Im Winter, wo die ganze Insektenwelt erstorben, ist ein reicher Vorrath von Raupen an den Bäumen noch übrig. Auch da sind sie abermahl die tägliche Speise für andere Vögel. Nicht für die Bewohner auf dem Trockenen allein, sondern auch Millionen Schaaren im Wasser lebenden Thieren reichen sie die gewöhnliche Kost. Eine so allgemeine Brodkammer muste nothwendig sehr angefüllt seyn. Wo diese gebricht, finden tausend andere Wesen den Untergang. Die Kette des Ganzen wird dann zertrümmert, und auch dem Menschen die Nahrung entzogen. Noch frage man, zu was diese Geschöpfe wohl nutzen? Der nie zufriedene Bewohner der Erde denkt sich die Geschenke der Natur nur dann für nützlich, die ihm am nächsten sind, nur die, deren Gebrauch für seine Zeiten erfunden worden. Nie wird auf ein kommendes Zeitalter gerechnet, auf Erfindungen, die für die Nachwelt gehören. Noch haben wir nicht den tausendsten Theil der Geschöpfe zu unserm Vortheil verwendet. Hier ist gewiß für unsere Erfindungen genugsame Beschäftigung übrig gelassen *d*). In dem Plan der

c) Hieher gehört die bekannte Bemerkung des BRADLEY, welcher aus genauen Erfahrungen versichert, daß zwey Sperlinge in Zeit von acht Tagen 3360 Raupen zur Speise für ihre Jungen eingetragen haben. Doch nähren sich diese Vögel zugleich von Gesämen, andere aber, deren Anzahl um so grösser ist, lediglich von Insekten.

d) Ich füge hier einige Angaben bey, welche zu nützlichen Erfindungen dienen würden, wenn sich der Fleiß erfahrener Kenner damit beschäftigen möchte. Es ist bekannt, daß die kleberichten Säfte der Cochenille das Haltbare der Farben giebt. Sollten nicht Raupen. wenigstens gewisse Arten, zu gleichen Gebrauch dienen, wenigstens da, wo es nicht auf die Höhe der Farbe ankommt. Dann würden unsere gemeine Kohlraupen kaum mehr zureichend seyn, den dazu benöthigten Vorrath zu liefern. Der grüne Saft, den sie aus dem Mund lassen, giebt eine haltbare Farbe. Der zähe Schleim, aus welchen die Raupen der Spinner die Faden verfertigen, hatte schon längstens Aufmerksamkeit erweckt. Noch aber hat man kein Mittel ausfindig gemacht, denselben zu sammeln und aufzulösen. Zu welchen vielfältigen Gebrauch würde solcher können verwendet werden, wenn er im Aufstrich so feste trocknet, als die Seide selbst, aus der derselbe bestehet. Sollte es unmöglich seyn, die Schuppen der Falter, welche alle nur erdenkliche Farben enthalten, zur Mignaturmahlerey anzuwenden? Ein Kunststück dieser Art würde alle Mosaik bey weiten übertreffen. Wenigstens wäre im Ausdruck und der Lebhaftigkeit, besonders da, was kein Künstler vermag, den Schiller nachzuahmen, das einzige Mittel gelassen. Ein Fleiß der freylich menschliche Kräfte zu übersteigen scheint, aber auch in dem Werth sich belohnt. Nach einen kleinen Versuch, wo

Schöpfung ist jedes einzelne Wesen einer Betrachtung würdig, jedes ist zu seinem Endzweck überdacht, jedes bleibt auch, ohne daß es nöthig war von Menschen bewundert zu werden, ein Werk unendlicher Weisheit und Allmacht. Doch ich entferne mich zu weit von der Absicht, die ich mir vorgesetzt.

Ich habe zu zeigen, was ein **Nachtschmetterling** ist. Aus dem vorhin gesagten scheint es keinen Anstand zu haben, denselben von erstern Geschlechtern zu unterscheiden. Es sind hier die Charaktere noch genauer als an jenen bestimmt. In den Abtheilungen aber sind die Schwührigkeiten um so grösser. Es hat unglaubliche Mühe gemacht, dies zahlreiche Volk zu ordnen. Noch sind andere Systeme nicht befriedigend, sie haben ihre beträchtliche Mängel. Den Entwurf des Herrn **Ritters** selbsten hat man noch am wenigsten in seinem Umfang überdacht. Die Mängel, die wir hier finden, wurden auch in andere Entwürfe eingetragen. Doch für den Vorrath unserer Entdeckungen sind da genugsame Lücken leer gelassen, wir haben über die Unbequemlichkeit in deren Ergänzungen keinesweges zu klagen. Zuvor muß ich die allgemeinen Charaktere erklären.

Das **erste Merkmal** der Phaläne ergiebt die Gestalt der Fühlhörner, sie sind **borstenförmig** gebildet. (Antennae setaceae, a basi ad apicem sensim attenuatae) *e*). Der Papilio hat sie an der Spitze, der Sphinx in der Mitte, die Phaläne aber an der Grundfläche verdickt. Nach den dreyen Geschlechtern dieser Klasse sind sonach die Antennen auch auf dreyfache Art verschieden. Sie heissen kolbenförmige, keulförmige und borstenförmige. Die letztern nehmen sich von erstern sehr kenntlich aus. Da wo sie an dem Körper befestiget sind, ist die Anlage am stärksten. Sie ziehen sich in gemächlicher Verdünnung in eine Spitze bis an das äusserste Ende. Hierinnen sind sie Borsten ähnlich, welche an dem untern Theil mehrere Verstärkung als an dem obern haben. Doch man darf sich solche nicht von gleicher Anlage gedenken. Sie sind beweglich und aus einzelnen Gliedern zusammen gekettet. Nach diesem bestimmten Bau hat die Natur noch

B 2

ich einen Grund von klebrichter Materie gemacht, liesen sich einzelne Schuppen gar wohl auftragen, und ich hatte eine kenntliche Figur heraus gebracht. Doch wie viel wird zur Vervollkommung erfordert, was hat aber auch menschlicher Fleiß nicht erzwungen! Noch hat man angefangen einzelne Flügelstückgen unter geschliffene Gläser zu bringen, und sie zum Schmuck als Juwelen zu gebrauchen.

e) S. I. Th. pag. 12.

in der Verzierung manchfaltige Formen hervorgebracht. Es sind aber nur zwey vorzügliche Arten zu merken. Einige haben Seitenfasern, andere nicht. Man hat sie durch eigene Namen unterschieden. Die nach der ersten Art werden kammförmige Fühlhörner, (antennae pinnatae, radiatae, pectinatae) geheissen. Sie sind zur Seite mit Fasern (fibrissae) bekleidet. Der gemeinschaftliche Ort, die Stange, an der sie befestiget sind, wird dann der Stiel (Rachis) geheissen. Dieser hat, wie ich schon erwähnt, die stärkste Verdickung an dem unteren Theil. Aber auch die Seitenfasern ziehen sich in einer gemächlichen Verdünnung gegen die Spitze. In diesem Bau entbierhen sich für Abtheilungen der Gattungen selbst sehr wesentliche Charactere. Sie sind theils in eine ovale Form, theils kegelförmig verlängert. Bey einigen sind diese Fasern wieder mit andern bewachsen. Sie können flaumförmige (plumosae) heissen. Einige haben sie parallel herausstehend; andere in eine Spitze gezogen, verschiedene aber zerstreut. Nach dem Ausmaas ist die Verschiedenheit gleich beträchtlich. Auch die Farbe giebt wesentliche Merkmale an. Der Stiel und die Seitenfasern sind öfters von ganz verschiedenen Colorit. Doch diese Bemerkungen gehören zur Beschreibung der Gattungen selbst. Genug Phalänen, welche dergleichen Fühlhörner führen, werden selbst kammförmige (pectinicornes) genennt Der zweyten Art fehlet diese Verzierung, die Seitenfasern. Die Antennen bestehen aus einfachen Borsten, der Stiel ist glatt, doch gehen sie wie jene von einer Verdickung an der Grundfläche in eine verdünnte Spitze über. Ihre Form ist gerundet. Nur wenige haben sie flach gedrückt. Verschiedene Gattungen führen sie von unbedeutender Länge, andere aber in einem den Körper etliche mal übertreffenden Maaß. Diese zweyte Art der Antennen, hat sonach mit Recht den Namen der Borstenförmigen in engern Verstand erhalten. Der Herr Ritter hat sie schlechthin setaceas, und die Gattungen, welche sie führen, seticornes geheissen. Wir haben zum specifischen Unterscheid eine eigene Benennung nöthig. Ich habe den Namen der fadenförmigen (filiformes) Fühlhörner gewehlt. Nur dürfen wir uns nicht eine cylindrische Form, eine gleiche Dicke dabey gedenken. Alle Gattungen der Phalänen führen sonach in allgemeiner Benennung borstenförmige Fühlhörner *f*). Diese sind wiederum entweder kammförmig oder fadenförmig. Das übrige ist bey den Abtheilungen mit mehreren beyzubringen.

f) Andere haben das Wort setaceum sehr unrichtig durch bürstenförmig übersetzt, wie schon Herr Past. Götze erinnert. S. Ent. Beytr. III. Th. II. B. Anm. p. 245.

Ich komme auf den zweyten Hauptcharacter, nach welchem unser System die Phaläne bestimmt. Es sind die niedergebogene Flügel, (alae [sedentis] saepius deflexae). Was man unter dieser Lage verstehet, habe ich schon oben bey Erklärung der Merkmale des Abendschmetterlings hinreichend gesagt. Beyde Geschlechter kommen hierinnen mit einander überein. Sie sind in diesem Bau von dem Papilio gänzlich verschieden. Nur jener trägt seine Fittige im ruhenden Stand zusammengeschlagen. Dorten hat die Gestalt der Fühlhörner so nahe verwandte Geschlechter schon genugsam getrennt. Diese Lage ist freylich nur dann, wenn der Falter zur Ruhe sich niedergelassen, wahrzunehmen. In Sammlungen, wo man um dessen ganze Schönheit in zwar widernatürlich ausgebreiteten Flügeln darzustellen sich bemüht, gehet dieser Character verlohren. Man erkennt aber dennoch die eigene Lage aus dem Bau des Körpers. Nach Zeichnungen sie jedesmal beyzubringen, würde sehr unnöthig seyn. Man hat es bey dem Papilio nie gefordert, ihn mit zusammenschlagenden Flügeln in Abbildung zu bringen. Von so allgemeinem Character haben dennoch einige Gattungen eine, wiewohl unbedeutende, Ausnahme gemacht. Es giebt etliche Arten der Spannenmesser, welche ihre Flügel würklich zusammenschlagend (conniuentes) tragen. Diese Gewohnheit ist ihnen aber nicht unveränderlich eigen. Sie bringen sie wieder in ersterwähnte Richtung zurück. Nur in Bereitschaft zum Flug nehmen sie eine Zeitlang diese Stellung an. Auch bey dem Ausschliefen aus der Chrysalide haben alle Schmetterlinge gleiche Richtung der Flügel, sie schlagen wie bey dem Papilio zusammen. Doch behalten sie diese Lage nur so lange, bis sich die Säfte verbreitet, und die Flügel zu gehöriger Festigkeit sich endlich erstarket. Der Tagschmetterling aber behält die ihm eigene Richtung unveränderlich bey.

Diese niedergebogene Flügel sind von manchfaltiger Art. Die Natur hat die Phalänen solche nicht nach einförmiger Richtung zu legen angewiesen. Ihre Tracht ist hierinnen so verschieden, als unsere Moden. Sie haben zu Characteren und Abtheilungen der Gattungen dieses Geschlechts Gelegenheit gegeben. Ich habe nothwendig die vorzüglichsten Arten anzuzeigen. In der Ordnung nehme ich von denen den Anfang, wo sie am meisten ausgebreitet erscheinen, und diese werden

Alae patentes, offene Flügel geheissen. Sie halten eine ebene Lage. Die Vorderflügel sind mehr vorwärts gerichtet, und die Hinterflügel ganz geöfnet zu sehen. Gerade so ist man gewohnt, sie in Sammlungen gewöhnlich auszubreiten. In dieser Tracht zeichnen sich einige Gattungen der

Spannenmesser vorzüglich aus. Ich habe zur Erläuterung keine Beyspiele anzuführen für nöthig erachtet. Ihnen kommen die

Alae patulae, am nächsten. Wir wollen sie halboffene Flügel nennen. Sie sind in mindern Grad der Oefnung von jenen verschieden. Die Vorderflügel überdecken die untern zum Theil, es sind leztere nicht ganz zu sehen. Die Pauonia maior, media und minor kan hierinnen zum Beyspiel dienen. Gewöhnlich decken die Vorderflügel die Hinterflügel bis über die Hälfte. Wenn sie nicht so gerade wie an ersteren ausstehen, wenn sie nur wenig niederwärts gerichtet sind, so werden sie neigende oder etwas niedergebogene Flügel, alae inclinatae, genennt. Von diesen sind die

Alae incumbentes, übereinanderliegende Flügel ganz abweichend verschieden. Einige Gattungen nehmen sich durch diesen besondern Bau vorzüglich aus. Zu Beyspielen können die bekannten Noctuae, Quadra, Pronuba, Fimbria und exsoleta dienen. Es wird der eine Vorderflügel von dem andern überschlagen, und dies öfters in beträchtlicher Breite. Gemeiniglich sind diese Flügel um vieles länger als bey andern Gattungen gebildet. Liegen sie in ebenen Flächen übereinander, so heissen sie eben deckende, oder eben übereinander liegende Flügel, (alae plano incumbentes). Die Hinterflügel haben gemeiniglich eine grössere Breite als die vordern, welche solche bedecken. Sie sind in Falten zusammen gelegt, man hat sie daher gefaltete Flügel, (alas plicatas) genennt. In weitester Bedeutung führen alle Bombyces und Noctuae übereinander liegende Flügel, (alae incumbentes). Sie überdecken sich, sie liegen wenigstens nach dem innern Rand übereinander, oder schliesen gedränge sich an. Ein Merkmal, mit welchem Herr von Linne ersterwähnte Horden würklich bezeichnet. Im engern Verstand sind es nur diejenigen Flügel, welche, wie ich oben erklärt, in grössern Parthien sich decken. Sie haben zu Unterabtheilungen Anlaß gegeben. Wir rechnen beyde nächst folgende Arten dahin, nemlich

Alae reuersae, zurückgeschlagene Flügel. Hier stehet der Rand der Hinterflügel, über den der vordern heraus, oder die Vorderflügel ruhen auf einem Theil der Fläche der Hinterflügel. Hierinnen zeichnet sich fast unter allen Gattungen die Ph. Quercifolia am deutlichsten aus. Andere haben sie nicht in so beträchtlichen Grad hervor geschlagen Nur ein kleiner Theil des Randes der Hinterflügel stehet über den vordern heraus, wie wir an der Ph. Quercus, Potatoria und Rubi ersehen. Hieher gehören weiter die

Alae deflexae im engern Verstand **dachförmige** Flügel. Im weitläufigsten Sinn werden damit alle diejenigen Richtungen verstanden, welche den zusammengeschlagenen Flügeln des Tagfalters entgegen gesetzt sind. Im engern Verstand sind es aber nur die, wo der innere Rand der Vorderflügel mehr als der äussere in die Höhe gerichtet erscheint. Sie bilden im verbundenen Schluß eine dreyeckigte Figur, ein abhängiges Dach. Darinnen sind sie von jenen übereinander liegenden und offenen Flügel verschieden. Ziehen sie sich in dieser Lage mehr in einem stumpfen Winkel zusammen, so werden sie

Alae depressae, **niedergedrückte** Flügel geheissen. Sie sind nur flach gegen die Seite gebogen, nicht so eckig wie jene in die Höhe gerichtet, doch auch nicht plan übereinander liegend gestellt. Der innere Rand des Vorderflügels wird von dem andern überschlagen, er ist niedergebogen. Es sind noch zwey ganz verschiedene Richtungen der Lage dieser Falter zu bemerken. Es werden

Alae conuolutae, **gerollte** Flügel, diejenigen genennt, welche in cylindrischer Form den Hinterleib, wo nicht ganz, doch gemeiniglich zum Theil umschliessen. Sie sind zu beyden Seiten einwärts gebogen oder zusammengewickelt. Ein Character, den unser System zu einer besondern Abtheilung den Tineis gewehlt. Die andre Art gehört mehr zur Form und der Verschiedenheit des Umrisses der Flügel, es sind die

Alae deltoideae, **deltaförmige**, **gleichwinklichte** oder **scheerenförmige** Flügel. Hier kömmt es auf die Form und die Lage im Schluß zugleich mit an. Die Flügel haben eine vorzügliche Breite. Ihre Spitze ist verlängert, der innere Rand schliesset gedränge an. Sie bilden sonach ein gleichseitiges Dreyeck. Nach jener Verlängerung kommen sie der Form einer Tuchscheere am nächsten, (conniuentes in figuram deltoideam forficatam). Dieses Merkmal ist einer besondern Abtheilung denen Pyraliden eigen. Hiemit habe ich die vorzüglichsten Arten der Stellung der Flügel, welche bey diesem Geschlecht charactrisirend werden, erklärt. Nach dem Ausschnitt und der Figur der Flügel ist die Manchfaltigkeit eben so groß, wie bey den ersten Geschlechtern. Die nöthigsten Kunstwörter habe ich schon im ersten Theil erklärt g).

g) Pag. 82. u. f. Ich füge hier noch einige bey, alae caudatae, geschwänzte Flügel. Dies bedarf wohl keiner Erklärung. Auch bey den Phalänen sind sie so selten, als bey den Tagfaltern. Alae obtusae, abgestumpfte Flügel. Sie sind an dem

Nach den Gliederbau der Gattungen dieses Geschlechts bemerken wir noch verschiedene Veränderungen, welche wir an den ersten Geschlechtern vermissen. Die Natur hat einige Werkzeuge nicht wie an jenen einförmig gebildet. Sie hat hier Zusätze nach ganz eigenen Verzierungen angebracht. Ich habe sie für die Kennzeichen gewisser Unterabtheilungen hier zu bemerken.

Die **Zunge** ist nicht wie bey den ersten Geschlechtern durchgehends in eine spiralförmige Figur gebildet. Sie ist bey vielen ausserordentlich kurz, und kaum in merkliche Krümmung gezogen. Es scheint, daß die Falter, die sie haben, sich derselben nur selten zum Genuß der Säfte bedienen. Gemeiniglich ist auch das Leben dieser Thiere von kurzer Dauer. Sie werden **ohngezüngelte,** (elingues), genennt. Nicht daß ihnen diese Werkzeuge selbsten mangeln, sondern weil sie gegen andere von unbedeutender Länge sind. Im Gegentheil werden Gattungen, die sie verlängert, in eine Spirale gerollt führen, spirilingues, **schneckenzünglichte,** oder Phalänen mit **spiralförmigen** Zungen genennt.

Der Kopf ist bey vielen mit einem eigenen Putz, oder sind es unentbehrliche Werkzeuge, verschönert. Es sind die palpae, **Fühlspitzen,** hier in grösserer Manchfaltigkeit und Form, als an vorigen Geschlechtern wahrzunehmen. Sie sind an dem vordern Theil des Kopfes zuweilen befestigt, und stehen über denselben auswärts verlängert. Man hat diese Bildung eine **hervorragende Stirn,** (frons prominula), genennt. Wir treffen sie bey den tineis am gewöhnlichsten an.

Der Papilio und der Sphinx hat an dem obern Theil der **Brust** keine sonderliche Zierde. Er ist glatt mit zerstreuten Haaren, oder wenigstens in eine schneideförmige Erhöhung gebildet. Hier ist grössere Verschiedenheit im Putz verwendet. Man wird bey vielen heraussthehende Spitzen, pyramidenförmige Höcker, hohle Vertiefungen, Schuppen in regelmäsige Ausschnitte gelegt, und in manchfaltigen Formen gewahr. Nach der Aehnlichkeit der Hahnenkämme werden die Gattungen, welche sie führen, Phalänen **mit Kammrücken,** (cristatae), oder **kammförmige** genennt. Auch der

obern Theil, oder da, wo sie an dem Körper aufsitzen, beträchtlich breit, und lassen wie abgeschnitten, da gemeiniglich der Theil gegen den äussern Rand der Flügel am breitesten ist. Eine Abtheilung die Blattwickler Tortrices, haben sie in dieser Form. Digitatae ist eben das, was alae fissae sind.

der Hinterleib ist damit öfters verschönert. Wo diese höckerichte Erhöhungen fehlen, wo die Schuppen der Brust glatt aufliegen, haben sie zum Unterscheid der erstern den Namen der Phalänen mit glatten Rücken (laeves) erhalten. Dieser Character dient besonders zur Bezeichnung der Familien der Horde der Noctuarum. Dahin habe ich das weitere beyzubringen verspahrt.

Die **Augen** der Phalänen sind nach der sie umkleidenden Hülle von jenen der Tagfalter gleichfalls verschieden. Ihre Halbkugel stehet nicht so offen heraus, sie lieget tiefer und ist mit einer **Decke** (operculum) übereinander liegender Schuppen umhüllt. Diese ist wiederum von verschiedener Art. Doch ich habe die weitere Anzeige auf die Beschreibung der Gattungen selbst, die sie führen, auszusetzen. Auch die Phaläne besitzt jene besondern Werkzeuge, deren ich schon in Beschreibung des Sphinxes erwähnt, ich meyne die gedoppelten Augen, und das Häckgen der Vorderflügel *h*).

Nun ist der **dritte Hauptcharacter** der Phaläne zu erklären noch übrig. Mit Recht hat unser System den **Flug bey Nacht** (volatus nocturnus) für wesentlich angegeben. Keine Gattung des ersten Geschlechts bedient sich dieser Zeit zum Aufsuchen der Nahrung, sie ist zur Ruhe ihnen angewiesen. Die gröste Anzahl der Sphinxe kommt nur des Abends in reges Leben. Nach neuen Beobachtungen läßt sich zwar der Papilio Steropes, in seinen Geschäften bey der Dämmerung noch sehen, und der Papilio Galathea ist bereits vor Aufgang der Sonne belebt. Dies sind aber Ausnahmen, die wenig Erhebliches sagen! Doch Phalänen im Flug bey Tag, sind keinesweges eine seltne Erscheinung. Die Männchen von der Horde der Seidenspinner kommen uns bey hellem Licht am häufigsten vor. Wir werden sie in lebhafter Bewegung, in einem schnell durchkreutzenden Flug, auch bey heissem Sonnenschein gewahr. Ihre Weibchen hingegen sind in Ruhe, sie werden nur dann, wenn es finster geworden, in ein thätiges Leben gebracht. Eine beträchtliche Anzahl der Spannenmesser, viele Gattungen der Nachteulen und Motten erblicken wir bey Tage in geschäftiger Bewegung. Doch sie äussern ein weit regeres Leben, wenn sich das Licht uns gänzlich entzogen. Dann suchen sie erst die ihnen unentbehrliche Nahrung. Das Geschlecht der Phalänen ist sonach ohne

h) II. Th. pag. 15. u. d. f.

Ausnahme für die Stille der Nacht geschaffen. Diese belebt sie von neuen, wenn auch die Wärme bey Tage oder der Trieb zur Begattung sie in Unruhe gebracht. Sonach ist die Benennung Nachtschmetterlinge den Arten dieses Geschlechtes ganz eigen. Dahin beziehen sich auch die gewöhnlichsten Synonimen. Schon seit den ältesten Zeiten, so wenig man noch diese Geschöpfe gesondert, hatten sie von daher den Namen erhalten. Die Eigenschaft, welche sie insgemein haben, sich der Flamme oder einem angezündeten Licht zu nähern, hat in der griechischen Sprache zu gleicher Benennung Anlaß gegeben *i*). Wegen der nächtlichen Erscheinung, wegen des ersterwähnten Triebs, sich mit der Flamme dem Licht einem vermeintlich geistigen Wesen zu vereinen, wurden sie selbsten für Geister gehalten, und Ψυχαι, Seelen genennt. Man hat sich ihrer als Sinnbilder der Unsterblichkeit gewöhnlich bedient *k*). Jene Eigenschaft verdient einer

i) Nach den ältesten Erklärungen wird das Wort Φαλαινα von τε εἰς Φως ἀλλεσθαι auf ein angezündetes Licht zu fliegen, abgeleitet. Sie wurden auch κανδηλοσβεςαι, Lichtauslöscher, genannt. Nachgehends Ψωραι, von Kräze, Aussaz, wegen der bestäubten Flügel. Die Römer nannten sie ohne Unterscheid papiliones. Unter diesem Wort versiehet Vegetius ein Zelt. Es ist ungewiß, ob diese Geschöpfe von daher, oder jenes von diesen den Namen erhalten. Andere leiten es von pap pare, aussauchen, welches entweder auf die Raupen oder die Falter sich bezieht. (Ioh. Gerh VOSSIVS in Etymologico ling. lat. "Papilio dicta est, quia papet, h. e. exsugat olera.„) Einigen gefällt es, daß sie eigentliche papyriones von den pergamentenen Flügeln heissen. Am wahrscheinlichsten ist es, daß Papilio von dem griechischen ἠπιολος abstammt, nach sonst gewöhnlicher Verdoppelung des zweyten Buchstabens. Aristot. Lib. VII. Cap. 27 "ἠπιολος περι τον λυχνον πετομενος, für welches PLINIVS sezt: Lib. XI. Cap. 19. Papilio luminibus accensis aduolans. RAII Hist. Inf. p. 109. Was die Alten von der Naturgeschichte dieser Geschöpfe gewußt, sagt uns Aristoteles, womit auch Plinius in folgendem übereinstimmt. Hist. nat. Lib. XI. Cap. 32. Multa insecta et aliter nascuntur, atque inprimis ex rore. Insidet hic raphani folio (es sind also unsere Kohlweißlinge); primo vere, et spissatus sole, in magnitudinem milii cogitur. Inde porrigitur vermiculus paruus, et triduo eruca, quae adiectis diebus accrescit, immobilis duro cortice, ad tactum tantum mouetur aranei. Haec eruca, quam chrysalidem appellant, rupto deinde cortice volat papilio.„

k) In den geschnittenen Steinen der Griechen und Römer, dem kostbarsten Ueberrest des Alterthums wird, wie bekannt, die Psyche mit Schmetterlings Flügeln abgebildet. Auch hier haben wir die sorgfältige Nachahmung der Natur bey den Künstlern, die solche verfertiget, zu bewundern. Sie haben würklich zu Abbil-

genauern Untersuchung gewürdigt zu werden. Wir wissen noch so wenig gewisses als die Alten davon. Der Trieb in die Flamme einzudringen, scheint ihnen unwiderstehlich zu seyn. Auch der Verlust verbrannter Glieder hält sie nicht ab, wiederholte Versuche zu wagen. Wie leicht sind sie sonst bey der mindesten Stöhrung zu verscheuchen. Suchen sie hier Nahrungssäfte, und werden getäuscht, oder bringt sie das Ungewöhnliche des Lichtes und der Wärme herbey? Gemeiniglich sind es Männchen. Auch der Papilio wird bey Nacht durch ein vorgehaltenes Licht rege gemacht.

Dieß sind nun die Charactere des Phalänengeschlechts. Nach denselben hat unser System dieß zahlreiche Volk in Ordnung zu stellen, uns angewiesen. Es kommt hier nicht auf logicalische Eintheilungen, sondern auf Kennzeichen an, die wesentlich und auffallend sind. So wurde bald die Antenne die Form der Zunge, die Bekleidung der Brust, bald die Tracht der Flügel zu Merkmahlen der Horden und Familien gewehlt. Zum specifischen Unterscheid entbiethet die Farbe, der Anschnitt der Flügel und andere Abweichungen Kennzeichen an, die unveränderlich sind. Die Namen sind meistens von den Futterpflanzen entlehnt. Doch hat auch die Mythologie viele derselben dargeboten. Wie ich schon oben erwähnt, wurden auch die Namen verdienter Kenner dazu verwendet. Zur Bezeichnung der Abtheilungen selbsten, hat Herr von Linne die vorhin zweydeutigen Namen aus dem ältesten Schriften gewehlt, und sie genauer bestimmt. Das ganze Volk dieses Geschlecht wurde in acht Horden vertheilt. Ich habe sie in vorliegender Tabelle meinen Lesern vor Augen zu legen. Ihre Erklärung aber sind in jeder Abtheilung der vorgesetzten Erläuterung beyzubringen.

dung dieser Flügel Originale vor sich gehabt. Wir sehen an einigen ganz kenntlich die ängigen Flügel der pauonia maior gezeichnet, eine Phaläne, die auch in Griechenland häufig ist. Diese vermögen wohl ein Licht zu verlöschen, und können mit Recht candilo bestae heissen. Nach andern Vorstellungen ist der Papilio podalirius ungemein kenntlich getroffen. Doch erblicken wir auch Flügel von lang geschwänzten und ganz eigens gezeichneten Faltern. Sie sind von der Horde der Ritter. Vermuthlich werden sich auch noch ganz eigene Gattungen in dem noch wenig nach diesen Geschöpfen untersuchten Griechenland finden.

I. **Erste Horde.** Attaci. Attaker. Atlasse. Mit offenen, etwas niederhangenden, (alis patulis inclinatis), zum Theil unbestäubten, oder mit durchsichtigen Flecken, gezeichneten Flügeln.

A. **Erste Familie**, mit kammförmigen Fühlhörnern. (Antennis pectinatis.) Kammförmige Attaker.

a. Erste Linie, mit kurzer Zunge. Ohnzünglichte kammförmige Attaker

b. Zweyte Linie, mit einer Spiralzunge. Kammförmige spiralzünglichte Attaker.

B. **Zweyte Familie**, mit fadenförmigen Fühlhörnern. (Antennis filiformibus s. seticornibus.) Fadenförmige Attaker.

a. Erste Linie, mit kurzer Zunge. (Elingues). Ohnzünglichte, fadenförmige Attaker.

b. Zweyte Linie, mit einer Spiralzunge. (Spirilingues.) Spiralzünglichte, fadenförmige Attaker.

II. **Zweyte Horde.** Bombyces. Seidenspinner. Haben übereinander liegende Flügel, (alae incumbentes), und ohne Ausnahme kammförmige Fühlhörner, (antennae pectinatae).

A. **Erste Familie**, mit kurzer Zunge. (Elingues). Ohnzünglichte Spinner.

a. Erste Linie, mit zurückgeschlagenen Flügeln. (Alis reuersis). Ohnzünglichte Spinner mit zurückgeschlagenen Flügeln.

b. Zweyte Linie, mit dachichten Flügeln. (Alis deflexis). Ohnzünglichte dachichte Spinner.

B. **Zweyte Familie**, mit einer Spiralzunge. (Spirilingues). Spiralzünglichte Spinner.

a. Erste Linie, mit glatten Rücken des Bruststücks. (Laeves). Glattrückigte, spiralzünglichte Spinner.

b. Zweyte Linie, mit kammförmigen Rücken des Bruststücks. (Cristatae). Kammrückigte spiralzünglichte Spinner.

III. **Dritte Horde.** Noctuae. Eulen. Tragen übereinander liegende Flügel, und führen ohne Ausnahme fadenförmige Fühlhörner. (Alis incumbentibus, Antennis setaceis).

A. **Erste Familie**, mit kurzer Zunge. (Elingues). Ohnzünglichte Eulen.

B. **Zweyte Familie**, mit einer Spiralzunge. (Spirilingues.) Spiralzünglichte Eulen.

IV. **Vierte Horde.** Geometrae. Spannenmesser, Spanner. Sind nach der Raupe von allen wesentlich verschieden. Die Falter tragen die Flügel meistens offen, und eben aufliegend. (alis patentibus horizontaliter quiescentes). (Einige sind aus dem habitu zu erkennen).

A. Erste Familie, mit kammförmigen Fühlhörnern nach beyden Geschlechtern. (Pectinicornes). Kammförmige Spanner.

a. Erste Linie, mit etwas eckigten Hinterflügeln. (Alis posticis subangulosis.) Eckflüglichte kammförmige Spanner.

b. Zweyte Linie, mit gerundeten Flügeln. (Alis rotundatis). Rundflüglichte kammförmige Spanner.

B. Zweyte Familie, mit fadenförmigen Fühlhörnern. (Seticornes). Spanner mit fadenförmigen Fühlhörnern.

a. Erste Linie, mit eckigten Flügeln. (Alis angulatis). Eckflüglichte Spanner, mit fadenfömigen Fühlhörnern.

b. Zweyte Linie, mit gerundeten Flügeln. (Alis rotundatis). Rundflüglichte, fadenförmige Spanner.

V. Fünfte Horde. Tortrices. Blattwickler. Sie machen sich durch die stumpfe, oben breit geformte Flügel und den krummgebogenen Vorderrand leicht kenntlich; (alis obtusissimis; vt fere retusis, margine exteriore curuo).

VI. Sechste Horde. Pyralides. Lichtmotten. Tragen die Flügel im ruhenden Stand, in einem gleichseitigen Winkel, oder deltaförmig gebildet. Die Flügel selbsten sind an der Spitze etwas verlängert; (alis conniuentibus in figuram deltoideam forficatam).

VII. Siebende Horde. Tineae. Schaben. Die Flügel sind cylinderförmig zusammengrollt; (alis convolutis fere in cylindrum). Sie haben überdies eine hervorragende Stirne; (fronte prominula).

VIII. Achte Horde. Federmotten. Sind durch die tiefgespaltenen oder fingerförmigen Flügel von sämtlichen Horden wesentlich verschieden; (alis digitatis, fissis ad basin asque).

In diese Ordnungen hat unser System die so grosse Zahl der Phalänen gestellt. Es sind ihre Merkmale leicht kenntlich. Nur bey der vierten Horde hat es einigen Anstand. Man siehet es öfters den Faltern nicht an, daß ihre Raupe zu den Spannenmessern gehört Es sind dagegen noch andere Kennzeichen übrig. Sie sollen bey Erläuterung jener Horde beygebracht werden. Herr von Linne hat 460 Species dieses Geschlechts berechnet. Die neuen Entdeckungen ergeben freywillig eine beträchtliche grössere Vermehrung. Fast alle Entomologen haben die Eintheilung des Herrn Ritters beybehalten, wenigstens solche zum Grund der Ihrigen gelegt. Die Verbesserungen

C 3

selbsten sind noch nicht erheblich geworden. Ich habe die vorzüglichsten Entwürfe anzuzeigen.

Die **Herrn Verfasser des systematischen Verzeichnisses** der Wiener Schmetterlinge, haben die linneische Ordnung unverändert beybehalten. Nur die Attacos fanden sie für nöthig wegzulassen. Sie wurden mit den bombycibus wieder vereint. Sonach geben sie nur sieben Hauptabtheilungen an. Jede derselben ist in verschiedene Familien abermals eingetheilt. Diese sind öfters sehr zahlreich. Auch die untergeordneten Gattungen scheinen für Abtheilungen zuweilen zu geringhaltig zu seyn. Die erste derselben die Bombyces, Spinner, enthält zwanzig Familien von A bis V. Die zweyte Noctuae, Eulen, fünf und zwanzig oder von A bis A a. Die dritte Geometrae, Spanner, 15. von A bis P. Die vierte Pyralides, Zinßler, zwey von A bis B. Die fünfte Tortrices, Blattwickler, 6. von A bis F. Die sechste Tineae, Schaben, 4. von A bis D. Die siebende allucitae, Geistgen, eine einzige. Wie schon bekannt ist, haben sie die Raupe zugleich mit den Faltern in ein System zu bringen gesucht. Es ist diese Bemühung öfters sehr glücklich gerathen. Nur wäre bey den Familien zuweilen eine Trennung wiederum nöthig. Schon bey der ersten stehen Gattungen beysammen, die unter sich nicht genugsame Aehnlichkeit haben. Sollten sich die sämtlichen Raupen dieses Geschlechts endlich entdecken, so wäre dann eine genauere Vertheilung anzugehen. Bis dahin aber, ist noch vieles in der Naturgeschichte zu berichtigen übrig. Ich habe die von den Herrn Verfassern angegebenen Verzeichnisse bey jeder Horde ausführlicher beyzubringen *l*).

Herr Fabricius hat diese Geschöpfe in acht Geschlechter geordnet. Die Attaci wurden abermals zu den Bombycibus gezogen. Dagegen kam ein neues Geschlecht unter dem Namen Hepialus, hinzu. Sie stehen in folgender Ordnung. 1. Bombyx enthält die attacos und bombyces des Linneischen Systems. 2. Hepialus, diesem sind einige Noctuae des Herrn von **Linne**, und zwar die ersten Gattungen dieser Abtheilung untergeordnet. Sie führen kurze Fühlhörner, dergleichen die Ph. Humuli, Aesculi und hecta haben. 3. Noctua enthält die Gattungen der Noctuarum Lin. nach Ausschliessung der ersterwähnten. 4. Phalaena, dahin die geometrae Lin.

l) Die sämtliche Eintheilung der Spinner und die Zahl ihrer Gattungen finden sich in den nächst folgenden Blättern, in einer Anmerkung zu den Bomb. L. eingerückt.

und einige pyralides gezogen worden. 5. Pyralis, die übrigen pyralides Lin. 6. Tinea die gröste Anzahl der Tinearum Lin. 7. Allucitae, sind meistens die Tineae des Herrn von Linne, besonders die mit den langen Fühlhörnern. 8 Pterophorus, hieher wurden die sämtliche Allucitae des Linneischen System gerechnet. Die Bestimmung der Character selbsten, habe ich bey den Abtheilungen, wo sie nöthig sind, anzuzeigen.

Die Eintheilungen der älteren Entomologen waren sehr mangelhaft, und für die neueren Entdeckungen nicht zureichend. Doch haben sie zu ersteren den Grund gelegt. Rössel hatte die sämtlichen Nachtschmetterlinge in vier Klassen getheilt. Seine erste Classe enthielt die ächten Sphinxe, wie ich schon vorhin erwähnt, die zweyte aber, die Bombyces und Noctuas unseres Systems. Die dritte begreifet die Spannenmesser, oder diejenigen Falter in sich, deren Raupen weniger als sechzehen Füsse haben. Endlich wurden der vierten Classe die sämtlich kleineren Nachtfalter angewiesen. Reaumur hat für die Phalänen sieben Classen entworfen. Nach der 1. haben die Falter prißmatische Antennen, sie sind die Sphinxe der ersten Horde. Die 2. enthält die Phalänen mit conischen oder fadenförmigen Fühlhörnern und einer Spiralzunge. Die 3. die mit fadenförmigen Fühlhörnern ohne Zunge. Die 4. Gattungen, mit kammförmigen Fühlhörner und einer Spiralzunge, die 5. mit kammförmigen Fühlhörnern ohne Zunge. Zur 6. wurden diejenigen Arten geordnet, deren Weibchen keine Flügel haben. Endlich die 7. war für die Abtheilung der Phalänen mit fadenförmigen Flügeln, den Allucitis Lin. bestimmt. Geoffroi hatte diese Eintheilung des Reaumurs zum Theil beybehalten Aus dem Alucitis und Tineis aber, wurden eigene Geschlechter gemacht. Die übrigen Phalänen sind in zwey Familien nach den kammförmigen und fadenförmigen Fühlhörnern gesondert. Jede derselben hatte zu einer dreyfachen Abtheilung Anlaß gegeben. Er nennt sie 1. Phalänen mit einer Spiralzunge und ebenen Flügeln, 2. mit einer Spiralzunge und dachichten Flügeln. 3. Ohne Zungen. Man siehet hieraus, daß diese Abtheilungen zu klein, und lange nicht zureichend sind.

m) Mem. Tom I. pag 288-296 I. Cl. a antennes prismatiques. II. Cl. antennes a filets coniques. III. Cl. antennes a filets coniques sans trompe. IV. Cl. antennes a barbes et une trompe. V. Cl. antennes a barbe sans trompe. VI Cl. Papil. dont les femelles n'ont pas des ailes sensibles. p 321. VII Cl. Papil. dont les ailes imitent celles des oiseaux. Pterophores. p. 322.

Bey diesen Betrachtungen könnte noch gefordert werden, auch von den Raupen das Allgemeine zu sagen. Ohne vielfältige Einschrentung aber, ohne beträchtliche Ausnahmen ist es beynahe nicht möglich. Ich habe das Nöthigste bey der Theorie jeder einzelner Horden vorzutragen. Und da kan es kaum ohne Ausnahmen geschehen. Man hat noch keine Dornraupe in gleichender Bildung wie bey dem Geschlecht der Tagschmetterlinge unter diesen Gattungen entdeckt. Mit einzelnen Spitzen, mit höckerichten Erhöhungen sind verschiedene da. Schildraupen, finden sich unter diesen Gattungen mit ein. Sie sind aber von jenen der Tagfalter wiederum ganz abweichend gebildet. Die Füsse sind klein, und die untere Seite mit einem klebrichten Saft der zu ihrer Befestigung dient, bestrichen. Von den Kunsttrieben, ihren übrigen Eigenschaften, so wie von dem Bau ihrer Chrysalide, läßt sich eben so wenig Bestimmtes erzehlen. Auch unter den Tagschmetterlingen finden sich Gattungen, die mit dieser gleichende Bildung haben. Dort aber werden sie als seltene Abweichungen bewundert. Unter den Phalänen hat sich keine so eckigte Chrysalide, keine mit einzelnen Fäden befestigt, in gleicher Uebereinstimmung mit jenen annoch entdeckt. Genug das eigene ist in Behandlung der einzelnen Abtheilungen vorzutragen. In Beschreibung der Gattungen selbsten, habe ich eine genauere Anzeige beyzubringen.

Der Nachtschmetterlinge erste Phalanx oder Horde.

ATTACI. Attaker. Atlasse.

Bey der zwölften Ausgabe des Natursystems, gefiel es dem Herrn von Linne, die Abtheilung der Phalänen mit dieser Horde zu vermehren. Vorhin waren die hier verzeichnete Gattungen unter den bombycibus enthalten. Der ganz eigene Bau dieser Arten, und der beträchtliche Zuwachs womit sich jene Horde vergrösert, hat eine Trennung nothwendig gemacht. Sie sind die Grösten des Phalänen Geschlecht, sie machen mit Recht den Anfang. In Vergleichung des riesenmäßigen gegen die sonst gewöhnliche Grösse, wurden sie schon vorhin Atlasse genennt. Für eine neue Abtheilung war ein einiger Name nöthig. Der Herr Ritter hat die uns so räthselhafte Benennung Attacus dazu gewehlt. Nach seinen in dem System gewöhnlichen Maasregeln wurden die ältesten Worte hervorgesucht, um uns zugleich auf die Untersuchung der ersten Naturgeschichte zu leiten. Ein Geschlecht krie-

kriechender Thiere, von dem uns der Name übrig geblieben, wird von den Griechen ἄτταχος genennt. Die siebenzig Dollmetscher bedienten sich dieses Ausdrucks in Bezeichnung eines nach den levitischen Gesetz zu essen erlaubten Insects. In den lateinischen Versionen wurde eben dasselbe wiederum durch bombyx übersetzt *n*). Ein Umstand, der dem Herrn von Linne Anlaß zur Benennung der neuen Horde gegeben. Genug, daß man unter Attakus vorhin den Bombyx verstanden. Mit welcher Berechtigung, darauf kommt es nicht an. Die untergeordneten Gattungen wurden nach dieser Einrichtung von jenen getrennt, und zur Erleichterung des Gedächtnisses schien dieser Name bequem. Keinesweges aber war die Meynung des Herrn von Linne, jene uns noch unbekannte Thierart würklich damit zu bezeichnen. Andere hatten eine Erklärung erzwungen, an welche der Herr Ritter wohl niemalen gedacht *o*).

Ich habe nun die den Gattungen dieser Horde beygelegte Kennzeichen ausführlicher vorzutragen. Die offenen Flügel (alae patulae) machen sie uns in ihrer ruhenden Lage leicht kenntlich. Sie sind nicht so dachförmig,

n) Das hebräische Wort Leuit. XI. v. 22. heist הַסָּלְעָם Salaam. Nach der ursprünglichen Bedeutung, soll es ein auf Steinen sitzendes Thier anzeigen. Die LXX. haben es durch ἀττάκης, oder nach andern gewöhnlichen Lesarten, ἄτταχος übersetzt. Iunius und Tremellius, so wie die meisten lateinischen Uebersetzer, haben es durch bombyx gegeben. Nach dem Hieronymus ist es ein Scarabaeus. Kimchi meynt, es seye eine Art Heuschrecken, indem diese nur auf vier Füssen kriechen aber mit dem letzten Paar hupfen. (IONST. Hist. Inst. p. 88.) Daß die Heuschrecken zu essen erlaubt gewesen, beweißt schon nach der hl. Geschichte, die Lebensart des Johannes des Täufers. Noch sind sie heutiges Tages getrocknet, zu Pulver gerieben, und mit etwas Mehl vermengt, eine gewöhnliche Speise der Araber.

o) In der Uebersetzung des Natur Syst. V. Th. p. 651. wird vom Herrn Houttuyn gesagt, "attaci heissen sie vielleicht wegen "ihres latschenden Ganges." Nach einem veralteten Wort, dessen sich Festus bedient, wird nemlich atta derjenige genennt, der die Füsse im Gehen nicht erhebt, der langsam schreitet. An unsern Attakern ist ein Fehler dieser Art wohl so auffallend nicht. Die Wortfügung selbst ist ungewöhnlich. Warum nicht lieber von dem griechischen ἄττα, das einen Vater bezeichnet, ein Wort, damit Kinder ihren Eltern rufen. So würden doch die Gattungen dieser Horde für die Großväter und Großmütter der übrigen gelten. Vielleicht hat das griechische Attacus, der Name jenes unbekannten Insects, von daher seinen Ursprung.

so stark, wie an den Gattungen der folgenden Horde niedergebogen. Man wird eine kaum merklich abhängige Richtung gewahr. Der Herr Ritter nennt diese Tracht, alas inclinatas, neigende Flügel. Es sind noch andere Merkmahle zur Bezeichnung der Attaker angegeben. Die Form und der Ausschnitt der Flügel characterisirt sie genauer. Sie führen solche sehr breit und in die Länge gestreckt. Mehrentheils sind sie wellenförmig geschweift. Die Hinterflügel sind im Verhältniß der vordern um vieles kürzer, und noch mehr als jene gerundet. Die Bekleidung ihrer Fläche giebt ein sehr wesentliches Merkmahl noch an. Es sind in den äußigen Zierrathen mondförmige Flecken unbedeckt gelassen. Einige Ausländer führen statt der Augen sehr beträchtliche Mackeln, denen die Schuppen fehlen. Der leergelassene Raum gleicht einem durchsichtigen Glaß. Von den kleinern Arten hat sich eine Gattung bekannt gemacht, die aus eben dieser Ursache dieser Horde zugesellt worden. Die ganze Membrane der Flügel ist unbedeckt und von durchsichtiger Fläche. Sonach ist diesen Gattungen eben der Character eigen, der die Heliconier unter den Papilionen wesentlich bezeichnet. Die nähere Bestimmung wird aus den Familien erhellen, in welche sie eingetheilt worden.

Erste Familie.

ATTACI PECTINICORNES.

Attaker mit kammförmigen Fühlhörnern.

Phalénes a miroir. *Spigeldragers.* Atlas Kapellen. *Cramer.*

Nach oben bemerkter Eintheilung hat unser System diese Horde in zwey Hauptarten wiederum gesondert. Die Charaktere von beyden sind leicht zu unterscheiden; sie werden durch die Antenne bestimmt. Einige haben sie kammförmig andere fadenförmig gebildet. Wir haben die erste vor uns. Es sind diese Werkzeuge von denen, wie sie die folgende Horde die bombyces haben, gänzlich verschieden. Die zur Seite herausstehende Fasern sind ungemein verlängert. Sie haben in der Mitte die gröste Breite, und nehmen oben und unten gemächlich ab. Sie bilden eine ovale Figur, und stehen gleich weit von einander, am Ende aber sind sie wiederum unter sich verbunden. Bey den Seidenspinnern sind die Fühlhörner nicht von gleicher Stärke, sie gehen auch mehr spitzig zu. Dorten bilden die Fasern eine Furche, hier aber stehen sie plan auseinander. Doch die Weibchen haben diese Zierde in mindern Grad. Es ist diß haarige gewebe kaum daran zu erkennen. Diese Gattungen theilen sich nun, wie ich schon erwähnt, wiederum in zwey Linien ab.

Erste Linie.

ATTACI PECTINICORNES ELINGVES.

Kammförmige Attaker mit kurzer Zunge. Ohnzünglichte Attaker.

Diese Abtheilung enthält den grösten Theil der sämtlichen Gattungen der Attaker selbst. Dahin gehören auch unsere wenigen Europäer. Die kurze und eingezogene Zunge, ist das einzige Merkmahl, das sie von der folgenden Linie trennt. Es sind deren nur acht Species in unsern System verzeichnet. Unter diesen finden sich als Ausländer, Sp. 1. Atlas, Sp. 2. Hesperus, Sp. 3. Cecropia, Sp. 4. Paphia, Sp. 5. Luna, angegeben. In den Beyträgen kommt noch eine Gattung aus dem südlichen Europa hinzu, die uns zur Zeit noch nicht unbekannt ist, sie wurde russa genennt p). Die Europäer sind: Sp. 7. Pavonia maior und minor, welche leztere der Herr Archiater für Varietät der erstern gehalten, denn Sp. 8. Ph. Tau.

Die Raupen dieser Gattungen sind, so weit wir sie kennen, auf ähnliche Art gebildet. Sie führen Knöpfe mit steifen Borsten, die sternförmig auf denselbigen stehen. Man könnte sie Larvas Stellatas, gestirnte Raupen nennen. Die Herren Verfasser des syst. Verz. haben sie verticillatas geheissen. Die Ph. Tau. macht eine Ausnahme hievon. Sie hat aber vor allen wiederum etwas Eigenes, und zur Zeit ist sie noch die einzige ihrer Art. Auch die Kunsttriebe dieser Geschöpfe, sind nach den bekannten Gattungen sich beynahe gleich, und nach ihrer Lebensart wenig verschieden. Sie bauen ihre Chrysaliden nach sehr ähnlicher Form. Wiederholungen zu umgehen, habe ich das Abweichende selbst in ihrer Beschreibung nun vorzutragen.

D 2

p) S. N. Edit. XII. Tom. I. p. 1068. nr. 13.

Der erste europäische Nachtschmetterling.

PH. ATTAC. PAVONIA MAIOR.

Der grosse Nachtpfau. Das grosse Nachtpfauenaug.

Le grand Paon de nuit. *Geoffr. Reaum.*

Tab. I. fig. 1. Der männliche, fig. 2. der weibliche Falter. Tab. II. fig. 1. Die Raupe nach der Entwickelung aus dem Ey. fig. 2. Ihre Gestalt nach der zweyten Häutung. fig. 3. Dergleichen nach der dritten. fig. 4. In ausgewachsener Grösse auf einem Birnzweig. fig. 5. Das Gehäuse. fig. 6. Die Chrysalide.

LINN. S. N. Ed. XII. Sp. 7. Ph. Attac. pectinicornis elinguis alis rotundatis griseo nebulosis subfasciatis: ocello nictitante subfenestrato. Var. β, maior. Mit kammförmigen Fühlhörnern, kurzer Zunge, gerundeten graubandirten gewölkten Flügeln, und halb offenen zum Theil durchsichtigen Augenmackeln.

Maxima; mas et foemina concolores, fascia alarum nigra latissima.

FABRICII S. Ent. pag. 559. Bomb. al. patulis. Sp. 14. Linneische Charactere. Var. β. maior.

GEOFFROI Hist. des Inf. Tom. II. pag. 100. nr. 1. Phalaena pectinicornis elinguis, alis cinereo fuscis, planiusculis, singulis ocello. Long. 5½″. Larg. 2″.

SCOPOLI Ent. Carn. pag. 191. nr. 482. Ph. Pav. Long. Vnc. 2. et lin. 8. Lat. vnc. 1. et lin. 8. Gigas nostrarum: alis omnibus vtrinque limbo albo, margine ceruino, maculaque ophthalmoide, cui pupilla nigra, iris ceruina, linea cilearis alba, palpebra cinnamomea, annulus communis niger.

PODA Mus. Graecens. pag. 83.

Syst. Verz. der Wiener Schmetterlinge, pag. 49. Fam. B. nr. 1. Birnspinnerraupe, (pyri communis); Bomb. Pyri. Birnspinner.

Fueßli Verzeichniß Schweizerischer Insecten. pag. 33. nr. 631. Ph. Pav. Bey Genf, Roche, in Wallis, Veltlein, besonders in den Italienischen Vogtheyen im ganzen Pays de - Vaud.

Bonnets Abhandlung ꝛc. pag. 94. nr. 3.

Göze Entom. Beytr. III. Th. II. B. p 261.

Jung Verzeichniß der Europäischen Schmetterlinge. p. 120. *a*)

Rösels Ins. Bel. IV. Th p. 117. Tab. XV XVII. Die zur Nachtvögel zweyten Klasse gehörige ausserordentlich grosse mit türkisblauen Knöpfen und schwarzen Sternspitzen gezierte Raupe, nebst derselben Verwandlung in dem sehr grossen

a) Ich habe hiemit meinen Lesern, die vielleicht längst erwartete Anzeige bekannt zu machen, daß diese so nützliche Arbeit, die ich schon im II. Th p. 30. erwähnt, nun würklich ausgegeben worden, und um ein geringes in der Eichenbergischen Buchhandlung zu Frankfurt zu haben ist. Zu Erspahrung der Kosten wurde die tabellarische Form in eine alphabetische verändert.

und prächtigen Pfauenpapilion. pag. 137. Tab. XXIII. Die Eyer, die Raupen im jugendlichen Alter, und in vollkommenem Wuchs nach verbesserter Zeichnung.

Knorr. Tab. C. 2. fig. 2.

REAUMUR Mem. Tom. I. p. 630. Tab. 47. 48. Spectacle de la Nat. Tom. I. pag. 62.

GOEDARD Ed. List. fig. 28. Ed. Gall. Tom. I. Tab. N. Lat. p. 68. fig. 28.

SEBA Thesaur. IV. Tab. 60. fig. 9 - 14.

HOLLAR. Inf. Tab. V. fig. 1. 2. (Naturforscher IX. St. p. 22.) ALDROVAND. Tab. XI. nr 1. IONSTON. pag. 50. Tab. V. VIII. MOUFFET Inf. I. c. 14. secunda. Regina papilionum.

In der Ordnung vorliegender Tafeln kommen uns drey ungemein ähnliche Gattungen vor Augen. Die Natur hat sie bey so gemächlicher Stuffenfolge doch wesentlich verschieden gebildet. Die mittlere war dem Herrn von Linne noch nicht bekannt. Die erste aber wurde für eine Abänderung der dritten von demselben erklärt. Ich habe ihr die vorderste Stelle anzuweisen. Die eigenen Gattungsrechte bedürfen nun wohl keines Erweises. Das Abweichende ist in Vergleichung der Abbildungen schon hinreichend ersichtlich. Aus ihrer Naturgeschichte wird es noch mehr erhellen. Ob sie sämtlich seit undenklichen Zeiten aus einer einzigen Gattung entstanden, oder ursprünglich verschieden gewesen, läßt sich nicht nach urkundlichen Belegen erweisen *b*). Die Grössere und Kleinere finden wir schon von den ältesten Entomologen so unveränderlich als wir sie haben, beschrieben. Sie bleiben sich in ihren Erzeugungen gleich. Nie wird man die Kleinere zur Grössern erziehen, wenn sie derselben auch nach dem Umriß sich nähert, und nie wird sich das Eigene ihrer Bildung verändern.

Reaumur und Rösel haben uns die ausführlichste Nachricht von dieser Phaläne gegeben. Seit diesen geraumen Zeiten haben sich fast keine neue Beobachtungen merkwürdig gemacht. Ihre Naturgeschichte ist vollständig berichtigt. Das südliche Teutschland, und das ganze mittägige Europa, besitzt sie in grosser Menge. Auch in Mähren zeigt sich dieselbe

D 3

b) LINN S. N. I. c. Maior β. Minor α. adeo inter se affines ac Sphinx Elpenor et Porcellus, seu Phalaena antiqua et recens, confirmante larua et Pupa, sed altera duplo maior, alis albido - cinerascentibus; *minor* vero ferrugineis. *Sic vna ex altera orta*, constanter se multiplicans, nec miscenda vlterius cum altera in copula.

nicht selten. Unser Franken aber, und die mehr nördlich gelegenen Länder vermissen sie gänzlich. Ich habe es durch Versuche zu erforschen mir vorgenommen, ob ihnen etwa das Clima nicht zuträglich, oder ob andere Ursachen ihr Fortkommen verhindern. Eine Anzahl Chrysaliden, die ich von einem Freund in Wien erhalten, sollen dazu verwendet werden, um nach den Paarungen der auskommenden Geschlechter, eine hinreichende Anzahl von Raupen zu erziehen. Noch sind mir diese selbsten, und befruchtete Eyer verheissen. Rösel hatte sie ohne Anstand aufgebracht.

Die Raupe ist nicht an einerley Futterpflanze gewöhnt, sie bedient sich verschiedener derselben zur Nahrung. Doch Birnblätter sind ihre gewöhnlichste Kost. Man trift sie, wie Reaumur meldet, auch auf Aprikosen, Zwetschgen, Aepfel, Pfirsigen und anderen Bäumen an. Die Entwicklung aus dem Ey erfolgt zu Anfang des Julius. Eine Zeit von 14. bis 20. Tagen, nach Beschaffenheit der Witterung, bringt die Räupchen hervor. Mit ihrer Erziehung aber gehet es sehr langsam. Die erste Häutung erfolgt in zehen Tagen. Ihre Farbe war vorhin schwarz, mit gelbbraunen Haaren, nun zeigt sie sich manchfaltiger verschönert. Die Grundfarbe ist dunkelgrau, mit einem schwarzen Ring über jeden Absatz und orange gelben Knöpfen gezieret. Die erste und zweyte Figur stellt sie nach rößlischer Kopie vor. Nach acht oder zehen Tagen erfolgt die zweyte Häutung. Hier ist ihre Grundfarbe ins Bläulichgrüne verändert. Die dritte Figur legt sie in der Gestalt der dritten Häutung vor Augen. Dann erscheinen die Knöpfe röthlich, bey andern aber sind sie violett. Die Fläche ist mit sternförmigen Borsten und langen Haaren besetzt. Diese Haare sind am Ende verdickt. Die vollkommene Schönheit zeigt sich nach der vierten Häutung, nach welcher sie die vorliegende vierte Figur in Abbildung dargestellt. Es ist ihr ansehnlichster Wuchs. Doch hat man sie auch um einen Zoll in grösserer Länge gefunden. Es erfolgt diese Veränderung in Zeit von sechs oder acht Tagen, und gemeiniglich zu Ende des Junius. Bis zur letzten Verwandlung in eine Chrysalide, stehet es am längsten an, es wird eine Zeit von vierzehen Tagen, bis zu drey Wochen dazu gemeiniglich erfordert. Sie sind auch bis zu Ende des Julius und Augusts im Freyen noch anzutreffen.

Im vollkommensten Wuchs ist ihre Grundfarbe ein glänzendes erhöhtes Gelb mit Grünem vermengt. Der zur Seite erhabene Rand ist mit letzterer Farbe dunkler schattirt. Es zeigen sich auf der Fläche, wie Rösel sorgfältig gezehlt, sechs und siebenzig pyramidenförmige Erhöhungen. Jede endiget sich mit einem spärischen Knöpfgen von ungemein hellem Blau. Diese sind mit sternförmig aufstehenden Borsten umgeben. Auf den meisten finden sich zwey verlängerte, in eine kleine Kolbe ausgehende Haare. In einigen Abänderungen erscheinen diese Knöpfgen rosenroth. Die Vorderfüsse sind rothbraun, die Luftlöcher weiß, das letzte Paar der Füsse aber rothgelb gefärbt. Vor der Verwandlung zur Chrysalide verliert sich das Schöne der Grundfarbe, die ganze Fläche wird bis auf die blauen Knöpfe einfärbig gelb, und endlich braun c).

Sie fertigen ein Gewebe von groben Gespinst. Zu dieser Absicht wehlen sie eine bequeme Lage, entweder zwischen Zweigen, oder auf ebener Fläche. Sie verfügen sich zuweilen an die Wände nahgelegener Häuser, wo sie noch mehr in Winkeln unter den Dächern sich schützen. Zum Bau des Gehäuses werden ein paar Tage verwendet. Bis zur Verwandlung stehet es noch länger an. Das Gespinst ist nach der Grösse, der Form und Farbe verschieden. Es kommt auf die Lage an, die sich die Raupe dazu gewehlt. Einige sind unten platt, andere zu beyden Seiten gepreßt. Gewöhnlich ist die Gestalt oval. Eine Seite ist dünner als die andere angelegt. Sie dienet zu leichtern Ausgang für den Falter. Die Oefnung ist nur mit einigen Fäden verdeckt. Nach der Farbe ist dis pergamentene Gewebe, theils helle, theils dunkelbraun, und zuweilen auch schwärzlich. Ich habe es auch von weiser Farbe erhalten. Die **Chrysalide** ist von beträchtlicher Grösse, doch scheint sie in Verhältniß des körperlichen Umfangs des Falters sehr klein. Ihre Farbe ist schwarzbraun an dem obern Theil aber mehr ins Dunkle gemischt. Die Spitze ist mit kurzen abgestumpften und steifen Haaren besetzt. Das Vordertheil ist stark gerundet, und die Form des ganzen Körpers ins Dicke gebaut. Sie durchwintert, und erst im May des folgenden Jahres bricht die Phaläne aus diesem engen Kerker hervor.

c) Die Raupen vorliegender Tafel sind Kopien nach Röseln. Ich habe sie den mir zugesendeten Zeichnungen vorgezogen Sollte sich bey eigener Erziehung ein erheblicher Umstand ergeben, so werde ich Gelegenheit finden in der Folge das Nöthigste anzuzeigen.

Eine pünktliche Beschreibung jeder einzelnen Züge und Zierathen, mit welchen die Natur diese Phaläne so reichlich beschenkt, wird wohl niemand verlangen. Die Abbildungen sind hinreichend, und der Falter selbsten keine allzuwichtige Seltenheit mehr. Doch ich habe aus Pflicht nur die wesentlichste Merkmahle anzuzeigen. Die **erste Figur** der I. Tafel, stellet den **männlichen** Falter vor. Die Flügel sind stark gerundet, und gegen den äussern Rand etwas sichelförmig ausgeschnitten. Die Grundfarbe ist aschgrau; mit schwarzen Atomen vermengt. Die Hinterflügel sind röthlichgrau, nach der Unterseite aber stärker ins Weisse gemischt. Ein gleich breiter Saum der innen weiß, vornen aber braun gefärbt ist, umgiebt den äussern Rand sämtlicher Flügel. Gegen die Grundfläche zeigt sie eine gerade jedoch schrege durchlaufende Linie von dunklem Rothblau. In der mittleren Fläche stehet eine dergleichen zackigte Linie von verblichen Ockergelb. Sie ist zu beyden Seiten dunkelbraun eingefaßt. Innerhalb derselben ist die Fläche fast bis zur Hälfte schwarzbraun gefärbt. Der ganz eigene Zierath, die Augen, welche gegen die Mitte eines jeden Flügels sich finden, haben einen mandförmigen durchsichtigen Flecken. Sie selbsten stehen auf einer schwarzblau geranderten Mackel. Diese umgiebt ein ockerfärbiger Ring, welcher zur Hälfte mit einem weissen, zu beyden Seiten aber mit einem rothen Rand umzogen. Die Fühlhörner sind ockergelb, und mit breiten Seitenfasern besetzt. Die Brust ist rothbraun, und dichte mit übereinander liegenden Haaren bedeckt, der Hinterleib aber noch mit weissen Gürteln verschönert. **Der weibliche Falter** nimmt sich durch die Grösse vor den männlichen aus. Die Stärke des Hinterleibs und die geschmeidigen Fühlhörner machen nach äusserlichen Merkmalen den Geschlechtsunterscheid leicht kenntlich. Auch die Grundfarbe ist um vieles heller als an jenem, und die Augen sind grösser. Abänderungen haben sich zur Zeit nicht erheblich gemacht. Man hat sie mehr blaß und dunkler von Farbe. Die Originale der vorliegenden Abbildungen sind mir als die vollständigsten aus Wien beliefert worden. Ein Männchen, das ich unter andern Exemplaren von Herrn **Devillers** aus Frankreich erhalten, übertraf im Ausmaas das hier abgebildete Weibchen noch um etliche Linien. Von daher sind sie gemeiniglich noch dunkler. Der **Flug** ist flatternd und träge. Sie halten sich im Niedern auf. Wenn sie jemand bey der Dämmerung begegnen werden sie öfters wegen des Geräusches und ihrer Grösse für wirkliche Vögel gehalten

ken. Die Eyer werden an den Aesten der Bäume in gleichen Reihen gelegt. Ich habe sie nebst andern auf einer Tafel künftig beyzubringen.

Der zweyte europäische Nachtschmetterling.

PH. ATTAC. PAVONIA MEDIA.

Das mittlere Nachtpfauenaug. Le moyen Paon de nuit.

Fig. 1. Der männliche, Fig. 2. der weibliche Falter. Fig. 3. Die Raupe in ihrem jugendlichen, Fig. 4. in ihrem vollkommenen Alter. Fig. 5. Das Gehäuse. Fig. 6. Die Chrysalide.

Characteres speciei antec. Differt; statura maiori, fascia latiori nigrescente, pone fimbriam albidam adiacente linea alba profundiore crenata. Mas et foemina concolores.

Syst. Verz. der Wiener Schmetterlinge, Spin. Fam. B. p. 49. n. 2. B. Spini. Schwarzdornspinner.

Dies ist die erste Gattung, welche wir in diese Horde einzurücken haben; zur Zeit auch die einzige, mit der sich unter den Europäern dieselbe vermehrt. Wir haben ihre Entdeckung den Herren Verf. des Syst. Verzeichnisses der Wiener Schmetterlinge zu danken. Diese haben sie Ph. Spini genennt. Im Verhältniß der beträchtlichen Grösse habe ich derselben den Namen des mittleren Nachtpfauenauges beygelegt. In den Gegenden von Wien, so wie in Ungarn, wird sie sehr häufig gefunden. Wie mich kürzlich die schäzbaren Bemerkungen des Herrn Prof. Böbers belehrt, ist sie auch bey Sarepta in grosser Menge vorhanden. Die sorgfältigen Bemühungen des Herrn Rummel setzen mich im Stand, ihre vollständige Naturgesch. vortragen zu können. Es sind mir durch Dessen Veranstaltung die ausgesuchtesten Exemplare, eine Anzahl lebender Chrysaliden, mit ihrem Gehäuse, so wie die Raupen in Weingeist verwahrt, beliefert worden. Es ist dis sonach die erste Abbildung, welche nach vorliegender Tafel davon erscheint. Ich muß gleich anfangs erinnern, daß dis keinesweges die Falter sind, welche Reaumur, Geoffroi und Degeer *d)* unter dem Namen des mittlern Nachtpfauenauges beschrieben. Jene sind Abänderungen der folgenden Gattung.

Der Abstand von dem erstbeschriebenen grossen Nachtpfauenaug ist auffallend genug. In Vergleichung des folgenden kleinern aber, ist der

d) Es ist dieses in Beschreibung der worden, wo ich zugleich den Unterschei folgenden Gattung mit mehrern angezeigt genauer bestimmt.

Unterscheid weniger merklich. Beyde Geschlechter kommen dem Weibchen desselben gleich. Sie sind fast einfärbig mit jenem gezeichnet. Doch ist schon die Fläche stärker mit Schuppen bedeckt. Das Weisse davon ist heller, und die Sehnen so wie die bindenförmige Zeichnungen weit dunkler gefärbt. Die übrigen Zierrathen haben ein grösseres Ausmaas als die an letzterer Gattung. Die beträchtlichste Abweichung ergiebt die breitere Binde, nächst den weißgerandeten Saum. Die weisse kappenförmige Linie daneben hat tiefere Einschnitte als die an dem kleinen Nachtpfau. Das einfärbige Gewand des Männchen ist der wesentlichste Charakter, dadurch sich die kleinere Art von dieser gänzlich unterscheidet. Das Männchen, wie die erste Figur erweißt, ist nach den Umriß um vieles grösser. Es kommt dem Weibchen der zweyten Figur fast gleich. Doch hat man auch beyde um vieles kleiner. Aus der Raupe und ihren Kunsttrieben wird das Eigene noch mehr erhellen.

Sie bedient sich der Schlehenblätter zum Futter. Man hat sie lediglich auf dieser Staude in Ungarn angetroffen. Aus eben dieser Ursache haben ersterwähnte Herren Verfasser derselben den vorerwähnten Namen gegeben. Nach dem Bericht des Herrn Prof. Böber wurde sie bey Sarepta ungemein zahlreich auf den wilden Apfelbäumen angetroffen. Jede Nachrichten versicherten mich, wie mißlich sie aufzubringen ist. Es sollen sich von einer grossen Anzahl kaum einzelne zu vollkommenen Faltern entwickeln e). Man findet sie gesellig beysammen. Die Raupen der grössern Gattung sowohl als der kleinern, pflegen sich mehr zu zerstreuen, und kommen auch früher als jene zum Vorschein.

Nach der Farbe sind sie gänzlich verschieden. Sie führen ein glänzendes Schwarz. Die vierte Figur stellt sie in ihrer dritten Häutung vor Augen. Hier ist keine andere Farbe zur Verzierung, als das Stahlblaue der Knöpfe mit eingemengt. Erst im vollkommenen Wuchs färben sich diese Knöpfe hochgelb. Die sternförmige Spitzen sind wie an unserer gemeinern Gattung. Der Körper aber ist grösser. Nach den Naturtrieben hat sie nichts eigenes, als lediglich in dem Bau ihres ganz abweichenden Gewe-

e) Die von Herrn Rummel mir gelieferten Chrysaliden haben ohne Ausnahme die vollkommensten Falter gegeben, ohngeachtet der weiten Reise und der vermeintlich schädlichen Folgen, wenn sie aus dem Gehäuse genommen werden. Ich habe sie im Februar in die Stube gebracht, und in wenigen Tagen wurde die Entwicklung bewirkt.

des. Dieses ist nicht tonnenförmig, oder oval, sondern flach, breit gedrückt und gerundet. Es bestehet aus einem flüchten doch etwas lockern Gewebe von groben Fäden. Es würde sehr ergiebig zur Seide, wiewohl nicht von feinster Sorte dienen. Das innere Gewölbe ist sehr geraumig, der Ausgang aber eben so dichte übersponnen, wie das ganze Gehäuse. Die Farbe ist gleich verschieden wie an jenem, sie ist entweder dunkelbraun oder weiß. Die fünfte Figur stellt eines der gewöhnlichsten vor. Die Chrysalide ist von jener des kleinen Nachtpfauenauges etwas verschieden. Sie ist länger und das Vordertheil dunkler und mehr schwärzlich gefärbt. Sie überwintert, und der Falter kommt im ersten Frühjahr zum Vorschein.

Der dritte europäische Nachtschmetterling.
PH. ATTAC. PAVONIA MINOR.
Das kleine Nachtpfauenaug. Le petit paon de nuit.

Fig. 1. Der männliche Falter. Fig. 2. Der weibliche. Fig. 3. Die Raupe nach der Entwicklung aus dem Ey. Fig. 4. In aufgewachsener Grösse. Fig. 5. Das Gehäuse. Fig. 6. Die Chrysalide.

LINN. Syst. Nat. Ed. XII. Gleiche Charaktere mit Pavonia mai. Var. α. Faun. suec. 1099. Mas alis inferioribus flavis. Foem. fascia nigricante tenuiori.

Müllers Uebers. des Nat. Syst. V. Th. p. 653. Ph. Pavonia. Der kleine Pfau.

FABRICII S. Ent. p. 559. Bomb. al. patul. Sp. 14. Lin. Char. Var. α. minor.

GEOFFR. Hist. d. Inf. Tom. II. p. 101. nr. 2. Ph. pectinicornis elinguis, alis cinereo-fuscis planiusculis, singulis ocello (minor). Le paon moyen. — ibid. nr. 3. Phal. pectinic. eling. al. planiusculis ferugineo luteoque variis, singulis ocello, fasciaque fusca. Pl. 12. fig. 1. 2. mas. Phal. pect. al. cinereis in medio albidis, singul. — Foemina. Pl. 12. fig. 3.

SCOPOLI Ent. carn. p. 191. nr. 483. Ph. Pavoniella. Long. unc. 1. lin. 1. Lat. 8½. Pavoniae (maioris) facies, sed diversa ocellis alarum primorum maculae albidae impositis, iisdemque pupilla nigra, sed lineola caerulescente inscripta, iride ferruginea, linea ciliari caerulescente, annuloque communi latiori. Rarius apud nos.

RAII Hist. Inf. Phal. maior pulchra, maculis ophthalmoidibus in singulis alis singulo p. 147. Eruca viridis rarius pilosa tuberculis fulvis s. rubentibus in mediis annulis, geranicola Mouff. 180.

Systemat. Verz. der Wiener Schmetterlinge: p. 49. 50. fam. B. nr. 3. Bombyx Carpini Haynbuchenspinner.

MÜLLER Zool. dan. prodr. p. 117. nr. 1347. Danice, Paafugl-Oye: Paa-Oye.

Fueßli Verz. Schw. Ins. p. 33. nr. 632. Ph. pavoniella. Der kleine Nachtpfau. Magaz. I. p. 268.
Berlin. Mag. II. B. p. 394. nr. 1. Ph. Pav. min. Röthlichgrau, mit einem grossen Aug auf jeden Flügel, und einem blutrothen Fleck an der Spitze der Oberflügel. p. 428. Anmerk.
Altes Hamb Mag. I. Th. p. 320. Von dem Bau des Gespinnstes ꝛc.
Naturforsch. XII. p. 72. Tab. II. fig. 6. Ein Zweiter. I. St. p. 2. 37. von dem Gespinnst und dessen Absicht. VIII. p. 127. Forts.
Bonnets Betr. über die Nat. p. 520.
Blumenbachs Handb. p. 368. nr. 2. der Pfauvogel.
Gleditsch Forstw. I. p. 359. nr. 1. Pav. m. p. 568. nr. 3. II. p. 736. nr. 14. p. 819. nr. 5. p. 1019. nr. 2.
Leske Anfangsgr. der Naturg. I. p. 459. nr. 2.
BEKMANN Epit. Syst. L. p. 162. nr. 7.
ONOMAST. hist. nat. P. VI. p. 394. Der Pfau.
Götze entom. Beytr. III. Th. II. B. p. 253. nr. 7.
Jung Verz. p. 103. Pavoniella.

Rösel Ins. B. I. Th. II. Cl. d. Nachtv. p. 25. Tab. 4. 5. Die schöne grosse grüne Raupe mit runden erhabenen rothen, auch gelben Knöpfen ꝛc.
SCHAEFFER Ic. Inf. Rat. Tab 89. fig. 2. 3. 4. 5. Ph. pectinic. al. planis. XI. XI.
REAUMUR. mem. Tom. I. p. 630. Tab. 49. 50.
DEGEER mem. Tom. I. p. 280. Tab. 19. fig. 1-12. Grande Chenille verte a tubercules, qui font couleur de rose sur quelques individus et d'un jaune couleur d'or sur d'autres, qui a seize jambes, et qui mange les feuilles de l'ozier, et du saule. p. 6. 97. Tab. 19. fig. 7. 8. Phal: a barbe sans trompe, a tache noire en oeil sur chaque aile. La petite espece de Mr. Reaumur Tom. II. Part. I. p. 290. Phal. à antennes barbues, sans trompe, a ailes etendues cendrées avec des rayes ondées brunes et une tache en oeil sur chacune.
Götze Uebers. I. Th. II. Quart. p. 47. Tab. 19 fig. 1-11. IV. Quart. pag. 120. Tab. 19. fig. 7. 8. II. Band. I. Th. p. 206. nr. 1.

Sulzers Kennz. der Ins. p. 38. Tab. 16. fig. 92. Merian. Europ. Tab. 13. 23.
PETIVER Gazoph. p. 53 fig. 12. Phalaena nigrescens, maculis maioribus, subtus flavescens.

Das kleine Nachtpfauenaug, eine so bekannte Phaläne, enthält sich in eben den Gegenden, wo das grosse sich findet. Es ist da eben so wenig verschieden und bleibt sich unverändert in der Erzeugung gleich. Noch hat man die kleinere Gattung nie mit jener in Paarungen angetroffen. Unser Franken bringt sie mehrentheils in zahlreicher Menge hervor. Doch giebt es auch gebürgige Gegenden, wo sie noch eine grosse Seltenheit ist. Ihre

Wohnplätze erstrecken sich von den wärmsten bis in die kältern Länder unseres Welttheils. Sie wird in dem südlichen Frankreich, in Italien in Ungarn, durch ganz Deutschland bis nach Schweden, Norwegen und Rußland keinesweges vermißt. Wir finden sie auch in jeden Verzeichnissen, und seit den ersten Zeiten sorgfältig bemerkt. Ich darf mich sonach in ihrer Beschreibung gar nicht verweilen. Doch eben ihre Aehnlichkeit mit dem beyden vorstehenden Gattungen hat einige Berichtigung nothwendig gemacht.

Die Raupe ist nicht an einerley Futterpflanze gewöhnt. Es sind Bäume, Stauden und zugleich niedere Gewächse an die sich selbige hält. An Schlehen und Erlen, treffen wir sie in unseren Gegenden am häufigsten an. Ich habe sie auch auf der Eiche und Birke so wie im Grase, öfters gefunden. Es ist daher keine sonderbare Eräugniß, wenn man sie auch auf Erdbeerstöcken, den Rosen, und hundert andern Gewächsen angetroffen. In dem Alter der beyden ersten Häutungen ist die Farbe gänzlich verändert. Die Raupen sind schwarz und mit filsigten Haaren bedeckt. Dann bekommen sie dunkelgelbe Seitenstreifen. Die dritte Figur legt sie in dieser Gestalt vor Augen. Ihr Gang ist träge, und selbsten ihr Wachsthum sehr langsam. Man findet sie schon zu Anfang des May. Doch stehen einige Wochen an, bis man eine merkliche Zunahme ihrer Grösse verspührt. In der dritten Häutung wird das so düstere Gewand endlich ins Grüne verändert. Dann sind an den Einschnitten breitere Ringe von schwarzer Farb zu sehen. Endlich verschönert sich bey der letzten Häutung die Farbe vollkommen. Die vierte Figur legt sie in dieser vollständigen Gestalt und Grösse vor Augen. Sie sind aber nicht alle auf die nemliche Art gezeichnet. Wir treffen manchfaltige Abänderungen auch bey der Brut eines einzigen Weibchens an. Die meisten führen, wie die nach erst angezeigter Figur, schwarze Gürtel, in der Mitte eines jeden Rings. Sie sind öfters in unterschiedener Breite und die Knöpfgen darauf haben eine hochgelbe Farb. Zuweilen trift man solche auch rosenroth an. Die Phalänen, welche aus diesen Arten mit breiten Ringen sich entwickeln, hat Herr von Reaumur als eigene Gattung gesondert, und sie das mittlere Nachtpfauenaug genannt *k*). Jene

E 3

k) Reaum. mem. Tom. I. Le paon moyen p 954. Tab. L. GEOFFR Hist. des Inf. p. 101. nr. 2. DEGEER mem. Tom. II. Part. I. p. 291. "La chenille du moyen paon que jâi trouvé a Leufsta sur le saule étoit grande et grosse. Sa couleur etoit d'un beau verd — Sur chaque anneau, il y avoit une large

aber, von Raupen, welche ausser den gelben Knöpfen eine grüne Grundfarbe hatten, wurden gleichfalls für spezifisch von ihm erklärt, und ihre Phaläne, das kleine Nachtpfauenaug geheissen. Nach seinen Bemerkungen hat der, an sich sonsten gar nicht verschiedene Falter nur eine mindere Grösse. Wir haben sie in gleichen Ausmaaß von beyderley Arten: Alle Erfahrungen haben es auch bestättigt, daß sie lediglich Abänderungen sind. Man hat sie öfters mit andern aus der Bruth eines einzigen Weibchens zugleich erzogen.

Aus den Knöpfgen tringet ein Saft, wenn die Raupe gedrückt oder sonst beunruhiget wird, hervor. Er hängt sich an die Spitzen der steifen Haare in Form kleiner Perlen an. An der Raupe des grossen Nachtpfauenauges, sind sie noch deutlicher wahrzunehmen.

Nach den Kunsttrieben in Fertigung ihres Gehäuses ist sie von ersteren Gattungen, des grossen und mittleren Nachtpfauenauges ganz eigens verschieden. Die Raupe baut sich zum künftigen Aufenthalt der Chrysalide ein ungemein festes Gehäuse. Es ist von Pergamentartiger Substanz, und mit wenigen Haaren durchwebt. Die Farbe ist gemeiniglich dunkelbraun, doch zuweilen auch weiß. Ihre Figur bildet ein ovales Gewölbe, das sich von fornen trichterförmig, oder in Gestalt einer Fischreuse verlängert. Gegen diese Seite hat das Vordertheil der Chrysalide seine beständige Lage. Der Reinigungssaft durchweicht dann um so leichter das hier so dünne angelegte Gespinnst. Es wird so nachgiebig, daß auch nach dem Auskommen der Phaläne sich die Oefnung nicht weiter als vorhin auseinander begiebt. Eine solche Festigkeit des Gewebes war auch zum Schutz der Ungemächlichkeit des Winters, und für Nachstellungen so vieler Feinde wohl nöthig. Man hat es nach Erfahrungen für erwiesen gehalten, daß diese Chrysaliden, wenn man sie aus dem Gehäuse genommen, keine vollkommene Falter ergeben. Man hatte deßwegen dieser Phaläne sehr zähe Säfte zugeeignet. Ohne den

bande transversale noire — sur chaque bande des anneaux du milieu du corp il y avoit six tubercules hemispheriques d'un jaune tirant sur la couleur de rose, ou bien d'un jaune couleur d'orange, semblables a ceux de la chenille du petit paon &c. Die Herrn Verf. des Syst. Verz. haben nach Erfahrung sie gleichfalls für eine und die nemliche Gattung erklärt p. 50. Anmerk. — „Wir haben öfters ganze Bruthen dieser Raupen aus den Eyern erzogen, und dann wie sehr sie besonders im Betreffe der schwarzen Flecken abändern, mit Verwunderung gesehen." Herrn Prof. Götze Entom. Beytr. III. Th. II. B. p. 258. Anmerk. 1.

Zwang des Hinterleibs glaubte man würden sich besagte Säfte nicht in die Flügel verbreiten l). Allein aus den trägen Bewegungen der Raupe folget noch lange nicht, daß die Säfte verdickt sind, und wer hat sie nach diesen Eigenschaften jemahlen gemessen. Kommt doch nicht die Phaläne in vollkommenen Wuchs aus ihrer Hülle hervor, sie erreicht erst nachgehends ihre gehörige Grösse, wo sich jene Würkung schon lange verlohren. Es würde im Gegentheil folgen, daß wir durch einen Druck des Hinterleibs die vollkommene Ausbildung bewerkstelligen könnten. Bey jener mittleren Gattung ist diese Oefnung nicht, und doch wird ohne Druckwerk ihr Auskommen befördert. Die Säfte sind gewiß in beyden gleich zähe. Ich habe jährlich eine grosse Anzahl aus dem Gehäuse genommen, und daraus ohne Anstand die vollkommensten Phalänen erzogen. Verschiedene erfahrene Kenner, auf die ich mich berufe, haben gleiche Beobachtung gemacht. Nur ist die Chrysalide für Staub zu verwahren, der sie erstickt. Auch die Wärme kann derselben bey freyer Lage sehr schädlich werden, sie würket zu heftig, und befördert das Ausschliesen ehe sich noch alle Theile entwickelt. Man hat ihr überdieß die nöthige Feuchtigkeit zu geben. Krüpplichte Falter entstehen gewiß nicht aus Mangel des Drucks in dem engen Kanal. Die Beobachtung, daß bey dem Ausschliesen, wenn der Leib zwischen den Fingern gedrückt wird, die Flügel sich ausdehnen, aber bey dem Nachlassen wieder erschlaffen, ist eben keine sonderbare Eräugniß. Man kann diese Probe bey jedem auskommenden Falter machen, und davon ist keine Gattung ausgenommen.

Im Freyen kommt die Phaläne öfters schon in der Mitte des März zum Vorschein, wenn die Witterung gelinde ist. In unserer Behandlung eräugnet sich dieses noch früher. Doch sind auch zweyjährige Chrysaliden so ungewöhnlich nicht.

l) Naturforsch. VIII. St. p. 127. Ueber die Absicht der besondern Einrichtung des Gespinstes, welches die Raupen der sogenannten Nachtpfauen verfertigen 2c p. 131. "Ohne eine so besondre und künstliche Einrichtung des Gespinstes, würden die Phalänen die sich darinne bilden, ihre Flügel gar nicht entwickeln – und also auch zur Paarung und Fortpflanzung ihres Geschlechtes tüchtig seyn p. 133. – Die Puppe müsse nothwendig in ihrem Gespinste bleiben, wenn die Phaläne sich ausbilden soll, und daß zur Entfaltung ihrer Flügel ein Druck des Unterleibes nöthig sey, wodurch die dazu dienende Säfte in die Brust der Phaläne, und von da in die Adern der Flügel getrieben wird 2c. Herr Pastor Götzens Entom. Beytr. III. Th. II. B. p. 257. Anm. 1.

Durch die ganz eigene Farbe des Männchens zeichnet sich diese Gattung von den beyden ersterwähnten, sehr kenntlich aus. Keine derselben hat nach der Geschlechtsverschiedenheit ein so verändertes Gewand. Die Vorderflügel haben einen mehr ins röthlich fallenden Grund. Die Binden sind dunkler, und die ganze Anlage ist von frischern Colorit. Die Hinterflügel sind auf der Oberseite von sehr erhöhten Gelb, damit auch der Saum gefärbt, erscheint. Eine schwarze Binde ziehet sich zwischen den Rand und dem Aug schrege durch. Die Unterseite ist der Hauptfarbe nach, mehr röthlichbraun. Die Fühlhörner sind stärker gerundet als an ersteren Faltern. Das **Weibchen** ist von blassen Aschgrau, und dünne mit Schuppen bedeckt. Wie ich schon oben erwähnt, unterscheidet es sich von dem mittleren Nachtpfauenaug durch die mehr ins schmale gezogenen Binden, und das bleichere Ansehen. Man hat sie in unterschiedener Grösse. Vorliegende Abbildungen stellen sie im beträchtlichsten Ausmaaß vor Augen. Noch will man einige haben, die in der Länge ein paar Linien mehr betragen. Gemeiniglich sind sie um die Hälfte kleiner. Unter den seltenen Ausarten dieser Gattung, hat sich auch eine Zwitterphaläne bekannt gemacht *m*). Der rechte Flügel des Falters, so wie das eine Fühlhorn, war von der männlichen, der linke aber von der weiblichen Phaläne. Der Leib war der äusserlichen Gestalt nach, ganz von letzteren Geschlecht. Nach der körperlichen Grösse war das Exemplar ausserordentlich klein.

Der Unterscheid von dem grossen und mittleren Nachtpfauenaug habe ich schon in vorigen gezeigt. Der breite schwarz ausgefüllte Raum, nächst dem weiß gesäumten Rand, ergiebt den vorzüglichsten Abstand. Herr Bergrath v **Scopoli** hat auch, wie ich oben angezeigt, die Verschiedenheit der äugigen Flecken sehr sorgfältig bemerkt. Der männliche Falter wie ich bereits erwähnet, nimmt sich am kenntlichsten aus.

Der vierte europäische Nachtschmetterling.

PH. ATTAC. TAV.

Das Tau. Der Nagelfleck. Der T Vogel.

La hachette du soissonnois. *D' aub.*

Tab. V. fig. 1. Die Raupe nach der ersten Häutung. Fig. 2. und 3. In dem mittlern Alter. Fig. 4. In ausgewachsener Grösse. Fig. 5. Die männliche Phaläne. Fig. 6. Die weibliche.

LINN.

m) Naturforsch. XII. St. p. 72. Tab. II. fig. 6. Es wurde diese Seltenheit dem Hn. Hofrath **Walch** von Hn. **Günther** in Chemnitz, um es bekannt zu machen zugeschickt.

LINN. Syst. Nat. Ed. XII. Att. pectinicornis elinguis, alis testaceis: ocello subviolaceo, pupilla hastata alba. Kammförmig, ohnzünglichter Attacus, mit rothbraunen Flügeln einem halbvioletten Aug mit weissem hackenförmigen Sehstrahl. Faun. suec. 1100.

Müllers Uebers. des Nat. Syst. V. Th. p. 653. SP. 8. Ph. Tau. Der Nagelfleck.

FABRICII S Ent. p. 560. Bomb. al. patul. Linn. Char. Not. ocellus in alis anticis vtrinque, in posticis subtus pupilla hastata maiori alba, absque iride.

SCOPOLI Ent. carn. p. 192. nr. 484. Ph. Tau. Long. unc. 1. et lin. 7. Lat. 11. Alae paleaceae; macula atro violacea, sphaerica, in cuius medio macula alba parva trigona, clavi capitulo similes.

MÜLLER Faun. Frid p. 38. nr. 348. Linn. Char. Zool. Dan. prodr. p. 117. nr. 1348.

Systemat. Verz. der Wiener Schmetterlinge: p. 49. fam. A. nr. 8. Rothbuchenspinner. (Fagi sylvestr.) B. Tau.

Fueßli Verz Schw. Ins. p. 33. nr. 633. Der T Vogel.

Göze entom. Beytr. III. Th. II. B. p. 263.

Jung Verz. europäischer Schmetterlinge. p. 103.

Naturforsch. VI. St. p. 119. nr. IV.

Gleditsch Forstw. I. p. 550.

BECKM Epitom. Syst. L. p 162.

Rösel Ins. Bel. IV. Th. p. 56. Tab. 7. fig. 3 4. Der zur II. Klasse der Nachtvögel gehörige ockergelbe und zimmetbraune Nachtpapilion, mit vier grossen Augenflecken, worinnen sich ein besonderes weisses Maal befindet. III. Th. p. 394. Tab. 68. fig. 1. Die ausgewachsene Raupe. Fig. 2. Die Chrysalide. p. 421. Tab. 70. fig. 4. a. (Nach der Entwickelung aus dem Ey). fig. 5. a. (Ebendasselbe vergrössert). Die kleine blaßgrüne Raupe, mit hochkarminrothen Dornspitzen, so sich auf den Birken aufhält.

SCHAEFFER Icon. Inf. Rat. Tab 85. fig. 4 6. Ph. pectinic. al. pl. V. et EI.

Abhandl. der Schwedischen Akademie der Wissenschaft. XL. Th. p. 135. Tab. IV. fig. 1 - 9.

VDDMANN. Differt. 61.

D'AUB. Pl. enlum. Tom. I. Tab. 92.

Unter den sämtlichen Raupen des Phaläneugeschlechts hat sich diese einzige durch einen besondern Zusatz in der Bekleidung merkwürdig gemacht. Sie führet würkliche Dornen. Doch nur in ihrem jugendlichen Alter bedarf sie dieser Waffen, bey der dritten Häutung gehen sie wieder verlohren. Es ist diß eine Entdeckung neuerer Zeiten. Röseln wurde sie nach einer Abildung aus Königsberg in Preusen in ihrem ersten Alter zugesandt. Er hatte daraus einen Tagfalter am wahrscheinlichsten vermuthet. Die ausgewachsene Raupe kam ihm erst nachgehends zu Handen, doch ohne zu wissen, daß sie aus ersterer würklich entstanden. Er wurde endlich aus den Schwedischen Abhandlungen, von ihrer Naturgeschichte genauer belehrt *f*). Seitdem hat man öfters Beobachtungen damit angestellt *g*). In unseren fränkischen Gegenden ist sie nicht sonderlich selten. Sie kam mir in verschiedenen Alter vor, wo ich sie ohne Anstand erzogen. Ich habe das merkwürdigste ihrer Naturgeschichte kürzlich zu erzählen.

Bey uns ist sie am gewöhnlichsten auf der Schwarzbuche, (Carpinus Betulus) anzutreffen. Doch auch die Eiche, die Birke und die Saalweide, nähret sie nicht minder. Man trift sie zuweilen auch auf den wilden Aepfel- und Birnbäumen an. Die Eyer werden im May abgesetzt. In dieser Zeit ist auch der Falter, besonders das Männchen in irrenden Flug, an den Orten, wo es in Laubwäldern freye Plätze giebt, bey Tage öfters zu sehen. Die Räupgen pflegen gegen Anfang des Junius sich zu enthüllen. Die Spitzen sind hochroth, und am Ende mit zweyen Kanten versehen. In dieser Gestalt ist sie nach der **ersten** Figur dieser Tafel vorgestellt worden. Die Abbildung, die **Rösel** gegeben, trift damit gänzlich überein. Nach der ersten Häutung sind die Dornen einfach, und bis in die Mitte röthlich gefärbt. In der zweyten Häutung, welche zu Ende des Junius erfolgt, werden sie blaßgelb, aber um vieles verlängert. Diese Dornen scheinen da, wo sie aufsitzen, Gelenke zu haben, wenigstens sind sie beweglich. Die Raupe kan sie vor und hinterwärts legen. Die Lage im ruhenden Stand ist unserer Betrachtung würdig. Die **zweyte** Figur legt sie in dieser Stellung vor Augen. Um die edelsten Theile zu beschützen, um die ersten Anfälle gewahr zu werden, strecket sie die vordersten Spitzen über dem Kopf heraus, die übrigen sind aber rückwärts gelegt, um dem ankommenden Feind, die Spitze von jeder Seite entgegen zu setzen. Sie erreicht in diesem bewafneten Alter schon einen beträchtli-

f) **Rösel** obenanges. Ort. Er hatte zuerst die ausgewachsene Raupe, die ihm nach der Puppe wieder zu Grund gegangen, erhalten, dann bekam er das Räupgen seiner 70ten Tafel, ohne von beyden den auskommenden Falter zu kennen. Erst im vierten Theil, wo diese Phaläne abgebildet worden, wurde er aus den schwedischen Abhandlungen nach der Uebersetzung des Herrn Hofr. **Kästner** von seiner eigenen Entdeckung belehrt. Doch die Abbildungen des jugendlichen Alters schienen ihm kein Genüge zu leisten, sie sind in der That auch nicht kenntlich in dem Ausdruck des Künstlers gerathen. Die Abhandlung und sonach die Entdeckung selbsten, hatte den Herrn geh. Rath **Rabe** zum Verfasser.

g) Naturf. VI. St. p. 117. Herrn P. **Meineke** Entom. Beob. nr. 11. von der Raupe der Ph. Tau, wo genauere Beobachtungen mitgetheilt werden.

chen Wuchs. Ihr gröstes Ausmaas giebt die dritte Figur zu erkennen. Den Kopf hält sie gemeiniglich in die Höhe gerichtet. Bey der dritten Häutung gehen die Dornen, wie ich schon erwähnet, verlohren. Dann erreicht sie gemeiniglich in einigen Wochen die Grösse der vierten Figur. Bey jeder Häutung ist sie gewohnt, die abgelegte Haut bis auf die Dornen zu verzehren. Im Genuß der Speisen aber ist sie sehr mäßig, und es stehet auch lange an, bis sie die Vollkommenheit dieses Alters erreicht. Die ganze Fläche ist rauh von erhabenen blaulichen Punkten. Die busenförmigen Höcker über jeden Absatz sind dieser Raupe ganz eigen. Die Grundfarbe ist ein helles Grün, zur Seite mit weissen Streifen verschönert. Den Rand begränzt eine Linie von weisser Farb. Ein länglichter rothgelb gefärbter Flecken, zeigt sich auf derselben bey dem nächsten Absatz über den Klauenfüssen. Er hat in der Mitte eine Vertiefung, aus der zuweilen Wassertropfen ausgepreßt werden. Die in Abbildung vorliegende Raupe hat einen männlichen Falter ergeben. Man hat sie in noch beträchtlicherer Grösse gefunden, und die weiblichen Raupen übertreffen dieses Ausmaas noch mehr. Von der letzten Häutung an, bis sie zur Verwandlung des nächsten Standes reif geworden, stehet es ungewöhnlich lange an. Erst zu Anfang des Septembers begiebt sie sich in die Erde. Sonach ist sie für unsere Erziehung sehr beschwerlich, und in der That auch mißlich. Die Chrysalide enthält sich im freyem im Moos, oder lockern Erdreich unter den Stämmen der Bäume. Das zwar geräumige Gewölbe, das die Raupe zur Verwahrung sich baut, ist nur mit wenigen Fäden befestigt. Ihre Farbe ist schwarz, und die Fläche im Anfühlen ganz rauh. Die Endspitze ist mit kleinen Häckgen besetzt. Die sechste Figur, legt sie nach gewöhnlicher Grösse dar. Das Ausschliefen erfolgt, wie ich schon erwähnt, im May, auch zuweilen noch früher

Dem männlichen Falter hat die Natur, wie fast ohne Ausnahme in dem ganzen Reich der Insecten, mehr Putz und Schönheit als dem andern Geschlecht verliehen. Dem weiblichen aber wurde mehr Grösse und Stärke des Körpers zugelegt. Die sechste und siebende Figur legt beyde Falter vor Augen. An dem Männchen ist die Grundfarbe rothgelb, an dem Weibchen mehr ins Helle, fast ockerfärbig gemischt. Hin und wieder finden sich einige Streife von brauner und schwärzlicher Farb. In beyden sind die dunkelblauen äugigen Flecken die vorzüglichste Zierde. Der Sehstrahl ist weiß und von winklichter Form. Auf der Unterseite der Hinterflügel erscheint derselbe noch mehr verlängert. Er hat zur Benennung der Phaläne Anlaß gegeben. Man dachte sich bald die Aehnlichkeit eines Nagels, bald die Züge des griechischen Tau. Nach der achten Figur habe ich eine merkwürdige Ausart beygefügt. Sie ist eine einzelne Seltenheit der berühmten Sammlung des Herrn **Gerning**. Ein so befremdendes Ansehen, eine so dunkle Anlage, und dieß bey einer Gattung, wo Abänderungen Seltenheit sind, ist unsere Betrachtung wohl würdig.

Zweyte Linie.
ATTACI PECTINICORNES SPIRILINGVES.
Kammförmige Attaker mit einer Spiralzunge.

Unser System hat nur vier Gattungen unter diese Abtheilung gebracht. Sie sind sämtlich Ausländer, und führen folgende Namen: Sp. 9. fenestra. Sp. 10. perspicua. Sp. 11. Odora. Sp. 12. militaris. Hiezu kommt noch in dem Anhang des III. Theils die fünfte, macrops *h*).

Ihre Kennzeichen sind schon mit erstern Worten erklärt, sie führen spiralförmige Zungen.

Zweyte Familie.
ATTACI SETICORNES.
Attaker mit fadenförmigen Fühlhörnern.

Von dieser ganzen Familie haben sich zur Zeit kaum einige Gattungen bekannt gemacht. Sie sind beynahe zur Abtheilung in Linien nicht hinreichend genug. Die Aehnlichkeit in der Lage der Flügel, die vorzügliche Länge derselben, und die durchsichtigen Flecken, haben sie zu dieser Horde nothwendig gesellt. Ihre fadenförmigen Fühlhörner aber haben zur Abtheilung einer zweyten Familie der Attaker Anlaß gegeben. Sie werden wie erstere, nach gleichen Charakteren in zwey Linien getheilt.

Erste Linie.
ATTACI SETICORNES ELINGVES.
Attaker mit fadenförmigen Fühlhörnern und kurzer Zunge.

So natürlich diese Abtheilung von selbsten zerfällt; so hat dennoch unser System noch keine Gattungen davon in Ansatz gebracht. Es

h) LINN S. N. Tom. III. p. 225.

wurde sonach dieß Fach für künftige Entdeckungen leer gelassen. Von Europäern hat sich zur Zeit noch keine gefunden. Doch sind bereits einige Ausländer bekannt, und diese finden hier ihren richtig angewiesenen Platz. Nur ist noch genaue Untersuchung nöthig, um sie gehörig zu sondern. Es ist die zweyte Abtheilung noch übrig, mit der sich diese Horde beschließt.

Zweyte Linie.

ATTACI SETICORNES SPIRILINGVES.

Attaker mit fadenförmigen Fühlhörnern und einer Spiralzunge.

Hier sind nur sechs Gattungen dieser Abtheilung von dem Herrn **Ritter** angegeben, die nach obigen Merkmalen hieher gehören. Ein einziger Europäer, die mundana, Sp. 17. findet sich darunter mit ein. Die Ausländer sind: Sp. 6. Lunus. Diese aber gehört zu den trojanischen Rittern, wie es nun genauere Beobachtungen entschieden. Dann, Sp. 13. crepuscularis, Sp. 14. occidua, Sp. 15. punctigera, und Sp. 16. fullonica. Unser System hat sonach 18. Gattungen dieser gesammten Sorte berechnet. Ich habe davon, wie gesagt, den Lunus gesondert, die beyden neuern Gattungen ruffa und macrops, die in den Nachträgen sich finden, mit in Ansatz gebracht. Der Zeit hat sich dieselbe nur mit einer einzigen Species der europäischen Arten vermehrt. Nach den Ausländern aber ist ihre Anzahl nach den neuern Entdeckungen um so mehr beträchtlich.

Der fünfte europäische Nachtschmetterling.

PH. ATTAC. MVNDANA.

Die Glasmotte. Phalene chappe a ailes transparentes. *Degeer.*

Tab. VI. fig. 1. Ein männlicher, Fig. 2. Ein weiblicher Falter.

LINN. S. N. Ed. XII. Sp. 17. Attac. Seticornis spirilinguis, alis denudatis albidis: fasciis duabus moniliformibus obsoletis. Mit unbestäubten weißlichten Flügeln, und einer kettenförmigen verblichenen Binde. Fauna suec. nr. 1343.

Müllers Natursyst. V. Th. p. 655. Ph. mund. Die Mittagslinie.

FABRICII S. Ent. g. 645. Pyralis. Sp. 2. Alis denudatis, albidis: strigis duabus punctoque medio obsolete fuscis.

DEGEER Mem. Tom. II. P. I. p. 478. nr. 9. Phalaena Tortrix Mundana. — A antennes filiformes a trompe, a ailes larges grises et transparentes avec deux rayes ondées transverses brunes sur les superieures.

Götze Uebers. I. Th. II. Band. p. 353. nr. 9. Die Mantelphaläne mit durchsichtigen Flügeln. — Entom. Beytr. III. Th. II. Band. p. 269. Die Doppelbinde. Jung Verzeichniß der europäischen Schmetterlinge. p. 92.

Die seltsame Abweichung dieser Phaläne, ihre unbedeckte und durchscheinende Fläche ordnet sie am füglichsten zu der Gattung dieser Horde. Den Attakern sind diese Merkmale eigen. Die gerundeten und in die Länge gestreckten Flügel, nebst ihrer offenen Lage verbindet solche noch näher. Der Herr Ritter hatte sie vorher unter die tortrices gerechnet. In der zwölften Ausgabe des N. S. aber wurde eine für die Ordnung des Systems so strittige Gattung zu dieser Abtheilung gebracht *i*). Und dieß mit näherem Recht.

Man hat diesen Falter noch niemalen in unseren Gegenden entdeckt. Er ist in Schweden sehr häufig. Man findet ihn da auf Wiesen, an feuchten Oertern, an den Mauern und in unterirdischen Gängen *k*). Die in Abbildung hier vorliegende Originale sind von ersterwähnten Gegenden. Ich habe sie aus der Sammlung unseres berühmten Herrn Hofrath Rudolphs erhalten. Einige von Herrn Gerning mir mitgetheilte Exemplare, kamen gleichfalls damit überein. Die Merkmale, die unser System davon gegeben, sind genau denselben angemessen, und nach der ausführlichen Beschreibung des Herrn Degeer, vermisse ich daran keine der wesentlichen Kennzeichen, die Herr v. Linne bemerkt. Ob es aber zugleich derjenige Falter ist, den Herr Fueßli in Beziehung auf eine in dem Werke des Herrn Rath Schäffers abgebildeten Phaläne damit gemeynt, kann ich nicht zuverlässig entscheiden *l*). Es stimmt jene Zeichnung nicht so genau, wie

i) Faun. Suec. pag. 349. Sp. 1342. „Ph. Tortrix mundana, alis nudis albidis: ſtrigis duabus undatis punctoque medio fuſcis. Habitat paſſim in pratis. Deſcr. media. Alae omnes nudae absque ſquamis; quod inter Phalaenas admodum ſingulare, alae poſticae magis rotundatae, et perfectae obouatae, vt dubium cui Phalaenarum phalangi potiſſimum inſerenda. Alae hae albidae: ſtrigis ſ. faſciis duabus, fuſcis, flexuoſo - repandis, alas in tres partes aequales diſtinguentibus; punctum in medio fuſcum. Antennae ſetaceae corpore dimidio breuiores."

k) DEGEER. Obenangeführten Ort: „J'ai trouvé les phalenes de cette eſpèce en quantité ſur les murs d'une voute ſouterraine qui communiquoit a des caves; elles ſemblent aimer les lieux humides. Mais leurs chenilles ne me ſont pas connues."

l) Fueßli Schweiz. Inſ. pag. 33. nr. 634. „Ph. mundana. Die Dachmotte. Lin. 17. SCHAEFF. Ratisb. Tab. 159. fig. 6. 7. Bey uns nicht ſelten in den

man sie fordern möchte, damit übere'n. Herr Degeer hat uns die genaueste Beschreibung von dieser Phaläne gegeben *m*). Ich habe die vorzüglichsten Merkmale anzuzeigen. Die Flügel sind, wie ich schon erwähnet, stark gerundet. Sie haben da', wo sie an den Leib befestigt sind, eine beträchtliche Breite. Die Grundfarbe ist ein schmutziges Weiß. An dem Weibchen ist sie mehr ins Gilbliche gemischt. Beyde Geschlechter habe ich nach der ersten und zweyten Figur auf das genaueste vorgestellt. Man wird auf der Fläche keine Bekleidung mit Schuppen gewahr. Sie ist nur mit einigen zerstreuten Haaren bedeckt. Der Rand führet verlängerte Borden, und die Brust nebst dem Hinterleibe sind mit feiner Wolle bewachsen. In der Mitte der Vorderflügel zeigt sich ein schwärzlicher Punkt. Zwey zackigte Binden ziehen sich auf selbiger in gleichen Abstand quer durch die Fläche. Jedoch in einigen Exemplaren sind solche kaum deutlich zu sehen. Das Männchen hat an dem äussern Rand einen schwärzlich verlohrnen Schatten. Er spielet in schiefer Richtung gehalten etwas ins Violette. Die Zunge kommt der Länge des Körpers gleich. Noch wird uns gemeldet, daß dieser Nachtschmetterling im Fluge sehr träge ist, und an sich wenig Lebhaftigkeit äussert.

Der Nachtschmetterlinge zweyte Phalanx oder Horde.

BOMBYCES. Seidenspinner, Spinner.

Phalenes fileuses. Zyden Spinders. Silk - worm's Butterflies.

Diese zahlreiche Horde hat ihre Benennung von einer einzigen Gattung, den bekannten Seidenwurm, sich eigen gemacht. Der lateinische Na-

Häusern unter den Dächern die mit Hohlziegeln bedeckt sind. — Die Raupe, die braun und haarigt ist, nähret sich von dem Steinmoos, der sich gewöhnlich auf den alten Ziegeln ansetzt." Auch die Phal. munda im Naturforsch. 9. St. pag. 118. ist von dieser gänzlich verschieden.

m) Oben angeführten Orts. "Cette phal. qui est de la grandeur ordinaire a celles de cette section (Tortrix), est lourde et comme engourdie, elle n'a que peu de vivacité, et vole lentement. Mais elle est bien remarquable en ce que ses ailes n'ont point d'ecailles, mais seulement des poils qui les rendent velues. Toutes les ailes, tant en dessus, qu'en dessous, sont d'un gris clair un peu jaunatre, et elles ont une espece de transparence. Les superieurs sont traversées en dessus par deux rayes ondées brunes, qui les divisent presque en trois portions egales, et entres ces rayes il y a un point brun. La tete et le corcelet sont velus; leur couleur et celle du ventre et des pattes est du meme gris que les ailes, qui sont arrondies et ovales par derriere. Les yeux sont noirs et la trompe est asses longue."

me wurde schon längsten von den Griechen und Römern diesem, ihnen so seltsamen Geschöpf gegeben. Aristoteles, Theophrast und Plinius n) erzählen uns das seltsame von der Naturgeschichte des Bombyx. Doch stunde es viele Jahrhunderte an, bis man auf die Beobachtung gerathen, daß auch einheimische Raupen ein ähnliches Gewebe fertigen, und auf gleiche Art sich verwandeln. Nun haben sich deren eine so grosse Menge gefunden, daß man einem ganzen Volk gleichen Namen zu geben, genugsame Befugniß erhalten. Doch ich muß gleich Anfangs erinnern, daß nicht alle hier untergeordneten Phalanen ganz übereinstimmende Naturtriebe besitzen, und auf ähnliche Art Gewebe sich fertigen. Viele gehen ohne diese Künste, ihre Chrysalidenverwandlung an. Sie bauen sich zum Theil in der Erde ein leichtes Gewölbe, zuweilen erfolgt diese Veränderung auch ohne alle Umstände auf freyem Boden. Nur der grösten Anzahl kommt diese Eigenschaft zu. Für das System sind andere mehr wesentliche Merkmale gelassen. Und diese habe ich jetzt zu erläutern. Die vorige Horde hat sich nach der Lage im ruhenden Stand, durch die offenen Flügel, kenntlich gemacht. Sie sind dorten zugleich gerundet, und von vorzüglicher Breite. Hier treffen wir in Form und Lage mehr Veränderte an. Die Flüge überdecken sich, sie haben meistens eine dachförmige Stellung. Diese Richtung aber ist wiederum nicht von einerley Art. Bey einigen stehen die Hinterflügel weiter heraus, bey andern sind sie von den vordern gänzlich bedeckt. Eine Abweichung die dem verewigten Verfasser unsers Systems zu Unterabtheilungen sehr bequem geschienen, er hat sie zur Bezeichnung der Linien sehr schicklich verwendet.

Doch diese Merkmale sind noch nicht zureichend genug, sie sind auch nicht die einzigen für die Horde der ihr untergeordneten Gattungen. Wir haben ein mehr wesentliches Kennzeichen, die Bombyces von allen andern Arten, der Phalänen leicht zu unterscheiden. Die eigene Struktur ihrer Antennen, bezeichnet sie kenntlich genug. Es sind diese Gliedmassen bey allen Gattungen dieser Horde, und dieß ohne Ausnahme, kammförmig gebildet. Doch sind sie in dem Bau von jenen, wie sie die Attaker haben, wiederum eigens verschieden. Die Seitenfasern sind an dem Stiel nicht so beträchtlich verlängert, sie sind schmal und in eine mehr gemächlich zulaufende Spi-

n) ARIST. Hist. anim. Lib. IX. PLIN. Hist. Nat. Lib XI. Cap. 22. Pollux Lib. VII. „Τα δε εκ βομβυκων, σκωληκες εισιν οι βομβυκες, αφ' ων τα νηματα ὑφαινεται, ὡσπερ ὁ ἀραχνης.

ße verlängert. Ueberdieß stehen sie nicht gerade heraus, sondern in einer winklichten Lage. Nach oben angezeigten Merkmalen, ist der Attaker ohnedieß schon kenntlich gezeichnet. Genug, in dieser Horde haben jede Gattungen gekämmte Fühlhörner. Die Ausnahme, welche Weibchen machen, ist wohl nicht erheblich. Sie führen diese Verzierung nur im mindern Grad. Man wird die Fasern an dem Stiel der Antenne (rachis) allezeit gewahr, so gering sie immerhin sind. Aber auch die geometrae, und einige tineae führen ganz ähnlich gekämmte Antennen. Wie sind diese, ohne daß man sie aus der Raupe erzogen, von den Gattungen unserer Horde abermahl zu unterscheiden? In der That hat noch kein System hier eine Aushülfe getroffen. Doch die Schwührigkeiten sind nicht so groß, als man sich solche gedacht. Eine gewisse Einförmigkeit in dem Gliederbau, der Habitus, macht die Falter der Spannenmesser leicht kenntlich. Sie haben entweder ebenliegende oder langausgestreckte Flügel. Die Hinterflügel werden von den vordern nicht ganz bedeckt, sie stehen offen. Doch auch da finden sich Ausnahmen. Sie sind aber geringe, und es giebt wenige Gattungen dieser Art. Man hat zuvor die Horde der Spannenmesser nach ihren Abtheilungen kennen zu lernen. Nach diesen werden sich näher entscheidende Merkmale ergeben. Dis aber ist zur Berichtigung jener Arten nothwendig verspahrt.

Von den Kunsttrieben der Gattungen dieser Horde läßt sich im allgemeinen nichts bestimmtes, nichts ohne abermahlige Einschränkung erzehlen. Ich habe schon oben erwähnt, daß sie nicht alle sich Gehäuse zur Wohnung der Chrysalide verfertigen. Die Raupen selbst sind von manchfaltiger Art. Sie in ein vollständiges Verzeichniß zu bringen, scheint für unsere Zeiten noch zu frühe zu seyn. Wir haben erst mehrere Ergänzungen abzuwarten. Wie viel die rühmliche Bemühungen der Herren **Verfasser des Systemat. Verzeichnisses der Wiener Schmetterlinge** geleistet, werden meine Leser aus dem hier unten beygesetzten Entwurf ersehen o). Nach die-

o) Systemat. Verzeichniß der Wiener Schmetterlinge; pag. 48. „Zweyte Gattung der Schmetterlingsordnung: die **Nachtschmetterlinge**; (Phalaenae L.) Erste Abtheilung: die **Spinner**; Bombyces L. Die Raupen haben 16 oder 14 Füse, sind größtentheils rauh, und spinnen zu ihrer Verwandlung ein Gewebe. Die Schmetterlinge, wenigstens das Männchen, hat gekämmte Fühlhörner, einen wollichten Rücken, und meistens sehr rauhe Vorderfüsse;

I. Raupen mit 16. Füssen.

Fam. A. Scheinschwärmerraupen. Laruae. Sphingiformes. Mondmacklichte Spinner; Ph. Bomb. Lunigerae. Die Raupen, grün, meistens mit gerieselter

sem werden zugleich die vorzüglichsten Eintheilungen der Raupen und Phalänen, die nach Aehnlichkeiten unter sich gemeinschaftliche Namen erhalten, deutlich erhellen. Ich darf deßhalb eine Anzeige umgehen. Der allergemeinste Charakter der Raupen dieser Horde, der keine Ausnahme verstattet,

Haut, oder sonst dem Kopf, Schwanz, und Strichen nach, den Schwärmerraupen ähnlich. Die Verwandlung geschieht in einer gewebten Hülse unter der Erde. Die **Würmer** sind zunglos, haben abhangende Flügel, auf den Obern insgemein, zwischen zween geschwungenen Querstrichen, ein weisses oder schwarzes Mondfleckgen, nicht selten auch am Innenrande eine zahnförmige Vorragung. Sp. 1. B. Mori Lin. Sp. 2. B. Versicoloria L. 3. Bicoloria. 4. Tremula Lin. 5. Querna. 6. Dodonea. 7. Chaonia. 8. Tau. Lin. Im Nachtrag p. 310. kommt noch hinzu 9. Austera.

B. Sternraupen; Laruae verticillatae. Bomb. pauoniae. Die **Raupen** haben auf jedem Ring 6 mit Haaren gleichsam gestirnte Knöpfe. Die Verwandlung geschieht in einer birnförmigen sehr harten Hülse ober der Erde. Die **Spinner** sind zunglos, mit flach verbreiteten äugigen Flügeln. Sp. 1. Pyri. 2. Spini. 3. Carpini.

C. Knospenraupen; Laruae tuberosae. Nacktflüglichte Spinner; Bombyc. subnudae. Die R. haben einen kleinen halbversteckten Kopf: sind fast ganz mit halbkügelichten Erhöhungen, deren doch auf jeden Ring nur 6 zu stehen kommen, und darüber mit einigen feinen Haaren besetzt. Die Verw. geschieht in einem leichten Gewebe in eine haarige Puppe. Die **Spinner** sind zunglos, haben (die Männchen) sehr breit gekämmte Fühlhörner, verbreitete, immer nur mit dünnen Schuppen bedeckte, und also halb durchsichtige, die Weibchen nur ganz kleine unbrauchbare Flügel. Sp. 1. Bomb. Morio Lin. 2. Rubea.

D. Knopfraupen; Laru. nodosae. Weißlichte Spinner; Ph. Bomb. Albidae. Die **Raupen** haben auf jedem Ring 8 mit längern aber nicht dichten Haaren besetzte Knöpfe, sonst auch auf dem übrigen Leib kurze feinere Haare, auf den letzten Ringen öfter zwo knopfenähnliche Blasen, die sie einziehen, und wieder erhöhen können. Die Verwandl. geschieht in einem durchsichtigen Gewebe ober der Erde. Die Spinner sind zunglos, haben abhangende, fast weisse, zuweilen mit schwarzen Strichen, oder nur sehr wenigen Punkten bezeichnete Flügel. Sp. 1. Niuosa. 2. Salicis L. 3. Chrysorrhoea L. 4. Auriflua. 5. Monacha L. 6. Dispar. Lin.

E. Bärenraupen; Laruae vrsinae. Edle Spinner; Bomb. nobiles. Diese **Raupen** haben auf jedem Ring 10, meistens mit langen, dichten Haaren besetzte Knöpfe. Die **Verwandlung** geschieht in einem weichen fast dichten Gewebe ober der Erde. Die **Spinner** sind kurzzünglicht, ihre Flügel ein wenig abhangend, die untern immer von einer hohen Farbe. Sp. 1. Caja Lin. 2. Hebe L. 3. Hera. Noct. Lin. 4. Plantaginis. L. 5. Matronula. Noct. L. 6. Aulica L. 7. Villica L. 8. Dominula. Noct. Lin. 9. Purpurea L. 10. maculosa. 11. fuliginosa. Noct. Lin. 12. grammica Lin. 13. Russula. Lin.

F. Hasenraupen; Laruae celeripedes Gelbfüssige Spinner; Bombyc. luteopedes

ist die Anzahl der Füsse. Sie führen sechzehn derselben. Nach diesem Gliederbau sind sie wenigstens gänzlich von den Spannenmessern verschieden. Alle Raupen dieser Horde haben sonach sechs Vorderfüsse, acht Bauchfüsse und zwey Hinterfüsse. Bey einigen fehlt das letzte Paar, die

G 2

Die Raupen haben ihre dichten Haare auf 10, doch weniger sichtbaren Knöpfen, dazwischen meistens einen nackten Rückenstreif, laufen ungemein schnell. Die **Verwandlung** geschieht in einem leichten Gewebe halb unter der Erde. Die **Spinner** haben kurze Rollzungen, abhängende, meistens mit vielen schwarzen Punkten bestreute Flügel, rauhe ockergelbe Schenkel der Vorderfüsse, öfters auch den Hinterleib von solcher Farbe. Sp. 1. Lubricipeda Lin. 2. Mentastri. 3. Mendica Lin. 4. Luctifera.

G. Bürstenraupen; Laruae fasciculatae. Streckfüssigte Spinner. Bombyc. tendipedes. Die Raupen tragen auf dem Leibe aufstehende bürstenförmige Haarbüsche, auch sonst noch einige Köpfgen und kürzere Haare. Die **Verwandlung** geschieht ober der Erde, in einem weichen, nicht dichten Gewebe. Die **Spinner** sind zunglos; strecken in der Ruhe die rauchen Vorderfüsse artig heraus, haben, theils abhangende, theils flach verbreitete Flügel. Sp. 1. Pudibunda Lin. Sp. 2. Abietis. 3. Fascelina L. 4. Coryli L. 5. Antiqua. L. 6. Gonostigma L.

H. Schopfraupen; Laruae cristatae. Stirnstreifige Spinner; Ph. Bomb Signatae. Die Raupen haben nur auf den 4ten und letzten Ring aufstehende, aber fast spitzig zusammenlaufende Haarbüsche, sonst auch einige Knöpfgen, und feine Haare auf dem Leibe. Die Verwandlung geschieht ober der Erde, in einem dichten doch weichen Gewebe. Die **Spinner** sind zunglos, haben abschiesende Flügel, mit einer Makkel am Unterrande, über den Kopf bis auf den halben Rücken einen dunkelbraunen Streif, die Männchen einen zweybüschigten Haarleib, den sie in der Ruhe über den Flügel erheben. Sp. 1. Anastomosis Lin. 2. Curtula L. 3. Anachoreta. 4. Reclusa.

I. Halsbandraupen; Laruae collariae. Zähnflüglichte Spinner; Bombyc. dentatae. Die Raupen sind halbrauh; zeigen bey Beugung des Halses, an dem zweiten und dritten Ring, einen dunkelblauen oder goldgelben Einschnitt, und tragen auf dem letzten Ring eine Warze. Die **Verwandlung** geschicht ober der Erde in einer länglichten weichen, inwendig weißlich bestäubten Hülse. Die **Spinner** sind zunglos, mit vorstehenden Fühlspitzen, gezähnten aufstehenden Flügeln. Der Aussenrand der Unterflügel stehet meistens unter den Oberflügeln hervor. Sp 1. Quercifolia Lin. Sp. 2. Ilicifolia Lin. Sp. 3. Pruni Lin. Sp. 4 Pini L. Im Nachtrag pag. 310. Sp. 5. Populifolia.

K. Pelzraupen; Laruae villosae. Weißmacklichte Spinner; Bombyc. centropunctatae. Die **Raupen** haben auf den Ringen kurze, untereinander verworrene pelzartige Haare Die **Verwandlung** geschicht ober der Erde, bey den ersten 2. Arten in weichen, bey den übrigen in hartschaligten, walzenförmigen Hülsen. Die **Spinner** sind zunglos, haben grosse gerundete

Hinterfüsse. Der äusserste Ring endiget sich entweder in eine einfache oder gabelförmige Spitze. Sie sind aber von den Spannenmessern gänzlich verschieden, und werden vierzehnfüssige Raupen genennt. Diese zehle ich mir zu unseren Spinnern. Der Herr von Linne hat die Ph. Vinula und Furcula deren Raupen dergleichen Bau der Füsse haben, doch zu dieser Horde

abhangende Flügel, meistens mit einem weißlichten Mittelpunkt, und einem oder zwey Querstrichen. Sp. 1. Potatoria Lin. 2. Rubi L. 3. Quercus L. 4. Trifolii. 5. Dumeti L. 6. Lobulina.

L. Haarraupen; Laruae pilosae. Wolligte Spinner; Bombyc. tomentosae. Die Raupen sind langleibig, weich, mit feinen Haaren durchaus besetzt, so daß man doch alle Farben der verschiedenen Streife oder Bänder durchsieht: leben (die meisten) in der Jugend gesellig. Die Verwandlung geschieht ober oder an der Erde, in einer Eyförmigen Hülse. Die Spinner sind zunglos, haben fast ausstehende Flügel, die Obern meistens, mit einem paar Querstrichen, oder auch einem hellen Punkte bezeichnet, einen sehr rauhen Rükken, die Weibchen der meisten Arten benebens am Ende des Leibes eine dicke Wolle, die Eyer zu bedecken. Sp. 1. Rimicola. 2. Lanestris Lin. 3. Catax L. 4. Neustria L. 5. Castrensis Lin. 6. Franconica. 7. Taraxaci. 8. Crataegi L. 9. Populi Lin. 10. Processionea Lin. 11. Pityocampa. Reaum.

M. Halbhaarraupen; Larvae Subpilosae. Großstirnigte Spinner. Ph. Bomb. capitones. Die Raupen sind weiß schwarzsprenklicht, haben fast nur auf den schwarzen Puncten einzelne Haare. Die Verwandlung geschieht in einer irdenen Hülse, entweder über oder unter der Erde. Die Spinner sind zunglos oder doch kurzzünglicht, haben einen flachen breiten Kopf oder vielmehr einen runden erhöhten Kragen um denselben, einen büschigten Rücken auf den abhängenden Oberflügeln neben zween halbgezähnten Querstrichen, einen oder mehr helle Mackeln, sind einigermassen Eulen ähnlich. Sp. 1. Bucephala Lin. 2. Oleagina. 3. Caeruleocephala Lin. 4. Trimacula.

N. Holzraupen; Larvae Lignivorae. Bleichringigte Spinner; Bomb. Albocinctae. Diese Raupen zeigen auf der sehr glatten Haut, noch weniger feine und kurze Haare, haben ein starkes Gebiß, und einen dunkelglänzenden Halsschild; leben im Holz meistens älterer Bäume. Die Verwandlung geschicht in den ausgeholten Bäumen in einer weichen eyförmigen mit Spänen durchwebten Hülse. Die Spinner sind zunglos haben abhangende Flügel, die unten besonders breit, die Fühlhörner merklich von andern Arten unterschieden, einen schwülstigen Rücken, auf dem langen dunkelfärbigten Leibe, jeden Abschnitt mit weißlichten Haaren gesäumt Sp. 1. Cossus L. Sp. 2. Terebra, Sp. 3. Aesculi L.

O. Wurzelraupen; Larvae radiciforae. Schmalflüglichte Spinner; Bomb. lanceolatae. Die Raupen sind fast ganz blos, haben ebenfalls ein Zangengebiß, einen glänzenden Kopf und Halsschild, wohnen unter der Erde und ernähren sich von den Wurzeln einiger fast holzartigen Pflanzen. Die Verwand-

gerechnet. Nothwendig sind davon ganz ähnliche nicht auszuschliesen. Ich habe deßwegen die in unserem System zu den Spannenmessern gezogene Falcataria und lacertinaria, zu dieser Horde gebracht. Ihre Falter haben kammförmige Fühlhörner, sie gehören an sich hieher.

G 3

lung geschiehet unter der Erde in einem langen mit Erdkörnern vermengten Gewebe. Die Spinner sind zunglos, haben ungemein kurze, ein wenig gezähnelte Fühlhörner, einen fast nackten Leib, spitzig zulaufende schmale Flügel. Das Weibchen ist immer von Farbe trüber als das Männchen. Sp. 1. Humuli Noct. Lin. Sp. 2. Hamma. Sp. 3. Flina. Sp. 4. Hecta Noct. L. Sp. 5. Lupulina Noct. L. Sp. 6. Iodutta. Im Nachtrag p. 310. Sp. 7. Carna.

P. Scheineulenraupen; Larvae noctuiformes. Haarigte Spinner; Bombyc. hispidae. Die Raupen sind gänzlich nackt, haben einen rundlichen halbversteckten Kopf, und nach der Länge des Leibes fünf helle Linien oder Streifen. Die **Verwandlung** geschicht in einer Höhle unter der Erde. Die **Spinner** sind zunglos, haben abhangende nur mit ordentlichen Strichen bezeichnete Flügel, zeigen um die Augen, auf dem Leibe und selbst an den Flügeln stärkere Haare oder haarförmigte Schuppen. Sp. 1. Cassinia. 2. Plumigera.

Q. Scheinspannraupen; Larvae geometriformes. Großzähnigte Spinner. Die Raupen sind nackt, haben einen gewölkten vorragenden Kopf, und einen langen feingestreiften Leib, wodurch sie in der Ruhe einigen grünen Spannenraupen ähnlich sehen. Die **Verwandlung** geschicht in einem ächten Gewebe, zweyfachen Blättern oder an der Erde. Die **Spinner** haben merkliche Fühlspitzen, die Flügel am Unten- oder am Innenrande stark und ungleich ausgezähnelt. Sp. 1. Libatrix L. Sp. 2. Palpina Lin.

R. Buckelraupen; Larvae gibbosae. Rückenzähnigte Spinner; Bomb. dorsodentatae. Die **Raupen** sind nackt, haben einen vorne fast stumpfen Kopf, etwas höhere Bauchfüsse, und sonst einen unregelmäßigen Bau des Körpers. Die Verwandlung geschicht zwischen zusammengesponnenen Blättern, oder in einem mit Erdkörnern vermengten Gewebe. Die Spinner haben sehr kleine Rollzungen, öfters einen schöpfigten Rücken, abhangende Flügel, den innern Winkel der untern meistens brandmacklicht, den Untenrand der obern aber klein gezähnelt, und an dem Innenrand derselben einen merklichen Zahn oder Haarbusch, der sich, wann die Flügel in der Ruhe sind, über dem Rücken erhebt. Sp. 1. Dictaea L. 2. Argentina. 3. Camelina Lin. 4. Capucina L. 5. Ziczack L. 6. Tritophus. 7. Dromedarius Lin. Im Nachtrag p. 311. Sp. 8. Cucullina.

II. Raupen mit 14 Füssen.

S. Gabelraupen; Larvae furcatae. Zackenstriemigte Spinner; Bombic. flexuoso – striatae. Diesen Raupen mangeln die zween Schwanzfüsse; sie tragen den Hinterleib hoch, der sich in zwo Spitzen endet. Die Verwandlung geschicht in einer harten rundlichen Hülse-

Herr **Fabricius** hat dieser Horde den Namen eines eigenen Geschlechts gegeben. Er hat dahin auch die Attaker gezogen p.) Die Kennzeichen, die er ihnen beylegt, sind zwey engebeysammenstehende haarichte Fühlspitzen, eine kurze und häutige Zunge, und gekämmte Fühlhörner. Die Herren Verfasser des Syst. Verz. haben die Charaktere unseres Systems beybehalten. Die Aehnlichkeit einiger Raupen aber war Ursache, daß sie auch verschiedene Gattungen aus der Horde der Noctuarum denselben beygesellt

die sich die Raupen von abgenagten Holzspänen zusammenleimen. Die **Spinner** sind zunglos, haben sehr wolligte Vorderfüsse abhangende mit einigen sehr zackigten Querlinien und an den Gelenken mit schwarzen Puncten bezeichneten Flügel. Sp. 1. Terrifica. 2. Fagi. L. 3. Vinula Lin. 4. Furcula Lin.

T. Spitzraupen; Larvae cuspidatae. Spinnerförmige Spinner; Bomb geometriformes. Der fußlose Hinterleib dieser Raupen läuft in eine einfache Spitze hinaus, der Rücken ist höckericht. Die Verwandlung geschicht in einem oder zwey zusammengesponnenen Blättern. Die **Spinner** sind zunglos, mit breiten in der Ruhe doch abhangenden oder auch abschiesenden, am Untenrande meist sichelförmigen Flügeln. Sie gränzen an die Nachtschmetterlinge der Spannraupen. Sp. 1. Sicula. 2. Falcula (Geom. falcataria Lin.) 3. Flexula. 4. Hamula. 5. Lacertula. (Geom. lacertinaria Lin.) 6. Spinula.

III. Raupen ohne sichtbare Füsse.

V. Schneckenraupen; Larvae Limaciformes. Wicklerförmige Spinner; Bomb. tortriciformes. Diese **Raupen** sind länglicht halbrund erhoben, wie die kleinen nackten Gartenschnecken: sie halten und bewegen sich mittels zwoer unten an den Seiten nach der Länge des Leibes laufenden Blasen mit deren klebrichter Feuchtigkeit sie auch den Weg, den sie machen bezeichnen. Die Verwandlung geschicht in einer eyrunden harten Hülse. Die **Spinner** sind zunglos, haben einen wolkigten Rücken abhangende dem Umriß nach, jenen der Wickler ähnliche Flügel. Sp. 1. Testudo. 2. Asella. "

p) Syst. Ent. pag. 556. Class. Glossata. gen. 142. *Bombyx. Palpi* duo compressi, pilosi. *Lingua* breuis membranacea. Antennae filiformes. *Genera* Inf. p. 161. Bombyx. *Os* palpis linguaque spirali absque maxillis. *Palpi* duo aequales, compressi, pilosi, reflexi, obtusi, sub ore inserti, totum os obtegentes. *Lingua* spiralis breuis, membranacea vix exserta, filiformis, obtusa, bifida. laciniis aequalibus, filiformibus, subcylindricis, intus canalyculatis supra palporum basin inserti. *Clypeus* breuis, corneus, hirtus, apice acuminatus, linguae basin superiorem tegens. *Antennae* filiformes, multiarticulatae, apice acutae. *Larua* XVI. poda. agilis, currens, saepius pilosa, subcylindrica. *Pupa* quiescens, folliculata, cylindrica. apice acuminata. *Victus* laruae e foliis plantarum, imaginis e nectare florum. Obs. Antennae semper filiformes, maris saepius pectinatae.

haben. Wir treffen sonach Phalänen mit fadenförmigen Fühlhörnern unter ihren Bombycibus an. Die Familie E und O zeichnen sich darinnen vorzüglich aus. Auch aus der Horde der Spannenmesser, wurden einige nach richtiger Befugniß dazu gerechnet. Es sind, wie ich erst erwähnt, diejenige, denen das letzte Paar, die Hinterfüsse fehlen, oder die vierzehnfüßige Raupen. Das Merkmahl der kammförmigen Fühlhörner, muß sonach für diese Horde wesentlich bleiben, ohne welches sich sonsten Verwirrungen noch mehr vergrössern. Der Herr Ritter hat sie sämtlich in zwey Parthien gesondert. In dieser Ordnung habe ich sie jetzt vorzutragen.

Erste Familie.

BOMBYCES ELINGVES. Ohnzünglichte Spinner.

Ich darf hier nicht erst widerhohlen, was dieser Charakter umständlich bezeichnet. Es ist derselbe schon aus der gleichen Eintheilung der Attaker genugsam ersichtlich. Ich komme daher zur Unterabtheilung selbst. Hier hat die Lage der Flügel im ruhenden Stand, unsere Bombyces wiederum in zwey Parthien gesondert.

Erste Linie.

ATTACI ALIS REVERSIS.

Spinner mit zurückgeschlagenen Vorderflügeln oder herausstehenden Hinterflügeln.

Diese besondere Lage der Flügel, ist fast alleine den Gattungen dieser Linie eigen. Wir kennen beynahe keine unter den übrigen Horden von gleicher Art. Die Phaläna Quercifolia, zeichnet sich darinnen unter allen am vorzüglichsten aus. Die Hinterflügel stehen um den dritten oder vierten Theil ihrer Fläche über den äusern hervor. Die Oberflügel hingegen liegen gedränge an dem Leib an, und der Rand der vordern schliese sich in eine dünne Spitze zusammen. Andere haben diese Eigenschaft in minderen Grad, es stehen die Hinterflügel kaum merklich hervor, (alis subreversis). Wie ich schon erwähnt, kan in unseren Abbildungen, um Weitläuftigkeiten zu verhüten, diese Lage nicht allezeit angezeigt werden. Bey getrockneten Exemplaren so wie sie zur Zierde für Sammlungen aufgestellt werden, wird dieselbe nicht minder vermißt. Man möchte sonach wohl über das mangelhafte dieser Abtheilungen klagen. Doch hat noch kein System diese

Gattungen getrennet, sie stehen nach den Habitus ganz bündig beysammen. Ihre Naturtriebe haben nicht minder die gröste Aehnlichkeit unter sich, und selbst ihre Raupen, wenn man nicht die Abtheilungen fast nach einzelnen Gattungen vervielfältigen will, stehen unter sich in einer noch genauern Verbindung. Auch der Charakter der herausstehenden Flügel, in welche Lage sie auch gebracht werden, läßt sich dennoch erkennen. Es haben nehmlich die Leiber dieser Gattungen eine vorzügliche Stärke. Die Hinterflügel besitzen da, wo sie an der Brust befestiget sind, eine vorzügliche Breite. Würden sie so weit geöfnet, daß beyde an dem gemeinschäftlichen Rand sich berühren; so erhielten sie eine fast in die Höhe stehende Richtung. Die Hinterflügel haben daher eine vorzügliche Breite. Diese finden wir bey den übrigen nicht. Der ausgeschnittene oder gezähnelte Rand, an der innern Seite ist überdieß noch ein wesentliches Merkmahl. Genug, man wird nach weniger Erfahrung das eigene leicht ermessen.

Ich habe nun die Gattungen selbsten in der Ordnung unseres Systems vorzulegen. Nur ein einziger Ausländer ist von dem Herrn von Linne in dieser Abtheilung verzeichnet. Es ist die Ph. capensis, die 20. Spec. Die übrigen sind sämtlich Europäer und führen folgende Namen: Sp. 18. quercifolia. Sp. 19. ilicifolia. Sp. 21. Rubi. Sp. 22. Pruni. Sp. 23. Potatoria. Sp. 24. Pini. Sp. 25. Quercus. Sp. 26. Dumeti. Sp. 27. Catax. Sp. 28. Lanestris. Sp. 29. Vinula. Sp. 30. Fagi. Sp. 31. Bucephala. Sp. 32. Versicoloria. Sp. 33. Mori, nach aufgenommenen Bürgerrecht. Sp. 34. Populi. Sp. 35. Neustria. Sp. 36. Castrensis. Sp. 37. Processionea. Neunzehen Gattungen unseres Welttheils. Ihre Anzahl hat sich der Zeit schon beträchtlich vermehrt. Ich habe die neuen Entdeckungen in ihrer Ordnung gehörig einzuschalten. Doch sind einige auf die Supplemente verspahrt, um vielleicht ihre Naturgeschichte dann um so vollständiger zu liefern.

Der sechste europäische Nachtschmetterling.

PH. BOMB. ELING. AL. REVERS. QVERCIFOLIA.

Das Eichenlaub. Eichenblatt. Die Kupferglocke.

La feuille morte. Le paquet de feuilles seches.

Tab. VI. Fig. 1. Der weibliche Falter. Fig. 2. Die Raupe. Fig. 3. Eine Abänderung derselben. Fig. 4. Das Gehäuse. Fig. 5. Die Chrysalide.

Tab.

Tab. VI. A. Fig. 1. Eine Abänderung des weiblichen Falters. Fig. 2. Dergleichen des männlichen

LINN. S. N. Ed. XII. Sp. 18. B. elinguis, alis reuerſis ſemitectis dentatis ferrugineis, margine poſtico nigris. Ohnzünglich, mit zurückgeſchlagenen, halbbedeckten, gezahnten, roſtfärbigen Flügeln.

Müllers Ueberſetzung des Nat. Syſt.; V. Th. p. 656. Ph. Quercus. Das Eichenblatt.

FABRICII Syſt. Ent. p. 561. Bomb. al. reuerſ. Sp. 19. Quercifolia, alis reuerſis, dentatis, ferrugineis, ore tibiisque nigris.

GEOFFR. Hiſt. des Inſ. Tom II. p 110. nr. 11. Ph. pectinic. eling. tota rufa, alarum margine ſerrato. Long. 15.‴

DEGEER Mem. Tom. II. P. I. p. 299.

Götze Ueberſetzung II. B. I. Th. p. 2. 3. Anmerk. 2. Ph. Quercifolia.

RAII Inſ. p. 131. nr. 1. Phal. maxima tota obſcure rufa, antennis plumoſis, capite grandi, alis interioribus cum ſedet, vltra exteriores extantibus et ſurſum reflexis.

SCOPOLI Ent. Carn. p. 193. nr. 485. Ph. Quercifolia. Long. unc. 1. et lin. 7. Lat. unc. 1. et lin. 3. Tota corticina: alis dentatis, reuerſis: poſticis, dum ſedet animal, vltra marginem craſſiorem anticarum exporrectis.

PODA Muſ. Graec. p. 84.

MÜLLER Faun. Frid. p. 39. nr. 354. Linn. Charaktere. — Zoolog. dan. Prodr. p. 117. nr. 1349.

Syſt. Verz. der Wiener Schmetterlinge; p. 56. Fam. J. nr. 1. Frühbirnſpinner, (pyri communis).

Fueßli Schw. Inſ. p. 33. nr. 636. Das Eichenblatt. Magaz. I. B. p. 269.

Berlin. Magaz. II. Th. p. 394. nr. 2. Ph. Quercifolia. Die Obſtmotte. Röthlich gelb, oder braunroth, oder auch bleyfärbig mit ſtark ausgezackten Flügeln, und einem wellenförmigen Queerſtreif rc. Die Raupe kriecht noch in dem Jahr aus dem Ey, da es gelegt worden, behilſt ſich den Winter über in Baummoos, bleibt in einer Art von Erſtarrung, und fängt im Frühjahr an aufzuleben. p. 429.

Gleditſch. Forſtwiſſenſchaft; II. Th. p. 376. nr. 15. Ph. Quercifolia.

Fiſchers Naturgeſch. v. Liefl. p. 150. Ph. Quercifolia. Das Eichblatt.

Blummenbachs Handbuch der Naturgeſchichte; p. 368. nr. 3. Ph. Quercifolia.

Leske Anfangsgründe der Naturgeſchichte; I. Th. p. 459. nr. 3. Ph. Quercifolia. Das Eichenblatt.

BECKMANN. Epit. S. L. p. 162. nr. 18. Ph. Quercifolia.

ONOMAST. hiſt. nat. P. 6. p. 406. Ph. Quercifolia. Das dürre Eichenblatt.

Maders Raupenkal. p. 15. Der trockene Blätterbündel.

Götze Ent. Beytr. III. Th. II. B. p. 280. Ph. Quercifolia. Der Eichenblattſpinner. Stammraupe, Wunderraupe.

Jung Verz. europäiſcher Schmetterlinge; p. 121.

III. Theil. H

Rösels Ins. B. I. Th. Nachtr. II. Kl. p. 233. Tab. 41. Die grosse haarige, mit vielen Warzen und Zapfen bewachsene Grasraupe.

Frisch Ins. III. Th. p. 24. nr. 12. Tab. III. fig. 1. Die größte braune Raupe.

Sulzer Kennz. der Ins. p 38. Tab. 16. fig. 93. Ph. Quercifolia.

MERIAN. Ed. gallic. Tab. 17. Chenilles extraordinaires, Vermes miraculosi. Papillon nocturne de couleur d'orange obscur.

REAUMUR Mem. Tom. II. p. 317. Tab. 23. fig. 1 - 10. Le papillon paquet de feuilles feches.

SCHAEFFER Icon. Tab. 71. fig. 4. 5. Ph. pect. al. defl. XV.

Diese Raupe bedient sich sehr verschiedener Gewächse zur Nahrung, man hat sie mit Recht unter die vielfräsigen gezehlt. Doch darinnen kommt sie mit den meisten der folgenden Gattungen gleichfalls überein. Diese leben ohne Unterscheid vom Grase, dem Klee, dem Wegrich, und fast den meisten niedern Gewächsen. Man trift sie auf den Bäumen und Sträuchern eben so häufig an. Besonders sind Aepfel- Birn- Zwetschgen- Schlehen- und Aprikosenbäume ihr gewöhnliches Futter. Blätter der Bäume scheinen ihnen mehr eigen als jene Gewächse zu seyn. Man hat nemlich die Eyer dieser Falterarten fast durchgehends an den Aesten und Stämmen befestigt angetroffen. Auch die Räupgen findet man da, in dem Alter der ersten Häutung, in welchem sie auch den langen Winter durchleben. Ein Zufall, die etwa noch mindere Festigkeit der Füsse, Winde und Regen, bringen sie dann auf das niedere herab. Hier finden sie für ihren Geschmack gleich anständige Nahrung. Gräser, sind die am häufigsten verbreitete Pflanzen. Nothwendig bedienen sie sich derselben am meisten. Man hat daher die Raupen dieser Phalänen Grasraupen, und diese, wegen ihrer auszeichnenden Stärke, die grosse geheissen. Gleiche Bewandniß hat es mit den Raupen der folgenden Gattungen, der Ph. Rubi, Potatoria, Quercus, lanestris, Fagi, Caia, Hebe, Villica, und andern. Umstände, die ich dorten in Erzehlung ihrer Naturgeschichte nicht mehr zu wiederhohlen bedarf. Da sich so viele Raupen von den Gräsern, so zahlreichen Pflanzengeschlechtern ernähren, deren sie sich meistens ohne Unterscheid der Gattung zur Speise bedienen; so habe ich fast bey jeder zur Abbildung eine andere gewehlt. Ich glaube unsern Liebhabern Dienste zu erzeigen, wenn ich die vorzüglichsten derselben, nach den kenntlichsten Abbildungen zugleich vor Augen lege q). Gräser zu unterscheiden, ist an sich in der Pflanzen-

q) Zur Futterpflanze habe ich daher in der Abbildung den Elymus caninus L. gewehlt, eine der gemeinsten Grasarten, das sogenannte Hundsgras.

funde das mühſamſte Geſchäft. Doch bedarf der Entomolog ihre Kenntniſſe eben ſo ſehr. Es ſind Raupen an einzelne Gattungen dieſer Pflanzenfamilie gewöhnt. Und ſo iſt denn nach den Ausſpruch des Herrn von Linne die Flora mit der Fauna freylich nach den engſten Banden vereint. In der richtigen Behandlung ihrer Naturgeſchichte, erfordert eine wie die andere gemeinſchaftliche Kenntniß. Man kan ſie keineswegs entbehren.

In Erzehlung der Geſchichte dieſer Gattung habe ich wohl nicht nöthig, mich lange zu verweilen. Die Raupe ſowol als die Falter ſind in unſern Gegenden nicht ſelten. Sie finden ſich auch faſt in unſerm ganzen Erdſtrich hin und wieder vertheilt. Bey uns überwintern die Raupen nach vollendeter erſten Häutung. Man trift ſie auf den Stämmen der Bäume, doch meiſtens in dem Niedern an. Sie pflegen ſich von den erſten Sproſſen der grünenden Zweige zu nähren r). Bereits in dem May haben ſie eine beträchtliche Gröſe erreicht. Doch ſind ſie auch einige Monathe ſpäter vorhanden. Von einer zweyfachen Erzeugung des Jahres aber, hat man keine gewiſſe Erfahrung.

Der ausnehmende Wuchs dieſer Raupe iſt aus der Abbildung ſchon hinreichend erſichtlich. Man hat ſie noch gröſſer, gemeiniglich aber auch um vieles kleiner gefunden. Sie iſt auſſerordentlich gefräſig, und würde an unſern Obſtbäumen groſſe Verwüſtungen anrichten, wenn ſie lediglich auf Bäumen ſich enthielte. Der Feſtigkeit ihrer Füſſe ohngeachtet, fallen ſie leicht auf dem Boden herab. Doch pflegen ſie denen in Spalieren gezogenen Bäumen, um ſo mehr nachtheilig zu werden. Sie ſind dorten für Zufälle beſſer geſchützt. Nicht leicht trift man Raupen in ſo verſchiedenen Abänderungen als dieſe an. Nach der Geſtalt des Körpers, denen warzichten Erhöhungen, dem zapfenförmigen Auswuchs auf dem vorletztern Ring, und einen flachen halb cirkulförmigen Rücken, ſind ſie ſämtlich, ſo wie nach der

H 2

r) Röſel angeführten Orts pag. 235. hielte es für ausgemacht, daß dieſe Raupen ſich lediglich vom Graſe ernähren. Man wird aber leicht durch Verſuche finden, daß ſie die Zwetſchgen- und Birn- beſonders aber die Aprikoſenblätter aller anderer Nahrung vorziehen. Sie erreichen mit letzterem Futter eine auſſerordentliche Gröſſe. Die Räupgen, welche im Herbſt gefunden werden, laſſen ſich im Keller, oder an einem kühlen Ort, ſehr leicht überwintern, welches ohne mein Erinnern, mit allen dieſen ähnlichen Arten zu bewerkſtelligen iſt. Nur hat man ſie bey der erſten Fütterung im Frühjahr für jähe Wärme in Acht zu nehmen. Beſonders iſt die Beſcheinung der Sonne ihnen gefährlich.

haarigen Bekleidung, einander gleich. Nach der Farbe aber ist die Abweichung um so mehr beträchtlich. Kaum trift man zwey in ganz übereinstimmender Zeichnung an. Die vorliegende vierte und fünfte Figur zeigt ein Muster der gewöhnlichsten Arten. Zwischen beyden aber ist öfters nach den ockergelben und weissen Flecken eine manchfaltige Abweichung wahrzunehmen. Sie sind zuweilen breiter, bald mehr ins schmale gezogen, oder in die Fläche verlohren. Gemeiniglich ist die Raupe nach der Oberseite mit einem ganz einfärbigen dunklem Braun, das sich ins Graue ziehet, gefärbt. Bey den ausgestreckten Ringen der vordern Glieder, zeigt sich auf dem Rücken des zweyten und dritten ein dunkelblauer mondförmiger Ausschnitt, mit steifen Haaren von schwarzer Farb. Die untere Seite fand ich ohne Ausnahme rostfärbig oder mehr rothgelb, mit schwarzen Flecken gezeichnet. Dadurch ist sie nun kenntlich genug.

Zum Schutz ihrer Chrysalide fertigt sie sich ein dünnes mit ihren abgehenden Haaren durchwebtes Gespinnst. Es ist ungemein geräumig, und von unterschiedener, mehrentheils aber eisgrauen Farb. In dem Innwendigen zeigt sich eine Menge mehlichter röthlichweisser Substanz. Es sind vertrocknete Säfte, welche die Raupe erst innerhalb ihres Gespinstes abgesondert, da andere ausserhalb desselben diese Reinigung anzugehen pflegen. Die Chrysalide selbsten ist sehr dichte damit überzogen. An sich aber ist ihre dünne Membrane von eisgrauem Colorit. Die Entwickelung des Falters erfolgt bey warmer Witterung in vierzehen Tagen, sonsten in drey oder vier Wochen.

Die Phaläne besitzt eine vorzügliche Stärke, doch ist sie zum Flug sehr träge. Selten erhebt sie sich auf eine beträchtliche Strecke. Man findet sie fast beständig in Ruhe an verborgenen Orten. Die Paarungen dauern öfters einige Tage, ununterbrochen. Bey der mindesten Berührung ziehet sie die Füsse und Fühlhörner zusammen, und sucht durch das Fallen den Nachstellungen zu entgehen. Der zackigte Ausschnitt der Flügel, die verdorrten Blättern ähnliche Farbe, macht sie würklich unsern Blicken nicht gleich kenntlich genug. Besonders hat dieser Nachtfalter durch die weit hervorstehende Hinterflügel ein seltsames Ansehen. Noch mehr aber zeichnet sich darinnen die nächstfolgende Gattung aus. Ich habe sie deswegen in sitzender Lage auf der siebenden Tafel in Abbildung dargelegt.

Beyde Geschlechter sind nach der Farbe kaum erheblich von einander verschieden. Das Weibchen nimmt sich durch seine vorzügliche Grösse und den ſo gewichtigen Hinterleib aus. Die vorliegende Abbildung giebt ein Muſter im beträchtlichſten Ausmaas zu erkennen. Gemeiniglich ſind ſie um vieles kleiner, ihre Männchen aber noch mehr. Bey leztern iſt der Hinterleib ganz geſchmeidig, und mit Haarbüſcheln beſezt. Die gekämmte Fühlhörner ſind ſchwarz, und nach der Stärke in beyden Geſchlechtern wenig von einander verſchieden. Die Grundfarbe der Auſſenſeite beyder Flügel iſt roſtfärbig, oder ein Gemiſche von dunklem Braun mit Roth. Zur Seite zeigt ſich ein ſchwärzlich verlohrener Schatten, in der Mitte aber ſtehen dergleichen ſtärker angelegte Binden. Gegen den zackigten Ausſchnitt der Flügel bemerkt man einen weiſſen Schiller, der in friſchen Exemplaren mehr ins Violette ſpielt.

Auſſer der Gröſſe hat man an dieſer Gattung ſehr manchfaltige Abänderungen wahrgenommen. Das Roſtfärbige iſt bald dunkler, bald heller, und mehr oder weniger mit ſchwärzlichen Schatten überzogen. Bey einigen ſind faſt keine Zeichnungen auf der Fläche erſichtlich. Eine dem Anſchein nach ganz eigene Art, habe ich auf der Tab. VI. A. fig. 1. und 2. nach beyden Geſchlechtern vorgelegt. Sie wurde in der Gegend von Frankfurt am Mayn erzogen, von da ich ſie aus der Sammlung des Herrn **Gerning** mitgetheilt erhalten. Die ſchwarze Anlage nimmt hier den beträchtlichſten Theil der Fläche ein. Die Binden ſind in kappenförmige Flecken zertheilt, und auf den Hinterflügeln ſehr breit, und deutlich begränzt. Da beyde Geſchlechter nach gewöhnlicher Abweichung unter ſich, ſonſten alles Uebereinſtimmende haben, ſo bedünken ſie mich keineswegs zufällige Entſtehung zu ſeyn. Doch haben nähere Erfahrungen das Eigene annoch zu entſcheiden.

Die Eyer dieſer Phaläne nehmen ſich durch die Schönheit ihrer Farbe, den weiß und grünfleckigten Zeichnungen aus. Sie ſollen in der Folge, nebſt andern auf einer Tafel in Abbildung vorgelegt werden. Man will aus den unbefruchteten Eyern dieſer Gattung vollkommene Räupgen erzogen haben 5). Mir iſt aber dieſer Verſuch noch niemalen gelungen. Schon in den erſten acht Tagen giengen ſie zu Grund, da ſich ſonſt befruchtete zu drey Wochen erhalten. Sie trockneten aus, und auch die Schönheit der Farbe hatte ſich zugleich damit verlohren.

5) Siehe Herrn Paſt. Götze Ent. Beytr. III. Th. II. B. Anmerk. p. 282.

Der siebende europäische Nachtschmetterling.

PH. BOMB. ELING. AL. REVERS. POPVLIFOLIA.

Das Aspenblatt.

Tab. VI. A. Fig. 3. Der männliche, Fig. 4. der weibliche Falter, beyde von der Ober- und Unterseite.

Tab. VII. Fig. 1. Der weibliche in sitzender Lage nach einer Abänderung.

Bomb. eling. alis reuersis, dentato - repandis, vtrinque testaceo - luteis, fasciis tribus macularibus nigrescentibus.

Die flachen und mehr ausgeschweiften Einschnitte des Flügelrandes bestimmen schon diese Phaläne zur ganz eigenen Gattung. Die Quercifolia führt sie mehr spitzig und in einem gleichlaufend gekrümmten Rand. Aus der Vergleichung beyder Falter nach vorliegender Tafel wird sich dieser Abstand, ohne weitere Anzeige, ergeben. Die Grundfarbe giebt noch mehr verschiedenes an. Es ist ein Gemische von hellem Ocker mit röthlichem Anflug und Oraniengelben vermengt. Das Männchen führt verblichene Flecken von schwärzlicher Farbe, nach der Lage, wie die Abbildung erweißt. An dem Weibchen sind sie stärker und in mehrerer Zahl. Sie ziehen sich in dreyfachen Reihen, schräge durch die Flügel. Nach ihrem übrigen Bau, so wie ihrer Natur, kommen sie gänzlich mit letzterer Gattung überein. Die Hinterflügel sind noch mehr als bey jener hervorgeschlagen. Die erste Figur der siebenden Tafel stellt sie in dieser Lage vor Augen. Es ist dieses Exemplar aus der Sammlung des Herrn Walthers, und in der Zeichnung, wie der Augenschein ergiebt, etwas abweichend gebildet. Die Originale der Falter hingegen Tab. VI. A., sind aus der Sammlung des Hn. Gerning abermahl entlehnt. Es findet sich diese Phaläne in der Gegend von Frankfurt am Mayn. In unserm Franken hat sich derselbe zur Zeit noch nicht bekannt gemacht. Nach zuverläßigen Berichten ist es eben diejenige Gattung, welcher die Herren Verfasser des systematischen Verzeichnisses schon obstehenden Namen beygelegt haben *t*). Ohnfehlbar ist sie auch in ihren Gegenden zu finden. Die Raupe soll von jener der Quercifolia sehr viel Abweichendes haben. Zur Zeit ist mir ihre Naturgeschichte noch gar nicht bekannt.

t) Nachtr. p. 310. Bomb. Populifolia. Die Weißäspenraupe.

Der achte europäiſche Nachtſchmetterling.

PH. BOMB. ELING. AL. REVERS. BETVLIFOLIA.

Das Birkenblatt.

Tab. VII. Fig. 2. Der weibliche Falter von beyden Seiten. Fig 3. Der männliche in ſitzender Lage. Fig. 4. Die Raupe auf einem Zweig der Saalweide. Fig. 5. Das Gehäuſe. Fig. 6. Die Chryſalide.

Bomb. eling. al. reuerſis ſubdenticulatis, cinereis, ruſo - nebuloſis, ſaſcia maculari albida.

Mit dieſer in Abbildung vorliegenden Phaläne, hat ſich abermahl die Familie dieſer Horde vermehrt. Sie hat hier ihren richtigangewieſenen Platz, und uns deucht, daß ſie zur Ausfüllung gerade in dieſer Stuffenfolge annoch gefehlt. Zur Zeit gehört dieſelbe unter die beträchtlichſten Seltenheiten der europäiſchen Arten dieſer Geſchöpfe. Sie iſt ein Produkt unſeres Frankens. Wir haben ihre Entdeckung denen ergiebigen Bemühungen des Herrn Kammerrath Jung zu Uffenheim zu danken. Bereits ſind es ſechs Jahre, da ſich dieſe neue Gattung in beſagten Gegenden fand. So lange muſte ich es anſtehen laſſen, ſolche unſern Liebhabern vorzulegen. Ich erhielte durch die Güte erwähnten Gönners eine Raupe vom mittlern Wuchs, die ich vollends erzogen. Seitdem fanden ſich mehrere, jedoch als einzelne Seltenheiten. Ihre Erziehung aber iſt aller Sorgfalt ohngeachtet meiſtens mißlungen.

Man hat dieſe Raupe auf jungen Saalweiden zu ſuchen, deren Blätter ſie ſich alleine zur Nahrung bedient. Bereits zu Anfang des Junius hat ſie die Hälfte des Wachsthums erreicht. Ihre Zunahme erfolgte dann ſehr geſchwind, und in kurzem erhielt ſie die Gröſe der vorliegenden Zeichnung. Die Natur hat ſie in der That mit einem vorzüglichen Putz verſchönert. Der ganze Bau iſt ungemein geſchmeidig. Der Körper hat nach dem Verhältniß der Dicke eine auſſerordentliche Länge. Ueber jeden Ring zeigt ſich ein orangefarbener mit ſchwarzen Querlinien durchkreuzender Flecken. Zur Seite ſind ſolche mit hellem Weiß, in beträchtlicher Breite eingefaßt. Gegen die Füſſe aber findet ſich ein grauer ins Blaue fallender Streif. Sie iſt da mit dichten, wolligten Haaren bekleidet. Doch dies zeigt die Abbildung deutlicher, als die genaueſte Beſchreibungen, an.

Sie fertigt bey der Verwandlung ihres nächſten Standes ein ziemlich feſtes Gewebe. Es iſt von weiſſer ins Gelbliche fallender Farb. Sie kan sich sehr enge zusammen ziehen, und für eine so beträchtliche Länge ist dieser Raum unsers Bedünkens sehr klein. Die Chrysalide scheint es noch mehr. Sie kommt nach der Gestalt und Farbe, ausser der mindern Grösse, jener der Quercifolia fast gänzlich gleich. Sie ist gleichfalls mit einer mehlichten Substanz bestreut. Die Entwickelung des Falters erfolgt in einer Zeit von drey oder vier Wochen, sonach gemeiniglich zu Ende des Junius.

Beyde Geschlechter sind, wie nach den Abbildungen ersichtlich, eben nicht sonderlich abweichend gebildet. Sie kommen nach dem Ausschnitt der Flügel der Quercifolia, oder mehr der folgenden Gattung der Ilicifolia sehr nah. Doch sind sie noch weniger als erstere gezähnelt. Mit letzterer aber kommt sie nach den busenförmigen Einschnitten an dem innern Winkel der Flügel überein. Diese Form giebt die dritte Figur nach der Unterseite, und von aussen in sitzender Stellung die vierte zu erkennen. Die Grundfarbe ist in beyden ein bräunliches Aschgrau, mit eingestreuten schwärzlichen Atomen. Das Männchen ist in der mittlern Fläche mit hellem ins Röthliche fallenden Ockergelb in unterschiedener Mischung überzogen. Schräge durch den Flügel ziehet sich eine zweyfache, fleckigte, gegen den Leib weißgesäumte Binde. Das Weibchen ist dunkler von Farb. In beyden ist in der Mitte ein weisser rautenförmiger Flecken, von innen und aussen mit einem mondförmigen von dunkler Farbe begränzt. Der Hinterleib ist an dem Männchen, so wie die stärker gekämmten Fühlhörner, von hellem Rostgelb. Die Unterseite ist, wegen der dunklen Schattirungen, wie die Abbildung des Weibchens ergiebt, von der äussern sehr abweichend gezeichnet. Eine genauere Anzeige hingegen wird meines Bedünkens nicht gefordert.

Der neunte europäische Nachtschmetterling.

PH. BOMB. ELING. AL. REVERS. ILICIFOLIA.

Das Stechpalmenblatt.

Phalène petit paquet de feuilles seches. *Degeer.*

Tab. VIII. Fig. 1. Der männliche, Fig. 2. der weibliche Falter; beyde von der Ober- und Unterseite. Fig. 3. Die Raupe auf einem Eichenzweig. Fig. 4. Das Gehäuse. Fig. 5. Die Chrysalide.

LINN. S. N. Ed. XII. Sp. 19. Bomb. elinguis alis reversis semitectis serratis griseis margine postico albo variegato. Ohnzünglichter Seidenspinner, mit zurückgeschlaschlagenen, halbbedeckten, sägeförmig eingeschnittenen Flügeln, von röthlichbrauner Farb, und scheckig gesäumten Rand. Faun. Suec. Ed. nou. nr. 1109.

Müllers Uebersetzung des Nat. Syst. V. Th. I. B. p. 656. Ph. Ilicifolia. Das Stechpalmenblatt.

FABRICII Syst. Ent. p. 562. nr. 20. Ph. Bomb. Ilicifolia. Linneische Charakt. — margine postico albo punctato. — Praecedenti (Quercifoliae) nimis affinis videtur.

Syst. Verz. der Wiener Schmetterlinge; p. 56. Fam. J. nr. 2. Traubeneichenspinner; Ph. Ilicif. L.

Jung Verz. europäischer Schmetterlinge; p. 70.

Fueßli Schw. Ins. p. 33. Ph. Ilicifolia.

Gleditsch. Forstwissenschaft; II. Th. p. 737. Die rostfärbige, zackigte Weidenmotte, mit dem weißbunten hintern Flügelrand.

CATHOLICON. I. p. 96. La Phalène de l'ilex aquifolium, ou la Phalène du houx. Die Stechpalmphaläne.

Götze Ent. Beytr. III. Th. II. B. p. 284. nr. 19. Ph. Ilicifolia. Der Stechpalmenspinner.

DEGEER Mem. des Insect. Tom. I. p. 299. Pl. XIV. fig. 7. 8. 9. Chenille grande & longue, dont le corps jaune brun en dessus, & noir en dessous, avec des taches blanches et jaunes, qui est velue à poils courts, & qui mange les feuilles du saule. — Tom. II. P. I. pag. 298. nr. 1. Phalène petit paquet de feuilles seches. Phalène à antennes barbues sans trompe, à ailes débordées d'un brun rousseâtre avec des rayes ondées obscures, des nuances d'un gris d'agathe & bordées de blanc.

Götze Uebersetzung I. B. II. Quart. p. 17. Tab. 14. fig. 7. 8. 9. Die grosse lange, oben braungelbe, und unten schwarze, weiß und gelbgefleckte, kurzhaarichte Saalweidenraupe — 4. Quart. p. 119. Tab. 14. fig. 7. 8. 9. — II. B. I. Th. p. 212. nr. 1. Das kleine trockene Blattbündel.

Naturforsch. XV. St. p. 57. Tab. III. fig. 5 - 14. von Herrn CAPIEUX, Beschreib. der Raupe und Puppe nebst der Verwandlung der Ph. Ilicifolia.

Die bisher in ihrer Ordnung behandelte Phalänen, mit zackigtem Rand und weit ausstehenden Unterflügeln, haben sich die Benennung von der Aehnlichkeit der Blätter eigen gemacht. Man darf sich eben nicht das gleichende mit größter Pünktlichkeit denken. Es ist lediglich Aushülfe des Gedächtnisses, und dazu sind für neue Entdeckungen genugsame Namen übrig. Dem Herrn Ritter hat es gefallen, diesem Falter die Benennung von dem Ilex Aquifolium, der Stechpalme, einem in den südlichen Gegenden unseres Welttheils, der Eiche den Blättern nach ähnlichen Baums, zu geben. Hier möchte man aber gerade das ähnliche gänzlich vermissen.

Die Stechpalme hat sehr spitzige mit starken und langen Stacheln besetzte Blätter. Unsere Phaläne hat diese Bildung nicht. Wer genauere Aehnlichkeiten sucht, möchte sie näher in dem Laub des Quercus Ilex, der Steineiche finden. Doch, wie gesagt, kommt es darauf nicht an. Es ist uns mehr angelegen zu untersuchen, ob dies wirklich die von dem Herrn von Linne unter obstehenden Namen verzeichnete Gattung ist. Es hat damit verschiedene Anstände gegeben. Die ersterwähnten Schriftsteller beziehen sich meistens auf die in dem System gegebene Merkmale, ohne die mindeste Erläuterung beyzufügen. Zur Entscheidung sind wir von dem Herrn Ritter auf die Abbildung des Herrn Degeer verwiesen. Hier glaubte man, besonders nach der Raupe, nicht die vollkommenste Uebereinstimmung zu sehen. Vergleichen wir aber dessen Beschreibungen damit, so bleibt wohl nicht der mindeste Zweifel übrig. Sie sind so pünktlich, daß sie den Mangel der Farben gar leicht ersetzen. Zu deren Vergleichung habe ich meinen Lesern hier die erste ausgemahlte Abbildung vorzulegen. Sie stimmt mit derjenigen, welche erst kürzlich Herr Capieux mit gleicher Entscheidung geliefert, überein. Die genaueste Untersuchung, so wie die Vollständigkeit ihrer Naturgeschichte, habe ich denen mitgetheilten Nachrichten des Herrn Kammerrath Jung zu danken. Sie ist in den Gegenden von Uffenheim nicht sonderlich selten, sonsten auch in unserm Franken hin und wieder anzutreffen.

Man findet die Raupe auf hochstämmigen Eichen, niemalen aber, es müste ein Zufall seyn, auf niedern Büschen. Auf Aspen ist sie nicht minder vorhanden. Auch auf Saalweiden habe ich sie zu verschiedenen malen gefunden, und damit erzogen. In Schweden nährt sie sich, wie Herr Degeer berichtet, nur alleine von der Weide. Herr Capieux fand sie auf Birken. Sie kommt zu unterschiedenen Zeiten zum Vorschein. Man hat sie von der Mitte des Julius an, den August hindurch, bis zu Ende des Septembers, im jugendlichen Alter und in ausgewachsener Grösse zugleich wahrgenommen. Später hin pflegen sie zu überwintern, und dann kommen sie uns schon in dem ersten Frühjahr zuweilen zu Handen. Nach so unterschiedenen Erzeugungen ist nothwendig die Zeit der Raupe und des Auskommens der Falter nicht auf einzelne Wochen bestimmt.

Diese Raupe gleichet der von der Ph. Quercifolia fast am meisten. Sie scheint nach flüchtigem Anblick nur durch die Grösse davon verschieden zu seyn. Noch nie aber hat man hier gleiche Abänderungen, wie an jener, wahrgenommen. Ihre Grundfarbe ist ein einfärbiges Aschgrau, das sich bey einigen, beſonders über den Rücken und zur Seite, ins Braune ziehet. Sie iſt mit ungemein weichen und dünnen Haaren bedeckt. Zur Seite ſtehen ſie, wie an der Quercifolia, in wollichten Büſcheln hervor. Schon dieſe Geſchmeidigkeit und der verhältnißmäſig mehr in die Länge geſtreckte Körper, unterſcheidet ſie von jener genugſam, wenn auch im jugendlichen Alter der letztern beyde wenig abweichend bedünken. Das kenntlichſte Merkmal geben die orangefarbene Flecken über dem dritten Ring, welche ſie bey jeden Häutungen behält. Auf dem vorletzten Abſatz zeigt ſich eine fleiſcherne Erhöhung, und verſchiedene kleinere Wärzgen wird man über der ganzen Fläche gewahr. Sie pflegt öfters den Vorderleib rückwärts zu ſchlagen, und bey einer Berührung durch Sprünge ſich an andere Plätze zu begeben. Sonſten iſt ſie träge, und bleibt zu Stunden nach dem Genuß der Speiſe unbeweglich in Ruhe. Sie verfertiget ſich ein eyrundes, nicht allzufeſtes Gewebe, und dies gemeiniglich zwiſchen Blättern. Es iſt von weißlicher, oder auch gelblicher Farb. Das Innwendige iſt mit einer mehlichten Maſſe, wie es beyde vorige Gattungen haben, beſtreut. Auch die Chryſalide gleichet der letztern faſt völlig. Sie iſt nur kleiner, und etwas kürzer gebildet. Wie ich ſchon erwähnt, durchlebt ſie in dieſem Stand den Winter. Im Merz, zuweilen erſt im April und im May, entwickelten ſich die Phalänen ſowohl im freyen, als bey unſerer Zucht.

Ich habe beyde Geſchlechter in Abbildung hier vorgelegt. Es läßt ſich daraus das Abweichende näher als aus der genaueſten Beſchreibung erſehen. Die Schuppen gegen den innern Rand ſind ganz dünne aufgetragen, und von grauer Farb. Die mittlere Fläche hingegen iſt roſtfärbig, mit Gelbem vermengt, und gegen den äuſſern Rand dunkler ſchattirt. Es ziehet ſich in der Mitte durch dieſelbe eine Binde von einzelnen ſchwärzlichen Punkten. Auf den Unterflügeln iſt ſie zuſammenhangend und gedoppelt. Hin und wieder ſtehen noch einzelne Punkte. An dem Weibchen ſind dieſe Zeichnungen deutlicher, aber die Farbe iſt nicht von gleicher Erhöhung. Der Herr von Linne giebt als einen weſentlichen Charakter, die weißfleckigten Einfaſſungen des Randes an *u*). Die vorige Gattung, die Betulifolia, beſitzt

J 2

u) S. N. l. c. margo inter dentes alae albus eſt. Antennae pallidae. Faun. Suec. Deſc. Magnitudo praecedentis, (Catax) Statura ſequentis (Quercifolia) ſed quadruplo minor. Color griſeo varius. Inter dentes omnium alarum margo albus eſt.

sie gleichfalls, doch im vorzüglichen Grad. Zur Differentia specifica scheint daher dieser Charakter nicht mehr hinreichend zu seyn. Schon die Farbe unterscheidet sie wesentlich genug. Die Flügel haben gegen den Innenrand hohle Ausschnitte, und die untern stehen vor den obern beträchtlich hervor. Sie sind aber nur wenig gezahnt. Die Fühlhörner sind, wie gewöhnlich, an dem Männchen stärker gefiedert. Man hat eine Abänderung des Weibchens, wo sich die Farbe der Oberfläche mehr ins Blasse und Ockerfärbige zieht. Man bemerkt kaum eine deutliche Spur der bindenförmigen Züge darauf. Zur Abbildung bedünkte sie mir nicht genugsam erheblich zu seyn. Die Eyer dieser Phaläne sind nach der grünen, weiß und schwarzfleckigten Zeichnung, denen der Quercifolia sehr ähnlich, aber genugsam davon verschieden.

Der zehente europäische Nachtschmetterling.

PH. BOMB. ELING. AL. REVERS. TARAXACI.

Der Butterblumenspinner.

Tab. VIII. Fig. 6. Der männliche, Fig. 7. der weibliche Falter; beyde von der Ober- und Unterseite.

Syst. Verz. der Wiener Schmetterlinge; p. 57. Fam. E. nr. 7. Bomb. Taraxaci. Butterblumenspinnerraupe. — Leontodontis Taraxaci.

Ph. Bomb. alis subreversis concoloribus, puncto in medio nigro.

In der Ordnung unsers Systems kommen wir nun auf eine eigene Abtheilung der Seidenspinner mit zurückgeschlagenen Flügeln. Sie führen ein einfärbiges Gewand mit wenigem Putz. Es sind entweder bindenförmige Züge, oder ein einfacher Punkt zur Zierde daran verwendet. Der Umriß der Flügel ist gerundet. Bey mehrern Entdeckungen würde wenigstens diese Abtheilung ihre erheblichen Vortheile haben. In dieser Rücksicht habe ich einen Falter hier eingeschaltet, der gerade nach erwähnten Merkmalen in richtiger Ordnung den Rang des vordersten hat. Er war Herrn von Linne noch nicht bekannt. Die Natur hat ihm weiter keinen Schmuck, als ein simples hellockerfärbiges Gewand verliehen. Es ist eine Seite wie die andere, nur die untere mehr ins Blasse gefärbt. Auch beyde Geschlechter sind darinnen kaum erheblich verschieden. Das Männchen hat eine mehr ins Dunkelgelbe abstechende Mischung. Ein einziger Punkt von schwarzer Farbe, ist die ganze Verzierung der Vorderflügel. Die Antennen sind stark gefiedert, und die Brust mit höherem Rothgelb gefärbt. Der Hinterleib iſt an dem Männchen ſchwarz, an dem Weibchen aber mit dergleichen Ringen gezeichnet. Dies ſind alle ſpecifiſche Charaktere, und dieſe habe ich zum Ueberfluß angegeben.

Nach zuverläßigen Nachrichten enthält ſich dieſer Falter in Oeſterreich und Ungarn. Von da habe ich ihn in unterſchiedenen Exemplaren, und zwar unter vorſtehender Benennung des Wiener Verzeichniſſes, mitgetheilt erhalten. Er wurde mir auch unter dem Namen Lobulina eben dieſer Verfaſſer beliefert. Gegründete Urſachen aber lieſſen mich auſſer den angeblichen Merkmalen der Familie, dahin ſie ihn zehlen, eine Irrung vermuthen. An ſich kommt es auf den Namen nicht an. Sonach ſoll ſich die Raupe von dem Taraxacum, dem Löwenzahn, nähren. Eine gleiche Benennung hat man einer andern Phaläne, der Dumeti, gegeben, wie ich bey deren Abhandlung in der Folge zu zeigen habe. Sie iſt von dieſer gänzlich verſchieden.

Der eilfte europäiſche Nachtſchmetterling.
PH. BOMB. ELING. AL. REVERS. RVBI.
Der Vielfraß, Brombeerſpinner.
De bruine Iaager. *Adm.*

Tab. IX. Fig. 1. Der männliche, Fig. 2. der weibliche Falter; beyde von der Ober- und Unterſeite. Fig. 3. Die Raupe auf einem Stengel der Poa annua. Fig. 4. Dergleichen zuſammengerollt. Fig. 5. Das Geſpinſt. Fig. 6. Die Chryſalide.

LINN. S. N. Ed. XII. Sp. 21. Ph. B. elinguis, alis reuerſis ceruinis immaculatis, Strigis duabus albidis; ſubtus nullis. Ohnzünglichter Spinner, mit zurückgeſchlagenen, graubraunen ungefleckten Flügeln, zweyen weißlichten Streifen auf jedem, unten aber keinen. — Alae absque puncto; Striga poſterior flexuoſa, obſoletior. Faun. Suec. edit. nov. 1103.

Müllers Ueberſetzung des Nat. Syſt. V. Th. I. B. p. 657. Das Himbeerblatt.

FABRICII S. E. p. 565. Bomb. Rubi. Linneiſche Charaktere.

SCOPOLI Ent. Carn. p. 197. nr. 492. Ph. Rubi. Linn. Char. Larua *Aeſchimena*, rigida, piloſa, ſuſco - nigricans, pudicunda, metamorphoſis iniqua, caloris impatiens, omniuora, *Geniſtae ſagittalis* foliis facilius educanda, poſt primum et ſecundum ſoeniſecium per prata repens, etſi quotannis enutrita fuerit, nondum tamen optatam mihi Phalaenam genuit.

Syſt. Verz. der Wiener Schmetterlinge; pag. 56. Fam. K. nr. 2. Brombeerſpinner. Ph. Rubi.

Götze Ent. Beytr. III. Th. II. B. p. 286. nr. 21. Rubi. Der Brombeerſpinner.

MÜLLER Faun. Frid. p. 39. nr. 351. Zoolog. Dan. Prodr. p. 117. nr. 1350. Ph. B. Rubi L.

Gleditsch Forstwissenschaft; II. Th. p. 737. nr. 18. Ph. Rubi. Die Brombeermotte.

ONOMAST. hist. nat. Ph. Rubi. Der Vielfraß.

Fueßli Schweiz. Ins. p. 34. Der Vielfraß. — Magaz. I. p. 269.

Jung Verz. p. 126.

Acta Vps. 1736. p. 25. nr. 65. Papilio alis depressis, cinereo-testaceis, lineis binis albis obliquis.

BECKMANN. Epit. S. L. p. 162.

Rösels Ins. Bel. III. Th. p. 283. Tab. XLIX. Der Vielfraß, oder die zur Nachtvögel II. Kl. grosse, schwarzhaarige Raupe, nebst ihrer Verwandlung 3. Pap.

ADMIRAL Naauwk Warn. Tab. XXXII. p. 32.

SCHAEFFER Icon. Inf. Rat. Tab. 178. fig. 3. 4. Dreyßigster Nachtfalter.

Rösel hat schon über die mißliche Erziehung dieser Raupe Klagen geführt. Er hatte neun Jahre nöthig, um sie endlich zur Verwandlung zu bringen. Doch lange nicht so viele, als Admiral v) auf diese Versuche verwendet. Er verbrauchte ganzer dreysig Jahre dazu, bis sie ihm endlich gelungen. Noch ist sie bey vielen Liebhabern deswegen verhaßt. Es ist in der That sonderbar, da sie zahlreich genug in unsern Gegenden ist, daß es dennoch sehr schwer hält, sie aufzubringen. Sie durchwintert in ausgewachsener Grösse, ohne noch das folgende Jahr eine Häutung mehr anzugehen. Doch diejenigen, welche man im Merz, April oder auch noch im folgenden Monath findet, sind ohne Anstand zu erziehen. Sie pflegen in wenigen Tagen ihre Verwandlung anzugehen. Ganz anders aber verhält es sich mit der Winterung derselben. Sie begeben sich gegen den Herbst in die Erde, oder verbergen sich im Wasen, dem Moos, oder dürren Laub. Von da kommen sie öfters wieder heraus. Erhält man sie im Trockenen und in der Wärme, so gehen sie durch die Verdünstung der Säfte verlohren. Die Befeuchtung verursacht einen Schimmel, der ihnen noch schädlicher ist. Werden sie auch bey sorgfältiger Verhütung im Keller verwahrt, so sind sie in wenigen Stunden, wenn sie in Wärme kommen, abermal dahin. Ich habe jährlich mit etlich hunderten Versuche gemacht, auf diese Art aber niemalen einen einzigen Falter erzogen. Es gieng nach einem andern Verfahren aber leichter von statten. Ich füllte einen Kasten mit lo-

v) Er hat etliche vierzig Raupen in einen Topf mit Sand gelegt, wodurch sie sich endlich erhielten.

ckerem Waſen von weichen Gräſern, den ich noch überdies mit Moos bedeckte. Die eingeſetzten Raupen bedienten ſich derſelben, ſo wie der vorgelegten Blätter zur Nahrung. Dies Gefäß wurde der freyen Luft ausgeſetzt, und der Witterung ohne weitere Sorgfalt überlaſſen. Vor einbrechender Kälte des Winters verbargen ſich dieſe Raupen wie gewöhnlich. Sie kamen im Frühling wieder zum Vorſchein, wo ſie dann bey gewohnter Luft und mehrerer Erſtärkung ohne Anſtand aufzubringen waren. Sie bedienen ſich faſt jeder vorgelegten Blätter zur Nahrung. Die von Aprikoſen und Zwetſchgen, ſcheinen ſie andern vorzuziehen.

Die Eyer werden ſehr zahlreich von dem Weibchen an die Blätter niedriger Aeſte, beſonders der Heckengeſträuche gelegt. Die auskommende Räupgen fallen herab, und bedienen ſich dann niederer Gewächſe zur Nahrung. Sie zerſtreuen ſich auf die Wieſen, an die Raine, und gemeiniglich an etwas erhöhte und trockene Orte. Man findet ſie bereits in der Mitte des Julius. Nach der Länge der Zeit ihres Raupenſtandes hat ſie mit Recht den Namen des Vielfraßes erhalten. Es werden beynahe neun bis zehen Monathe von der Entwickelung aus dem Ey bis zur Chryſalidenverwandlung erfordert. Sie bedient ſich ihres Futters überdies in reichlichem Maas. Bey dem Auskommen aus dem Ey ſind ſie von einfärbigem Schwarz. Nach der zweyten Häutung erhalten ſie zwiſchen den Ringen hochgelbe Gürtel. Dieſe verändern ſich in den folgenden Häutungen, wo endlich bey der letztern, ſtatt der rothbraunen Haare, dunkelſchwarze erſcheinen. Sie liegen zottig und dichte beyſammen. Zur Seite führen ſie einen orangefarbenen Schiller, und an den Ringen iſt dieſe Farbe hin und wieder verbreitet. Ihre Länge, beſonders der weiblichen Raupen, iſt öfters ſehr beträchtlich. Bey der mindeſten Berührung pflegen ſie ſich in eine Spirale zuſammen zu ziehen, in welcher Lage ſie auch den Winter hindurch ſich verbergen.

Ihre Gehäuſe fertigen ſie, wider erſtere Gewohnheit, nie in der Erde. Sie bauen ſich auſſer derſelben zwiſchen Blättern ein dünnes, aber ſehr feſtes Gewebe. Dies unterſcheidet ſich leicht von andern, durch die vorzügliche Länge. Es iſt von ſchwärzlichbrauner auch grünen Farbe. Die Chryſalide hat eine ſehr weiche Schale. Sie iſt ſchwarz und an den Ringen rothbraun. Die Entwickelung der Phalänen erfolgt gemeiniglich in Zeit von drey Wochen.

Das Männchen zeichnet sich durch die starkgekämmten Fühlhörner, und die röthlichbraune Grundfarbe der Flügel sehr kenntlich aus. In der Mitte stehen zwey blaßgelbe, etwas geschweifte Binden. Das Weibchen ist hellgrau, ins Bräunliche schattirt. Zuweilen sind die weißlichten in die Fläche verlohrene Binden kaum sichtlich. Der Leib ist von beträchtlicher Stärke. Sie halten sich fast beständig in träger Ruhe an einem Ort auf. Dagegen zeigt sich das Männchen auch bey Tage in einem schnell, durchirrenden Flug. Es ist ungemein schwer, sich derselben zu bemächtigen, da sie sich in Gesträuche verbergen, und bey einer Annäherung in beträchtlicher Strecke wieder entfernen. Doch lassen sie sich endlich ermüden.

Der zwölfte europäische Nachtschmetterling.

PH. BOMB. AL. REVERS. PRVNI.

Das Schlehenblatt. Der Zwetschgenspinner. Der Fischschwanz.

Tab. X. Fig. 1. Der weibliche Falter von beyden Seiten. Fig 2. Die ausgewachsene Raupe auf einem Schlehenzweig. Fig. 3. Das Gehäuse. Fig. 4. Die Chrysalide.

LINN. S. N. Ed. XII. p. 813. Sp. 22. Pruni. Ph. Bomb. elinguis, alis reuersis luteis: strigis duabus fuluis punctoque albo. Ohnzünglichter Spinner, mit zurückgeschlagenen Vorderflügeln von gelber Farb, zwey rothgelben Streifen und einem weissen Punkt.

Müllers Uebers. des Nat. Syst. V. Th. I. B. p. 657. Das Pflaumenblatt.

FABRICII S. Ent. p. 563. nr. 26. Ph. B. Pruni. Alis reuersis, dentatis, flauis, strigis duabus fuscis, punctoque albo.

Syst. Verz. der Wiener Schmetterlinge; p. 56. Fam. J. n. 3. Pflaumenspinner. (Pruni domesticae).

Berlin. Magaz. II. Th. p. 394. nr. 3. Ph. Pruni. Der Fischschwanz. Gelbroth mit einem weissen Punkt in der Mitte der Flügel.

Fueßli Schw. Ins. p. 34. nr. 3. Ph. Pruni. Der Fischschwanz.

Naturforsch. VIII. St. p. 101. nr. 3.

MÜLLER Zoolog. Dan. Pr. p. 117. nr. 1351. Ph. Pruni. Elinguis alis luteis etc.

GLEDITSCH Forstwissenschaft; I. Th. p. 650. nr. 23. Ph. Pruni. Der Fischschw.

ONOMAST. hist. nat. P. VI. p. 402.

Göze Entom. Beytr. III. Th. II. B. p. 288. nr. 22. Ph. Pruni. Der Pflaumenblattspinner.

Jung Verz. europäischer Schmetterlinge; p. 115.

Rö-

Röſels Inſ. Bel. I. Th. Nachtv. II. Kl. p. 209. Tab. XXXVI. Die graue, braun-geſleckte Fiſchſchwanzraupe und derſelben Verwandlung.
SCHAEFFER Icon. Inſ. Rat. Phal. IX.

Dieſer mit ſo ſchönem Colorit gezeichneter Nachtfalter iſt nur dem mittägigen Teutſchland und den ſüdlichen Erdſtrichen unſeres Welttheils eigen. Die nördlichen Länder vermiſſen ihn gänzlich. In Schweden hat man ihn niemahlen gefunden. Die Exemplare, die ich aus den Gegenden von Lion erhalten, waren ſehr klein. In der Ordnung des Syſtems bedünkt mich, wäre nach der Quercifolia ſein richtig beſtimmter Platz. Die gezahnten, die über die vordern beträchtlich ausſtehende Hinterflügel, die nähere Aehnlichkeit der Farbe und Zeichnung, und ſelbſt die Raupe ordnen ſie füglicher dahin. Ich weiß nicht, wienach Herr von Linne ſo viel Gleichendes mit der nächſtfolgenden Gattung der Potatoria an derſelben wahrgenommen, daß er beyde mit einander ſo genau vereint w). Auſſer den gedoppelten weiſſen Punkt, den das Weibchen des letztern hat, iſt ſonſten doch der Unterſcheid ſehr beträchtlich. Es ſcheint, daß ihm etwa von beyden, da ſie ſich in den ſchwediſchen Gegenden nicht enthalten, unvollſtändige Exemplare behändiget worden. In der That gehet ihre Schönheit in kurzer Zeit verlohren. Doch die Charaktere der Gattungen ſind hinreichend entſchieden.

Die Raupe iſt in unſeren Gegenden ſelten, und nicht ohne Mühe zu finden. Ihre Farbe und der verborgene Aufenthalt macht, daß ſie dem emſigſten Bemühen entgehet. Vor verſchiedenen Jahren kam ſie mir öfters zu Handen. Ich bemerkte daran das Abweichende von der Röſliſchen Zeichnung. Doch hatte ich die genauere beyzubringen verſchoben. Nachgehends ſtunde es drey Jahre an, wo ich ſie an ihren ſonſt gewohnten Plätzen vergebens geſucht. Herr Kammerrath Jung hat mir endlich Aushülfe verſchaft. Durch deſſen Güte habe ich die Raupe der vorliegenden Abbildung erhalten. In Vergleichung der Röſeliſchen Figur, werden meine Leſer einen beträchtlichen Unterſcheid gewahr. Ich wuſte mich ſelbſten lange nicht darein zu finden. Bey angehender Verwandlung zur Chryſalide entdeckte ſich endlich die Irrung. Sie erhielte dann die ſo eingeſchrumpfte Geſtalt, die Flecken über den Rücken, und das unkenntliche Gewirre der Zeichnung.

w) S. N. 1. c. „Simillima ſequenti, (potatoria) ſed in alis ſuperioribus punctum tantum vnicum album, nec alterum minus.„

Ohnfehlbar hatte sie Rösel in diesem Zeitpunkt gemahlt *x*). In ihrem vollkommenen Wuchs ist sie von beträchtlicher Länge, wie die vorliegende Figur erweißt. Ihre Grundfarbe ist ein bläulichtes Aschgrau, mit gelblichen Streifen. Sie ist mit kurzen sammtartigen Haaren bedeckt. Sie stehen zur Seite verlängert und in dichten Büscheln heraus. Besonders sind gegen den Kopf zwey lang herausstehende Parthien ihr eigen. Der vorletztere Ring hat eine fleischerne Erhöhung, und die Endspitze des Hinterleibs, ist nach Aehnlichkeit eines Fischschwanzes, von der die Raupe den Namen erhalten, in herausstehende Lappen, oder Flossen, wie man solche sich dachte, getheilt. Zur Beschreibung genug, die schon die Abbildung in aller Genauigkeit ergiebt. Da die Raupe zu Anfang des Junius in vollständiger Größe sich findet, so ist wohl zu vermuthen, daß sie bereits nach den ersten Häutungen sich in die Winterung begiebt. Doch kommen uns noch bis in die Mitte des Junius die Phalänen, die bey Nacht ihre Nahrung suchen, öfters zu Gesicht. Es sind also spätere Erzeugungen sicher vorhanden. Unsere Raupe enthält sich gemeiniglich auf Zwetschgenbäumen. Ich fand sie auch auf Linden und Schlehen. Man kan sie mit den zärteren Blättern der Aprikosen am besten erziehen. Auch auf den Birken hat man solche gefunden, und vielleicht bedient sie sich noch anderer Bäume zur Nahrung.

Eine so lang gestreckte Raupe, baut sich ein sehr enges Gespinst zur Verwahrung der Chrysalide. Mehrentheils bedient sie sich der Blätter dazu. Es ist sehr feste, und von weißlichtgelber Farb. Die Chrysalide ist braun, und kurz abgestumpft; vornen schwarz. Die Phaläne kommt dar-

x) Bey der Röselischen Beschreibung dieser Phaläne p. 215. wird es in unsern Zeiten einem jeden sehr seltsam bedünken, wenn derselbe sich für Vorurtheile sicher zu setzen genöthiget war. Man hatte ihm den tollen Vorwurf gemacht, er habe Geschöpfe, um nur ihre Anzahl zu vermehren, nach eigener Phantasie gemahlt. Die Widerlegung ist so ernstlich, daß ihm dabey, gar nicht wie uns, das Lachen nahe gestanden. Vorwürfe, die sich wohl niemand träumen läßt! — Sind wir denn aber über diese Zeiten ganz weg? Muß es nicht einstens gleich auffallend bedünken, wenn es einem gewissen Verfasser, jedoch nur Einem, so gefallen, die Existenz eines Hermaphroditen für eitel Betrug und Irrthum zu erklären, und warum? weil er ihn nicht gesehen! Wir werden dagegen von grössern Entdeckungen nach seiner Anzeige belehrt. In seiner Sammlung sagt derselbe, gäbe es Spannenmesserphalänen, wo die Weibchen ganz fadenförmige Fühlhörner, die Männchen ganz kammförmige Fühlhörner haben. Das sind Raritäten! Wenn nur kein Betrug dahinter ist.

aus noch das erſte Jahr hervor, und zwar gemeiniglich in Zeit von drey Wochen.

Vorliegende Abbildung legt das gröſte Exemplar vor Augen, das mir irgend zu Geſicht gekommen. Es iſt aus der Sammlung des Herrn Kammerrath Jung zu Uffenheim, und wurde aus der Raupe erzogen. Es iſt weiblichen Geſchlechts. Das Männchen iſt lediglich durch eine dunklere Miſchung der Grundfarbe, die ſtärker gefiederte Antennen und den ſchlanken Hinterleib verſchieden. Das Colorit dieſes Falters iſt wörtlich ſehr ſchwer zu beſtimmen. Es iſt ein erhöhtes Oraniengelb, das ſich merklich ins Hellviolette ziehet. Die Hinterflügel ſind fleiſchfarb, damit auch die vordern gegen den Rand angelaufen erſcheinen. Es ziehen ſich drey dunkelrothbraune Streife durch die Flügel. Ein hellweiſſer herzförmiger Flecken iſt zur vorzüglichſten Verſchönerung in der Mitte zu ſehen. Eine ſo vortrefliche Farbe gehet in unſeren Sammlungen leicht verlohren. Da, wo man ſich zur Verwahrung des Campfers bedient, wird ſie in wenigen Wochen ausgebleicht. Man hat ſie ſogar für die Lichtſtrahlen zu verbergen, am wenigſten aber der Wärme oder der Sonne auszuſetzen.

Der dreyzehente europäiſche Nachtſchmetterling.

PH. BOMB. AL. REVERS. POTATORIA.

Der Grasvogel. Das Einhorn.

De Vlinder de Riet - Vink. *Sepp.*

Tab. XI. Fig. 1. Der männliche, Fig. 2. der weibliche Falter; beyde von der Ober- und Unterſeite. Fig. 3. Die Raupe auf einem Grasſtengel. Fig. 4. Das Gehäuſe. Fig. 5. Die Chryſalide.

LINN. S. N. Ed. XII. p. 813. Sp. 23. Ph. Bomb. elinguis, alis reuerſis flauis: ſtrigis fulua repandaque punctis duobus albis. Ohnzünglichter Spinner, mit zurückgeſchlagenen Flügeln von gelber Farb, einem rothbraunen ausgeſchweiſten Streif, und zwey weiſſen Punkten.

Müllers Ueberſ. des Nat. Syſt. V. Th. I. B. p. 657. nr. 23. Ph. Potatoria. Der Trinker.

FABRICII S. Ent. p. 564. nr. 28. B. Potat. Linn. Char.

RAII Hiſt. Inſ. p. 142. nr. 3. Phal. maxima; alis e fuluo flauicantibus; linea fulua ab extimo alae angulo ad marginem eius interiorem oblique ducta; interioribus vltra exteriores extantibus. (foem.) Mas in multis differt — p. 143. Eruca piloſa maior, obſcure caerulea ſeu pulla, pilis oblongis ſuluis, albis et flauis maculis in lineis ſecundum longitudinem ſitis, diſtincta.

Syst. Verz. der Wiener Schmetterlinge; p. 56. Fam. K. nr. 1. Der Trespenspinner. (Bromi sterilis).
Berlin. Magaz. II. B. IV. St. p. 398. Ph. Potatoria. Das Eichhorn. Röthlichgelb, mit einem blassen Querstreif durch alle Flügel.
Fueßli Schw. Ins. p. 34. nr. 640. Ph. Potatoria. Der Trinker. Magazin der Entom. I. pag. 270.
BECKMANN. Epit. S. N. p. 162. nr. 20. Ph. Potatoria.
Göze Entom. Beytr. III. Th. II. B. p. 280. nr. 23. Ph. Potatoria. Der Trespenspinner.
Jung Verz. europäischer Schmetterlinge; p. 112.
MÜLLER Faun. Fric. p. 40. nr. 359. Zoolog. Dan. Prodr. p. 117. nr. 1352. Ph. Pot.
Lang Verz. seiner Schmetterlinge; p. 22. nr. 117 - 124.
SEPP Nederl. Inf. IV. St. p. 37. Tab. VIII.
Rösel Ins. Bel. I. Th. Nachtv. II. Kl. pag. 9. Tab. II. Die grosse braunhaarigte, bordirte, und hinten und vorne mit einem haarigen Zapfen bewachsene Grasraupe, nebst ihrer Verwandl. zum Pap.
SCHAEFFER Icon. Inf. Ratisb. Tab. 67. fig. 11. 12. Ph. pect. 13.
MERIAN. europ. p. 27. Tab. 16. Lister ed. Goed. p. 195. nr. 82. fig. 82. Eruca admodum siticulosa, cum bibit, immergit caput. Ph. Bibax. La bibeuse.

Nach den Eigenschaften der Raupe und ihrer Naturtriebe, kommt diese Gattung der Ph. Rubi gleich. Sie erscheint zu einer Zeit, und bedient sich gleicher Nahrung. Doch weicht sie darinnen ab, daß sie gemeiniglich noch das erste Jahr ihre Chrysalidenverwandlung angehet, und auch die Phalänen sich daraus entwickeln. Es sind sonach zweyfache Erzeugungen würklich vorhanden. Man findet sie vom ersten Frühling in ausgewachsener Größe, und zugleich in dem ersten Alter. Sie kommt uns in verschiedenem Wuchs den ganzen Sommer und Herbst vor Augen. Mit der Erziehung hat es sonach gar keinen Anstand. Merianin und Goedart glaubten, es wäre täglich Wasser zu ihrem Getränke nöthig. Sie wollen beobachtet haben, daß die Raupen solches sehr reichlich geniesen, sogar wäre ihre Erziehung ohne dieses Mittel unmöglich. Sie haben ihr deßwegen den Namen der Trinkerin, bibeuse, bibax, gegeben. Herr von Linne hätte den Namen in dieser Bedeutung beybehalten, und in potatoria verändert. Heut zu tage haben unsere Raupen das Trinken gänzlich verlernt. Es sind ihre Werkzeuge keineswegs dazu gebildet. So viel ist indessen gewiß, daß diese und die ihr ähnliche Raupen, das nasse Futter ohne Schaden geniesen. Sie scheinen die saftreichen und benetzten Blätter andern vorzuziehen. Doch lassen sie sich gar leicht auch ohne dieses Mittel erziehen.

Die Gestalt der Raupe ist von der Ph. Rubi ganz abweichend gebildet. Auch nach der Farbe ist sie gänzlich verschieden. Die vorliegende Abbildung legt sie auf das genaueste dar. Sie ist mir von Herrn Capieux in Leipzig beliefert worden, dessen große Geschicklichkeit und Kunst, meinen Lesern genugsam bekannt ist. In natürlicher Stellung richtet sie die Füsse in die Höhe, und krümmt die vier ersten Glieder. Die zugespitzten schwarze Haarbüschel an beyden Enden, sie stehen auf dem zweyten und eilften Ring, sind ein ganz eigenes Merkmal. Die Zeichnung wurde von der Richtung genommen, wo der Rucken ganz zu übersehen ist. Man wird noch verschiedene kleinere Haarbüschel auf der Fläche gewahr. Die langen Haare sind fuchsfärbig, am Ende schwarzbraun. Zur Seite ziehen sich zwey hochgelbe Linien die Länge hin, unter denselben stehen einzelne Büschel weisser Haare heraus.

Nach den Kunsttrieben, in Fertigung des Gehäuses, weichet diese Raupe abermahl von denen ihr ähnlichen ab. Sie bauet sich mit den eingewebten Haaren zur Verwahrung der Chrysalide ein längliches kegelförmiges Gehäuse. Es ist gelblich, und von lederartiger Substanz. Inwendig ist es glatt, und nicht wie bey andern bestäubt. An dem unteren Theil hat die Raupe eine Oefnung gelassen, die sie nur dünne übersponnen. Die Chrysalide ist schwärzlich braun, und an dem untern Theil gerundet. Die Einschnitte daran sind ziemlich vertieft. Die Phalänen pflegen in Zeit von vier bis fünf Wochen gemeiniglich, auszukommen.

Beyde Geschlechter unterscheiden sich von aussen schon durch ihre ganz abweichende Farbe. Das Männchen hat unterschiedene Mischungen, von Hellem- und Dunkelgelb mit Braunem schattirt. Nach den manchfaltigen Graden derselben sind darinnen die Abänderungen sehr zahlreich. Gegen den Rand bemerkt man eine zackigte Linie, und schrege durch eine andere in gerader Richtung. Mitten findet sich ein großer rautenförmiger gelblicher Flecken, daneben gegen den äussern Rand ein hellweisser Punkt erscheint. Die Antennen sind sehr stark gefiedert. Im Flug ist das Männchen sehr lebhaft, und zeigt sich öfters bey Tag. Das Weibchen hingegen enthält sich in Ruhe an verborgenen Orten. Dessen Grundfarbe ist ein einfaches Ockergelb, bald mehr ins Weisse, bald stärker ins Gelbliche gemischt. Die Streifen nehmen sich auf diesem Grund deutlicher aus. Die beyden weissen Punkte an dem Rand sind aber öfters sehr verblichen.

Der vierzehente europäische Nachtschmetterling.

PH. BOMB. ELING. AL. REVERS. PINI.

Die Fichtenmotte. Der Fichtenspinner.

Tab. XII. Fig. 1. Der männliche, Fig. 2. der weibliche Falter; beyde von der Ober- und Unterseite. Fig. 3. Die graue Raupe. Fig. 4. Dergleichen gelbe. Fig. 5. Das Gehäuse. Fig. 6. Die Chrysalide.

Tab. XIII. Fig. 1. Eine Abänderung des weiblichen Falters.

LINN. S. N. Ed. XII. Ph. B. elinguis, alis reuersis griseis: strigis duabus cinereis: puncto albo trangulari. Mit zurückgeschlagenen, graubraunen Flügeln, zwey aschfärbigen Streifen, und einem dreyeckigten weissen Punkt. Fauna Suec. edit. nov. 1104.

VDDMANNI Diss. 60. Pithyocampus.

Müllers Uebersetzung des Nat. Syst. V. Th. I. B. p. 657. nr. 24. Ph. Pini. Der Fichtenwanderer.

FABRICII Syst. Ent. p. 565. nr. 32. Ph. Pini al. reuers. gris. fascia ferruginea.

Berl. Mag. II. B. p. 398. nr. 5. Ph. Pini. Die Fichtenmotte entweder aschfärbig oder braun mit geschwungenen Streifen am Rande, und einem weissen Fleck in der Mitte der Oberflügel.

Syst. Verz. der Wiener Schmetterlinge; p. 56. Fam. J. nr. 4. Föhrenspinner, (pini syluestr.)

Fueßli Schw. Ins. p. 34. nr. 641. Ph. Pini. Die Fichteneule. Selten.

Naturforsch. II. St. p. 19. Ph. Pini.

Gleditsch. Forstwissenschaft; I. Th. p. 501. nr. 2. Ph. Pini. Die Fichten- und Tannenmotte.

Oekonom. Nachr. der patriotischen Gesellschaft in Schlesien, VI. Th. p. 404.

BECKMANN. Epitom. S. L. p. 163. n. 24. Ph. Pini.

ONOMAST. hist. nat. P. VI. p. 397. Der grosse Waldraupenvogel.

Göze Ent. Beytr. III. Th. II. B. p. 290. nr. 24. Ph. Pini. Der Fichtenspinner.

Jung Verz. europäischer Schmetterlinge; p. 107.

Gladbachs Verz. Die Tannengluck.

Röseis Ins. Bel. I. Th. II. Kl. der Nachtv. p. 297. Tab. 59. Die grosse Kühn- oder Waldraupe mit ihrer Verwandelung.

SCHAEFFER Icon. Ins. Rat. Tab. 86. fig. 1. 2. 3. Ph. pectin. 17. 18.

Frisch Ins. X. Th. p. 13. Tab. X. Die Kühnbaumraupe.

Es ist uns zur Zeit keine Raupe als diese bekannt, die in so unterschiedenem Alter, und zu allen Jahreszeiten erscheint. Sie ist in den kalten Wintertagen, den heissen Sommer, und den späten Herbst zugleich zu finden. Die nördlichen Erdstriche sowohl, als die südlichen unseres Welttheils bringen sie hervor. Am gewöhnlichsten zeigt sie sich bey uns im Februar, und da schon in halbgewachsener Grösse. Im Junius oder den folgenden Monath ist sie abermahl ohnfehlbar von der ersten Erzeugung, in vollkommenem Wuchs vorhanden. So habe ich öfters in hiesigen Gegenden Raupen, die kaum die erste Häutung überstanden, mit denen, die ihrer Verwandlung schon nahe waren, zugleich in Gesellschaft angetroffen. Ihre Futterpflanze, die immergrünende Fohre, ist zum beständigen Aufenthalt dieser Raupenart vorzüglich bequem. So bald nur eine Frühlingswärme die erstarrten Glieder belebt, finden sie ohne Mühe ihre anständige Kost. Doch haben sie sich für grossen Ungemächlichkeiten, in den aufgesprungenen Rinden, und in den hohlen Klüften löcherichter Stämme zu schützen gelernt. Ihre Vermehrung würde sehr zahlreich, und für die Holzungen von den schädlichsten Würkungen seyn. Doch vielleicht entgehet kaum der tausendste Theil. Sie dienen zur Fütterung für grössere Thiere. Die Spechte, die Meisen und andere Vögel suchen sie auf, und denen sind sie bey der ohnehin sparsamen Nahrung des Winters sehr reizende Bissen. Noch nie ist sie uns in erheblicher Anzahl zu Handen gekommen, und nie hat man über ihre Vermehrung zu klagen nöthig gehabt. Sie ist lediglich an die Fohre, (Pinus siluestris) gewöhnt. Ich habe vergeblich versucht, mit der Fichte und Tanne sie zu ernähren. Man hat diese Holzart gemeiniglich mit letzteren Arten verwechselt, und deßhalb ein Befremden geäussert, daß man solche in gewissen Gegenden niemahlen angetroffen. Doch muß ich erinnern, daß man sie vergeblich in niedern Schlägen sucht. Sie enthält sich meistens auf den herabgehenden Aesten bejahrter Bäume. Nun habe ich ihre vorzüglichsten Merkmahle anzuzeigen, und das Erheblichste ihrer Geschichte zu erzehlen.

Sie kommt uns in unterschiedenem Colorit zu Handen. Man hat sie von aschgrauer etwas röthlicher Grundfarbe, wie die dritte Figur zu erkennen giebt. Aus dieser habe ich beständig die Weibchen erzogen. Die mit gelben fuchsfärbigen Haaren, weissen und braunen Flecken, nach der vierten Figur, haben die Männchen ergeben. In der Mitte zeigt sich ein grösserer Flecken von weisser Farb, und gegen den Kopf ein dergleichen Schopp Haare, zwischen schwarzen dichte beysammenstehenden Bürsten. Ueber jedem Ringe stehen einzelne etwas niedere Parthien paarweise beysammen. Schon diese Charaktere sind zur Bezeichnung genug. Man hat ohnedieß nicht zu befürchten, solche mit irgend einer anderen Raupenart zu verwechseln. Sie bedient sich ihrer Nahrung sehr reichlich, und mit so grosser Begierde, daß sie die Nadeln der Fohre in den Mund gleichsam einzuschieben scheint. Sie wird sich nie an den Spitzen derselben verletzen, über die sie ohne Schaden wegzugehen gelernt. Kurz vor der Verwandlung läßt sie wie andere Raupen, die Haare fahren. Sie dringen bey der Berührung in die Schweißlöcher ein, und verursachen ein Jucken, doch ohne allen besorglichen Schaden. Man hat sie von der kleineren Fichtenraupe, der Ph. processionea zu unterscheiden, mit der man die ihr beygelegten Eigenschaften verwechselt. Dieß habe ich bey deren Beschreibung mit mehreren anzuzeigen. Diese trift man nie gesellig an. Die Raupen pflegen sich gleich nach den Auskommen der Eyer hin und wieder zu zerstreuen. Auch ihre Gehäuse werden von einander abgesondert angelegt. Sie bestehen aus einer länglichen Hülle von pergamentenem Gewebe. Die abgehende Haare sind mit darunter verwebt. Vornen ist es leicht übersponnen und zum Theil offen gelassen. Mehrentheils ist es zwischen Blätter angelegt, oder am Zweige befestigt. Die Chrysalide ist länglich zu beyden Seiten gerundet, und von schwärzlichgrauer Farb. Nach der Wärme der Jahreszeit, pflegen sich die Falter in drey oder vier Wochen daraus zu entwickeln.

Nicht leicht sind Phalänen so vielen Abänderungen unterworfen als diese. Kaum findet man zwey Exemplare miteinander übereinstimmend gezeichnet. Man hat sie öfters ganz aschgrau mit kaum merklichen Zeichnungen. Davon habe ich nach der ersten Figur der XIII. Tafel ein Muster vorgelegt. Doch findet sich der weisse Punkt jedesmahlen unverändert daran. Sonsten sind die aschgrauen Binden, theils schmahl, theils beträchtlich breit, gleichlaufend, oder mehr zackig gerandet. Die Einfassung ist ebenfalls in ungleicher Breite, mehr oder weniger in die Fläche verlohren. Das Männchen hat eine dunklere Farb, und kürzer gestreckte Flügel. Die Fühlhörner sind gefiedert. Herr Bergrath von Scopoli hatte einen vollkommenen Zwitter aus diesen Raupen erzogen y). Nach dessen Erzehlung haben sich zwey Raupen in ein Gehäuse eingesponnen, welche sich in eine einzige

y) Introd. ad hist. nat. p. 416. Ph. Pini. „Laruae binae, intra vnicum, quem pararant, folliculum, mutatae sunt in vnicam Pupam, vnde animal dimidia corporis parte masculum, antenna plumosa, alisque binis minoribus; alia vero femineum, antenna setacea, alisque binis maioribus. Quod vero mirabilius, pars mascula emisso pene foecundauit ouula foeminea, quae deposita perfectas laruas protulerunt. R. D. PILLER Prof. Tirnauiensis.

einzige Chryſalide verwachſen. Nach würklicher Begattung wurden aus den abgeſetzten Eyern auch vollkommene Raupen erzogen.

Der funfzehente europäiſche Nachtſchmetterling.

PH. BOMB. ELING. AL. REVERS. QVERCVS.

Der Eichenſpinner. Quittenvogel.

La minime a bande. *Geoffr.* De Iaager-rups. *Admiral.*

Tab. XIII. Fig. 2. Der männliche, Fig. 3. der weibliche Falter; beyde nach der Ober- und Unterſeite der Flügel. Fig. 4. Die Raupe auf der Poa eragroſtis. Fig. 5. Die Puppe. Fig. 6. Die Eiryſalide.

Tab. XIV. Fig. 1. Eine eigene Abänderung des männlichen, und Fig. 2. des weiblichen Falters von beyden Seiten.

LINN. S. N. Ed. XII. p. 814. Sp. 25. Ph. Bomb. elinguis, alis reuerſis ferrugineis (das Männchen), faſcia flaua punctoque albo. Ohnzünglichter Spinner, mit zurückgeſchlagenen roſtfärbigen Flügeln, einer gelben Binde und weiſſen Punkt. Fauna Suec. edit. nov. 1106.

Müllers Ueberſetzung des Nat. Syſt. V. Th. I. B. p. 658. nr. 25. Ph. Quercus. Der Heckenkriecher.

LECHE nov. Inſ. Spec. nr. 59. Ph. pectin. al. fuluis, faſcia flaua, punctoque albo. (mas).

FABRICII Syſt. Ent. p. 562. nr. 24. Bomb. Quercus. Linneiſche Charaktere. Mas alis brunneis, foem. pallidioribus.

GEOFFROI Hiſt. d. Inſ. Tom. II. p. 111. nr. 13. Phalaena pectinicornis elinguis rufa; alis rotundatis, faſcia pallidiore: ſuperioribus puncto albo.

SCOPOLI Ent. carneol. p. 194. nr. 487. Ph. Quercus. Alae vtrinque concolores; anticae ſupra puncto albo; margine nigro, qui ſeptem lineas ab apice diſtat; nec non faſcia pallidiore: punctum album inter et apicem poſita; poſticae faſcia prope limbum, priori ſimili.

RAII Hiſt. Inſ. p. 142. nr. 2. Phal. maxima fulua; alarum exteriorum ſuperiore medietate intenſius colorata, cum macula in medio alba, inferiore dilutiore.

Syſt. Verz. der Wiener Schmetterlinge; p. 57. Fam. K. Ph. Quercus. Eichenſpinner, Quercus Roboris.

PODA Muſ. graec. 85. nr. 6.

Fueßli Schw. Inſ. p. 34. nr. 643. Ph. Quercus. Der Heckenkriecher.

Berl. Mag. II. B. p. 398. nr. 4. Ph. Quercus. Die Grasmotte.

Naturforſch. VIII. St. p. 102. nr. 6. Ph. Quercus. XIII. St. p. 230. §. 9.

Göze Ent. Beytr. III. Th. II. B. p. 292. nr. 25. Ph. Quercus. Der Eichenſpinner.

Jung Verz. europäiſcher Schmetterlinge; p. 121.

Gleditsch Forstwissenschaft; I. Th. p. 548. nr. 6. Ph. Quercus. Die glatte haarigte, graue, schwarzringlichte und weißgefleckte Eichenraupe.

MÜLLER Faun. Frid. p. 39. nr. 353. Linneische Charaktere. Zoolog. Dan. Prodr. p. 117. nr. 1353.

Kleemanns Raupenkalender p. 14.

BECKMANN. Epit. S. N. p. 163. nr. 25. Ph. Quercus.

ONOMAST. hist. nat. P. VI. p. 408. Ph. Quercus.

Rösels Ins. Bel. I. Th. II. Kl. p. 201. Tab. 35. b. Die grosse filzhaarige, gelbbraune Schlehen- und Quittenraupe und ihre Verwandlung.

SCHAEFFER Icon. Inf. Rat. Tab. 87. fig. 1. 2. mas. fig. 3. foem. Ph. pect. 1. 8.

REAUMUR. Mem. des Inf. Tom. I. pag. 519. 529. Tab. 35. fig. 7. 8. Une grande chenille velue — vit des feuilles de charmille, de noisettier, de cornouiller.

ADMIRAL Naauwk. Waarn. Tab. XXXI. p. 31.

LIST. Goed. p. 203. nr. 88. fig. 88. La piquante. Vescitur foliis ruborum et salicum etc.

MERIAN. europ. I. Tab. X. Petiv. Gazoph. Tab. 45. fig. 13. Semicolon. Phal. brunna bimaculata, fasciis fuluis; (foem.) Albin. Inf. Tab. 18. fig. 25. Mouff. ed. lat. p. 92. nr. 9. fig. 1. 2.

WILKES Engl. Moth. a. Butt. p. 22. Tab. 3. a. fig. 11. 12.

Mit dieser sehr bekannten Phaläne stehen noch zwey andere in genauer Verwandschaft, die man vorhin nicht gekannt, oder wenigstens nicht sorgfältig genug unterschieden. Es ist die Phal. Dumeti, und die Ph. Trifolii, die in beyden folgenden Tafeln in Abbildung erscheinen. Noch gesellen sich auch Abänderungen und eigene Racen hinzu. Es sind darüber manchfaltige Streitigkeiten entstanden, die ich nach den vorzüglichsten Punkten nothwendig meinen Lesern vorlegen muß. Wie eben Irrungen aus Mißverständniß sich eräugnen, so gieng es auch bey diesem entomologischen Zwist. Die Ph. Dumeti, welche Herr von Linne in dem System sorgfältig beschrieben, hatte den ersten Anlaß dazu gegeben. Sie ist in vielen Gegenden äusserst selten. Man hatte die Charaktere auf eine andere Gattung, ich weiß nicht mit welcher Befugniß, sie war wenigstens bekannter, übertragen. Kurz man hat die Ph. Trifolii, unter welcher Benennung, die in den nächstfolgenden Tafeln abgebildete Phaläne erscheint, für die Ph. Dumeti des Herrn von Linne erklärt. So musten auch die Falter, welche Rösel auf seiner Tab. XXXV. a. in Abbildung geliefert, für eben diese Phaläne gelten. Im mindesten nicht, sind ihr die geforderten Charaktere, auch nur erklärbar angemessen. Die Phaläne Dumeti ist gänzlich davon verschieden. Noch begreife ich nicht, wie man gerade hier Röseln eine Verwechslung der Raupen, und der Phalänen seiner 35 Tafeln a. und b. Schuld gegeben. Doch diese Berichtigungen gehören zur Beschreibung der folgenden Gattung. Ich umgehe die Belege dieses Prozesses in aktenmäßiger Ordnung. Leser, denen daran gelegen, werden sie in oben angezeigten Urkunden zu finden wissen. Nun haben sich diese Händel längstens verjährt. Wir halten uns an die Natur, ohne dahin Rücksicht zu nehmen, was durch anderer Irrung unnöthig entstanden. Für mich finde ich die Rößlische Zeichnung der 35 Tafel b, nach der Raupe, dem Gehäuße und der Chrysalide, so wie ihren Phalänen ganz richtig angemessen. Gerade in dieser Gestalt, in eben dieser Farbe, nach gleichen Abänderungen habe ich sie erzogen. Es ist ihre Beschreibung nun vorzulegen. Die Raupe überwintert in dem Alter der ersten und andern Häutung. Wir treffen sie im Herbst auf Weiden, der Eiche, den Ginster, und andern Stauden an. Bey dem Ausschliefen aus dem Ey ist sie schwärzlich mit gelben Punkten zur Seite. Dann bekommt sie an den Einschnitten grössere hochgelbe Flecken. Bey der dritten Häutung ist sie mit weißlichten, oder lichtgrauen Haaren über dem Rücken bedeckt. In kurzem erreicht dieselbe einen beträchtlichen Wuchs. Schon in dem Frühling, sobald die Weiden ausgeschlagen, ist sie in ausgewachsener Grösse zu finden. Doch haben wir sie auch noch später, bis in die Mitte des Julius angetroffen. In hiesiger Gegend ist sie auf dem so häufigen Ginster, (Spartium Scoparium L.) sehr zahlreich, in Gesellschaft der Raupe der Ph. purpurea vorhanden. Man kan sie damit, so wie mit verschiedenen Blättern der Bäume, besonders den Zwetschgen erziehen. In Schweden mag sie auf den Eichen häufiger seyn, indem der Herr von Linne dieser Gattung von daher den Namen beygelegt. Wir treffen sie da sehr selten an. Der Bau dieser Raupe ist sehr geschmeidig, und ihr Körper nach Verhältniß der Dicke ausserordentlich lang. Besonders dehnen sich die Glieder im Gehen weit auseinander. Hier zeigen sich dann die schwarzen Gürtel, auf welchen in der Mitte zwey weisse Punkte erscheinen. Die sehr verlängerten Haare sind von hellglänzendem Ockergelb. Die Seite zieret ein weißfleckigter Streif, in gerader Länge. So ist die Raupe des Rösels, Tab. 35. a. Fig. 1. damit ganz übereinstimmend gebildet. Nur wurde hier fast das kleinste Exemplar zum Muster gewählt. Die weiblichen Raupen sind stärker, weniger schlank, und mehr zusammengezogen.

Das Gehäuse ist von eyförmiger Gestalt, in der Mitte cylindrisch, und zu beyden Enden sphärisch gerundet. Es bestehet aus einer harten sehr feste gewebten Schaale von brauner Farbe. Aussen ist es etwas glatt, und sanft anzufühlen, und dadurch von dem der Ph. Trifolii kenntlich unterschieden. Die Chrysalide füllet den Raum fast gedränge aus. Sie ist von bräunlicher, vornen schwärzlichere Farbe. Die Falter haben zum Ausschliefen ohngefähr drey Wochen nöthig.

Es giebt von diesen Phalänen zwey verschiedene ganz eigene Racen. Ich habe sie in beyden vorliegenden Tafeln in Abbildung dargelegt. Nach den Raupen habe ich keine Abweichung unter sich wahrgenommen. Es müste etwa das Futter und der Aufenthalt eine Verschiedenheit ergeben. Die Raupe der Phalänen nach der XIII. Tafel, und deren 2ten und 3ten Figur, nährte sich von der Weide. Die aber, von welcher die Phalänen auf der XIV. Tafel fig. 1. und 2. kamen, von dem Ginster. Doch ist dieser Unterscheid so wesentlich nicht. In beyden Arten macht die Farbe einen beträchtlichen Abstand. Das Männchen der XIII. Tafel. Fig. 2. ist weichselbraun nach der Aussenseite gefärbt. Eine sehr breite hellockergelbe Binde ziehet sich in einiger Krümmung mitten durch beyde Flügel. Sie ist bis an den Vorderrand ins Braungelbe verlohren. Das Weibchen aber ist von einem beynahe ganz einfärbigem blassen Ockergelb, und nur gegen dem Körper dunkler schattirt. Die weisse brauneingefaßte Flecken in der Mitte der Vorderflügel sind in beyden gleich. Davon ist die Art der XIV. Tafel verschieden. Hier hat das Männchen eine satt dunkelweichselbraune Grundfarbe. Eine schmale hochgelbgefärbte Binde gehet fast abgegränzt durch die Fläche, ohne sich in dieselbe zu verlieren. Das Weibchen hat einen röthlichgelben Grund, und kommt ihm nur im minderen Grad der Farbe gleich. Die Flügel sind gegen den Körper so wie die Einfassung der Binde dunkler. Ich habe Exemplare von anderen Gegenden, welche nach diesem Colorit, mit dem Männchen fast überein kamen, verglichen. Sie bleiben sich auch in ihrer Erzeugung gleich, doch sind sie als eigene Gattungen nicht specifisch genug verschieden. **Rösel** hat beyde Geschlechter der letztern Art Tab. 35. a. nach seiner 4. und 6ten Figur in Abbildung geliefert. Man hielte vielleicht nach ähnlicher Grundfarbe das Weibchen, oder seine 6te Figur für unsere Phaläna Trifolii, und so deucht mich, habe man eine Verwechslung der Raupen sich vorgestellt. Im Fluge kommen uns diese

Phalänen selten vor Augen. Doch zeigt sich das Männchen zuweilen bey Tag.

Der sechzehente europäische Nachtschmetterling.

PH. BOMB. AL. REVERS. DVMETI.

Der Gelbpunkt. Der Heckenspinner.

Tab. XIV. Fig. 3. Der männliche, Fig. 4. der weibliche Falter; beyde von der Ober- und Unterseite.

LINN. S. N. Ed. XII. Ph. Bomb. elinguis, alis reuerſis fuſceſcentibus; ſuperioribus puncto faſcia margineque poſtico luteis. Ohnzünglichter Spinner, mit zurückgeschlagenen Vorderflügeln von röthlichgelber Farbe, einen gelben Punkt, und dergleichen Binde und Hinterrand. Faun. Suec. ed. noua. nr. 1107. Phal. Dumeti in ſyluis rarius. Dan. Theet.

Müllers Uebers. des Nat. Syst. V. Th. I. B. p. 658. nr. 26. Ph. Dumeti. Der Heckenkriecher.

FABRICII S. Ent. p. 565. nr. 33. Bomb. Dumeti. — Abdomen luteum.

Götze Entom. Beytr. III. Th. II. B. p. 296. nr. 26. Ph. Dumeti. Der Heckenspinner.

Berlin. Magaz. II. B. p. 416. nr. 31. Ph. Taraxaci. Die Erdmotte. Schwarzbraun mit einem olivengelben Querstrich durch alle vier Flügel. Raupe, rauh wie Filz, kohlschwarz mit samtschwarzen Flecken und dünne stehenden langen braunen Haaren. Lebt einigermassen gesellig. Sitzt im Grase. Im Junius. Die Phaläne im Oktober von zweyter Grösse sehr selten.

Jung Verz. europäischer Schmetterlinge; p. 47.

PETIVER Gazoph. Tab. 45. fig. 13. Ph. brunna bimaculata, faſciis fuluis.

SVLZER. Abg. Gesch. p. 159. Tab. 21. fig. 3. Ph. Dumeti. Der Vorderflügel fast ziegelroth mit einem gelben Punkt, einer schlangenförmigen gelben Querbinde und röthlichgelben Saum. Der Hinterleib braun mit gelben Ringen sehr haarig.

Naturforsch. VI. St. p. 75. Tab. III. fig. 1. Das Männchen. fig. 2. Die Raupe. fig. 3. Die Chrysalide. fig. 4. Die zangenförmige Endspitze vergrössert. Unbekannte grosse filzhaarige Raupe rc. X. St. p. 93. Ph. Dumeti.

Ich habe hier diejenige Schriftsteller angeführt, wo ich mit Gewißheit entscheiden können, daß sie den in Abbildung vorliegenden Falter würklich gemeint. Andere haben die folgende Gattung unter gleicher Linneischer Benennung damit verwechselt. Wiederum war es nach einigen nicht zu errathen, ob sie unter gleichen Namen, diese oder jene damit wollten verstanden wissen. Daß diese Phaläne nicht ein Rößlischer Falter, nicht ein verflogenes Exemplar der ersterwähnten Gattung, nicht irgend eine zufällige Ausart ist, bedarf wohl keines Beweises. Die Charaktere des Herrn von Linne sind derselben auf das genaueste angemessen. In der Fauna Suec. wird sie so sorgfältig beschrieben z), daß es uns befremdet, wie man sie irgend habe verwechseln können. Die wesentlichste Kennzeichen sind ein gelber, etwas herzförmig gestalteter Flecken in der Mitte der Vorderflügel, eine dergleichen geschweifte Binde, und gleichfärbig gesäumter Rand. Der Leib ist sehr haarig, und gleichfals von gelber Farb. Die Unterseite ist in grössern Parthien mit dieser Farbe überzogen. Das Männchen hat einen mehr dunkelbraunen Grund, als das Weibchen. Es sind die Flügel etwas dünne mit Schuppen bedeckt, doch in vollständigen Reihen. Die Fühlhörner sind an dem männlichen Falter stark gefiedert. Damit stimmen die Abbildungen in dem Sulzerischen Werk, und die, welche Herr Kühn in dem Naturforscher gegeben, genau überein. So beschreibt uns auch Herr Hufnagel in dem Berl. Magaz. seine Ph. Taraxaci. Von der Raupe hat uns Herr D. Kühn, an erwähntem Ort, die mehreste Nachricht gegeben. Ich habe sie unten a) nach den vorzüglichsten Innhalt beygefügt. In unseren Gegenden ist diese Phaläne äusserst selten. Ein einzelnes Exemplar kam unseren berühmten Herrn Hofrath Rudolph zu Handen. In der Gegend von Frankfurt ist sie häufiger zu finden. Durch die Gütigkeit des Herrn Gerning habe ich von da verschiedene Exemplare erhalten. Bey so vielen war das Abändernde kaum erheblich. Nach der Entwicklung aus der Chrysalide soll sich dieser Falter, bey seiner muntern Bewegung,

z) S. N. l. c. "Descr. magnitudo praecedentis (Quercus). Corpus luteum. Alae omnes supra fuscae: fascia flexuosa lutea, antice repanda. Superioris puncto subtrigono luteo ante fasciam. Margo posticus omnibus luteus. Omnes alae subtus luteae."

a) Naturforsch. oben angef. Orts. Sie wurde im Junius bey Eisenach in einem Buchenwald gefunden. Sie lief schnell auf dem Weg, und verbarg sich nach einigen Tagen ohne ein Futter anzunehmen in die Erde. — "Die Haut war blauschwarzgrau, „mit kurzen Fuchshaaren besetzt; doch so, „daß auf dem Rücken einzelne lange graue „Haare noch dazwischen herausragten. Auf „jeder Seite waren auf den Einschnitten „parallele gelbweisse Streifen, und dunkelsammetschwarze ovale Flecken neben „einander zu sehen." — Nach 8 Tagen war sie ohne eine besondre Höhlung in der Erde zur Puppe geworden. Diese hatte am Ende acht steife Spitzen, und zwey Hacken, und vornen zwey harte Knöpfe. — Sie entwickelte sich im Oktober, u. s. w.

leicht verfliegen. Eine pünktliche Abbildung der Raupe hoffe ich nach ſichern Verheiſſungen einiger Gönner annoch nachzubringen.

Der ſiebenzehente europäiſche Nachtſchmetterling.
PH. BOMB. AL. REVERS. TRIFOLII.
Der Kleeſpinner.

Tab. XV. Fig. 1. Der männliche, Fig. 2. der weibliche Falter; beyde von der Ober- und Unterſeite. Fig. 3. Die ausgewachſene Raupe. Fig. 4. Im Alter der zweyten Häutung. Fig. 5. Das Gehäuſe. Fig. 6. Die Chryſalide.

Ph. Bomb. eling. al. reuerſ. rufis, ſuperioribus puncto albo, lineaque repanda liuida.
Syſt. Verz. der Schmetterlinge der Wiener Gegend; Fam. K. Bomb. Trifolii. Wieſenkleeſpinner.
Jung Verz. europäiſcher Schmetterlinge; p. 147.
Maders (Kleemanns) Raupenkalender. p. 15. nr. 17. Ph. Dumeti.
Röſel Inſ. Bel. I. Th. II. Kl. der Nachtv. Tab. 35. a. Die groſſe filzhaarige gelbbraune Schlehen- und Quittenraupe, und derſelben Verwandlung zum Papilion.

Das iſt derjenige Falter, den man für die Ph. Dumeti gehalten, wie ich ſchon in Beſchreibung der letztern Gattungen erwähnt. Nach zuverläßigen Nachrichten haben die Verfaſſer des Wien. Verz. obſtehenden Namen von der gewöhnlichen Futterpflanze, dieſer Phaläne ertheilt. Auſſer Röſeln, der ſie zuerſt in Abbildung geliefert, iſt ſolche den Beobachtungen vieler Kenner entgangen. Man hat ſie ſogar mit der Ph. Quercus für einerley gehalten. Röſel hatte den Unterſchied ſehr ſorgfältig angegeben. Ich weiß ſeinen ausführlichen Bemerkungen nichts hinzuzuſetzen. Doch nach neueren Beobachtungen ſind noch einige Umſtände beyzufügen.

Wir finden die Raupe in Wieſen. Sie nähret ſich beſonders von dem Wegrich, dem Klee, und andern niederen Gewächſen. Auf Stauden und Bäumen haben wir ſie niemalen angetroffen. Doch vermuthlich möchte ſie ſich in ihrem erſten Alter, wie die Raupe der Ph. Rubi da enthalten. Man kann ſie wenigſtens mit Baumblättern gleichfals erziehen. Sie iſt ſchon im May vorhanden, und ſonach hat ſie ſicher den Winter, nach einer oder der andern abgelegten Häutung in dieſem Stande zugebracht. Doch iſt ſie auch ſpäter und vielleicht nach der zweyten Erzeugung den Sommer hindurch vorhanden. In hieſiger Gegend iſt ſie etwas ſelten, in Franken aber, beſonders bey Uffenheim, häufiger anzutreffen. Der Unterſcheid von der Raupe der Ph.

Quercus ist auffallend genug. Sie ist nicht so geschlank gebaut, und im Verhältniß der Länge um vieles dicker. Die Haare sind kürzer, und etwas steif. Sie ist mehr olivengelb, als fuchsroth gefärbt. Die weisse Seitenstreife stehen auf den Ringen etwas schrege in abgesonderten Parthien. Rösel hat sie zu gerade gebildet. Im jugendlichen Alter, in welchem ich nach der vierten Figur eine Abbildung beygefügt habe, ist sie von sehr veränderter Farbe. Sie ist hellgelb, mit schwarzen Punkten gezeichnet, und gegen die untere Seite weißgrau. Nach ihren Kunsttrieben und natürlichen Eigenschaften kommt sie mit der Raupe der Ph. Quercus überein. Sie baut sich nach der Form ein gleiches Gehäuse. Bey dem Anfühlen aber ist dieses sehr rauh von dem eingewebten steifern Haaren. Sie dringen in die Haut, und bleiben an den Fingern kleben. Rösel hat diesen Unterscheid sorgfältig bemerkt. Die Chrysalide ist nach dem Hinterleib grünlich, vorne aber bräunlich gefärbt. Ueberdieß aber ist die Schaale, die sie umgiebt, sehr weich. Die Phalänen kommen daraus in drey Wochen zum Vorschein.

Nach dem Umriß der Flügel sind sie schon von der Ph. Quercus verschieden. Sie sind etwas kürzer gebildet, und die Borden an dem Rand wellenförmig gekrüpft, ohngeachtet sie in gleicher Länge stehen, und einen gerade laufenden Rand bilden. Die Grundfarbe ist ein schmutziges Ockergelb, das durch dichte eingestreute Atomen eine dunklere röthlichbraune Farbe erhält. Der Punkt in der Mitte der Vorderflügel ist hellweiß, und braun eingefaßt. Die Binde ist ausgeschweift, und von gleicher Breite, zur Seite dunkelröthlich grau eingefaßt. Sie ist von bleicher Farb. Das Männchen ist von dunkleren Colorit, und hat blasse starkgefiederte Antennen mit einem weissen Stiel.

Der achtzehente europäische Nachtschmetterling.

PH. BOMB. ELING. AL. REVERS. CATAX.

Der graue Wollenträger.

Tab. XVI. Fig. 1. Der männliche, Fig 2. Der weibliche Falter; beyde von der Ober- und Unterseite. Fig. 3. Die Raupe auf einem Eichenzweig. Fig. 4. Das Gehäuse. Fig. 5. Die Chrysalide.

LINN. S. N. Ed. XII. Ph. Bomb. elinguis, alis reuerſis flauis (rufeſcentibus) vnicoloribus, puncto albo. Ohnzünglichter Spinner, mit zurückgeschlagenen, einfärbig lichtgrauen Flügeln, und einem weissen Punkt in der Mitte.

Müllers

Müllers Uebersetzung V. Th. I. B. p. 658. nr. 27. Catax. Der Rollrand.
FABRICII Syst. Ent. p. 567. nr. 39. Bomb. Catax. Alis reuerfis ferrugineis etc.
Syst. Verz. der Wiener Schmetterlinge; pag. 57. Fam. L. Bomb. Catax. nr. 3. Der Holzbirnspinner. Pyri comm.
Göze Ent. Beytr. III. Th. II. B. p. 298. nr. 27. Ph. Catax. Der Holzbirnspinner.
Jung Verz. europäischer Schmetterlinge; p. 27.
Gladbach. Catax. Der Eyervogel.
Fueßli Schw. Ins. p. 34. nr. 644. Ph. Catax.
Rösels Ins. Bel. III. Th. p. 425. Tab. 71. fig. a. 1. a. 2. a 3. Die zu der Nachtvögel II. Kl. gehörige grosse graue Raupe, mit breiten schwarzeingefaßten blaugrauen Rückenstreif, und rothbraunen haarigen Flecken und Punkten — IV. Th. p. 239. Tab. 34. fig. a. b. Der zur II. Kl. der Nachtvögel gehörige, mehr blaßrothe als zimmetbraune Nachtvögel.

Auf vorliegender Tafel erblicken meine Leser zwey abermahl sehr ähnlich gezeichnete Phalänen. Sie sind unter sich nach unterschiedener Erhöhung der Farbe, nach den Raupen aber um so mehr verschieden. Ich stehe zwar an, ob Herr von Linne, unter dem Namen Catax den vorliegenden Falter, oder vielmehr nach genauern Merkmahlen, die folgende Gattung die Ph. Lentipes, wie ich sie genennt, wollte verstanden haben. Er eignet ihm gelbe Flügel zu *b*), ein Charakter, der sich näher auf letztere Gattung beziehet. Auch hier ist der Rand der Hinterflügel, da wo sie über die vordern heraussteheu, etwas mehr als bey jenem weiß gesäumt. Doch beziehet sich unser System auf die Röslische Abbildung des Catax, und alle Kenner haben ihn bereits unter diesem Namen aufgenommen. Eine Aenderung würde daher grössere Verwirrungen geben. Rösel hat lediglich das Weibchen gekannt, Herr von Linne aber nur ein Männchen charakterisirt *c*). Doch nach der Farbe der Flügel sind beyde Geschlechter wenig verschieden. Das Colorit ist an sich sehr einfach, ein etwas röthliches Lichtgrau, an dem Weibchen aber mehr ins Bräunliche gemischt, und zur Seite etwas ins Helle verlohren. Es sind keine Binden darauf wahrzunehmen. Ein einfacher weisser Punkt ohne Einfassung ist die

b) S. N. oben angef. Ort. Faun. Suec. l. c. — Magnitudo Tabani S. Neustria minor. *Tota flaua*, sed alarum margo, vix manifeste rufus. Punctum album in medio alae superioris. *Margo reuersus* alae inferioris *albus* est.

c) S. N. l. c. "Abdomen in mea lanatum non erat. Ein Charakter des Weibchens, der in beyden Gattungen wesentlich ist.

ganze Verzierung. Das Weibchen hat nur fadenförmige, kaum merklich gefiederte Antennen. Der Hinterleib ist von ausserordentlicher Stärke, und mit aschgrauer Wolle überzogen. Es bedient sich dasselbe dieser unnützscheinenden Bürde zu Befestigung und sichern Verwahrung der Eyer. Die Wolle wird mit eingewebt, und dann die Eyer in dichter Lage an die Stämme und Aeste der Bäume abgesetzt. Beyde in der Ordnung folgende Gattungen sind hierinnen einerley geartet. Man hat sie deshalb Wollenträger geheissen. Nach der teutschen Benennung habe ich sie durch Beynamen unterschieden.

Die Raupe enthält sich auf Eichen. Sie ist nach den ersten Häutungen noch gesellig. Wir treffen sie in grosser Anzahl öfters klumpenweise beysammen an. Dann pflegt sie sich zu zerstreuen, und bey Tage mehrentheils in den Fugen und klüftigen Rinden der Bäume zu enthalten. Sie ist sehr weich und im Gange sehr träge und langsam. Darinnen kommen beyde Gattungen mit einander überein. Herr von Linne hat von dieser Eigenschaft sie catax genennt. Ein Synonym von gleicher Bedeutung, lentipes, bedünkte mich zur Bezeichnung der andern Art deswegen bequem. So zahlreich diese Raupen sind, so schwer und mißlich ist ihre Erziehung. Wir bringen unter hunderten öfters kaum wenige auf. Sie sind nach allen Ringen fast von gleicher Dicke. Die Grundfarbe ist grau, mit einem breiten blaulichten Streif über den Rücken, der sich zur Seite mit einer schwarzen und daneben weissen Linie begränzt. Die vordern Ringe neben dem Kopf haben rothgelbe Flecken, und auf jedem Ring stehen zwey dergleichen erhabene Punkte. Nach der Bekleidung ist noch zu bemerken, daß sie dünne mit Haaren besetzt ist *d*). Sie pflegt sich, wie die folgende Gattung, sehr lange in ihrem Gehäuse zu enthalten, bis sie sich zur Chrysalide verwandelt. Dies Gehäuse hat im kleinen fast den nemlichen Bau, wie das der Ph. Quercus. Doch ist es noch künstlicher angelegt. Die Raupe hat sich einen Deckel zum Ausschliefen gelassen, den der auskommende Falter leicht zu öfnen vermag. Von aussen siehet man nicht, wo sich derselbe begränzt. Innen aber ist er nur leicht mit Fäden verwebt. Doch eben die-

d) Herr **Fabricius** l. c. beschreibt die Raupe grün mit einem weissen Seitenstreif und rothbraunen Horn; die Chrysalide aber schwarz mit gelben Streifen; "larua viridis: linea laterali alba, cornu rufo. Puppa folliculata, atra: postice strigis flauis. Möchte es etwa eine leicht zufällige Irrung mit **Rösels** Tab. 71. fig. b. 4. 5. 6. seyn, anstatt: a. 1. 2. 3. Sie stehen beyde auf einer Tafel.

ſe Kunſttriebe beſitzen auch die folgende Gattungen, die Ph. Lentipes und Laneſtris. Zur Seite hat ſich die Raupe noch ein kleines Luftloch in dieſem Geſpinſte gelaſſen. Die Puppe überwintert, und die Falter kommen erſt im Frühjahr hervor.

Der neunzehente europäiſche Nachtſchmetterling.

PH. BOMB. ELING. AL. REVERS. LENTIPES.

Der gelbe Wollenträger.

Tab. XVI. Fig. 6. Der männliche, Fig 7. Der weibliche Falter; beyde von der Ober- und Unterſeite. Fig. 8. Die ausgewachſene Raupe. Fig. 9. In der zweyten Häutung.

Tab. XVII. Fig. 1. Eine Abänderung des Weibchens von dergleichen.

A. W. Knoch Beytr. zur Inſ. Geſch. I. St. p. 26. Tab. II. Ph. Bomb. Eueria. Der Wollenträger. Ph. Bomb. eling. alis reuerſis pallide corticinis: ſuperioribus baſi ſtrigaque poſtica flauis puncto albis.

Ph. Bomb. eling. al. reuerſ. fulueſcentibus primoribus puncto albo, vitta pallida, limbo oblitterato.

Bereits in Beſchreibung der vorſtehenden Gattung habe ich einige Umſtände, in Vergleichung der Naturgeſchichte dieſer Phalänenart erläutert. In ſo groſſer Aehnlichkeit iſt jezt der Abſtand derſelben zu zeigen. Nach den Kunſttrieben kommen beyde miteinander überein. Es iſt die Farbe des Falters und der Raupe das Weſentlichſte bey ſonſt übereinſtimmender Geſtalt. Herr Knoch hat ſchon in ſeiner vortreflichen Bearbeitung der Naturgeſchichte dieſer Gattung alles geſagt, was zur Vollſtändigkeit nöthig war. Ich weiß einer ſo gründlichen Bearbeitung und ſo genauen Zeichnung nichts beyzufügen. Er hat demſelben den Namen Eueria gegeben. Schon vor ſechs Jahren hatte ich eben dieſen Falter unter obſtehender Benennung bezeichnet, und an verſchiedene Freunde verſendet. Hier haben ſie die Wahl, ſich des gefälligen Namens zu bedienen. Der dem Gedächtniß die leichteſte Auskunft verſchaft, iſt für jeden der Beſte: dem Kenner gilt es gleich.

Man findet dieſe Raupe zu gleicher Zeit mit erſterer. Sie iſt ſo geſellig wie jene, und auch darinnen nach den Naturtrieben nicht verſchieden. Man trift ſie aber niemalen auf Eichen an. Auf Schlehen (Prunus ſpi-

M 2

nosus) hat man sie bisher allein gefunden. Sie läßt sich mit den nahrhaftern Blättern einiger Gattungen dieses Geschlechtes, den Aprikosen und Zwetschgen besser erziehen. Im freyen sind diese Raupen gegen die Mitte des Junius zur Stelle gewachsen. Sie sind in hiesiger Gegend, so wie an verschiedenen Orten unseres Frankens, und sonsten in Teutschland anzutreffen. Bereits vor zehen Jahren hat sie Herr Kammerrath Jung entdeckt, und nachgehends so sorgfältige Beobachtungen, nebst den Raupen mir mitzutheilen, die Güte gehabt. Doch ich habe die vorliegende Abbildung auch wörtlich anzuzeigen.

Die Raupe kommt glatt ohne Haare, von einfärbig schwarzer Farbe aus dem Ey hervor. In der zweyten Häutung erhält sie gelbe Punkte, und in der dritten die Farbe und Gestalt der vorliegenden Figur. Bis dahin leben sie in einem Gespinste beysammen. In ihrem vollkommenen Wuchs hat sie die Grösse der neunten Figur erreicht. Doch zuweilen kommt sie uns noch beträchtlicher vor. Die Grundfarbe ist schwarzblau. Wegen der sie dichte bedeckenden Haare sind fast keine Zeichnungen darauf wahrzunehmen. Diese Haare sind in einzelne, in Spitzen zusammengehende Parthien getheilt. Sie stehen zur Seite heraus, oder scheinen niedergesenkt zu seyn. Ihre Länge ist sehr beträchtlich. Doch einige Tage vor dem Einspinnen fallen die grösten aus, und es erscheint diese wollichte Bekleidung daher um vieles kürzer. Die Farbe dieser Haare ist zur Seite gelbbraun, auf den Rücken aber weiß. Im Bau des Gehäuses der Chrysalide und dem Auskommen der Phaläne, ist sie, wie ich schon erwähnt, von der leztern Gattung nicht verschieden. Sie kommt auch im Freyen bereits im May zum Vorschein.

Das Männchen führet ein ungemein erhöhtes Ockergelb zur Grundfarbe. Die Vorderflügel haben einen breiten grauen Saum, daneben sich gegen die Fläche eine etwas blässere Binde, und nächst derselben ein dunklerer Streif, schrege durchziehet. Der hellweisse Punkt ist braun eingefaßt. Die Hinterflügel sind röthlichgrau. Durch diese wesentliche Merkmahle ist sie von der Ph. Catax genugsam verschieden. Das Weibchen kommt der Farbe desselben etwas näher. Es ist von hellerem Grau. Doch hat man auch Abänderungen, wo die Grundfarbe bis zur Mitte dunkelrothbraun ist. Ein sehr merkwürdiges Exemplar, aus hiesiger Gegend, habe ich aus der Sammlung unseres berühmten Herrn Hofrath Rudolph noch anzuzeigen. Die Abbildung desselben ist auf der folgenden Tafel nach der ersten

Figur beygebracht. Hier hat die ganze Grundfarbe ein frisches Röthlich-braun. Durch die Vorderflügel ziehet sich eine hochgelbe Binde. Doch sind die Sehnen mehr als die Zwischenräume mit dieser Farbe bemahlt.

Der zwanzigste europäische Nachtschmetterling.

PH. BOMB. ELING. AL. REVERS. LANESTRIS.

Der weißgefleckte Wollenträger.

Tab. XVII. Fig. 2. Der männliche, Fig. 3. der weibliche Falter. Fig. 4. Eine Abänderung des Weibchens. Fig. 5. Die Raupe auf einem blühenden Zweig des Spindelbaums, (Euonymus europ. L.) Fig. 6. Das Gehäuse. Fig. 7. Ebendasselbe mit dem Deckel, welchen der Falter bey dem Ausschliefen öfnet. Fig. 8. Die Chrysalide.

LINN. S. N. Ed. XII. p. 815. Sp. 28. Ph. Bomb. elinguis, alis reuersis ferrugineis: striga alba superioribus puncto basique albis. Ohnzünglichter Spinner, mit zurückgeschlagenen rothbraunen Flügeln. Fauna Suec. edit. nov. 1105.

Müllers Uebers. des Nat. Syst. V. Th. I. B. p. 658. nr. 28. Ph. Lanestris. Der Wollenafter.

Syst. Verz. der Wiener Schmetterlinge; Fam. L. nr. 2. Ph. Lanestris. Der Kirschenspinner. (Pruni Cerasi.)

SCOPOLI Ent. carniol. p. 199. nr. 499. Ph. Lanestris. – Caryophyllina; al. anticis striga maculis duabus albis.

FABRICII S. E. p. 566. nr. 37. Bomb. Lanestris. Linneische Charaktere.

MÜLLER Faun. Frid. p. 39. nr. 352. – Zoolog. Dan. Prodr. p. 117. nr. 1354. Ph. Lanestris.

Fueßli Schweiz. Ins. p. 34. nr. 645. Ph. Lanestris. Der Wollenafter. Magaz. der Entom. I. B. p. 270.

Götze Ent. Beytr. III. Th. II. B. p. 299. nr. 28. Ph. Lan. Der Wollenstricker.

Jung Verz. europäischer Schmetterlinge; p. 75.

ONOMAST. hist. nat. P. VI. p. 380. Ph. Lanestris. Der Wollenafter.

Gleditsch Forstwissenschaft; I. Th. p. 788. nr. 2. Ph. Lanestris. Der eisenfarbigte wollichte Stricker.

Gladbachs Cat. Der Eyervogel. Pr. 1 fl.

Rösel Ins. Bel. I. Th. II. Kl. der Nachtv. p. 305. Tab. 62. Die violetschwarzen Raupen, mit gelbrothen Haarborsten, nebst ihrer Verwandlung zum Papilion.

SCHAEFFER Icon. Ins. Rat. Tab. 32. fig. 10. 11. Ph. pect. 6.

REAUMUR. Mem. Tom. I. p. 502. Tab. 32. fig. 12. Die Raupe und Puppe.

Man findet diese Raupe in unseren fränkischen Gegenden sehr zahlreich, dem ohngeachtet haben sich die Phalänen würklich selten gemacht. Sie sind manchfaltigen Zufällen ausgesetzt. Ein Theil wird denen Ichnevmons zur Beute, und sonsten von grössern Vögeln verzehrt. Wenige gelangen zur Verwandlung der Chrysalide. Sie durchleben in diesem Stand schon von dem August an, bis in den May den langen Winter. Hier gehen abermahl viele verlohren. Auch die Entwickelung der Falter ist mißlich genug. Sie kommen meistens krüplich und ungestaltet hervor. Doch diesen Schicksalen sind mehrere Gattungen ausgesetzt. Unter denen erstbeschriebenen sich gleichenden Arten ist es diese aber am meisten.

Ihre Nahrung sind verschiedene Bäume, und Stauden. Man trift sie fast auf allen Obstarten an. Schlehen und Zweschgen aber sind ihre gewöhnlichste Kost. Auch der Linde und des Hagedorns, (Crtaegus Oxyocantha) bedient sie dieselbe ohne Unterscheid zur Nahrung. Auf Weiden und Eichen habe ich sie nicht weniger öfters gefunden. Sie kommen im May aus denen von dem Weibchen in einer wollichten Decke eingewebten Eyern hervor. Bey dem Auskommen und noch im Alter der drey ersteren Häutungen, sind sie von grauschwarzer Farbe. Sie führen einzelne lange Haare. In der letzten Häutung wird die Grundfarbe schwarzblau. Jeder Ring ist mit zwey Knöpfen besetzt, auf denen rothgelbe, bürstenförmige Haare sind. Zur Seite ziehet sich eine weisse, oder öfters hochgelbe, punktirte Linie die Länge hin. Dieß sind die wesentlichste Kennzeichen. Sonsten ist sie noch mit einzelnen langen fuchsrothen Haaren bekleidet. Sie ist öfters von sehr beträchtlicher Länge. Die weiblichen Raupen aber sind wie gewöhnlich dicker gestaltet. Sie leben gesellig in einem Gewebe, das sie schon gleich nach den Auskommen sich fertigen. Dis wird bey zunehmenden Wuchs erweitert, oder nach dem Bedürfniß der Nahrung von neuem angelegt. Es bestehet aus unterschiedenen sehr feste gewebten Häuten, und ist öfters von der Grösse einiger Spannen in Umfang. Nächst an den Aesten, woran es befestiget ist, sind Oefnungen gelassen. Aus diesen verfüget sich die ganze Schaar mehrentheils des Abends heraus, um ihre Nahrung zu suchen. Sie kehren die nehmliche Strasse wiederum zurück, und legen sich in der Mitte dieser Wohnung klumpenweise übereinander e). Die vorderste Raupe ist der Anführer, dem die übrigen

e) SCOP. E. C. l. c. "Oua copiosa ponit circa ramulum, eaque lana densa cinerea tegit. Hinc laruae nigrae, pilosae; dorso interibusque albo maculatis, cum penicillis pilorum rufescentium: harum plures cohabitant in societate sub tentoriis cellulosis, vnde migrant pabulaturae, redeuntque per foramina ramis

im Hin- und Rückweg zugweiſe folgen. Doch trift man auch dieſe Raupen einzeln zerſtreut ſehr häufig an. Wie ich ſchon erwähnt, fertigen ſie ſich auf gleiche Art, wie die letztbeſchriebenen Gattungen, ein Gehäuſe. Es iſt gemeiniglich von gelblicher Farbe, zuweilen aber braun. Die Chryſalide iſt Ockergelb, mit dunklerer Farbe ſchattirt.

Die Phalänen führen nach beyden Geſchlechtern ein ungemein ſchönes Rothbraun zur Grundfarbe. Es iſt an dem Männchen etwas mehr erhöht. Zur Zierde ſind zwey hellweiſſe Flecken, und eine dergleichen ausgeſchweifte Binde auf den Vorderflügeln angebracht. Der nächſt an der Bruſt hat in der Mitte einen dunkleren Punkt. Ich habe ihn nur an dem männlichen Falter wahrgenommen. Der Hinterleib iſt mit einer dichte übereinander liegenden Wolle bekleidet. Sie iſt von aſchgrauer und weiſſer Farbe. Ich habe noch eine Abänderung des Weibchens beygefügt. Es iſt von roſtfärbigen Colorit. Ein Charakter, der dem Linneiſchen näher kommt *f*).

Der ein und zwanzigſte europäiſche Nachtſchmetterling.

PH. BOMB. ELING. AL. REVERS. VINVLA.

Der groſſe Hermelinfalter. Der Gabelſchwanz.

La Queue fourchue. *Geoffr.* De groote Hermelin - Vlinder. *Sepp.*

Tab. XVIII. Fig. 1. Der männliche Falter. Fig. 2. Eine Abänderung des Männchen. Beyde von der Ober- und Unterſeite der Flügel. Fig. 3. Die ausgewachſene Raupe. Fig. 4. Nach dem Auskommen aus dem Ey. Fig. 5. Eine halbgewachſene. Fig. 6. Das Gehäuſe auf einem Brettgen. Fig. 7. Die Chryſalide.

LINN. S. N. Ed. XII. Ph. Bomb. elinguis, albida nigro punctata, alis ſubreuerſis, fuſco - venoſis ſtriatisque. Ohnzünglichter Spinner, mit ſchwarzen Punkten auf weißlichten Grund, nicht ganz zurückgeſchlagenen Flügeln, welche mit braunen Sehnen und Streifen gezeichnet ſind. Faun. Suec. ed. 1112.

Müllers Ueberſetzung des Nat. Syſt. V. Th. I. B. p. 659. nr. 29. Ph. Vinula. Der Gabelſchwanz.

parallela. Hae ſatis enutritae ſeſe ſepeliunt, nent folliculos albidos, ouatos, coriaceos, e quibus alio demum anno Phalaena prodit."

f) S. N. l. c. al. ferrugineis. SCOPOLI l. c. "Specimina noſtra non ferruginea, nec ano albido. Mas antennis pectinatis: rachi alba. Foemina maior, antennis fere ſetaceis etc."

RAII Hist. Inf. p. 153. nr. 5. Phal. maior pulcherrima, alis amplis, exterioribus cinereis, maculis et lineis nigris eleganter depictis. — Eruca bicaudata elegantissima, Vinula dicta.

FABRICII S. Ent. p. 566 nr. 36. Bomb. Vinula. Alis subreuers., fusco-venosis, striatisque, corpore albo, nigro-punctato.

GEOFFROI Hist. des Inf. Tom. II. p. 104. nr. 5. Phalaena pectinicornis elinguis alis deflexis albidis diaphanis, vasis obscuris.

SCOPOLI Ent. Carn. p. 197. nr. 495. n. 488. Ph. Vinula. — Pilis albis densis lanatum corpus et bases alarum posticarum. Dorsum linea media punctisque nigris — etc.

Berl. Mag. II. B. p. 400. nr. 7. Ph. Vinula. Der Gabelschwanz. Weiß mit feingezogenen schwarzbraunen Strichen und Punkten.

Leske Anfangsgründe der Naturg. p. 459. nr. 4. Ph. Vinula. Der Gabelschwanz.

Syst. Verz. der Schmetterlinge der Wiener Gegend; p. 64. Fam. S. nr. 3. Landweidenspinner. (Salicis viminalis).

MÜLLER Faun. Frid. p. 39. nr. 356. Ph. Vinula. — Zoolog. Dan. Pr. p. 117. nr. 1355. Dänisch. Hermelins-Phalaene; Norwegisch. Löw-Aame. — Abhandl. Tab. I. II. Pile-Larven med dobbelt Hale.

Götze Entom. Beytr. III. Th. II. B. p. 300. Ph. Vinula. Der Gabelschwanz.

Jung Verz. europäischer Schmetterlinge; p. 151.

Bonnets Abhandlung aus der Insektol. p. 106. Von der grossen Raupe der Saalweide mit gegabelten Schwanz. — p. 320. Tab. III. fig. 1. 2. 3. Von der Eigenschaft der grossen vierzehenfüßigen Weidenraupe mit dem Gabelschwanz, einen Saft von sich zu spritzen.

Gleditsch Forstw. I. Th. p. 643. nr 4. Der Gabelschwanz. II. Th. p. 738. nr. 19.

Blumenbachs Handb. d. N. p. 368. nr. 4. Ph. Vinula.

BECKMANN. Epit. S. L. p. 163. nr. 29. Ph. Vinula. Der Gabelschwanz.

LESSER Theol. des Inf. par Lyonet Tom. II. p. 48

Systeme nat. du regn. an Tom. II. p. 144. Ph. Vinula.

ONOMAST. Hist. Nat. P. VI. p. 416. Ph. Vinula.

GOEDART. Ed. List. p. 56. nr. 20. fig. 20. französische Ausgabe. Tom. III. Tab. C. Metamorph. Tab 65.

Naturforsch. XIII. St. p. 228. nr. 6. Ph. Vinula. Der grosse Hermelinvogel.

Pontoppidans Naturgeschichte von Dännemark. p. 219. nr. 6. Ph. Vinula.

Schröters Abhandl. I. B. p. 177. Ph. Vinula.

Comment. Lips. in scient. nat. et med. Dec. I. Vol. I. p. 41. II. p. 578. VI. p. 519.

Rösels Ins. Bel. I. Th. II. Kl. der Nachtv. p. 121. Tab 19. Die schöne dickleibige, grüne Weidenraupe, welche anstatt der Hinterfüsse mit einem gedoppelten Schwanz begabt ist, und deren manchfaltige Veränderung bis zum Papilion.

Kleemanns Anm. Die grosse zweygeschwänzte grüne Raupe.

SEPP

SEPP Neederland. Inſ. IV. St. p. 21. Tab. V. De Vlinder mit de groote Tweeſtart - Rups.

DEGEER Mem. Tom. I. p. 318. Tab. 23. Grande chenille verte: a quatorze jambes et a double queue etc. p. 331. Pap. a ailes velues p. 698. Tab. 23. fig. 12. Phal. a ant. a barbes etc. Tom. II. P. I. p. 312. nr. 3. Phal. grande a queue double.

Göze Ueberſetzung I. B. II. Quart. pag. 81. Tab. 23. p. 91. Der Haarflügel. IV. Quart. p. 120. Tab. 23. fig. 12. Ein aſchfärbiger ſchwarzſchattirter Nachtvogel ꝛc. II. B. I. Th. p. 224. nr. 3. — p. 225. Beſchreibung des Geſpinnſtes.

SCHAEFFER Icon. Inſ. Rat. Tab. 144. fig. 1. 2. Ph. pect. 29.

REAUMUR. Mem. Tom. II. p. 265 Tab. 21.

Friſch Inſ. VI. Th. p. 18. nr. 8. Tab. II. fig. 2. Die Gabelſchwanzraupe.

MERIAN. europ. III. p. 59. Tab. 39. Franzöſiſche Ausgabe Tab. 140. ALBIN. Inſ. Tab. XI. fig. 15. MOUFFET. ed. lat. p. 183. fig. 10. Vinula.

Man hat in dieſer ſeltſamen Geſtalt, die unſern Vorelteru abentheuerlich ſchien, auch mehrere Raupen neuerlich entdeckt. Sie könnten mit Recht für das Syſtem zur eigenen Abtheilung dienen, wenn eben Falter mit ihren Raupen in richtige Ausgleichung noch zu bringen wären. Wir haben die Charaktere von dem vollkommenen Inſekt zu nehmen, hier ſtehen aber die Merkmale der Raupe und des Falters zugleich, nicht immer in harmoniſcher Ordnung beyſammen. Die ähnlichſten Phalänen haben bald zuſammengedrückte, bald hervorgeſchlagene, ebene oder deckende Flügel; ihre Raupen hingegen eine unter ſich ganz verſchiedene Bildung. Hier kommen wir auf Arten, denen die Hinterfüſſe fehlen, ſie ſind in einfache oder gedoppelte Spitzen verwachſen. Es ſind die vierzehenfüßige Spannraupen, dahin unſere Vinula ſo gut als andere gehört. Sie würden nach jedes Bedünken füglicher beyſammen ſtehen. Doch welcher Abſtand unter den Faltern ſelbſten? Hier zwar folgen einige in dieſen Tafeln nach ganz richtiger Ordnung. Wie viele Gattungen aber nach ähnlicher Geſtalt gehörten hieher? Gerade hier ſcheint es, habe unſer Syſtem nach dieſen Merkmalen keinen ſchicklichen Platz leer gelaſſen. Es ſind Gattungen dieſer Abtheilung mit ebenen, ausgeſchweiften und ſichelförmigen Flügeln vorhanden. Wir haben ſie nothwendig zu einer eigenen Abtheilung zu verweiſen, ſie ſind noch einzuſchalten. Dann iſt wenigſtens für die Horde der Spannmeſſer leichtere Aushülfe verſchaft, wenn dahin lediglich die Falter derjenigen Raupen gezogen werden, welche nur zwölf Füſſe haben, oder denen die vier mittlern Paare fehlen. Es ſind ohnediß in unſerm Syſtem nur zwey Gattungen dieser Art, die zu den Geometris gezogen worden, hieher zu rechnen. So weit sehe ich mich berechtiget, von meinem System abzugehen, da es die Entdeckungen neuerer Zeiten erfordert. Gewiß würde unser verewigter Verfasser gleiche Aenderung angegangen haben. Dadurch ist nun diesen Verwirrungen Aushülfe verschaft. Die untergeordneten Gattungen dieser Abtheilung haben säntlich kammförmige Antennen, und gerade sind auch ihre Raupen keine eigentliche Spanner, es sind nur die zwey letzten Füsse verwachsen. Diß ist zur Erläuterung meiner in der Einleitung geäusserten Aenderung, und deren Befugniß genug. Ich habe nun zur Geschichte der jetzt zu behandelnden Gattung zu eilen.

Hier hat die Natur nach der Gestalt und den Eigenschaften zugleich alles seltsame unter Raupenarten vereint. Sie ist schon längstens eine vorzügliche Beschäftigung der Naturforscher gewesen. Doch haben sich neuerlich keine weiteren Entdeckungen ergeben. Es ist in möglichster Kürze das vorzüglichste zu erzehlen. Wir haben sie in unsern Gegenden häufig, sie ist auch fast aller Orten in unserm Welttheil zu finden. Ihre Nahrung sind die Blätter der Weide, besonders die Arten mit glatter Fläche. Doch zuweilen hat man sie auch auf Aspen, die viele mit jener Staudenart gemeinschaftliche Raupen ernährt, gefunden. Rösel nennt auch die Linde. Auf dieser ist sie aber zur Zeit keinem Kenner weiter zu Handen gekommen. Man findet sie in unterschiedenem Alter, nach einer frühern oder spätern Erzeugung. Sie wird noch im September und auch später angetroffen. Ihr Wachsthum ist sehr langsam. Gemeiniglich sind die aus dem Ey entwickelte Räupgen in der Mitte des Junius da. Sie pflegen sich nach der ersten Häutung bald zu zerstreuen. In dem ersten Alter ist ihre Farbe ein glänzendes Schwarz. In den folgenden wird der Rücken braun, und die Seiten grün. Im vollkommenen Wuchs nimmt sie endlich die Farbe und Gestalt der vorliegenden Abbildung an. Doch ist sie nach Abänderungen davon verschieden. Bey einigen ist der Rücken schwarz, bey andern braun oder grün, gemeiniglich aber mit rothen Streifen nach dem Muster der vorliegenden Abbildung schattirt. Der Kopf dieser Raupe ist vor andern ganz abweichend gebildet. Er ist ungewöhnlich groß, nach der Vorderseite flach, und mit dem Vorderring, in welchen er sich einziehen kan, von ganz eigener Gestalt. Das Gebisse daran ist von beträchtlicher Stärke. Die Raupe hat es auch zu Fertigung ihres

Gehäuſes, das aus einer ſo feſten Materie beſteht, wohl nöthig. Doch hat man nicht bemerkt, daß ſie damit verletzet, wenn es zur Vertheidigung kommt. Sie bedient ſich dagegen eines Saftes, den ſie in kleinen Tropfen auf eine ziemliche Strecke von ſich ſpritzet. Dieſe Feuchtigkeit iſt eine Säure, die aber im mindeſten nicht ſchadet. Es ſey denn, daß dieſelbe in die Augen fällt, wo ſie unangenehme Empfindungen nothwendig erweckt g). Dieſe Säfte kommen nicht aus dem Mund, ſondern aus einer Drüſe unter demſelben h). Zur Verzierung führet der Ring, in welchen der Kopf eingezogen iſt, eine Einfaſſung von hochrother ins Hellgelbe verlohrener Farb. An dem Obertheil ſtehen zwey ſchwarze erhabene Punkte. Die Raupe hat in ihrem erſteren Alter an deren Stelle zwey fleiſcherne Erhöhungen, die man nicht uneben mit Ohren verglichen. Sie ſind mit ſchwarzen Haaren beſetzt. Im ruhenden Stand hebt ſie die Vorderfüſſe mit dem Kopf in die Höhe gerichtet, und auch die Schwanzſpitzen rückwärts geſchlagen. Der Hinterleib endiget ſich in zwey lange, knotige Spitzen von ſchwarzer Farbe. Die Raupe bedient ſich derſelben zur Wehre. Sie hat dieſe Waffen bey den Verfolgungen der Ichnevmons auch nöthig, denen doch wenige entgehen. Doch kan ſie damit keinesweges verletzen. Im jugendlichen Alter ſind ſie nach Verhältniß des Körpers um ein beträchtliches mehr verlängert. Sie ſind innwendig hohl, in Form einer Scheide gebildet. Bey einer Berührung ſtrecken ſich aus derſelben hochrothe weiche Fäden, in faſt gedoppelter Länge hervor. Sie ziehen ſich aber geſchwinde wiederum ein. Vielleicht dienen ſie lediglich zu feinerem Gefühl. Bey dem Alter der Raupe wird man dieſe Bewegungen nicht mehr gewahr. Die Scheide ſelbſten wird denn gemeiniglich ſtumpfer, und bey vielen Exemplaren findet man ſie würklich abgebrochen. Diß iſt von den vorzüglichſten Eigenſchaften genug. Das übrige gibt die Abbildung genugſam zu erkennen.

N 2

g) Vielleicht hat die Raupe wegen dieſes gelblichen Saftes den Namen Vinula ſchon von den älteſten Entomologen erhalten, oder iſt es von ihrer ſchönen Geſtalt, da vinulus ſo viel als venuſtus bedeutet, abzuleiten.

h) Herr **Bonnet** hatte Verſuche damit gemacht, und dieſen Saft in eine Wunde am Finger flieſen laſſen, wodurch er einen unerträglichen Schmerzen empfunden. Mehreres hievon in deſſen Mem. de math. et phyſ. oben angef. Orts.

Einige Tage vor der Verwandlung verliert sie das so schöne Gewand, wie bey den mehresten sich eräugnet. Einige dieser Raupen werden dann dunkelroth, andere braun. Sie suchen sich einen bequemen Ort, mehrentheils an den Stämmen und dicken Aesten der Bäume. Mit einem so starken Gebisse werden auch die festesten Hölzer durchnagt, die abgängigen Spähne aber zum Bau eines Gewölbes verwendet. Durch die eingemengten Säfte erhält dieß eine Härte, die auch keine Nässe erweichet. Nach der verschiedenen Farbe der Materialien ist die Farbe des Gehäuses verschieden. Doch nur dann, wenn sie nicht weichere Rinden erhält, greift sie die härtere Hölzer an. Die Chrysalide ist braun, an beyden Enden sehr stumpf. Die Phalänen durchbrechen erst in dem nächsten Jahr ihr so fest gebautes Gehäus, und gemeiniglich erfolgt dieß im May oder Junius.

Die sechste Figur dieser Tafel stellt einen weiblichen Falter vor. Er ist grösser und mit stärkeren Zügen bemahlt, als das Männchen, das sich sonsten nur durch den geschmeidigeren Hinterleib und die mehr gefiederte Antennen von aussen unterscheidet. Die einzelne schwarze Punkte, und die zackigten Züge, wird man nicht fordern, umständlich zu beschreiben. Doch muß ich bemerken, daß die Flügel sehr dünne mit Schuppen bedeckt sind, und an den Sehnen und Rand fast gänzlich fehlen. Abänderungen beziehen sich hauptsächlich auf die helle, dunklere, und etwas bräunliche Grundfarbe. Gewöhnlich ist sie aschgrau. Die zweyte Figur stellet ein Männchen vor, das sich durch die mindere Grösse, und denen feineren Zeichnungen merkwürdig gemacht. Gewöhnlich ist es von dem Weibchen unbedeutend verschieden.

Der zwey und zwanzigste europäische Nachtschmetterling.

PH. BOMB. ELING. AL. REVERS. ERMINEA.

Der weisse Hermelinfalter.

Tab. XIX. Fig. 1. Der männliche, Fig. 2. der weibliche Falter; beyde von der Ober- und Unterseite.

Ph. Bomb. eling. al. reuersis niueis, puncto lineisque nigris tenuioribus, abdomine nigro.

Diese Phaläne ist eine der neuesten Entdeckungen, die ich hier einzuschalten habe. In so grosser Aehnlichkeit mit der Ph. Vinula hat die Nafür dennoch weſentlichen Unterſcheid gelaſſen, ob deren Gattungsrechte auch nicht der mindeſte Zweifel ſich äuſſert. Ich habe dieſer Phalänenart bereits an einem andern Ort zum Beweiß erwähnt, wie wir zur Entſcheidung ſpecifiſcher Merkmahle, auch auf die vorigen Stände Rückſicht zu nehmen haben *i*). Hier iſt ſchon in den Eyern das Charakteriſirende vorzüglich gebildet. Die Ph. Vinula hat ſie fleiſchfarben, oder braun, mit einer einförmig gleichen Fläche. Ganz anders aber ſind ſie bey dieſer Gattung geſtaltet. Hier ſind ſie hochgelb, mit rothen Flecken bemahlt, und flach geformt. Doch ich habe die Abbildung ſelbſten zu bequemer Vergleichung auf einer Tafel künftig meinen Leſern vorzulegen. Ich erhielte eine beträchtliche Menge dieſer Eyer durch die Güte des Herrn **Gerning** zu Frankfurt am Mayn. Sie waren von einem gepaarten Weibchen, das man nebſt mehrerern erzogen. Es iſt dieſe Gattung bisher meines Wiſſens alleine in daſiger Gegend zu finden. Noch ſoll die Raupe eine beträchtliche Verſchiedenheit haben. Nach den mir ertheilten Bericht nährt ſie ſich von Aſpen. Wider meine Erwartung kamen die Räupgen früher aus den Eyern hervor, ehe noch die Aſpen in einem zwar damals ſpäteren Frühling ausgebrochen. Ich muſte ſie daher an andere Futterpflanzen gewöhnen. Ich hatte einen Weidenzweig in einem Glas mit Waſſer, zu anderer Abſicht, in Blätter getrieben. Dieſen ſetzte ich mit dem gefüllten Glas, in dem er war, in ein gleiches aber gröſſeres Gefäß, um dieſen Zärtlingen, wie im freyen, unverwelktes Futter zu geben. Sie hielten ſich acht Tage vortreflich, und durchfraſſen die Blätter mit täglich vermehrter Begierde. In der That ein Mittel, wodurch ſich die gröſten Zärtlinge aufbringen laſſen. Allein es hatte ein Verſehen dieſen Verſuch auf einmahl vereitelt. Es war der Deckel über dem gröſſeren Gefäs zu enge geſchloſſen. Bey einer einfallenden kühlen Nacht wurde die Stubenwärme vermehrt. Es ſammelten ſich Dünſte an dem Innwendigen des Glaſſes, und die Räupgen, die ſich von ihrem Zweig wegbegeben, hatten in den zuſammengeſchloſſenen Tropfen ſämtlich ihren Untergang gefunden. Es waren etliche dreyſig, ohne daß ſich eine einzige davon gerettet. Es ſind bereits einige Jahre und ſeitdem war ich nicht ſo glücklich zu wiederholten Verſuchen etwelchen Vorrath dieſer Eyer erhalten zu können.

N 3

i) Diſſert. pro loco in fac. de varietatibus ſpecierum in naturae productis. Sect. II. p. 10.

Die ausgekommene Räupgen waren wie bey denen der Ph. Vinula in diesem Alter von einfärbigem Schwarz, und im mindesten nicht verschieden. Die Veränderung muste sich in folgenden Häutungen zeigen.

Ich habe den so wenig erheblich scheinenden Abstand der Phalänen zu bemerken. Die Grundfarbe ist fast milchweiß, und die Schuppen finden sich in dichterer Lage darauf, als wir sie an der Ph. Vinula sehen. Auch einige schwärzliche Züge, besonders die nächst an der Brust, haben eine ganz veränderte Form. Die Brust hat ein gleich helles Weiß. Der Hinterleib führt die weissen Einschnitte nicht, er ist einfärbig schwarz. Die Endspitze aber ist gleichfals weiß, mit geraden Linien von schwarzer Farbe geziert. Das Weibchen hat stärkere Zeichnung, wie die Abbildung beyder Geschlechter, auch nach den übrigen Abstand von selbsten ergiebt.

Der drey und zwanzigste europäische Nachtschmetterling.

PH. BOMB. ELING. AL. SVBREVERS. FVRCVLA.

Der kleine Hermelinvogel. Der kleine Gabelschwanz.

Phalene petite queue double. *Degeer.* De kleine Twee - Staart. De kleine Hermelyn - Vlinder. *Sepp.*

Tab. XIX. Fig. 3. Die Raupe in ausgewachsener Grösse auf einem Weidenzweig. Fig. 4. Das Gehäuse. Fig. 5. Die Chrysalide. Fig. 6. Der männliche, Fig. 7. der weibliche Falter, nach einer vorzüglichen Abänderung. Beyde von der Ober- und Unterseite.

LINN. S. N. Ed. XII. p. 823. Sp. 51. Ph. Bomb. elinguis, thorace variegato, alis griseis basi apiceque albis nigro - punctatis. Ohnzünglichter Spinner, mit fleckigter Brust, grauen, an der Grundfläche und der Spitze schwarzpunktirten Flügeln. Fauna Suec. edit. nov. 1122.

Müllers Uebers. des Nat. Syst. p. 667. nr. 51. Ph. Furcula. Der Brustpunkt.

FABRICII S. E. p. 584. nr. 96. Bomb. Furcula. Linneische Charaktere. Larua solitaria, nuda, bicaudata, viridis. — Reise durch Norwegen. p. 233. Larua Phal. Furcula.

Berl. Mag. II. B. p. 420. nr. 37. Ph. Furcula. Der Gabelschwanz. Weißgrau mit einem breiten braunen, und einem gezackten und ausgeschweiften schmalen Querstreif über die Oberflügel, an deren Rand eine Reihe brauner Punkte.

Syst. Verz. der Schmetterlinge der Wiener Gegend; Fam. S. nr. 4. Ph. Furcula. Der Pappelweidenspinner.

Naturforsch. XIV. St. p. 63. nr. 5. Von der kleinen Gabelschwanzraupe. Ph. Furc.
Fueßli Schweiz. Ins. p. 35. nr. 668. Ph. Furcula. Der Doppelschwanz. Magaz. der Entom. I. B. p. 280.
Jung Verz. europäischer Schmetterlinge; p. 59.
Gleditsch Forstwissenschaft; II. Th. nr. 48. Ph. Furcula. Der Gabelschwanz.
SEPP Neederl. Ins. IV. St. p. 29. Tab. VI. De Vlinder uit de kleine Twee-Staart - Rups etc.
DEGEER Mem. Tom. II. P. I. p. 313. nr. 4. Tab. IV. fig. 18 - 21. Phalene a antennes barbues sans trompe; a corcelet huppé noir rayé de jaune, a ailes d'un gris-de-perle avec des rayes transverses ondées, noires, bordées de couleur d'orange, et de suite des points noirs. — p. 315. Chenille verte rase a 14 pattes, et a double queue, dont la grande tache brune du dos est decoupée comme une feuille.
Göze Uebersetzung II. B. I. Th. p. 226. nr. 4. Gleiche Tafel. — Der kleine Gabelschwanz p. 227. Die grüne glatte 14füßige Raupe mit doppeltem Schwanz rc.
WILKES Engl. Moth. a. Butt. p. 13. Tab. I. fig. 1.

Ich sehe mich genöthigt von der Ordnung des Systems, in welche ich diese Phaläne gebracht, doch mit richtiger Befugniß abzugehen. Der Herr von Linne hat sie zu den Spinnern mit niederhangenden Flügeln gezogen, und ihr den Platz zwischen der Ph. Coryli und Furcula angewiesen. Nach der grösten Aehnlichkeit des Falters und der Raupe aber, die sie mit der Ph. Vinula hat, wird man solche bequemer in dieser natürlichen Folge suchen. Auch die Ausnahme wegen der niederhangenden Flügel ist so beträchtlich nicht. Sie kommt darinnen ersterwähnter Gattung beynahe gleich. Nur stehen die Hinterflügel kaum merklich hervor. Es ist befremdend, daß der Herr Ritter weder der Raupe, noch ihrer Aehnlichkeit erwähnt, und doch der Gattung von daher den schicklichsten Namen gegeben. War sie ihm etwa nur aus Beschreibungen bekannt? Doch es kommt darauf nicht an.

Auch nach den Eigenschaften und Naturtrieben ist diese kleinere Art, so wesentlich sie sonsten verschieden ist, mit der grössern fast ganz übereinstimmend geartet. Sie enthält sich auf der Saalweide auch andern Arten mit glatten Blättern, doch ist sie seltener zu finden. Die Eyer sind von vorzüglicher Grösse, und Herr Sepp, von dem wir die erste und ausführlichste Beschreibung dieses Falters haben, vermuthet, daß das Weibchen wohl keine 50 oder 60 abzusetzen könnte vermögend seyn. Sie sind rund, ganz schwarz, und nur einzeln an die untere Seite der Blätter befestigt.

Die Räupgen haben bey dem Auskommen gleiche Farbe und Gestalt, wie die der Ph. Vinula. Doch sind sie durch zwey hellweisse Flecken über den Rücken von derselben verschieden. Sie sind in Zeit von vier Wochen ohngefähr zur Stelle gewachsen. Wir finden sie in unseren Gegenden zu Ende des Julius, in vollkommener Grösse. Doch sind sie auch noch bis in den spätesten Herbst vorhanden. Man hat noch nicht erfahren, ob sie wie die der großen Gabelschwanzraupe einen Saft von sich zu spritzen gewohnt sind. Die Gliedmassen an den beyden Endspitzen haben eine wie die andere. Es fordert einige Bekanntschaft, sie von eben derselben, wenn sie nach dem Alter von gleicher Grösse sind, den ersten Anblick nach zu unterscheiden. Man hat gleiche Abänderungen wahrgenommen. Der Rücken ist bey einigen braun, schwärzlich, und auch weiß gefleckt. Mehrentheils aber ist er, wie die vorliegende Abbildung erweißt, roth, mit braunem schattirt. Ihre mehr geschmeidige, und ausgebildete Gestalt, machen sie indessen ausser andern Merkmalen, leicht kenntlich *k*).

Der Bau des Gehäuses ist nach der Form von jener abweichend gebildet. Sie bedient sich dazu gleicher Materialien, doch mehrentheils der weicheren und wolligten Rinde der Aeste. Wo sie diese nicht findet, pflegt sie auch Holz zu benagen. Man hat zu verhüten, daß nicht zwey Raupen neben einander ihre Wohnungen anlegen, weil gemeiniglich eine die andere verletzet. Sind mehrere beysammen, so fallen sie öfters einander begierig an. Das gedachte Gespinnst ist ein längliches Gewebe, und auf ebener Fläche nicht sonderlich gewölbt. Es hat jedesmahl die Farbe der dazu verwendeten Materien. Die Chrysalide kommt ausser der mindern Grösse näher mit iener überein. Sie durchlebt den Winter, und wie ich schon erwähnt, kommen die Falter daraus erst im Junius, oder noch später zum Vorschein.

Beyde Geschlechter sind sich, wie aus der Abbildung zu ersehen, nach der Farbe fast völlig gleich. Die Grösse des Körpers, die dünnen Fühlhörner, der geschmeidige Leib, und die stärkern Zeichnungen, unterscheiden das Weibchen nach den äussern Kennzeichen. Der perlenförmige Grund der Flügel, die breite gelblich gesäumte Binde, und der Flecken gegen die Spizze, sind die charakterisirende Merkmale derselben. Die Grundfläche, so wie der äussere Rand, führt schwarze Punkte, auf die Art, wie sie die Vinula hat.

Eine

k) Eine sehr abentheuerliche Abbildung hat der Künstler in dem Gladbachischen Werk Tab. XXV. fig. 1. beygebracht, die in der That sehenswürdig ist.

Eine merkwürdige Abweichung habe ich auf der folgenden 20ten Tafel vorgelegt. An dieser nimmt sich die vorzügliche Gröſe und das lebhafte Colorit vor andern aus. Sie iſt aus der Sammlung des Herrn Hofrath Rudolphs entlehnt. Derſelbe hat ſie aus einer Raupe von hieſiger Gegend erzogen.

Der vier und zwanzigſte europäiſche Nachtſchmetterling.

PH. BOMB. ELING. AL. REVERS. FAGI.

Die Buchenphalene. Das Eichhorn.

Tab. XX. Fig. 1. Die Raupe nach der dritten Häutung. Fig. 2. Ebend. in ausgewachſener Gröſe. Fig. 3. In ruhender Lage. Fig. 4. Das Geſpinſt. Fig. 5. Die Chryſalide. Fig. 6. Der männliche Falter. Fig. 7. Der weibliche. Von beyden Seiten.

LINN. S. N. Ed. XII. p. 816. Sp. 30. Fagi. Ph. Bomb. eling. alis reuerſis rufo-cinereis: faſciis duabus linearibus luteis flexuoſis. Ohnzünglichter Spinner, mit zurückgeſchlagenen röthlich-grauen Flügeln: zweyen gleichbreiten gilblichen (weiſen) zackigten Binden. Faun. Suec. edit. nou. 113.

Müllers Ueberſ. V. Th. I. B. nr. 30. Ph. Fagi. Das Eichhörnlein.

FABRICII S. Ent. p. 562. Bomb. Fagi. Linn. Charakt. — Larua brunnea: dorſo dentato, pedibus ſex anterioribus elongatis: cauda reflexa, corniculis duobus: quieſcit capite caudaque elevatis: pedibus anticis pendentibus. Sp. Inſ. p. 175.

UDDMANN Diſſert. nr. 61.

Acta acad. Holm. 1749. p. 132. Tab. IV. fig. 10-14.

Abhandl. der ſchwed. Acad. d. W. Ueberſetz. XI. B. 1749. pag. 137. Gleiche Tafel. Buchenraupe. Käſtners Anmerk.

MÜLLER Faun. Frid. p. 39. nr. 357. Ph. Fagi. — Zool. Dan. prodr. pag. 117. nr. 1356.

ONOMAST. Hiſt. Nat. P. VI. p. 364. Ph. F. Der Eichhornvogel.

Syſt. Verz. der Schm. d. W. Geg. Fam. S. nr. 2. Ph. Fagi. Buchenſpinner.

Jung Verz. europ. Schm. S. 52.

Fueßli Schweiz. Inſ. p. 34. nr. 643. Ph. F.

Gleditſch Forſtw. I. p. 549. nr. 3. Ph. F. Büchenraupe.

Maders (Kleemanns) Raupenkal. p. 79. nr. 223. Ph. F. Die Eichhornraupe. Das Eichhorn.

Gladbachs Catal. Der Krebsvogel.

Röſels Inſ. Bel. III. Th. p. 69. Tab. 12. Die zu der Nachtv. II. Kl. gehörige beſondere Eichhornraupe mit vier langen Vorderfüſſen, und zwey Schwanzſpitzen, nebſt ihrer Verwandlung zum Pap.

Knochs Beyträge zur Ins. Gesch. III. St. p.58. Tab. III. fig. 5. Die weibl. Phal. Tab. VII. fig. 8. Der Kopf der Raupe.

ALDROV. de Inf. edit. Francof. in Fol. Lib. II. p. 107. Edit. Bonon. 1638. Sex primum a capite ex primis corporis flexibus pedes aranearum pedibus simillimos emittit etc. MOUFFET. Inf. 197. ALBIN. Inf. Tab. 58. Larva. IONSTON. Inf. Tab. fig. 5.

Unter den seltsamen Gestalten einiger Raupen, die sich seit den Zeiten eines Aldrovands entdeckten, hat diese noch bis jetzt, in dem Sonderbaren der Bildung, den Vorzug erhalten. Keine hat wenigstens so ausserordentlich lang gestreckte Forderfüsse wie diese. Wir können nicht die Absichten erreichen, wienach derselben ein so seltsamer Bau nöthig gewesen. Es sind unzähliche Formen belebter Körper möglich. Welche unter ihnen aber ihre Würklichkeit zu erhalten hatte, ist dem engen Bezirk menschlicher Kräfte nicht zu erforschen verliehen. Uns ist es die heiligste Pflicht, die unendlichen Kräfte des Schöpfers zu verehren, und denen weisesten Absichten nachforschen zu dürfen. Doch meine Leser verlangen Naturgeschichte, und nicht moralische Betrachtungen. Wie sehr ist aber eines mit dem andern verwebt, und wie schwer die Gränzen zu finden. Ich eile, sogleich das nöthigste in möglichster Kürze zu erzehlen.

Die Raupe dieser Gattung, und noch mehr ihre Phalene, ist zur Zeit eine nicht geringe Seltenheit in unseren Gegenden geblieben. Letztere hat in Sammlungen, nach gehöriger Vollständigkeit, noch einen ansehnlichen Werth. **Mouffet** sagt, daß dieser Falter in Norfolk in Engelland etwas gemeines sey, alleine er ist nach Berichten, auch da sehr selten, wenigstens schwer zu erziehen. Die Futterpflanze der Raupe ist gewöhnlich die Buche, (Fagus syl. L.) die bey uns nur wenig Arten dieser Geschöpfe ernährt. Man hat sie an andern Orten auch auf Haselstauden, (Corylus Avellana L.) angetroffen. Ich fand sie einstens auf einer Wiese, wo auf etlich tausend Schritte keine Staude anzutreffen war, bereits in ausgewachsener Grösse. Sie kam nach dem Ausmaas mit der Röslischen Figur gänzlich überein. Eine im jüngeren Alter, habe ich nachgehends von Herrn Cammerrath **Jung** aus der Gegend von Uffenheim erhalten. Sie ist nach der zweyten Figur in Abbildung vorgelegt worden. Man hat sie zu Anfang des Augusts gewöhnlich zu suchen. Zuweilen ist sie früher, doch gemeiniglich nur einen Monath später vorhanden. Ihre Gestalt ist so kenntlich, daß man sie nicht mit irgend ähnlichen

Arten verwechseln wird. Herr **Knoch** hat sie sehr pünktlich nach einzelnen Theilen beschrieben. Die Grundfarbe ist Castanienbraun, doch hin und wieder ins Graue und Schwärzliche verlohren. Die Einschnitte sind sehr tief, und die mittlere über den Rücken in erhabene, doch sehr stumpfe Spitzen, gebildet. An dem zehenden und eilften Ring, zeigen sich gegen die untere Seite zwey halbgerundete Lappen, welche sägeförmige Einschnitte haben. Am Ende der Schwanzklappe stehen zwey keulförmige Spitzen von harter Substanz. Sie sind an dem äusserſten Theil mit kurzen steifen Haaren und noch mit einer kleinen Oefnung versehen. Die so ausserordentlich verlängerte Vorderfüsse scheinen der Raupe mehr zur Wehre zu dienen, um sich für jeden Angriff zu schützen, als zum bequemeren Gang. Sie sind ungemein gelenke, aber nicht stark genug, den Körper zu tragen. Diese Raupe pflegt im ruhenden Stand, wie Herr **Knoch** sehr sorgfältig beobachtet, in gerader Länge ausgestreckt zu ruhen. Bey einer Berührung, oder wo Gefahr eine Wachsamkeit fordert, hält sie den Kopf aufrecht mit hervorgestreckten Füssen, und den Hinterleib über den Rücken in die Höhe gerichtet. In dieser nicht ganz unähnlichen Bildung hat sie den Nahmen des **Eichhorns** erhalten.

Sie bereitet sich, so bald der Trieb zur Verwandlung es fordert, zwischen Blätter ein leichtes **Gewebe**. Es ist flach gewölbt aus einzelnen doch steifen Fäden, netzförmig zusammengesetzt und lieget gedränge an den Blättern an. Die **Chrysalide** ist glänzend rothbraun, nach der Form an beyden Enden sehr stumpf. Die Spitze des Hinterleibs endiget sich mit einem Stiel, an dem einige Häckgen sich finden, die an dem Gewebe befestiget sind. Dadurch kann der ausbrechende Falter, sich um so leichter seiner Chrysalidenhülse entziehen. Die Entwicklung selbsten erfolgt sehr späte, und nach den bisherigen Beobachtungen erst im Junius des folgenden Jahres.

Rösel erzog eine ganz krüpplichte Phalene. Er hatte genugsame Sorgfalt verwendet, eine so schätzbare Entdeckung bekannt zu machen, und daher auch diese mangelhafte Abbildung mitzutheilen, sich genöthigt gesehen. Nach dem Maas, in welchem sich ohngefähr die kurzen Flügel im Wachsthum vergrösern und die Zeichnungen sich ändern, wagte er nach seiner Vorstellung auch die Phalene vollständig auszumalen. Allein hier hatte sich dieser grosse Künstler geirrt. Es haben Farbe und Zeichnung das ähnliche nicht. Sein Original war auch vielleicht zu sehr verstümmelt. Die Grundfarbe ist an beyden Geschlechtern, ein ins blasröthliche abstechendes Aschgrau, so dunkel aber nicht wie die Röslische Figur erweißt. Unser Falter führet keineswegs den breiten weisen Saum, noch den Flecken in der Mitte. Das Männchen war ihm unbekannt. Es hat zur Seite des innern Randes, einen rostfärbigen in die Fläche vertriebenen Schatten an beyden Flügeln, und ist zugleich etwas dunkler, als das Weibchen gefärbt. Die weißfleckigten Binden daran sind mit schwarzen Mackeln verziert. Ihre richtige Lage giebt die Abbildung am deutlichsten an. Es hat noch überdieß stark gefiederte rostfärbige Antennen. Der Stiel derselben ist weiß, und am Ende ohne Seitenfasern verlängert. Die Unterseite sämmtlicher Flügel ist von einfärbigem gelblichem Weiß, die Obern aber mehr aschgrau gefärbt. Unser System giebt die zackigten Binden, von gelber Farbe (fasciis luteis) an. Ich habe diese Abweichung niemahlen bemerkt. Höchstens fand ich die mittlere Binden ins Lichtgraue gemischt. Auch die Exemplare, die ich aus Wien erhalten, waren mit diesen ganz übereinstimmend gebildet. Die Originale der vorliegenden Arten, sind aus der Gegend von Uffenheim. Man hat sie auch in den hiesigen öfters erzogen.

Der fünf und zwanzigste europäische Nachtschmetterling.

PH. BOMB. ELING. ALIS (SVBREV.) MILHAVSERI.

Mihlhäusers Phalene.

Tab. XXI. Fig. 1. Die ausgewachsene Raupe auf einem Aspenzweig. Fig. 2. Das Gespinst. Fig. 3. Die Chrys. Fig. 4. Der weibliche Falter. Fig. 5. Eine Abänderung desselben Fig. 6. Die Fühlhörner des Männchens.

FABRICII S. E. pag. 577. Sp. 70. Bomb. alis deflexis, canis, maculis duabus dorsalibus fuscis, antennis apice setaceis, Habitat Dresdae. Larua viridis: Spinis dorsalibus furcatis, pedibus subcaudalibus nullis. Puppa folliculata; antice acuminato-emarginata. — Spec. Inf. pag. 192. Sp. 98.

Mihlhäusers Abhandl. Dresd. 1763.

Syst. Verz. der Schm. der Wiener Gegend; S. 63. Fam. S. Gabelraupen. Laruae Furcatae. Zackenstrimige Spinner. Sp. 1. Terrifica. Trusseichenspinner Querc. Roboris.

Knoch Beyträge zur Ins. Gesch. p. 48. Tab. III. fig. 3. Das Weibchen. Ph. *Vidua*. Die junge Witwe. Ph. Bomb. elinguis, alis albo-cinerascentibus nigro variis, fascia sublutea inaequali.

Nach dem Sonderbaren der Gestalt, giebt diese Raupe der vorigen wohl wenig nach. Sie hat beynahe eben so viel abweichendes als jene.

Doch sind es schon zwanzig Jahre seitdem man sie entdeckt, und dennoch ist sie eine seltene Erscheinung geblieben. Herr **Mihlhäuser** fand sie zuerst bey Dresden, und hatte in einer besondern Abhandlung solche bekannt gemacht *l*). Erst neuerlich hat Herr **Knoch** in seiner vortreflichen Bearbeitung, die weibliche Phalene in Abbildung geliefert, und sie als eine eigene Entdeckung, wie sie zwar würklich ist, doch unter dem neuen Namen, Ph. Vidua beygebracht. Nach zuverlässigen Nachrichten ist diese Gattung die Ph. Terrifica des Syst. Verz. wie es auch die Ordnung ihrer Familie erweißt. Ich habe den ältesten Namen beybehalten, den auch Herr **Fabricius** derselben zugelegt. Wir finden sie in dessen Syst. Ent. nach oben angezeigten sehr genauen Charakteren eingetragen. Ich erhielte die erste Raupe schon vor einigen Jahren, durch die gütige Veranstaltung des Herrn Cammerraths **Jung**, der sie zuerst in unsern fränkischen Gegenden fand, und öfters erzogen. Erst nachgehends hatte ich erfahren, daß sie auch in unseren nahgelegenen Holzungen sich findet. Erfahrungen, die ich unserem öfters gerühmten Herrn Hofrath **Rudolph** zu danken habe. So viel von dem Namen und dem Wohnplatz dieser in der That sehr merkwürdigen Phalene. Für die Stelle in dem System haben sich einige Anstände erhoben. Sie kommt mit näherem Recht zur folgenden Abtheilung der Linneischen Spinner; und etwa füglicher neben der Ph. Ziczac und Dromedarius zu stehen. Doch nach der Aehnlichkeit der vorstehenden Arten, deucht mich habe sie in dieser Ordnung, wenigstens zum Aufsuchen ihren bequemeren Platz. Sie ist von vorzüglicher Gröse, die Flügel haben eine gleiche Breite, die Zunge ist kurz und auch nach der Farbe und den Zeichnungen kommt sie den vorbeschriebenen würklich am nächsten. Doch ich habe mir in der Folge noch vorbehalten, bey mehreren Erweiterungen der Gattungen dieses Geschlechts, die Verbesserungen, die sich dann in der Anordnung ergeben, genauer berichtigen zu können. Für jetzt ist es dermahlen zu frühe.

Die **Raupe** erhält sich gewöhnlich von den Blättern der **Aspe**, doch wird sie auch auf **Eichen** gefunden. Nach bisherigen Erfahrungen, hat man sie einzeln, zu Ende des Julius, und bis zu Anfang des Septembers, schon in ausgewachsener Gröse wahrgenommen. Vorliegende Abbil-

l) Aller Bemühung ohngeachtet, habe ich diese Schrift nicht beybringen können, um seine Bemerkungen damit zu vergleichen. Sie bestehet nur aus einem einzelnen Bogen.

bildung, stellt sie in ihrem vollkommenen Alter vor Augen. Die Grundfarbe ist ein frisches Grün, mit dunklen und hellen Schattirungen hin und wieder bemahlt. Zu beyden Seiten stehet ein fleischfarbener, dunkelbegränzter Seitenstreif in der Länge der vier mittleren Ringe, doch es ist eigentlich mehr ein breiter länglicher Flecken. Auch Kopf und Rücken haben gleiches Colorit. Der lezte, und die mittlere sechs Ringe sind mit dunkelrothen Spitzen, in stufenweiser Abnahme besezt. Der erste ist vorzüglich verlängert, und endiget sich in ein gabelförmiges Häckgen. Die Ringe, an denen die Vorderfüsse stehen, sind um vieles kleiner. Dem letzten fehlen die Schwanzfüsse, er ist platt gleichsam abgeschnitten, und von dreyeckigter Form. Unten an beyden Winkeln ragen zwey spitzige Ecke hervor. Die Raupe pflegt im Sitzen eine gekrümmte Stellung zu nehmen. Sonsten ist sie sehr träge, und ruhig. Die Stärke, mit der sie sich an die Zweige befestigt, ist hauptsächlich Ursache, daß sie oft unserem Nachsuchen entgehet.

Das Gewebe das sie zum Schutz ihrer Chrysalide spinnt, ist sehr dünne, und zwischen Blätter angelegt. Es hat eine eyrunde Gestalt, und weißgrüne Farb. Die Chrysalide ist braun, und von ganz eigener Form. Sie hat gegen den Kopf zwey spitzige Erhöhungen, die wir fast an keiner bemerken. Bey unserer Zucht kommt die Phalene im folgenden Jahr zu Ende des Aprils, erst hervor.

In der Anlage der aschgrauen und weisen Grundfarbe zeigt dieser Falter sehr manchfaltige Abweichungen. Auch die Zeichnungen sind nach den hellen und duncklen, den breiten oder schmalen Verzierungen verschieden. Kaum stimmen zwey Exemplare darinnen ganz überein. Die gegenwärtige Tafel, legt die vorzügligsten dar. Das Exemplar in dem Knochischen Werk ist von sehr blassen Colorit. Wir haben sie gemeiniglich von stärkerer Anlage, und auch nach den Umriß von mehr beträchtlicher Gröse gefunden. Die vorliegenden Abbildungen sind beyde von Exemplaren weiblichen Geschlechts. Das Männchen hat ausser den mehr geschmeidigen und etwas bräunlichen Hinterleib, nebst dem stärker gefiderten Antennen, keine erhebliche Abweichung. Der schwarze weißeingefaßte Flecken, an dem inneren Winkel der Vorderflügel, möchte das wesentlichste Merkmahl dieser Phalene ergeben. Das übrige halte ich für unnöthig, ausführlicher anzuzeigen.

Der sechs und zwanzigste europäische Nachtschmetterling.
PH. BOMB. ELING. AL. REV. BVCEPHALA.
Der Groskopf. Der Wappenträger.

La Lunule. GEOFFR. De Wapendrager. SEPP.

Tab. XX. Fig. 1. Die Raupe, in dem Alter der ersten Häutung. Fig. 2. Ebendieselbe in ausgewachsener Gröse. Fig. 3. Die Chrysalide. Fig. 4. Die weibliche Phalene.

LINN. S. N. Ed. XII. pag. 816. Sp. 31. Ph. B. fubelinguis, alis fubreuerfis cinereis: ftrigis duabus ferrugineis, maculaque terminali flava. Mit etwas verlängerter Zunge, wenig zurückgeschlagenen aschgrauen Flügeln, zwey rostfärbigen Streifen, und einem die Flügelspitze begränzenden gelben Flecken. Faun. Suec. ed. nou. 1115.

Müllers Uebers. des Nat. Syst. V. Th. I. B. p. 659. nr. 31. Ph. Buc. Der Waffenträger.

RAII Hift. Inf. p. 162. nr. 14. Ph. media: antennis tenuibus, capite, facie et oculis noctuae fuluis; alis oblongis ex rufo-cinereo, fuluo et albicante variis.

FABRICII S. Ent. p. 571. nov. 52. Ph. Buc. Linn. Char. — Spec. Inf. p. 185. Sp. 70.

SCOPOLI Ent. carn. p. 208. nr. 515. Ph. Buc. Alae fubdentatae: anticae linea caffeata, duplici antice, aliaque fimili verfus limbum fafciatae, apice macula ouata magna occipiteque ftramineo colore tinctis.

GEOFFROI Hift. d. Inf. T. II. p. 123. n. 28. Ph. pectinic. eling. al. tecti-formibus, fuperioribus cinereis; fafcia duplici ferruginea, et extremo circulariter pallefcente; fubtus omnibus flauefcentibus, fafcia vndata fufca.

System. Verz. der Schm. d. Wiener Geg. Fam. M. nr. 1. Lindenspinner. B. Buc.

Berlin. Maz. III. B. p. 204. nr. 1. Ph. Buc. Der halbe Mond. Weißlich aschgrau, die Ob. Fl. an der Spitze mit einem ockergelben Flecken in Gestalt eines halben Monds.

Fueßli Schweiz. Ins. p. 34. nr. 649. Ph. Buc. Der Gelbkopf. — Magaz. der Ent. 1 St. p. 283.

MÜLLER Faun. Fricr. p. 40. nr. 361. Ph. Buc. — Zool. Dan. prodr. p. 118. nr. 1357.

Gleditsch Forstw. I. Th. p. 389. nr. 6. Ph. Buc. Der halbe Mond.

Götze Entom. Beytr. III. Th. II. B. p. 306. nr. 31. Ph. Buc. Der Mondvogel.

Fischers Naturgesch. von Liefland, p. 150. p. 347. Der Ochsenkopf, Waffenträger, Mondvogel.

Jung Verz. europ. Schmett. S. 23.

BECKM. Epit. S. L. p. 163. nr. 31.

Maders Raupenkal. p. 74. nr. 209. Der Mondvogel.

Neue Mannichfaltigk. II. Jahrgang p. 614.

Rösels Ins. Bel. I. Th. Nachtv. II. Cl. p. 89. Tab. 14. Die schwarz und gelbgestreifte, haarige grose Raupe mit ihrer Verwandlung.

SEPP Neederland. Inſ. IV. St. 14. Verhand. Tab. XIV.

SCHAEFFER Icon. Inſ. Rat. Tab. 31. fig. 10. 11. Ph. pect. al. defl. 5.

Friſch Inſ. XI. Th. p. 26. nr. 26. 1. Platte Tab. 14. Von der Erlenraupe und ihrer Phalene.

DEGEER Mem. T. I. p. 221. Tab. 13. fig. 14—19. Chénille velue a poils courts d'un jaune foncé, garnie de taches noires alignées ſelon la longueur du corps, & qui vit en ſocieté ſur l'Ozier, la Chêne & l'Erable. (Wallweiden, Eichen und Ahorn.) — Tom. II. P. I. p. 317. nr. 5. Phal. a antennes barbues ſans trompe, à corcelet truppé jaune, rayé de roux dont les ailes ſuperieures ſont gris-de perle cendré, avec une grande tache jaune à l'extremité.

Göze Ueberſ. I. Th. II. Quart. p. 12. Gleiche Taf. — IV. Quart. p. 119. Gleiche Taf. — II. B. I. Th. p. 229. nr. 5. Ph. Buc. Der Mondvogel ꝛc.

GOEDART. Ed. Liſt. p. 213. nr. 95. fig. 95. Franzöſiſche Ausgabe T. II. Tab. 34.

Die Raupe dieſes ſehr nett gebildeten Falters iſt in unſeren Gegenden ſehr gemein. Sie iſt es zugleich an den meiſten Orten, von den ſüdlichen bis in die nördlichen Erdſtreiche unſeres Welttheils. Bey uns enthält ſie ſich auf den Eichen und Linden. Ich kann nicht beſtimmen, welcher von beyden Pflanzengattungen ſie den würklichen Vorzug ertheilt. Sie enthält ſich auf derjenigen am meiſten, welche die häufigſte iſt. An andern Orten hat man ſolche auch auf der Weide, den Haſelſtauden, Ahorn, und vielleicht noch auf mehrerern Bäumen angetroffen. Wir finden ſie im Sommer und den Herbſt zugleich in unterſchiedener Gröſe. Im Julius iſt ſie gewöhnlich ſchon da. Sie lebt in dem Alter der zwey erſten Häutungen geſellig. So bald ſich die Räupgen aus dem Ey entwickeln, pflegen ſie nicht ihre Schaale zu verzehren, ſondern die Unterſeite des Blatts zu benagen. Sepp, hat die Beobachtung gemacht, daß ſie dieſes Geſchäft in Gemeinſchaft verrichten. Sie lagern ſich in einem halben Cirkel, eine an die andere, die Länge hin angeſchloſſen auf die untere Fläche des Blatts und kehren ſo bald ſie geſättigt ſind, auf die obere Seite zurück. Hier pflegen ſie in Ruhe, doch ohne Ordnung übereinander zu liegen. Dieſe Manövres aber dauern nicht lange, ſie zerſtreuen ſich bald, nachdem es ihre Bedürfniſſe fordern. In der Stellung des Körpers iſt das ſeltſame zu bemerken, daß ſie die letzten Ringe gerade in die Höhe gerichtet, tragen. Auch dieſe Gewohnheit gehet gemächlich mit dem reiferem Alter verlohren. Durch alle Häutungen iſt die Farbe nicht ſonderlich verändert. Die gelben Streiſen kommen nach und nach

nach breiter, und mithin in mehrerer Deutlichkeit auf der Fläche hervor. So scheint sie auch in der Jugend mehrere Haare als im erwachsenen Alter zu haben. Bey allen Raupen, die eine ansehnliche Gröse erreichen, hat der Kopf im Verhältniß eine ungleich mehr beträchtliche Stärke. Ein Gesetz, das im Thierreich, schon bey Embryonen, und wenn wir auch Raupen dafür annehmen, fast unabänderlich ist. Bey dieser aber ist die Gestalt besonders auffallend; der Kopf der Raupe ist im jugendlichen Alter von gröserer Dicke als der übrige Körper. Es giebt zwar einige Gattungen, bey denen er im Verhältniß noch beträchtlicher ist. Unser System aber hat gerade von dieser Eigenschaft den Namen gewehlt. Von dem ausgearteten Pferd mit ungewöhnlich grosen Scheitel, das der griechische Weltbezwinger besänftigt, wurde hier die Aehnlichkeit geborgt, und unsere Phalene die Bucephala geheisen. Andere dachten sich wider die Etymologie der Sprache vollends ein Ungeheuer mit gehörnten Scheitel, das halb Pferd, halb Stier gewesen. Und so wurde unserem Falter im teutschen Ausdruck der seltsame Name des Ochsenkopfes beygelegt. Der gelbe Fleck an der Flügelspitze muste vollends die gröste Aehnlichkeit dieser Figur ergeben. Nach obiger Bemerkung ist der nehmliche Zierrath bey einigen ein mondförmiger Flecken, bey andern aber ein Wappen. Doch vom Namen genug. Mehr aber weiß ich selbsten nicht erhebliches zu erzehlen. Ich trage Bedenken, eine so oft beschriebene und so gemeine Gattung umständlich zu behandeln. Zur schuldigen Anzeige ist das nöthigste bald gesagt. Die Raupe hat ihre, obwohl wenig erkenntliche Abänderungen. Die Gürtel um den Hinterleib sind dunkel, zuweilen hellgelb gefärbt. Gleiche Bewandniß hat es mit den Linien nach der Länge. Gemeiniglich sind sie noch weißlich eingefaßt.

Sie verwandelt sich ohne Gespinnst in der Erde. Das Gewölbe das sie darinnen sich baut, ist sehr enge. Die Chrysalide ist dunkelbraun, fast schwarz. Der letzte Ring ist stumpf gerundet, am Ende aber mit einer Spitze versehen. Das Auskommen der Phalene erfolgt im May, öfters auch zu Ende des Junius.

Die Flügel sind in ruhender Lage gedränge aneinander geschlagen, und fast in einem Cylinder gerollt. Die untern stehen kaum merklich hervor. Bey einer Berührung fällt die Phalene von dem Ort, auf dem sie ruhet, mit eingezogenen Füssen und Fühlhörnern herab. Die Grundfarbe der Vorderflügel ist ein glänzendes Silberweis mit Aschgrauen schattirt. An der Grundfläche findet sich ein braunrother ausgeschweifter Streif. Dergleichen stehet auch gegen die mittlere Fläche. Der grose gelbe Flecken an der Flügelspitze ist das wesentlichste Kennzeichen dieses Falters. Ausser der dunklen Farbe und den kammförmigen Fühlhörnern ist das Männchen von dem andern Geschlecht nach den äussern Merkmalen kaum erheblich verschieden. Die Rösische Abbildung ist vortreflich gerathen. Es befremdet mich daher um so mehr, daß die Seppische bey aller Feinheit und Kunst derselben nicht gleichet. Man stehet fast in Bedenken, daß dieß der nehmliche Falter sey, ohngeachtet nichts gewisseres ist. Vielleicht hatte Sepp ein verblichenes Exemplar zum Muster genommen.

Der sieben und zwanzigste europäische Nachtschmetterling.

PH. BOMB. ELING. AL. REV. LVNIGERA.

Der weisse Mond.

Tab. XXII. Fig. 5. Das Männchen. Fig. 6. Das Weibchen. Beyde von der obern und untern Seite.

Alis subreversis fuscis (*foeminae* cinerascentibus) fasciis macularibus nigris albido-inductis, lunula in medio alba.

Diese neue Gattung eines Bombyx, die ich am füglichsten hier einzuschalten erachte, ist meines Bedünkens eine noch einzelne Seltenheit. Sie findet sich in der so vortreflichen Sammlung unseres berühmten Herrn Hofrath **Rudolphs**. Wir haben die Entdeckung diesem unermüdeten Beobachter selbsten zu danken. Sie ist aus hiesiger Gegend und wurde aus den Raupen erzogen. Nähere Umstände aber hoffe ich meinen Lesern vielleicht in der Folge darlegen zu können. Beyde Geschlechter sind nach der Grundfarbe sehr verschieden. Das Männchen, das sich schon durch seine stark gefiederte Antennen ausnimmt, ist ganz röthlich braun und mit schwarzen Atomen dichte bestreut. Die Sehnen sind schwarz und der Rand mit abwechselnd weissen und hellbraunen Borden begränzt. Eine schwarzfleckigte gebrochene Binde ziehet sich ohnweit derselben durch die ganze Fläche. In der Mitte und gegen die Brust sind noch zwey andere wahrzunehmen. Der hellweisse mondförmige Flecken giebt das deutlichste Merkmahl zu erkennen. Die Hinterflügel sind einfärbig braun, so wie der haarige Leib. Die Brust aber ist sehr dunkel gefärbt. Das Weibchen hat, wie ich schon erwähnt eine schmutzig weisse Grundfarbe, die mehr ins Aschgraue fällt. Es ist hin und wieder mit Gilblichen vermengt. Die Verzierungen sind nach beyden Geschlechtern nicht sonderlich verschieden, sie nehmen sich aber sehr deutlich aus. Kennern, werden etwas ähnliche Spannenmesser bekannt seyn. Diese aber führen den Mondförmigen Flecken nicht und die Männchen sind auch niemahlen braun. Im übrigen ist die Verschiedenheit schon beträchtlich genug.

Der acht und zwanzigste europäische Nachtschmetterling.

PH. BOMB. ELING. AL. REVERS. VERSICOLORA.

Der Scheckflügel.

Tab. XXIII. Fig. 1. Die Raupe auf einem Birkenzweig. Fig. 2. Das Gespinnst. Fig. 3. Die Chrysalide. Fig. 4. Der männliche Falter. Fig. 5. Der weibliche. Von beyden Seiten.

LINN. Syst. Nat. Ed. XII. p. 817. Sp. 32. Ph. B. el. al. reuersis griseis: strigis nigro-albis, fronte albo. Unzünglichter Spinner mit zurückgeschlagenen gelbbraunen Flügeln, weiß und schwarzen Streifen, nebst weissem Vordertheil der Brust. Fauna Suec. ed. nov. 1111.

Müllers Uebers. des Nat. Syst. V. Th. I. B. p. 660. nr. 32. Der Buntflügel.

FABRICII S. Ent. p. 565. nr. 34. B. Versic. Linn., Char.

Syst. Verz. der Wiener Schm. Fam. A. p. 49. nr. 2. B. Vers. Hagebuchenspinner, (Carpini Betuli.)

Berlin. Magaz II. B. pag. 400. nr. 8. Ph. Vers. Die Elsenmotte. Das Weibchen weislich mit vielen irregulären braunen Zeichnungen; das Männchen gelbbraun mit vielen weissen Zeichnungen. Die Unterflügel ganz gelbbraun. — p. 432.

Füeßli Schweiz. Ins. p. 34. nr. 650. Ph. Versic. Die Buntmotte. Auf Birken- und Haselstauden, selten. — Magaz. der Ent. I. B. p. 213. II. B. p. 40. Tab. I. fig. 4. die Raupe.

Naturf. VI. St. p. 117. nr. III. Meinecke Nachricht von derj. schönen Raupe, welche im III. B. der Rösl. Ins. Bel. Tab. 39. abgebildet ist. — VIII. St. p. 102. nr. 7. — XIV. St. p. 66. Tab. II. von Scheven seltene Raupe, der Ph. Versic. Die Raupe, Chrysalide und die männliche Phalene.

Götze Entom. Beytr. III. Th. II. B. p. 309. Ph. Versic. Der Buntflügel.

Jung europ. Schm. S. 149.

Gleditsch Forstw. II. B. p. 738. nr. 20. Ph. Versic. Die Elsenmotte.

Rösels Ins. Bel. III. Th. p. 237. Tab. 39. fig. 3. (Das Weibchen.) Der grose weiß und zimmetbraun gefleckte Nachtpapilion, zur II. Cl. der Nachtv.

P 2

Sulzers Gesch. der Ins. p. 159. Tab. 21. fig. 4. Ph. Verf. Der Bundflügel. (Das Männchen.

WILKES engl. M. a. B. pag. 45. Tab. I. a. I.

Die Vollständigkeit der Naturgeschichte dieser Gattung ist wie mehrere, eine Entdeckung neuerer Zeiten. Dazu stunde es ein dreyßig Jahre auch an. Rösel hat nur das Weibchen gekannt, lange nachher hatte Sulzer das Männchen erst vor einigen Jahren in Abbildung beygebracht. In dem Naturforscher und Entom. Magazin wurde hierauf die Raupe zugleich geliefert. Nun haben sich ihre Wohnpläze auch in unsern Gegenden ausfindig gemacht. Es kamen mir bereits vor acht Jahren einige dieser Raupen zu Handen. Gegen die Mitte des Julius, nach Beschaffenheit des Jahrs früher oder später, sind sie schon in ausgewachsener Gröse zu finden. Sie enthalten sich bey uns auf den Birken, (Betula alba) doch lediglich an deren kleinen Gesträuchen und da nur auf den niederen Aesten. Auf diesen enthält sie sich auch in der Gegend von Petersburg, wie mich die schätzbaren Nachrichten des Herrn Hofrath Böbers versichern. Man hat sie gleichfalls auf der Linde, den Haselnußsträuchen, der Erlen und der Schwarzbuche (Carpinus Betulus) wahrgenommen. Nach der Gestalt kommt sie den Raupen der grösseren Sphinxe sehr nah. Sie besitzt fast wie jene eine pyramidenförmige Erhöhung auf dem letzten Ring, doch ohne verhärtete Spiße. Im ruhenden Stand ziehet sie die vorderen Ringe, wie die der Ph. Elpenors einwärts zusammen. Dann scheint sie sehr kurz von gleicher Dicke und vornen wie abgestumpft zu seyn Die Grundfarbe ist ein angenehmes Grün, das sich über den Rücken ins Weise verliehrt. Hier ist sie glatt, gegen die Seite aber rauh oder chagrinartig anzufühlen. Ihre ganze Fläche ist mit schwarzen Punkten bestreut. Auf jedem Ring stehen zwey schreggezogene Seitenstreife von weiser Farb mit dunklem Grün eingefaßt. Der an dem letzten Ring ist gelb und schwärzlich gesäumt. Zuweilen hat der Vordere über den Rücken längst der vier ersten gleiche Einfassung von erwähnter Farb. In so breiten, hochgelben ganz ausgehenden Seitenstreifen aber und einer so spitzigen Erhöhung über den letzten Absaß, wie die Abbildung in dem oben angeführten Werk des Hrn. Füeßli ergiebt, ist sie mir niemalen zu Handen gekommen. Die Zeichnung in dem Naturforscher kam mit meinen Exemplaren genauer überein. Man hat sie noch etwas gröser als das Original der vorliegenden Figur, welche ein Männchen ergeben. Die Weibchen ſind bey dieſer Gattung ſeltener als die Männchen. Die Eyer werden an das äuſerſte der Aeſte gelegt, ehe noch das Laub ausgebrochen. Sie ſind von röthlicher Farb und länglichrund. Die Räupgen aber habe ich niemalen von ihren erſten Häutungen an, zu beobachten Gelegenheit gehabt. Nach verſchiedenen Nachrichten ſind ſie anfangs mit einzelnen Haaren bekleidet, und leben geſellig. Sie ſollen ſich bald zerſtreuen, doch nicht in allzubeträchtlichen Strecken. Ich habe niemahlen mehr als eine einzelne und dieſe nur in dem Alter der letzten Häutung auf einer Staude angetroffen.

Einige Tage vor der Verwandlung verändert ſich die Grundfarb der Raupe. Sie wird röthlich braun und fleckigt, dann nimmt ſie ihren Aufenthalt nicht in der Erde, ſondern baut ſich ob derſelben ein etwas unförmliches, doch feſtes Gehäuſe. Es iſt theils ſpieglicht und von pergamentener ſehr harten Subſtanz, theils mit Fäden verwebt. Gemeiniglich wird es mit Moos oder andern Materialien vermengt. Die Chryſalide iſt dunkelſchwarz und nach der Form am Ende abgeſtumpft. Doch gehet an demſelben eine Spitze heraus, die mit kleinen Häckgen beſetzt iſt. Auch die ganze Fläche iſt rauh, von ähnlichen, jedoch ſehr kleinen Kanten. Sie pflegt ſehr frühe und zu gleicher Zeit mit dem kleinem Nachtpfauenaug ſich zu enthüllen.

Die Kennzeichen des Falters ſind ſchon mit dem erſten Anblick auffallend genug. Man wird ihn nie mit irgend einer der jetzt bekannten Gattungen verwechſeln. Der Herr von Linne hat zum weſentlichſten Unterſchied die deutlichſte Merkmahle angegeben *m*). Beyde Geſchlechter ſind nach der Grundfarbe verſchieden, in den Zeichnungen aber ſtimmen ſie ganz überein. Das Abweichende iſt ſonach leichter aus der Abbildung zu erſehen, als wörtlich zu beſtim-

m) Es ſcheint der Herr Ritter habe nur das Weibchen charakteriſirt, oder es hat derſelbe ein nach der Auſenſeite verblichenes Männchen vor ſich gehabt, wie wir auch nach den Clerkiſchen Abbildungen zuweilen erſehen. Indeſſen ſind ſeine Charaktere der Gattung ſelbſt ſehr genau angemeſſen. Ich füge hier die Beſchreibung der Fauna Suec. l. c. bey. "Deſcr. Ad maiores accedit ſpecioſiſſima. Corpus griſeum, villoſum. Antennae nigrae. Thorax ferrugineus, antice albus, albedine linea nigra terminata. Alae omnes ferrugineae, at ſupra magis griſeae. Superiores, faſcia lineari, nigra, antice alba transverſa, verſus baſin; altera faſcia poſteriore, flexuoſa, alba, antice nigra; maculae tres albae ad angulum poſticum, et ad marginem anguli ani. Inferiores alae ſubtus luteae: ſtrigis duabus nigris, punctoque nigro intermedio: macula alba diaphana ad angulum exteriorem alae."

men. Gerade hier deucht mich bedarf es keine umständliche Beschreibung. Das Männchen ist auch nach den Hinterflügeln mit einem dunklem Gelb, das ins pomeranzenfärbige fällt, bemahlt. An dem Weibchen ist es mehr lichtbraun, und es sind darauf grösere Parthien, so wie die Unterflügel, fast gänzlich weiß gelassen. Auf den Oberflügeln sind die zwey ausgeschweifte, schwarz eingefaßten Streife und die weisen Flecken gegen die Flügelspitze, die vorzüglichste Verzierungen. In der Mitte zeigt sich eine schwarze, einem Hacken, oder dem römischen V ähnliche Figur. Doch ist sie nicht immer so winklicht, vielmehr öfters mondförmig gerundet. Abänderungen, welche unter die Kleinigkeiten gehören, die aber eben so leicht durch Abbildungen noch mehr durch die Critik können vergrösert werden, darf ich umgehen.

Der neun und zwanzigste europäische Nachtschmetterling.

PH. BOMB. ELING. ALIS REVERS. MORI.

Der Seidenfalter. Maulbeerspinner.

La Phalene du ver a soye. Silkworm Butterfly. Bigatto da Seta. De Zyworm — Vlinder.

Tab. XXIV. Fig. 1. Der männliche Falter nach ausgebreiteten Flügeln. Fig. 2. Der weibliche, beyde von der Ober- und Unterseite. Fig. 3. Die gemeine Raupe. Fig. 4. Die Abänderung derselben nach dunklerer Farbe. Fig. 5. Das weise, Fig. 6. das gelbe Gespinnst. Fig. 7. Die Chrysalide.

LINN. Syst. Nat. Ed. XII. Sp. 33. Mori. Bomb. elinguis, alis reversis pallidis; strigis tribus obsoletis fuscis, maculaque lunari. Unzünglichter Spinner mit zurückgeschlagenen Flügeln von schmutzigem Weis nebst drey verblichenen braunfärbigen Streifen und dergleichen mondförmigen Flecken. Edit. X. Sp. 18. Amoenit. Acad. T. IV. pag. 563. Abhandl. der Schw. Acad. der W. VII. B. S. 24. Zergliederung des Seidenwurms (von Triewald). Fauna Suec. Ed. I. nr. 832. Ph. pectinicornis elinguis, Bombyx dicta.

Müllers Uebers. des Nat. S. V. Th. I. B. p. 660. nr. 33. Der Seidenwurm.

ALDROVANDI Hist. Inf. p. 280. MOUFFET p. 181. IONSTON Tab. XXII. Hieron. VIDA de Bombycis cura et vsu. Lugd. 1537. GOEDARD. Nr. 1. Tab. 42. LISTER fig. 32. MERIAN. europ. I. p. 1. Tab. I. ALBINVS Hist. Inf. Tab. XII. fig. 16. BLANCHART. Inf. 60. Tab. 9. LIBAVIVS, Bombycya &c. Lbb. II.

GVID. PANCIROLLI Rer. memor. P. II. p. 305. ed. in 4. cum comment. H. Salmuth. LOEWENHOECK Opp. T. I. cont. epist. p. 41. T. III. p. 409.

MALPIGHI Opera Lugd. bat. 1684. Tom. Diff. epift. de bombyce, cum figuris copiosiffimis.

SCHWENCKFELD Theriotr. Silefiae, p. 514. Bombyx. Seidenwürmlein.

Comment. Lipf. Decuria IV. p. 228. III. 503. Suppl. p. 107. Vol. XVII. p. 581.

Allgem. Magaz. der Natur rc. II. p. 202. von der Art die Seidenwürmer zu ziehen.

Der Seidenbau in seiner nöthigen Vorbereitung, gehörigen Bestellung und endlichen Gewinnung. Berlin 1714. 4.

Altes Hamburg. Magaz. I. S. 107.

Journal oeconomique 1752. Ivill. pag. 43.

Berliner Magaz. II. p. 400. nr. 9. Ph. Mori. Die Seidenmotte. Weiß mit ockergelb und braun vermengt.

Das Reich der Natur und Sitten 224 St.

Frankfurter neue Auszüge IV. S. 40.

CHARLETON Onomaft. Zoic. pag. 40. L'art de cultiver les Muriers blancs et d'elever les vers a foye &c. Paris 1757.

Hannövrisches Magazin 1768. S. 898.

Breslauer Magazin II. 1718. S. 1741. Geschichte der Seidenwürmer rc.

Pontopidan Naturgesch. von Dännemark pag. 219. nr. 7. Ph. Mori.

ONOMAST. Hift. Nat. II. pag. 257. Bombyx. VI. pag. 385.

Neuer Schauplatz der Natur II. p. 300. VIII. p. 172.

Bonnets Betracht. über die Natur p. 445. Arbeit des Seidenwurms.

Syfteme Naturel du regne animal Tom. II. p. 148. nr. 23. Ph. du ver a Soye.

BOMARE Diction. XII. p. 113. Ver a Soye.

Journal des Savants 1773. Nov. pag. 220. 234.

Sulzers Vorübungen rc. pag. 55.

Der Arzt III. B. Seite 121.

Eberts Naturlehre für die Jugend III. p. 93.

Blumenbachs Handbuch der Naturgesch. p. 369. nr. 5.

BECKMANN Epitome S. L. p. 163. nr. 33.

Leske Anfangsgründe der Naturgesch. p. 369. nr. 5.

GEOFFROI Hift. d. Inf. T. II. pag. 116. nr. 18. Phal. pectinicornis elinguis tota alba alis deflexis, Bombyx dicta.

SCOPOLI Ent. carneol. p. 193. nr. 486. Ph. Mori. Long. 10 1/2 Lat. 7'''.

FABRICII Syft. Ent. p. 567. nr. 41. Bomb. Mori. Linn. Char. *Spec. Inf.* p. 180. Sp. 57. Mori. — hofpitatur in Europa tempore Iuftinianeo introducta. —

Syftem. Verz. der Schmett. der Wiener Gegend. S. 49. nr. 1. Scheinschwärmer Raupen. Mondmacklichte Spinner. B. Mori. Maulbeerspinner.

Fueßli Schweiz. Inf. pag. 34. nr. 651. Ph. Mori. Die Seidenmotte.

Götze entomol. Beytr. III. Th. II. B. p. 311. Sp. 33. B. Mori. Der Seidenfalter.

Jung Verz. eur. Schm. p. 91.

Lang Verzeichniß p. 16. nr. 49.

Rösels Ins. Bel. III. Th. S. 37. Tab. 7. 8. Die zu der Nachtvögel 1. Classe gehörige, sehr nützliche Maulbeerraupe, oder der sogenannte Seidenwurm nebst seinen Eigenschaften und Verwandlungen.

ADMIRAL Tab. 9. De Zyworm.

REAUMUR. Mem. des. Inf. I. Pl. 4. fig. 14. et II. Pl. V. fig. 2.

SEBA Thes. Tom. IV. Tab. 50. Bombyx nostras. Inlandsche Zy-Worm. fig. 15—19. italienischer, fig. 11—14. spanischer. Sind in der Zeichnung einerley und nur nach der Grösse verschieden, so wie die Raupen nach den fleckigten Schattirungen.

Unter dem so zahlreichem Heer der Schmetterlinge ist diese Gattung die einzige, auf deren Erziehung nach gemeinschaftlicher Beeiferung seit Jahrtausenden die angelegenste Sorgfalt verwendet worden. Die Vortheile sind auch von daher so beträchtlich als sie irgend von Geschöpfen, die wir nur nach der körperlichen Gröse schätzen, können gefordert werden. Es nähret der Seidenwurm Millionen Einwohner unserer Erde und kleidet eine zehenfältig grösere Zahl. Verdienste genug für einen so gering scheinenden Wurm, der Mittel der Unterhaltung einer so grosen Menge, der durch die Vernunft über sie erhabenen Menschen geworden. Nur denkt sich fast der geringste Theil derselben, das von einem so verächtlichem Geschöpf geborgte Gewand, dessen abgelegte Hülle er trägt, und dünkt sich doch in dessen entlehntem Putz über andere erhaben. Hier hat der unendliche Urheber einer unbegränzten Schöpfung uns genugsam gewiesen, wie leicht es sey, auch das geringste seiner Geschöpfe für unsere Bedürfnisse unentbehrlich zu machen. Noch ist keines unnütze, es kommt nur auf unsere Untersuchung, auf die Erfindung an, sie zu unserem Besten zu verwenden. Vielleicht gab es auch Zeiten, wo der so allgemein geschätzte Seidenwurm unter die schädliche Thiere, unter das Ungeziefer, wie noch seine verwandte Arten, bey dem vornehmen und niederen Pöbel heisen, gerechnet werden. Er verheerte die in seinem Vaterland nach den Früchten so sehr geschätzte Maulbeerbäume, und wurde da vielleicht wie unsere Kohlschmetterlinge mit gleich gehässigen Namen belegt, nach welchem der gemeine Haufe so fertig zu classificiren pflegt. Alles ist diesem, was nicht die für seine Sphäre faßlicher entworfene Bildung hat und unmit-

unmittelbaren Nutzen schaft. Einmahl sind die Anwendungen der Geschöpfe nicht für jede Zeiten, es ist den kommenden mehreres nach nothwendigen Bedürfnissen aufbewahrt, als alle der abgewichenen Jahrtausende besagen. Erfindungen haben ihre eigene Perioden. So kann die jetzt schädliche Kohlraupe einstens, wie sich schon Spuhren finden, in gewissen Betracht fast eben so nutzbar werden. Für die Kindheit des ersten Zeitalters hatte das so leicht anzuwendende Gewebe des Seidenwurms auch die leichteste Bearbeitung zu öconomischen Gebrauch sehr wahrscheinlich ergeben. Bey andern Gattungen war das nutzbare länger verborgen, sie forderten reifere Kenntnisse, sie wurden aber nachgehends auch weit beträchtlicher verbreitet. Ich verweile mich zu lange in diesen Betrachtungen; wo könnten sie aber auch ergiebiger seyn? Der Seidenwurm ist einmahl für die Bedürfnisse des Staates eine eben so angelegene Sache geworden, als er sonst von dem Zärtling auch bey dem Mangel aller Kenntnisse, die ihm eigene Lobsprüche sich erworben.

Doch vielleicht möchte eine Gattung, die eben nicht das eigenthümliche Recht der Eingebohrnen zu erweisen vermag, hier keineswegs die ihm angewiesene Stelle behaupten. Der Seidenfalter erkennt nur das heisere Asien für das seiner Natur zukommende Vaterland. Er ist nach zuverlässigen Nachrichten von den entferntesten Gegenden dieses Welttheils zu uns herüber gekommen. Fast hat die Geschichte keine ältere Denkmahle von Insekten nach so urkundlichen Belegen uns hinterlassen. Dorten nähret sich noch seine Raupe im Freyen, ohne menschliche Beyhülfe nöthig zu haben. Nun kennt man fast aller Orten den Seidenwurm und genauer als irgend eine unserer ursprünglichen Arten. Er ist in so weiten Entfernungen nach allen Welttheilen von den wärmeren Erdstrichen bis in die kältern genugsam verbreitet und sonach zahlreicher als andere geworden, die den Namen der schädlichen führen. Er verbraucht zu seinem Unterhalt auch mehrere Nahrung als einige sonst zu allgemeinen Verwüstungen bedürfen. Es ist die Frage entstanden, wie gerade diese Gattung sich dennoch in unseren Gegenden nicht einheimisch gemacht. Die Lebenszeit dieser Raupe hat doch in unseren Erdstrichen nicht mehrere Wärme als in ihren eigenen nöthig. Noch aber kann keine im Freyen sich selbsten überlassen, auf jährige Generationen erhalten. Es hat der Maulbeerbaum, ihre eigene Futterpflanze, weit ehender das kältere Clima gewohnt. Dieser ist aber unter unseren sämtlichen Bäumen der letzte, welcher in Blätter treibt. Es brechen erst bey genugsam verstärkter Frühlings wärme seine Knospen hervor. Man hat deswegen die Eyer im kühlen zu verwahren, um ihr früheres Ausschliesen zu verhindern. Sich selbsten überlassen, würden dann nothwendig die auskommende Räupgen bey dem Mangel der Nahrung ihren Untergang finden. Sie können weder die nächtliche Fröste noch die Nässe des Regens vertragen, viel weniger sich bey ihren schwächlichen Kräften auf den Zweigen erhalten. Die Falter selbsten sind nach ihren Flügeln nicht geschickt sich zu erheben, und so würden sie zu Absezung der Eyer nicht die anständige Pläze finden. Ich übergehe andere Umstände, die sich sehr leicht nach den übrigen Hindernissen gedenken lassen *n*). Man hat sich die Mühe gegeben durch heterogene Paarungen ähnlicher Gattungen, z. B. mit der Ph. Neustria oder Dispar, Bastarde zu erzeugen, um die auskommende Raupen an andere Futterpflanzen zu gewöhnen. Noch ist es aber keinesweges gelungen. An sich würden auch die gehoften Vortheile wenig erheblich seyn, da sich jedesmahl bey der Fortpflanzung gleiche Schwürigkeiten ergeben. Man hat zwar verschiedene Gattungen, deren Raupen ein seidenartiges Gewebe fertigen, doch keine kommt dem Seidenwurm in der Menge der Ergiebigkeit und der Länge des Fadens gleich *o*). An sich liesen sich unsere Arten zu unterschiedenem Gebrauch gleichfalls benutzen, diese Umstände aber haben den dahin zu verwendenden Fleiß unnüz gemacht.

Es lieget mir ob, die Geschichte unseres Falters umständlicher zu erzehlen. Doch wird man nicht alle urkundliche Nachrichten seit so langen Jahrhunderten, noch weniger die Anzeige von dessen Ausbreitung, in allen einzelnen Staaten unseres Welttheils und die Berechnung des für jeden ergiebigen

n) Man hat in Leipzig im Jahr 1775. Versuche im Freyen gemacht, und ohngeachtet der mißlichen Witterung, sind sie doch gelungen. Dieß würde aber dennoch nicht für jede Jahre zu erwarten seyn, und noch weniger würden sie einheimisch werden, wovon hier die Rede ist.

o) Die Raupe der Ph. Atlas. Linn. Sp. 1. giebt wie schon Merianin Surin. Schm. Tab. 52. bemerkt, das gröste Gehäuse und den stärksten Faden. Die Raupe lebt in China und in Surinam auf Citronenblättern. Der Faden soll 15 mal stärker seyn, doch etwas schwer abzuwinden. Das Gehäuse übertrift die Grösse eines Hünerey. Die Vortheile wären so nach weit beträchtlicher. Es würde nicht schwer halten sie durch Eyer herüberzubringen, und sie vollends einheimisch zu machen. Doch möchten Falter, in so colossalischer Grösse wie diese bey der Länge der ausgebreiteten Flügel von 7—8 Zollen, sich nicht so gutwillig behandeln lassen.

Nutzen, verlangen. Dieß würden auch Bände in möglichſter Kürze nicht nach ihrem Bezirk erſchöpfen. So weit hat ſich eine einzelne Gattung der niederen Gewürme erhoben! Wie, wenn erſt nach eben ſo langen Jahrhunderten eine jede gleich gemeinnützig würde gemacht werden, wie wenig würden menſchliche Kräfte zureichend werden, nur den geringſten Theil der Schöpfung zu ergründen. Lebensjahre könnten dann ihre unabläſſige Beſchäftigung haben, nur eine einzelne Gattung nach ihrem ganzen Bezirk zu behandeln. Schon beſchäftiget eine einzige Raupe einen ſo groſen Theil des menſchlichen Geſchlechts, daß Künſte von ſo manchfaltiger Art in ihrer einzelnen Behandlung Lebensjahre zur gründlichen Erlernung erfordern. Man wird eben ſo wenig verlangen, daß ich der ſämtlichen Erfindungen erwähne, welche die Pracht und Bequemlichkeit in ſo groſer Vervielfältigung nach unzählichen Veränderungen erſonnen hat. Kaum ſind die verſchiedenen Arten der Seide, noch weniger die daraus gefertigte Arbeiten in ein allgemeines Verzeichniß zu bringen. Noch einen gröſſeren Umfang erfordert hiernächſt die Geſchichte des Handels dieſer einzigen ſo allgemein ausgebreiteten Waare. Doch ich habe nur die vorzüglichſten Umſtände der Naturgeſchichte zu erwähnen *p)*.

Es iſt die Seide eine der älteſten Erfindung, deren Urſprung ſich aber in den dunklen Zeiten der Geſchichte gänzlich verlohren. Daß ſie aus Morgenland ſich in andere Gegenden verbreitet, ergiebt die Natur der Raupe und alle Nachrichten ſtimmen auch dahin überein. Bey dem Mangel näherer Kenntniſſe in den ältern Zeiten, ſcheint es, daß ähnliche Materialien, die im Werth derſelben gleich kamen, damit verwechſelt wurden. So werden in den Denkmalen des Alterthums die koſtbaren Zeuge, welche man Byſſus nannte, erwähnt, die entweder aus der Muſchelſeide, oder unſrer Baumwolle verfertiget wurden *q)*. Die Seide nannten ſie Sericum. Ariſtoteles und

p) Eine ausführliche Geſchichte des Seidenbaues hat bereits vor 30 Jahren, unſer berühmter Hr. Hofr. Schreber geliefert, welche in dem 1. Th. der Sammlung verſchiedener Schriften welche in oeconomiſche, Policey- und Cameralwiſſenſchaften einſchlagen, von deſſen ſeel. Hrn. Vater eingerückt worden. Halle, 1755. Desgleichen in K. G. Röſſig Verſuch einer pragmatiſchen Geſchichte Oeconomie, Policey- und Cameralwiſſenſchaften rc. 1781. 1 Th. p. 282. Geſchichte des Seiden- und Maulbeerbau's in Deutſchland.

q) I. R. FORSTER. Liber ſingularis de Byſſo antiquorum, quo ex aegyptia lingua res veſtiaria antiquorum — explicatur. Londini 1776. 8vo. In dieſer gelehrten Abhandlung, wird der Byſſus der Alten für die Baumwolle, Goſſypium L. be-

Plinius haben uns davon die ersten Urkunden, wiewohl in sehr mangelhaften Berichten hinterlassen *r*). Nach neueren Nachrichten eignen sich die Chinesen die Erfindung derselben alleine zu. Es soll nach einiger Angeben die Gemahlin des Kaisers Tao Tang, nach andern aber des Hoang Ti, mit Namen Si ling die erste Erfinderin seyn. Nach jenen hätte sich dieses im Jahr 2356, nach letztern aber im Jahr 2697 vor Christi Geburt ereignet. Sovlel ist gewiß, daß sich der Seidenhandel aus Persien und Medien sehr frühe in die angränzende Länder verbreitet. Ohngefähr zu Salomons Zeiten wurden auf der Insel Co in Europa, von fremder Seide Zeuge gewebt. Man erfand bald die Kunst, mit der sich die römischen Damen

sonders aus den Denkmalen der Zeuge in welchen die Mumien eingewickelt waren, erklärt. Doch war den Alten auch die andere Art der Wolle von Bäumen, dem Bombax L. bekannt, und die Muschelseide von der pinna rudis, wie sie noch im Neapolitanischen verarbeitet wird, stunde im vorzüglichen Werth. PLINII Hist. N. L. XIX. c. 1. "Byssus quoque erat linum subtilissimum, in Graecia natum, ex quo pulcherrime texebantur vestes. Tanti vero aestimabatur pretii, vt quaternis denariis scrupula eius permutaretur." Vid. PANCIROLLI. Rer. memor. depertitar. p. 17.

r) ARIST. Hist. animal. L. V. c. 19. "Εκ δε τινος σκωληκος μεγαλου, ὁς εχει οιον κερατα και διαφερει των αλλων, γινεται δε πρωτον μεν, μεταβαλοντος του σκωληκος, καμπη, επειτα βομβυλιος, εκ δε τουτου νεκυδαλος· εν εξ δε μησι μεταβαλλει ταυτας τας μορφας πασας. εκ δε τουτου του ζωου, και τα βομβυκια αναλυουσι των γυναικων τινες αγαπηνιζομεναι, καπειτα υφαινουσι. πρωτη δε λεγεται υφαιναι εν Κω Παμφυλη Λατωου θυγατηρ."

Plinius hat ohnfehlbar nach dieser Stelle, ein gleiches gesagt oder seine Nachrichten von daher geschöpft. Es heißt: Hist. M. Lib. XI. c. 22. Quartum inter haec genus Bombycum in Assyria proueniens, maius quam supra dictum. Nidos luto fingunt, salis specie, applicatos lapidi, tanta duritia, vt spiculis perforari vix possint. In iis ceras largius quam apes faciunt, deinde maiorem vermiculum. Et alia horum origo e grandiore vermiculo, gemina portendente sui generis cornua. Primum Eruca fit, deinde quod vocatur Bombylius, ex eo Necydalus, ex hoc in sex mensibus Bombyx. Telas araneorum modo texunt ad vestem luxumque foeminarum, quae Bombycina appellantur. Prima eas redordiri, rursusque texere, invenit in Ceo mulier Pamphila Latoi filia, non fraudanda gloria excogitatae rationis vt denudet foeminas vestis. cap. 23. Bombycas et in Co insula nasci tradunt. — Nec puduit has vestes vsurpare etiam viros leuitatem propter aestiuam. In tantum a lorica gerenda discedere mores, vt oneri sit etiam vestis. Assyria tamen Bombyce adhuc foeminis cedimus &c.

nachgehends beſchäftigten, ſie zu zupfen und von neuen zu ſpinnen. Plinius nennt eine eigne Nation die Seres, von denen die Seide, die von daher das *Sericum* genennet worden, ihren Urſprung gehabt *s*). Man hat dieſe Völker für die Chineſen gehalten. Doch es haben ſich ihre Wohnplätze nach Wahrſcheinlichkeit näher ergeben. Sie ſind bey den angränzenden Ländern Perſiens, den alten Handelsplätzen der Seidenwaaren, zu ſuchen *t*). Von dieſen Gegenden hat ſich dieſer damahls ſo ergiebige Handel weiter nach Europa verbreitet. Es ſcheint daher nicht unwahrſcheinlich zu ſeyn, daß die Seide, wenigſtens ſchon bey den Feldzügen des Alexanders des Groſſen aus Perſien nach Europa gekommen. Die Römer hatten den Gebrauch derſelben ſpäter kennen gelernt. Erſt bey den aſiatiſchen Eroberungen wurde ſie ihnen bekannt. Im Preiß war ſie damahls dem Gewicht des Goldes gleich geſchätzt worden. Man kann daraus den Aufwand ſchätzen, nach welchem ſich Julius Cäſar, wie Dio erzählt, auszeichnen wollen, da er die Bühne mit ſeidenen Zeugen hatte bekleiden laſſen. Weder dieſe noch der Purpur war Privatperſonen zu tragen verſtattet, und der Gebrauch bey Verluſt der Güter und des Lebens verbothen. Man ſahe es wenigſtens für den äuſſerſten Grad der Verſchwendung an. Es werden von verſchiedenen Schriftſtellern

s) Lib. VI. cap. 20. "Primi ſunt hominum qui noſcuntur, Seres, lanicio ſyluarum nobiles, perfuſam aqua depectentes frondium canitiem, unde geminus foeminis noſtris labor redordiendi fila, rurſumque texendi. Tam multiplici opere, tam longingue orbe petitur, vt in publico matrona transluceat. Es giebt noch in heiſeren Ländern, auf den Bäumen ſpinnende Raupen, auch überziehen einige die Blätter mit Fäden, wie ſich ſchon bey unſerer Zucht öfters ereignet. Im übrigen hatte Plinius keine eigene Erfahrung. ISIDORVS Lib. XIX. c. 27. Sericum dictum quia id *Seres* primi miſerunt. Vermiculi enim ibi naſci perhibentur a quibus haec circum arbores fila ducuntur. Vermes ipſi a Graecis βομβυκες nominantur.,,

t) Es hat dieß ſehr gründlich Herr Forſter, in obenangeführter Abhandlung de Byſſo erwieſen p. 25. — "Haec omnia ſatis ſuperque euincunt; *Seras* fuiſſe *Hunnos* tum temporis in regionibus circa *Kaſhgar* et *Akſou* et vsque ad *Irtiſh* et *Iayk* flumina, imo ad Indiam et Perſiae vicinos Tocharos late imperitantes, et qui hanc ob rem ferrum optimum, pelles pretioſas et lanas xylinas cum telis xylinis magna in copia apud ſe habebant; nam et nunc in *Bukharia* tantus xylini prouentus eſt, vt mercatores merces omnes, cuiuscunque generis non niſi xylinarum telarum pretio emant et vendunt, et iis monetae loco vtuntur &c. Es iſt Lana ſerica, und Bombycinum ſericum, wie ausführlich gezeigt wird, ſehr verſchieden. Doch finden ſich beyde da.

einige Cäsars genannt, welche sich ganz seidener Kleidungen als eines damals ungewöhnlichen Aufwands bedienet hatten. Schon halbseidene, waren nach ihrem Werth ein ausserordentlich ausgezeichnender Staat. **Vopiscus** erzählt von dem **Aurelian**, daß er seiner Gemahlin die Bitte um ein seidenes Kleid mit dem Beyfügen abgeschlagen habe; »er könne nicht leiden, daß so vergängliche Waare dem Gold gleich geschätzt würde.« Noch bis in das sechste Jahrhundert stunde die Seide in gleichem, wo nicht etwas geringerem Preiß. Es war den Zeiten eines **Justinians** aufbewahrt, sie in unserem Welttheil einzuführen. Man hatte damahls kaum überzeugende Kenntnisse, ob sie zu dem Thier- oder Pflanzenreich gehöre. Die Sache wird nach Veränderung einiger zufälligen Umstände vom **Procopius, Zonaras, Julius Pollux** und **Theophanes Byzantinus** unterschiedlich, in der Hauptsache aber auf einerley Art erzehlt *u*). Letzterer sagt, es habe ein Persier, der sich lange in dem Lande der Seres aufgehalten, die Eyer der Seidenwürmer nach Constantinopel unter der Regierung dieses Kaisers gebracht. Nach Erzehlung der ersteren Schriftsteller aber wird erwähnt, wie an sich genugsam bekannt ist, daß die Seide vorhin aus Medien und Persien nach Europa gekommen, und von den Kaufleuthen als eine genugsam theuere Waare von ihnen verstellt worden. Der Kaiser, der bey den Kriegen mit den Persiern nähere Einsichten erhalten, war dann auf Mittel bedacht, sie in billigeren Preisen ins Reich zu bringen. Aethiopien, welches damahls den christlichen Glauben angenommen, deuchte ihm zu einem Handlungstractat am dienlichsten zu seyn. Bey diesen Anschlägen, die sich vielleicht schon lange genug verbreitet haben, hatten zwey Mönche sich von selbsten erboten, die Befehle des Kaisers auszuführen. Sie erklärten, daß sie bey ihrem Aufenthalt in den südlichen Provinzen Asiens, sie nenten das Land der S e r e s oder S a r i n d a, nähere Kenntnisse von diesen geheimnißvollen Naturproducten erhalten hätten. Sie erwiesen ihre Entstehung aus Raupen und die Behandlung des von solchen gefertigten Gespinnsies. Noch wäre es leicht, wie sie erklärten, durch Eyer (γονην) sie herüber zubringen, um dadurch dem Reich die längst gewunschene Vortheile zu verschaffen. **Justinian**, der sich durch die erste Sammlung der Gesetze so sehr als durch oeconomische Anstal-

u) Siehe obenangeführten D. Schrebers Cameralw. 1 Th. S. 181. Andersons historische und chronologische Geschichte des Handels rc. 1 Th. Riga 1773. Seite 259—261.

ten in ſo großmüthigen Abſichten, ſeine Staaten zu beglücken geſucht; verſprach ihnen die huldreichſte Unterſtützung. Sie reißten ab und kamen in die Reſidenz wieder zurück. Dieß ſoll ſich im Jahr 555. zugetragen haben, doch weder die Zeit, noch die Begebenheiten ihrer Reiſe, am wenigſten die geographiſche Beſtimmung des Orts, von da ſie ſolche geholt, haben uns die ſonſt in unbedeutenden Sachen weitläufige Schriftſteller hinterlaſſen. Vielleicht hatte ſich damahls der Anbau der Seide ſchon weiter verbreitet. Es wird uns erzehlt, daß die mitgebrachte Eyer, wiewohl in ſparſamer Menge durch künſtliche Erwärmung im Pferdemiſt, wären ausgebrüthet worden. Dieß möchte uns in einem um ſo vieles milderen Clima befremdend bedünken. Hatte es etwa die Jahrszeit, um Probe zu machen erfordert? Daß ſie des Maulbeerbaums zur Nahrung bedürfen, wurde als bekannt vorausgeſetzt. Dieſe Pflanze war auch nach allen Urkunden eine in den ſüdlichen Gegenden längſt einheimiſche Pflanze. Sonſt würden die erſten Erfinder faſt dahin ehender Rückſicht genommen haben, als auf die in ein fremdes Clima übergebrachte Raupen. Durch dieſe Ereugniſſe, wo uns aber die Geſchichte eben nicht die ſogleich ergiebige Folgen berichtet, wurden doch in kurzen zu Athen, Theben, Corinth und andern Hauptſtädten, zu weiterer Vermehrung häufige Anſtalten getroffen, die endlich zu den ergiebigſten Manufacturen gediehen. Doch war keineswegen die Ausbreitung noch allgemein. Der Handel, den ſich die Städte Tyrus und Berytus in Phönicien erworben, vermochte in der Menge einen wohlfeilern Abſatz. Erſt lange nachher hatte **Venedig** ſich dadurch die erheblichſte Reichthümer verſchaft. Es hatte dieſe Stadt nicht nur den Seidenhandel an ſich gezogen, als durch eigene Erziehung erworben. Die Erfindung der manchfaltigen Zeuge hatte noch mehr Gelegenheit gegeben, da die zu Damaſcus erfundene Damaſte bald nachgemacht worden. Auch die Sammete und Atlaſſe ſind ſchon etlich hundertjährige Erfindungen. Doch es ſtunden noch einige Jahrhunderte an, bis in unſerem Welttheil der Seidenbau zu einiger Ergiebigkeit gediehen. Es ſchien ſogar dieſe Kenntniß ſich wiederum verlohren zu haben. Erſt im Jahr 1130. hatte **Rogerius**, ein König von Sicilien, in ſeinen Staaten Manufakturen errichtet. Er hatte in denen Kreuzzügen Gelegenheit, genauere Wiſſenſchaft ihrer Behandlung zu erlangen. Von da wurde endlich in unterſchiedenen Orten Italiens der Seidenbau verbreitet. Noch kam derſelbe erſt in langen Jahren nach Frankreich. Man giebt das Jahr 1470. unter **Ludwig** den Eilften an, und zwanzig

Jahre darauf, soll **Carl** der Achte weisse Maulbeerbäume, zur Erziehung der Raupen, anzupflanzen befohlen haben. Es melden uns einige französische Schriftsteller, daß **Heinrich** der Zweyte bey einem Fest die ersten seidenen Strümpfe getragen. Ein Beweiß, wie selten noch damals die Seide war! Erst unter **Ludwig** dem Vierzehenten wurden die ernstlichsten Anstalten getroffen. Unter seiner Regierung hatten alleine drey der südlichen Provinzen über anderthalb Millionen Pfund roher Seide erzogen. Bald hierauf aber wurde auch in Teutschland der Anfang gemacht. Man hatte hier mit mehreren Schwürigkeiten zu kämpfen. Es mangelte die dem Seidenwurm eigene Futterpflanze und fast glaubte man nicht, daß sie in diesem damals so rauh geachteten Clima würde hervorzubringen seyn. Es muß unsere Verwunderung nothwendig erwecken, wenn wir jetzt die grosse Anzahl der Schriften lesen, in welchen mit so vieler Mühe die Möglichkeit des Anbaues dieser Pflanze vertheidiget worden. Noch kommt der Maulbeerbaum mit grösserer Ergiebigkeit in beträchtlich kälteren Erdstrichen fort. Auch grössere Zärtlinge haben schon längstens die teutsche Sonne gewohnt.

Nun verbreitete sich gemächlich der Anbau der Seide in die übrigen Staaten unseres Vaterlands, so wie in andere europaische Provinzen. Hievon aber habe ich keine genaue Anzeige zu geben, da sie eine zu weitläufige Behandlung erfordert. Ich bemerke nur, daß in unserem Franken, der berühmte **Andreas Libavius** zu Rothenburg an der Tauber, im Jahr 1599. die ersten Versuche gemacht; denen bald andere folgten. In Frankfurt am Mayn, beschäftigten sich zu Ende des vorigen Jahrhunderts viele mit der Erziehung des Seidenwurms. Dieses gab der berühmten **Sybilla Merianin**, auf ihrer Reise von da nach Nürnberg, die erste Gelegenheit, auch unsere einheimische Raupen zu untersuchen. Es reitzte sie die Neugierde zu erfahren, ob sich denn auch diese auf ähnliche Art nach den vierfachen Ständen verhielten. Sie fütterte gemeine Raupen mit grosser Sorgfalt, und fand zu ihrem Vergnügen, was sie vermuthet. Daraus entstunde ihr bekanntes Werk von den Verwandlungen der Insekten. Durch mächtige Unterstützungen wurde nun in unterschiedenen Orten unseres Vaterlandes dieser Anbau weiter betrieben. Unter den frühesten Anstalten bemerke ich, daß der Churfürst von Mainz **Johann Philipp**, bey dem Besitz des Bißthums Würz-

Würzburg in dem daſigen Luſtſchloß zu Veitshocheim die erſten Pflanzun-gen habe anlegen laſſen. Dieſe aber geriethen, wie an mehreren Orten nachgehends wiederum in Verfall. Erſt vor wenigen Jahren hat eine Geſell-ſchaft, ſie von neuen nach ſehr ergiebigen Vortheilen übernommen. Noch habe ich in unſerer benachbarten Gegend, die rühmlichen Anſtalten des Herrn Grafen von Pickler, in denen Gütern zu Farnbach und Brunn nicht unbemerkt zu laſſen, die ſich ſeit verſchiedenen Jahren zu ſehr beträcht-lichen Vortheilen erhoben. Nun ſind die Seidenmanufakturen in den Staaten Teutſchlands ſo ſehr verbreitet, als ſie vorhin kaum zu erwarten geſchienen. Es iſt niemand unbekannt, wie weit hierinnen die Induſtrie, nach dem ernſtlichſten Betrieb unter den mächtigſten Beſchützungen, in dem Bran-denburgiſchen gediehen. Noch ſind die in Oeſterreich, Churſachſen, der Pfalz und andern Staaten angelegte Pflanzungen ohne weitere Erwähnung, genugſam berühmt x). Doch hier habe ich meine Leſer auf die ausführ-lichen Berichte zu verweiſen, die ſie in den angeführten Schriftſtellern zu ih-rer Belehrung finden. Es iſt nun in der Kürze die Naturgeſchichte unſeres Falters des weitern zu erzehlen.

Die eigene Futterpflanze der Raupen, iſt der bekannte Maulbeer-baum, nach ſeinen ſämtlichen Gattungen. Man hat in unſerm Welttheil zwey derſelben angepflanzt, den ſchwarzen und den weiſſen. (Morus alba, nigra Linn.) Mit andern Arten, wie den ſibiriſchen, welche zum Theil unſer Clima gewohnen, hat man noch keine Verſuche gemacht. Die Blät-ter des weiſſen Maulbeerbaums werden denen des ſchwarzen vorgezogen. Sie ſind weicher, und von keiner ſo rauhen Fläche, wie jene. Die Raupen erge-ben von deren Genuß eine weiſſe Seide, da ſie von jenen eine gelbe Farbe

x) Nach Hrn. Röſſig Verſ. einer pragm. Geſch. d. Handels S. 291. wurde in allen preußiſchen Staaten ſchon ſeit 1779, 120 Centner Seide jährlich gewonnen. In dem Zweybrückiſchen wurden 100,000 Maulbeerbäume angepflanzt, desgleichen auch in der Churpfalz. In Ungarn, Croatien und Sclavonien, wurden bereits in dem Jahr 1750. 75 Cent. Seide gewon-nen, und man ſchätzt den Cent. zu 800 Gulden. Die ſämtlich kaiſerliche Erblande ergaben ſeit dem Jahr 1779, jährlich 7513 Cent. Seide. Nach angeblicher Berechnung, hatte man damals in Zeit von etlichen dreyßig Jahren, 35,104 Cent. Seide gebaut. — In Piemont iſt der Seidenhandel, nach Keislers Bericht ſo beträchtlich, daß alleine von Engelland für 500,000 Pf. Sterl. daraus erkauft werden. In Frankreich wurden ſchon vor 40 Jahr aus einer einzigen Stadt Alais in Nieder-languedoc jährlich 1,200,000 Pf. rohe Seide ausgeführt und im Königreich verarbeitet.

oder wenigstens eine dunklere erhält. Man hat sich Mühe gegeben, diese Thiere auch an andere Pflanzen zu gewöhnen. Sie lassen sich auch wirklich mit Salatblättern ernähren. Die Seide wird aber dadurch zu fein, und ist überdieß minder ergiebig. Man will sie auch mit Pfirsigblättern erzogen haben, wiewohl Versuche unter einer grossen Anzahl kaum noch gelungen sind. Die Seide soll sich dadurch ins rosenfärbige verändert haben.

Es ist beynahe keine Gattung unter den sämtlichen Schmetterlingen, welche sich so gutwillig als diese behandeln läßt. Die Falter pflegen bey dem Auskommen sich nicht durch den Flug zu entfernen. Sie sind keiner Nahrung benöthigt, sie gehen in wenigen Stunden, ohne ihren Aufenthalt zu verändern, ihre Paarungen an. Dann werden die Eyer nach beträchtlicher Zahl an den nehmlichen Plätzen in wenigen Tagen gelegt. Die aufkommende Raupen pflegen sich eben so wenig zu entfernen, wenn sie nur ihre gehörige Fütterung haben. Wie mühsam würde dieß Geschäfte seyn, wenn sie nach Art der gemeinen in besondern Gefässen, oder auch wie diese öfters in kleiner Anzahl beysammen, müsten erzogen werden! So betragen sie sich in grosser Menge sehr friedlich untereinander.

Ein einziges Weibchen pflegt zwey bis dreyhundert Eyer gemeiniglich zu legen. Sie werden mit einer zähen Materie befestigt, welche sich wiederum durch verschiedene Mittel auflösen läßt. Diese Eyer, oder wie sie insgemein heissen, der Saame, wird an trockenen und kühlen Orten den Winter über verwahrt, und dann nur hervorgenommen, wenn der Maulbeerbaum in Blätter getrieben. Das Ausschliefen der Räupgen erfolgt dann in wenigen Tagen. Die Eyer sind gerundet, zu beyden Seiten etwas flach und von dunkelaschgrauer Farbe. Anfangs sind sie hellgelb, verändert sich aber diese Farbe nicht bald ins dunkelgraue; so ist es ein Zeichen daß sie unbefruchtet und sonach untauglich sind. Gemeiniglich wird die Erziehung, in der Mitte oder zu Ende des May, in unseren Gegenden vorgenommen, so wie die Wärme des Frühlings, einen späteren oder früheren Ausbruch des Maulbeerbaums bewürkt.

Die Raupen haben wie jede andere eine vierfache Häutung anzugehen. Die erste erfolgt den zehenden oder eilften Tag ihres Auskommens aus dem Ey y). Sie sind anfangs mit einzelnen etwas langen Haaren,

y) Admiral, ob. aug. O. meldet: "daß er von einem Weibchen 500. Eyer erhalten habe. Sie blieben 257. Tage liegen. Er fütterte sie anfangs mit Sa-

wie eine geringe Vergröſſerung ſchon deutlich ergiebt, hin und wieder beklei- det. Ihre Farbe iſt ſchwärzlich, die ſich nachgehends in eine weiſzliche Mi- ſchung verwandelt. Die nächſten Veränderungen, bis zur lezten Häutung, welche die vorliegende Abbildung erweiſt, iſt nicht ſonderlich abweichend. Nur dieſe habe ich noch kürzlich zu beſchreiben. Man hat zwey vorzügliche Raçen, die weiſe und dunkelbraune, oder wie ſie insgemein heiſt, die ſchwarze. Doch zwiſchen beyden iſt noch nach der Gröſſe und Farbe, ſo wie der Verſchiedenheit des Geſpinſtes, ein beträchtlicher Abſtand nach einzel- nen Arten. In der äuſſern Geſtalt und Bildung kommen beyde überein, nur die Farbe iſt das abweichende daran. Man hat ſie beträchtlich gröſſer als die vorliegende Abbildung erweiſt, aber auch insgemein kleiner. Die in China und in heiſſern Gegenden, ſollen die unſrigen, ſo wie auch nach der Gröſſe und dem Gewicht ihres Geſpinſtes, faſt gedoppelt übertreffen. Die Haut an den vordern Ringen iſt über dem Rücken ſehr weit, und daher runz- lich gefaltet. Sie dienet ohnfehlbar zu leichterer Entwickelung, da ſie bey der Häutung hier zuerſt ſich öfnet. An dem lezten Ring zeigt ſich eine hornähnliche Spitze, wie die Raupen der ächten Sphinxe ſie insgemein füh- ren. Auch der Falter hat mit dieſen die nächſte Aehnlichkeit, er kommt we- nigſtens in dem Schnitt der Flügel dem Sph Ocellata und Populi am näch- ſten. Seine kammförmige Fühlhörner aber, und das ganz eigene Geſpinſt, die keine der erſteren hat, geſellt ihn unſtreitig hieher. Dieſe gegenwärtige Abtheilung der Phalenen hat an ſich von ihm den Namen der Seidenſpin- ner, (Bombyces) erhalten. In erſterwähnter Bildung kommen nun alle Raupen dieſer Gattung mit einander überein. Die vorzüglichſte Abweichung aber beſtehet in der Farbe. Die weiſe Raupe hat, wie die Abbildung erweiſt, ein ganz einfärbiges Gewand. Es iſt ein ſchmuziges Weiß, und in unterſchiede- ner Miſchung, bey einigen mehr ins Gelbe gefärbt. Nur auf dem nächſten Ring vor den Bauchfüſſen, zeigt ſich als die einzige Verzierung, zur Seite

lat, da es noch keine Maulbeerblätter gab. Vom Ey bis zur erſten Häutung ſtunde es 10 Tage an. Von da bis zur zweyten, 11, bis zur dritten, 9 und bis zur vierten, 7 Täge, dann 13 Täge bis ſie ihr Geſpinnſte zu fertigen an- gefangen hatten. Zur Chryſaliden-Ver- wandlung waren 4 Täge, und von da bis zum Auskommen des Falters 20 Täge, nöthig. Vom Ausſchliefen an, bis zum vollkommenen Falter, wurden ſonach 74 Tage erfordert. In allen aber waren von dem Ey bis zum Falter 331. Tage verfloſſen. Nach andern iſt gleiches in 286. Tägen bewirket worden.

R 2

ein mondförmiger brauner Flecken. Die andere Art ist mit schwärzlichen zackigten Mackeln verschönert. Doch ich darf bey einer so bekannten Gattung eine genauere Anzeige umgehen. Die Raupen des schwarzen Seidenwurms sind nicht so zärtlich wie die weissen, sie spinnen auch einen stärkern Faden. Was noch zur sorgfältigen Verpflegung, zu Verhütung so nachtheiliger Zufälle, den Krankheiten und den sonst gewöhnlichen Feinden sollte erwähnt werden, ist in denen oben angeführten Schriften ausführlich gesagt. Ich bemerke nur noch, daß es sehr schädlich ist, sie in grosser Anzahl in den Wohnzimmern, noch mehr in den Schlafgemächern zu erziehen. Ihre Ausdünstungen verdicken die Luft, und scheinen sonsten nachtheilige Folgen für die Gesundheit zu haben z). Doch dieses wird an sich bey grösseren Anstalten verhütet. Sie fordern nach den Reaumurischen Thermometer eine Wärme von 18 Graden, zu ungestörtem Wachsthum. **Malpighi, Leeuwenhöck, Reaumur und Rösel**, haben sich mit der Zergliederung des Seidenwurms beschäftigt. Es kam hauptsächlich auf die Gefässe an, aus denen die Seidenfäden entstehen. Sie kommen darinnen mit andern Raupen überein, nur daß sie hier grösser und sichtlicher sind. Es sind in einander geschlungene Röhren, gegen zwey Schuh in die Länge von gelber und weisser Farbe. Sie umgeben den mittlern langen Kanal der eigentlich der Magen ist, und endigen sich in dem Mund durch eine Drüse, aus welcher der Seidenfaden gezogen wird. Jeder dieser Fäden ziehet sich gedoppelt, aus diesen beyden Gefässen durch die gemeinschaftliche Oefnung heraus, und erhält dadurch mehrere Stärke. Noch ist die Materie der Seide, nach ihren Bestandtheilen nicht hinreichend untersucht. Man kennt zur Zeit kein Mittel, auch wenn sie noch weich ist, solche durch irgend einige Oele oder Säuren aufzulösen. Eine Ersindung, die an sich den größten Nuzen verbreiten würde, wenn sie dahin

z) Schreber. Sammlung ob. anges. D. S. 182. "In der Stadt Turin dürfen die Seidenwürmer nicht in Menge gehalten werden, weil man die Meinung hat, daß die Luft dadurch verdorben werde, auch dürfen in der Stadt Pesaro, die Coccons, so wenig in Backöfen, worinnen noch der Zeit Brod gebacken wird, getrocknet, als in Kesseln ausgekocht werden, wo man nicht im letzten Fall Gräben und Löcher hat, in welche die ausgekochte Unreinigkeit hernach geschüttet werden kann. Das verstorbene Gewürme, und die todten Schmetterlinge, müssen entweder in den Stadtgraben, wenn dieser voll Wassers ist, widrigen Falls aber bey dem Pharus ins Meer geworfen werden. Siehe Keyßlers neueste Reisen, im 32 Brief."

könnte bewürket werden, daß das Aufgelößte, die vorige Festigkeit wieder erhält. Noch durchweicht der Reinigungssaft bey dem Auskommen des Falters, so leicht und geschwinde das stärkste Gehäuse! Sollte aus diesem nicht die Auflösung selbsten können bereitet werden? Aus den Säften einer Pflanze, sondern sich in den dazu eigenen Gefässen zugleich solche ab, die zu einem so festen Gewebe dienen, und andere die es wiederum zerstören. Jemehr eine Pflanzengattung von dieser Materie eigene Anlage enthält, desto reichlicher wird auch der Stof der Seidenmaterie in der Raupe gesammelt. Sie geben bey dem Genuß der weissen Maulbeerblätter, einen feinern Faden, einen stärkern bey denen von dem schwarzen, am mindesten aber bey denen des Salats. Jene enthalten auch mehrere harzige Theile, letztere hingegen in geringster Menge. Auf diese Umstände möchten sich nähere Entdeckungen gründen.

Ich habe nun den dritten Stand unserer Raupen, eben den ergiebigsten anzuzeigen. Sie werden allein des Gespinstes wegen erzogen, und jährlich verliehren so viele Millionen Chrysaliden darinnen ihr Leben. Man pflegt ihnen nach vollendetem Wachsthum ihre Arbeit zu erleichtern. Es werden gewöhnlich Materialien zu bequemer Anlage des Gewebes herbeygebracht. Diese sind nach unterschiedenen Einrichtungen, Wände von zerschnittenen Strohhalmen, die am dienlichsten sind, oder Reisige von unterschiedenen Gewächsen. Man bedient sich bey kleinern Anstalten papierner Duten, in welche sie sich am bequemsten zu dieser Arbeit begeben. An sich bestehet das ganze Gewebe aus einem einzigen zusammenhangendem Faden. Er ist aber nach den äussern Befestigungen zu sehr verwickelt, als daß er ganz könnte abgewunden werden. Dieser äussere Ueberzug, wird die Floretseite genennt. Auf dieses folgt erst das gleichförmiger gebaute Gehäuse, das sich mit einem pergamentenen Gewebe endigt, in deren geraumen Behältniß die Chrysalide enthalten ist. So viele Vorbereitungen pflegt die Raupe zur Sicherheit einer kurzen Verweilung, und dem nachgehends ihr unnüzen Geräthe anzugehen! Dieß Gespinste ist, wie ich schon erwähnt, theils von goldgelber, theils weisser Farbe. Gegenwärtige Abbildung legt beyde vor Augen; sie sind an sich nach ihrer Bildung schon genugsam bekannt. Die in den abgenommenen Gehäusen enthaltene Chrysaliden werden nun durch einen gewissen Grade der Ofenwärme getödet. Gleiches hatte man auch durch heises Wasser, oder die Sonnenwärme bewürkt. Zur Erziehung wird ein bestimmter Theil, der aber zu reiner Seide, nachgehends unbrauchbar ist, übrig gelassen. Erst vor wenigen Jahren hat sich der beträchtliche Vortheil ergeben, da man gefunden, daß die Seide bey denen in ihrem Gehäuse noch lebenden Chrysaliden, weit feiner und leichter abzuwinden gewesen. Man weiß ohnedieß die Zeit des Ausschliefens des Falters und so sind zugleich die Gespinste und Chrysaliden, um Vorrath von Saamen bey den aufkommenden Faltern zu erziehen, auf die ergiebigste Art zu benutzen. Die Behandlung der Coccons, und wie die Seide zu gewinnen, fordert ihre eigene Kenntniß, die hier zu weitläufig ist, sie nur nach den vorzüglichsten Bemerkungen anzuführen. Nähere Anweisung haben Liebhaber, in den schon genugsam angeführten Schriften, zu suchen. Die Gespinste sind sowohl nach ihrer Festigkeit, der Stärke des Fadens, als auch der Gröse, der Farbe und Form verschieden. Man hat die Stärke des einfachen Fadens zu bestimmen gesucht. Nach den Beobachtungen des Herrn **Reaumur**, hat ein solcher von mittlerer Art, in der Länge von einem halben Schuh, zwey und ein halb Quentgen getragen. An sich haben sie nicht ein gleiches Verhältniß, und sonst sind noch andere Umstände in Erwägung zu ziehen *a*) Gleiche Bewandniß hat es auch in Absicht der Schwere, wo die Berechnungen eben nicht ins pünktlich Ausgleichende zu bringen waren. Es hat **Reaumür** den Gehalt eines grösern auf vier, und des kleinern auf drey Gran des gemeinen Apothecker Gewichtes angegeben. So verhalten sie sich gemeiniglich in unserer Erziehung. In China und andern Orten aber beträgt der Unterschied eine mehr als gedoppelte Gröse. Noch sind in dieser Bestimmung die darinnen enthaltene Chrysaliden zugleich mit gewogen. Man hat auf diese Art auch die Länge des Fadens eines ganzen Gehäuses zu bestimmen gesucht. Hier kommt es freylich nicht auf einzelne Zolle an, doch betragen sie nicht so viele Meilen, als andere angegeben. Im genauesten Maas enthält ein Faden des ganzen Gehäuses, eine Länge gegen tausend Schuh. Genugsame Beschäftigung, für einem kaum zweyzölligen Wurm, eine für ihm so unermeßliche Länge aus seinem innersten

a) S. obenangef. Samml. oekonom. Schriften, wo Herr Hofrath Schreber dieses Verhältniß bestimmt hat. Ein achtfach dicker Faden, wie zum stärksten der von der Seide hat, die man die Trama nennt, hat auch ein achtmal stärkeres Gewicht. Doch kommt es hierinnen am meisten auf Cohäsion der Theile an, und es läßt sich dann natürlich keine algebraische Gleichung finden, eine genaue Bestimmung anzugeben.

auszuwinden, und noch mehr auf eine für Menſchen unnachahmliche Art, in ſo geſchickte Verbindung zu bringen *b*).

Die Chryſalide iſt in dem ſehr geraumigen Gewölbe, ohne weitere Befeſtigung enthalten. Der Ort, wo der Falter hervorzubrechen pflegt, iſt etwas dünner angelegt. Doch kommt es wegen der Lage nicht darauf an, da der Reinigungsſaft, auch die ſtärkſten Gehäuſe durchweicht. Die Männliche Chryſalinde iſt kleiner und geſchmeidiger gebaut. Beyde ſind von gelbbrauner Farbe, wie die vorliegende Abbildung erweißt. Die Entwickelung des Falters erfolgt in Zeit von drey Wochen.

Der **Phaläne** hat die Natur wenigen Putz verliehen. Die ganze Fläche des Körpers iſt mit einem einfärbigen, etwas unreinen, oder ins bräunliche abſtechenden Weiß überzogen. Ueber die vordern Flügel ziehen ſich ein paar bräunliche Streife, die bald mehr verbleichen, bald ſtärker ſind. Oefters fehlen ſie gänzlich. Noch bemerkt man in der Mitte derſelben einen dergleichen mondförmigen Flecken. Die Sehnen haben eine gelbliche Farbe ohne Schuppen. Die Flügel ſind niemalen eben, ſondern gegen die äuſſere Seite gewölbt. Der Falter bedient ſich derſelben ſehr wenig zum Flug, und entfernt ſich ſelten eine kleine Strecke von dem Ort, wo er ausgekommen war. Das Männchen iſt kleiner und geſchmeidiger gebaut. Es unterſcheidet ſich hauptſächlich von auſen durch die ſtärker gekämmte Fühlhörner,

c) In Leſſers Inſecktotheologie §. 191. Anm. wird der Fade eines Gehäuſes auf 300 engliſche Meilen geſchätzt; ohngeachtet das angegebene Gehäuſe nicht über $2\frac{1}{2}$ Gran gewogen. Herr Lyonnet bemerkt in der Anmerkung ſeiner franz. Ueberſezung, daß es ein Irrthum ſeyn müßte, indem er den Faden eines Coccons niemalen über 7 bis 900 Fuß gefunden habe. Reaumur rechnet auf ein Pfund reine Seide 2304 Coccons, den gröſeren zu 4, den kleinern zu 3 Gran genommen. Hier iſt zugleich die darinnen enthaltene Chryſalide mitgewogen. Man dürfte aber ehender eine gröſere Anzahl nehmen. Nach den Verſuchen des Herrn Gahn zu Wisby in Gothland, haben 1600 Seidenwürmer, 8 Loth reine, und 4 Loth Floretſeide ergeben. Nach einer Berechnung im Waiſenhauſe zu Halle, welche für die richtigſte gehalten wird, haben 300 mittelmäßige Coccons 1 Pfund gewogen. Zehen dieſer Pfunde, haben ein Pfund reine Seide gegeben. Von den geringſten geben 3600 Coccon, oder eben ſo viele Raupen ein Pfund. In den gewöhnlichen Anſtalten können zehen Perſonen, die Verpflegung von 300,000 Raupen verſehen. Nimmt man den Faden eines Coccons der $2\frac{1}{4}$ Gran wiegt, von 930 Pariſer Fuß an, und eine Meile zu 15,000 Fuß, ſo würde die Länge deſſelben von einem Pfund 3/428/352' oder 228 Stunden betragen.

und den Haarbüschel des Hinterleibs. Man hat eine öftere Begattung des Männchen wahrgenommen, und auch befruchtete Eyer daraus erzogen. Bey unserer Erziehung aber werden die von der zweyten Paarung erhaltene Eyer für undienlich erachtet, da sie schwächlichere und kleinere Raupen ergeben.

Der dreyßigste europäische Nachtschmetterling.
PH. BOMB. ELING. ALIS REVERS. POPVLI.
Der Pappelvogel.

Tab. XXV. Fig. 1. Der männl. Fig. 2. der weibliche Falter. Beyde von der Ober- und Unterseite. Fig. 2. 3. 4. 5. die Raupen nach verschiedenen Abänderungen, auf einem Zweig des Hagedorns, (Crataegus Oxyacantha.) Fig. 5. Das Gehäuse. Fig. 6. Die Chrysalide.

LINN. Syst. Nat. Ed. XII. Bomb. el. fusca antice pallida, alis reversis immaculatis fuscescentibus, striga sesquialtera albida repanda. Unzünglichter Spinner mit zurükgeschlagenen ungefleckten, gegen die Grundfläche, bleichgefärbten Flügeln, nebst zwey ungleichen, ausgeschweiften weißlichten Binden. Fauna Suec. 1101.

Müllers Uebers. V. Th. I. B. S. 660. nr. 34. Der Pappelvogel.

FABRICII Syst. Entom. pag. 566. Sp. 38. Bomb. Populi. — Spec. Inf. pag. 179. Sp. 54.

System. Verz. der Wiener Schm. Fam. L. Haarenraupen. nr. 9. B. Populi, Albernspinner. (Populus nigra.)

Füeßli Schweiz. Ins. S. 34. nr. 652. Der Pappelvogel. — Magaz. der Entomologie. 1. S. 285.

Göze Entomol. Beytr. III. Th. II. B. S. 314. Pop. Pappelspinner.

Gleditsch Forstwissensch. I. S. 569. nr. 3. Ph. Pop. Die hellbraune ungefleckte Pappelmotte — S. 683. nr. 5. Ph. Pop. Die Apfelmotte.

Stralsunder Magazin I. S. 238. — Die Kreuzmotte.

Jung Verz. eur. Schm. S. III. P. Populi.

ONOMAST. Hist. Nat. P. VI. p. 401.

BECKMANN. Epit. Syst. LINN. p. 163.

Gladbach Catalog. der Apfelvogel.

Rösels Ins. Belust. I Th. Nachtvögel II. Classe. S. 301. Tab. 60. Die auf den Apfelbäumen sich aufhaltende, filzhaarige, graue Raupe mit braunen Flecken, und oranien-gelben Punkten. — III. Th. S. 428. Tab. 71. fig. c. 7. c. 8. c. 9. Die zu der Nachtvögel II. Classe gehörige breitleibige weißgraue Raupe mit schwarzen Flecken von verschiedener Form und Größe nebst ihrer Puppe.

WILKES Engl. Moth. a. Butterfl. p. 23. Tab. III. a. 13.

Die

Die Raupe dieſes Falters erſcheint in ſehr manchfaltigem Gewand, wie die vorzüglichſte Muſter in der Abbildung nach vorliegender Tafel ergeben. Dennoch kommen ſie in dem weſentlichſten der Bildung und ihrer äuſeren Form miteinander überein. Es iſt lediglich das Colorit und die verſchiedene Verzierung, nach welchen dieſer Abſtand ſo befremdend ſcheint. In gleichen Abweichungen ſind uns ſchon ähnliche Gattungen bekannt, wo die Verſchiedenheit der Farbe noch beträchtlicher iſt. Nur hat man hier die Erfahrungen nicht angegangen, ob dieſe ſo verſchiedene Raupen in ihren Generationen ſich gleich geblieben, oder ganz zufällige Entſtehungen ſind. Bey einem ſo unermeßlichen Heer dieſer Geſchöpfe wird niemand erwarten, jede Gattung vom Ey an zu erziehen, und dann nach den gewöhnlichen Ständen eine ſo mühſame Unterſuchung von neuen anzugehen. Dieß iſt auf Jahrhunderte, auch bey allgemeinen Bemühen nicht zu bewirken. Genug ich habe, was die Abbildung ſchon mehr als alle angebliche Charaktere beſagt, mit wenigem anzuzeigen.

Nach dem körperlichen Bau kommen ſie ſämmtlich dahin überein, daß ſie gegen den Rücken gewölbt, auf der Unterſeite flach gefaltet und mit filzigten Haaren bewachſen ſind. Der Kopf iſt gegen andere im gewöhnlichen Maas ſehr klein. Die Grundfarbe iſt weißlichgrau in unterſchiedener Miſchung. Doch nach der genaueſten Abbildung darf ich mit einer umſtändlichen Anzeige meine Leſer hier nicht beſchweren. Das weſentlichſte der Zeichnung beſtehet, wie leicht zu erſehen, in den vier parallelliegenden Punkten über den Rücken von gelber Farb, welche jede Ringe, die erſten und letzten ausgenommen, führen. Sie ſtehen bald auf einem hellen, bald dunklerem Grund. Zur Seite finden ſich gleiche Verzierungen in einzelner Lage. Sie ſind ſämtlich nach unterſchiedenen Abänderungen theils gelb, theils weiß. So iſt auch die Grundfarbe und zumahl die Zeichnung des Rückenſtreiſes verſchieden. **Röſel** wurde ſogar durch eine Art, die nicht ſoviel abweichendes zeigte als die nach der f ü n f t e n Figur, auf die Meynung gebracht, eine ganz eigene Gattung entdeckt zu haben, die aber in wenigen Wochen den mit erſtern übereinſtimmenden Falter ergeben. Er hat ſie im III. Theil nach der 7ten Figur in Abbildung vorgelegt.

Es hält ſich dieſe Raupe lediglich zu ihrer Nahrung an Bäume. Ich fand ſie an dem Hagedorn (Crataegus Oxyacantha) am gemeinſten. Doch eben so häufig zeigte sie sich in andern Gegenden auf der Eiche, Linde und verschiedenen Obstbäumen. Wir haben sie zu Ende des May schon in ausgewachsener Gröse, doch trift man sie auch einen ganzen Monat noch später an. Von einer zweyten Erzeugung ist mir keine Erfahrung bekannt, wiewohl sie sehr wahrscheinlich ist. Mehrentheils sind sie in den kluftigen Rinden der Stämme ganz im Niedern verborgen. Fast vermuthe ich, daß sie sich da nach ihren langweiligen Aufenthalt von den Moosarten, besonders der Baumflechte (Lichen) ernähren. Es stehet auch lange an, bis sie bey unserer Zucht sich zum Bau ihres Chrysaliden-Gehäuses bequemen. Die Arbeit selbsten gehet sehr langweilig von statten, und noch länger stehet es an, bis vollends die Verwandlung erfolgt.

Das Gehäuse wird gemeiniglich auf einer ebenen Fläche angelegt. Es ist halb gewölbt, und für dem Raum einer so beträchtlich grosen Raupe dem Anschein nach sehr enge. Da andere von Seidenfäden ein Gewebe verfertigen, so bedient sich diese dazu einer erdigten Substanz, die nothwendig in ihren Säften schon enthalten ist. Es ist ungemein feste und rauh anzufühlen. Fast scheint es kaum begreiflich zu seyn, wie der auskommende Falter solches durchweichen oder den Ausgang finden kann. Die Farbe ist braun, doch nach den Abänderungen theils helle, theils dunkel. Die Chrysalide zeigt sich nach der Form nicht sonderlich verschieden. Sie ist anfangs grün, dann von dunkelbrauner Farb, und sehr kurz gestaltet. Man wird wenige Bewegung an ihr gewahr.

Bey denen von mir erzogenen Raupen bemerkte ich eine sehr späte Entwicklung des Falters. Auch die von der Mitte des Junius kamen erst zu Ende des Septembers hervor. Andere durchlebten den langen Winter bis auf den nächstkommenden Frühling. Noch kamen nur wenige von einer beträchtlichen Anzahl hervor. Es ist sonach dieser Falter bey uns eine ziemlich seltene Erscheinung. Im Flug ist er mir niemahls zu Handen gekommen, wenigstens traf ich ihn selten an den Stämmen der Bäume sitzend an.

Beyde Geschlechter sind ganz einförmig gezeichnet, und kommen in dem Colorit, auser den an sich gewöhnlichen Verschiedenheiten miteinander überein. Es ist die Grundfarb ein schwärzliches Grau. Die Schuppen liegen sehr dünne über die Fläche verbreitet, und sonach scheinen die Flügel fast durchsichtig oder wenigstens nur mit schwärzlichen Atomen bestreut zu seyn. Eine zackigte Binde von blaßgelber Farb ziehet sich durch die Mitte der Flügel. Sie ist auf den Unterflügeln sehr verblichen und in einer mehr geraden Richtung, überdieß aber in die Fläche verlohren. An der Grundfläche der Vorderflügel zeigt sich öfters in Abänderungen ein rostfärbiger länglichgerundeter Flecken. Das übrige giebt die Abbildung ohne weitere Erörterung nöthig zu haben, an sich auf das deutlichste.

Der ein und dreyßigste europäische Nachtschmetterling.
PH. BOMB. ELING. AL. REVERS. FRANCONICA.
Der Queckenspinner.

Tab. XXVI. Fig. 1. Der männliche Falter. Fig. 2. Der weibliche. Beyde von der Ober- und Unterseite.

System. Verz. der Schmett. der Wiener Geg. Fam. L. Haarraupen. Wolligte Spinner. Sp. 6. Queckenspinner. (Tritici repentis.) B. Franconica.

Jung Verzeichniß S. 57. Gleiche Benennung.

Alis *maris* liuidis nigro-inductis, venis fuſcis; *foeminae* maioribus, rufis, vita albida oblitterata.

Mit obstehenden Namen hatten die Herren Verfasser des Verzeichnisses der Wiener Schmetterlinge, diesen Falter schon vor geraumen Jahren belegt. Sie erhielten ihn zu erst von dem seel. Körner in Frankfurt am Mayn. Noch blieb uns derselbe als ein fränkisches Product bisher verborgen. Ob sich nach obigen Angaben dessen Raupe von Gras ernähre, wie es zwar zu vermuthen ist, und eben mit denen der Ph. Catax, Neustria, Cratägi und Processionea nach einer Familie in so genauer Verbindung stehet, weis ich in Ermangelung näherer Erfahrungen nicht zu erörtern. In unseren Gegenden hat sich diese Gattung noch nicht vorgefunden. Wie mir gemeldet worden, ist sie hingegen in Sachsen und zwar in der Nähe von Leipzig öfters entdeckt worden.

Beyde Geschlechter sind nach der Gröse und der Farbe zugleich sehr beträchtlich verschieden. Doch kommen sie nach dem Umriß der Flügel miteinander überein, nur sind sie an dem Männchen um vieles kürzer gestaltet. Dieses hat zur Grundfarbe ein Lichtgrau mit dünne überlegten Schuppen. Der Rand, die Grundfläche und die Sehnen sind schwärzlich braun schat-

S 2

tirt, und die Brust mit lichtgrauen Haaren bekleidet, welche bey einigen Abänderungen ins Gelbe fällt Noch sind sämtliche Flügel mit einem sehr fein gezeichnetem Saum von letzterer Farb umzogen. Das Weibchen führt ein ganz einfärbiges Gewand von röthlichem Braun. Nur eine verblichene, kaum sichtliche Schleier ziehet sich schrege mitten durch die Flügel. Der Leib ist von beträchtlicher Länge, die Fühlhörner aber sehr kurz und dünne, doch an dem Männchen sehr stark gefiedert.

Der zwey und dreyßigste europäische Nachtschmetterling.

PH. BOMB. ELING. ALIS REVERS. LIMACODES.

Die Schildmotte. Erdschneckenraupe.

The smal Oack - Egger - Moth. WILKES.

Tab. XXVI. Fig 3. Der männliche Falter. Fig. 4. eine Abänderung desselben. Fig. 5. Der weibliche. Fig. 6. Die Raupe von mittlerem Wuchs auf einem Eichenzweig. Fig. 7. Eben dieselbe ausgewachsen. Fig. 8. Das Gehäuse. Fig. 9. Die Chrysalide.

Alis deflexis flavis, strigis duabus obliquis fuscis, (disco maris obscuriore fulvo-maculato, alis inferioribus fuscis.)

FABRICII Genera Inf. Mantis. p. 279. Bomb. *Sulphurea*, alis deflexis flavissimis: strigis duabus obliquis obscurioribus. Hab. in Germania, de Hattorf. — Spec. Inf. T. II. p. 189. Sp. 86.

Naturforsch. 9 St. p. 134.

Syst. Verz. der Wiener Schm. p. 65. Fam. V. Schneckenraupe. Larvae limaciformes. Sp. 1. B. Testudo. Zwergeichenspinner.

Jung Verz. S. 79. 142.

WILKES Engl. Moth. a'Burt. Tab. 88.

Kleemanns Beytr. S. 321. Tab. 38. Das zur Nachtvögel 2ten Cl. gehörige einsame, dicke, gelblich grüne, gelbbordirte Schildräuplein ohne Bauchfüsse nebst seiner Verwandlung.

Schildraupen, sind unter dem Geschlecht der Tagschmetterlinge nach zahlreichen Gattungen eine sehr gemeine Erscheinung. Bey denen Phalenen hingegen sind sie um so seltener geblieben. Wir kennen nur diese einzige nach vorliegender Abbildung, wenigstens sind uns kaum noch zwey bekannt, wo aber zur Zeit noch hinreichende Kenntnisse mangeln. In Vergleichung der ähnlichen Raupen der Tagschmetterlinge ist der Unterschied nach diesen sehr beträchtlich. Schon der ganze Körper ist mehr gewölbt und fast eyrund gestaltet, wie sich jene niemahlen finden. Der Leib ist zwar in Ringe nach gewöhnlicher Anzahl getheilt, sie sind aber von härterer Substanz und fast wie aus pergamentenen Bändern zusammengesetzt. Sie fühlen sich rauh an und im Druck geben sie wenige Nachgiebigkeit zu erkennen. Die Farbe ist ein helles Grün, und nach dem Alter in unterschiedener Mischung. Ueber den flachgestalteten Rücken ziehen sich an den Ecken zwey gelbe rotheingefaßte Streifen in kappenförmigen Zügen, die an der Schwanzspitze sich zusammen vereinen. Eine von gleicher Farbe umgiebt den Rand zur Seite. Man bemerkt noch einzelne hellweise Striche hin und wieder auf der Fläche in schreger Lage verbreitet. Das Sonderbarste sind die Bauchfüsse oder die Werkzeuge, deren sich dieselbe zum Gehen bedient, welche von den gemeinen Arten eine gänzlich abweichende Bildung haben. Es zeigen sich statt derselben erhabene Schwühlen, welche die Raupe verlängern und verkürzen kann. Eine klebrichte Feuchtigkeit, die ihre Fläche benetzt, dienet zur Befestigung, an statt der scharfen Nagelspitzen, welche andere insgemein haben. Sie überziehet den Ort wo sie sich enthält mit einem glänzenden Schleim, und von daher ist der obstehende Name, den ich nach der ersten Benennung gewählt, derselben in der That ganz eigen. Ihre Bewegung ist äuserst langsam und gemächlich. Es scheint, daß sie selbsten nicht ohne Mühe sich von dem anklebenden Schleim entledigen kann. Und doch erweckt es unsere Verwunderung, daß sie so leicht durch eine Erschütterung, nach einem leichten Schlag an die Aeste, in ein untergehaltenes Tuch herabzufallen genöthiget ist. In unseren Gegenden sind sie wenigstens nicht selten, und werden auf diese Art sehr leicht erhalten, wenn auch viele kaum von ihrer Stelle zu bringen sind. Man trift sie gewöhnlich im September und October in unterschiedener Grösse auf den Blättern der Eiche, etwas seltener aber auf denen der Buche an. Es scheint eine zweyfache Erzeugung sehr wahrscheinlich zu seyn, da die Falter in den ersten Tagen des Frühlings schon im Freyen sich zeigen. Doch der Wachsthum der Raupe ist sehr gemächlich, und erfordert schon nach unserer Erziehung eine langweilige Mühe. Auch in dem Gehäuse durchlebt sie noch viele Wochen, bis sie sich in eine Chrysalide verwandelt. Ich habe verschiedene noch im März des folgenden Jahres unverändert darinnen gefunden. Bey diesen Umständen ist daher die Erziehung öfters sehr mißlich, wiewohl der Falter an sich keine sonderliche Seltenheit ist. Schon von dem Entwickeln aus dem Ey an, bleiben sich die Raupen durch sämtliche Häutungen, nach Farbe und Zeichnungen gleich. Nur ist der Wachsthum sehr langsam. Vorliegende Abbildung stellt sie im größten Ausmaas vor Augen, und diese haben weibliche Falter ergeben. Die männliche sind um vieles kleiner.

Das Gehäuse ist nach ganz eigenen Kunsttrieben sehr sonderbar gebaut. Es bestehet nach den äuseren Ueberzug, aus sehr feinen Fäden, mit denen es in ein zusammengezogenes Blatt befestiget ist. Die äusere Schale ist sehr rauh und feste, innerhalb derselben aber mit verschiedenen Häuten von dünner seidenartiger Materie, die den Glanz des Atlasses hat, umzogen. Die Raupe lieget darinnen sehr enge angeschlossen, und die Verwandlung zur Chrysalide erfolgt erst wie ich schon erwähnt, in einigen Monathen. Sie ist ockergelb, sehr weich, und nach der Gestalt an beyden Enden gerundet. Die vollkommene Entwickelung ereignet sich gemeiniglich im May und Junius des folgenden Jahres. Es begiebt sich die Phalene, vermittelst eines geöfneten Deckels, an dem obern Theil ihres Gehäuses hervor, so wie sie nach voriger Bemerkung bey der Ph. Laneſtris und Catax erfolgt. Sie hat daher keines auflösenden Saftes, wie andere, um sich einen Ausgang zu machen, benöthigt.

Die Falter kommen uns in unterschiedenem Ausmaas der Gröse vor Augen. Sie sind gewöhnlich um vieles kleiner, als nach dem Umriß der vorliegenden Tafel, doch habe ich sie auch noch beträchtlicher, besonders nach dem Weibchen gefunden. Die Grundfarbe ist, wie die fünfte Figur ergiebt, ein einfärbiges helles Ockergelb. Auf derselben finden sich nach der Oberseite, zwey winklicht gegeneinanderlaufende, etwas gekrümte Streifen von dunkelbrauner Farb. Das Männchen ist um vieles kleiner und nach dem Colorit beträchtlich verschieden. Der mittlere Raum zwischen beyden Streifen findet sich hier mit einem schwärzlichen Braun ausgefüllt. Auf diesem sind ein paar verlohrene rothgelbe Flecken zu sehen. Die Hinterflügel sind schwärzlich. Nach der vierten Figur habe ich eine Abänderung beygefügt, wo die Oberseite mehr rothbraun, und die Hinterflügel in weit dunkler Mischung erscheinen. Die Fühlhörner sind in beyden sehr kurz, jedoch stark gefiedert, an dem Weibchen hingegen fadenförmig gebildet.

Die Herrn Verfaſſer des Syſt. Verz. der Wiener Schm. haben der Ordnung, dahin ſie dieſe Gattung gerechnet, noch eine zweyte unter dem Namen B. Aſella Alberbuſchſpinner, (Populi nigrae frutic.) beygefügt. So viel ich derzeit habe erfahren können, ſoll dieſelbe ganz dunkelbraune Flügel beſitzen. Andere haben vorerwähntes Männchen dafür gehalten. Das Gewiſſe werde ich meinen Leſern nach gefälligen Mittheilungen zu berichten nicht ermangeln.

Der drey und dreyſigſte europäiſche Nachtſchmetterling.

PH. BOMB. ELING. AL. REV. NEUSTRIA.

Die Baumringel-Motte.

La livrée des arbres. GEOFR. De Ring of Ringel-rups. ADM.

Tab. XXVII. Fig. 1. Der männliche Falter. Fig. 2. Der weibliche. Fig. 3. Die Raupe. Fig. 4. Das Gehäuſe. Fig. 5. Die Chryſalide. Fig. 6. Die Eyer an einem Birnzweig befeſtigt. Fig. 7. Eine Abänderung des Falters aus der Schweiz.

LINN. Syſt. Nat. Ed. XII. Sp. 35. B. elinguis, alis reuerſis: faſcia ſeſquialtera; ſubtus vnica. Ohnzünglichter Spinner mit zurückgeſchlagenen Flügeln und einer auf den Oberflügeln öfters gedoppelten, nach deren Unterſeite aber einfachen Binde. Ed. X. Sp. 35.

Müllers Ueberſ. V. Th. I. B. nr. 35. Ringelvogel. Ringelraupe.

FABRICII Syſt. Ent. p. 567. nr. 4. Bomb. N. alis rev. griſeis, ſtrigis duabus ferrugineis; ſubtus vnica. — *Spec. inſ.* T. II. pag. 180. Sp. 58.

RAII Hiſt. Inſ. 214. 8. Phal. med. tota cinerea, area lata transverſa obſcuriore &c. pag. 213. nr. 6. Eruca ſepiaria maior, pulchre colorata.

Friſch Inſ. I. Th. S. 10. Beſchreibung der Ringelraupe.

Syſtemat. Verz. der Wiener Schm. Fam. L. Sp. 4. Weisbuchenſpinner. (Carpini Betuli.)

GEOFFROI Inſ. T. II. p. 114. nr. 16. Ph. pectinicornis eling. al. defl. pallidis, faſcia alarum ſaturatiore. La Livrée. Long. 8 lignes.

Füeßli Schweiz. Inſ. S. 34. nr. 653. Ph. N. Die Ringelmotte.

Göze entomol. Beytr. III. Th. II. B. S. 315. Sp. 35. Ph. N. Der Baumringelſpinner.

Jung Verz. der europ. Schmett. S. 94.

MÜLLER Faun. Frid. p. 39. nr. 350. — Zoolog. dan. prodr. p. 118. nr. 1358.

Berliner Magaz. II. B. p. 402. nr. 11. Ph. N. Die Ringelmotte. Braungelb, mit einem breiten etwas starken braungelben Queerstreif durch die Oberflügel.

Pontoppidan Natur Gesch. von Dännem. nr. 8. P. N.

Breßlauer Samml. 1720. S. 571. 1722. November. Cl. 4. Art. 7. S. 549.

ONOMAST. Hist. Nat. P. VI. p. 386. P. N. Der Ringelvogel.

Fischers Nat. Gesch. von Livland. S. 151. nr. 348. Ph. N. Der Ringelvogel.

Systeme nat. du régne animal. T. II. p. 145. Phalene, dont la chenille fait des bagues: *Annularia.*

BECKMANN. Epit. S. L. p. 163. nr. 35.

Blumenbachs Handbuch der Nat. Gesch. I. S. 370. nr. 6. Ringelraupe.

Gleditsch Forstwissensch. II. 738. nr. 21. P. N. Ringelraupenmotte.

Maders Raupencalend p. 12. nr. 10. P. N. Der Stammringelvogel. S. 29. nr. 68.

Glaser von schädlichen Raupen der Obstbäume. S. 37. Ph. N. Ringelraupenmotte.

LISTER ed. Goedarti p. 204. nr. 89. fig. 89. Eruca Bibax, admodum sicca, multoque potu indigens.

Gladbachs Catalog. Der Livreevogel. — Der Ringelfuß.

Rösel Ins. Belust. I. Th. Nachtvög. II. Cl. S. 41. Tab. VI. Die schädliche, gesellige, gestreifte Ringelraupe.

DEGEER Mem. P. I. p. 299. La Livrée des arbres. GÖTZE Uebers. I. B. I. Quart. S. 136. II. B. I. Th. S. 214. Baumlivreyraupe.

ADMIRAL. Tab. 38. 56 Verander. De Ring — of Ringel — rups.

Die Ordnung unseres Systems leitet uns auf eine Gattung, welche unter die wenige gehört, die nach den Raupen durch ihre Verwüstungen an den Obstbäumen, einen gehässigen Namen schon längstens erhalten haben. Ihre Kenntniß ist daher dem Oeconomen um so mehr angelegen. Doch unter den schädlichen ist sie immerhin eine der leidendlichsten, und es sind die Denkmahle hievon sehr selten. Rösel bemerkt nur das 1748te Jahr, wo sich die meisten Klagen über dieselbe erhoben. Doch nie sind solche noch allgemein geworden, höchstens waren diese Raupen bey jungen Bäumen von nachtheiligen Folgen, wo eine kleine Anzahl zwar genugsam zu schaden vermag. Sie pflegen sich nicht an eine einzelne Pflanzengattung zu halten, jede Bäume, nur die mit Nadelblättern ausgenommen, sind ihr eine gleich anständige Kost. Auser den Eichen und Weiden ist sie sonst auf den Aepfel, Birn, Zwetschgen, und Kirschenbäumen am gemeinsten. Doch manche Jahre ist

iſt ſie in der That eine wirkliche Seltenheit, wie ich denn vorzüglich dieſes 1784te Jahr nach eigenen Erfahrungen bemerken kann. Kaum war es möglich, nach den mühſamſten Unterſuchungen ein Paar derſelben, um eine genauere Zeichnung zu nehmen, ausfindig zu machen. An ſich iſt dieſe Gattung nur den wärmern Erdſtrichen unſeres Welttheils eigen, und es ſcheint, daß die dießjährige in unſeren Gegenden nie erfahrene Kälte, ihre Ausbreitung vielleicht allzu ſehr vermindert habe. In denen mehr nördlich gelegenen Ländern iſt ſie gar nicht vorhanden. Herr von Linne hatte ſie deßwegen in dem Verzeichniß der nördlichen Producte ſeiner Fauna ſuecica unbemerkt gelaſſen. Noch haben unſere Oeconomen, die Mittel zu erforſchen verlangt, dieſen ſo wie jeden ſchädlichen Geſchöpfen, deren doch unſer Erdkreis ſo wenig als der nützlich geachteten entbehren kann, nach ihren drohenden Verwüſtungen begegnen zu können. Dazu wäre unſere Ringelmotte noch gut geartet. Die Phälene legt auf eine ſehr kunſtreiche Art, wie nach der äuſern Geſtalt die ſechſte Figur dieſer Tafel ergiebt, ihre Eyer, die künftige Nachkommen, um die Zweige der Bäume an. Sie ſind in eine ſehr harte Schaale eingeſchloſſen und noch durch einen beſonders verhärteten Leim auf eine uns unbegreifliche Art miteinander verbunden, recht um allen widrigen Zufällen Trotz zu biethen. Sie ſind ſonach für die Kälte und Näſſe zugleich geſichert. Doch eben dieſe ſonderbare Arbeit, fällt ſorgfältigen Beobachtern ſogleich in die Augen. Es kann daher durch deren Abnahme eine ganze Schaar ſehr leicht vertilgt werden, und dazu entbiethet der Herbſt bis in den ſo langſam kommenden Frühling genugſame Zeit. Wo iſt auch irgend ohne Beſchwerniſſe ein Vortheil zu gewinnen, und hier iſt das Mühſame kaum erheblich. Doch jetzt muß ich die Stände unſeres Inſekts, nach den Forderungen ihrer Naturgeſchichte, noch in etwas bemerken.

Die Raupen ſind geſellig, da ſie ſich bey dem Aufkommen wenig zerſtreuen, indem ſolches erſt bey den nächſten Häutungen erfolgt. Wie ſolte auch ſonſt ohne gemeinſchaftliche Beyhülfe ein ſonderlicher Schade erfolgen? Oeſters brühet die Sonnenwärme ſie früher aus, als etwa noch bey erkalteter Erde ſich die Säfte der Bäume aus den Wurzeln genugſam verbreiten. Dann werden ſchon die Knoſpen angegriffen, und der Schade iſt ſonach beträchtlich. Doch dieß ereignet ſich ſelten.

Was den körperlichen Bau dieser Raupen betrift; so habe ich, wie die Abbildung schon genugsam ergiebt, noch anzuzeigen, daß sie eine vorzügliche Länge, und fast cylindrischen Körper haben. Die vorliegende Figur stellt eine von mittlerer Gröse vor. Sie sind mit feinen einzelnen Haaren bekleidet, und die Länge hin mit abwechselnden blauen und gelben Streifen überzogen. Der über dem Rücken ist gemeiniglich weiß, sonsten aber blaulicht gefärbt. Ueber den letztern Ring zeigt sich eine etwas erhöhte Drüse, die auch schon Herr von Linne, nach den im System angegebenen Charakteren bemerkt, und sie nur dadurch von der folgenden Gattung unterschieden gehalten. An sich habe ich noch wenige Abänderungen bemerkt, die eine Anzeige verdienen.

Das Gespinnste wird von dünne zusammengewebten Fäden, in eyrunder Form gefertigt. In diese zeigt sich ein feiner gelblichter Staub den die Raupe öfters in unterschiedener Menge darein verwebt. Die Chrysalide ist länglich geformt, und wie die Raupe sehr weich. Sie ist dunkelbraun, und wie das Gespinnste mit einem erdigen Staub, von gelber Farbe bestreut. Die vollkommene Verwandlung erfolgt gemeiniglich in einer Zeit von drey oder vier Wochen.

Die Phalenen, die sich daraus entwickeln, sind sehr munter und von schnellem Flug. Sie machen in ihrer Bewegung ein lautes Geräusche. Die Gröse ist so verschieden als die unterschiedene Mischung ihres fast einfärbigen Gewandes. Es ist dieß gemeiniglich ein röthliches Ockergelb, das bald mehr ins Dunklere, bald ins hellgelbe fällt. Das Männchen hat zwey röthlich braune Streifen, bey dem Weibchen aber ist der Zwischenraum ganz einfärbig in Form einer breiten etwas ausgeschweiften Binde ausgefüllt. Die Antennen sind nach gewöhnlicher Geschlechtsverschiedenheit weniger oder stärker gefiedert. Dieß wird das erheblichste seyn, was ich bey einer so gemeinen Gattung anzuzeigen, mich vermüssigt gesehen. Abänderungen lassen sich nach derselben, in so vielfältiger Angabe der Mischung, der breiteren oder schmäleren Binden, so wie der körperlichen Gröse, leicht erkennen.

Eine der vorzüglichsten Varietäten aber kann ich nicht unangezeigt lassen. Es ist die, welche ich nach der siebenten Figur dieser Tafel dargelegt habe. Hier sind nach einem einzelnen Exemplar selbst die noch zweifelhafte Gattungsrechte nicht zu entscheiden. — Ich habe das Original von der Gütigkeit des Hn. Hofrath Rudolphs mitgetheilt erhalten. Es ist dasselbe aus der Schweiß, unter andern Producten von daher beliefert werden. Hier iſt die Grundfarb ein Gemiſche von dunklem Rothbraun, und ſchon der Ausſchnitt der Flügel bedünkt mich eine weſentliche Abweichung zu haben. Es ziehet ſich nur eine einzelne, und überdieß ſehr verblichene Binde über die Vorderflügel. Die Vergleichung mehrerer Exemplare kann hier alleine das weſentlichſte der Gattung entſcheiden, und bis dahin habe ich ſelbſten Auskunft zu erwarten.

Der drey und dreyſigſte europäiſche Nachtſchmetterling.

PH. BOMB. ELING. AL. REVERS. CASTRENSIS.

Die Krautringelmotte.

La Livrée de Prés.

Tab. XXVIII. Der männliche Falter. Fig. 2. Der weibliche. Fig. 3. Eine Abänderung deſſelben. Fig. 4. Die ausgewachſene Raupe auf einem Zweig der Wolfsmilch. Fig. 5. Eine Abart derſelben mit ſchwarzen Seitenſtreif. Fig. 6. Das Gehäuſe. Fig. 7. Die Chryſalide.

LINN. Syſt. Nat. Ed. XII. Sp. 36. B. elinguis, alis reuerſis griſeis: ſtrigis duabus pallidis; ſubtus vnica. Unzünglichter Spinner mit zurückgeſchlagenen, braunen (an dem Männchen gelben) Flügeln, zwey verlohrnen Streifen auf der Oberſeite, und einen einzigen auf der Untern. Fauna Suec. Ed. I. p. 831. Ed. II. nr. 1102.

Müllers Ueberſ. des N. S. V. Th. I. B. p. 661. Sp. 36. Ph. C. Der Lagervogel.

FABRICII Syſt. Ent. p. 568. Sp. 43. B. C. Alis rev. obſcuris: faſciis duabus pallidis. *Larva* gregaria piloſa, caerulea, lineis rubris, nigro-maculatis. Puppa folliculata obſcura.

Berliner Magazin II. B. S. 402. nr. 10. Ph. C. Die Lagermotte. Das Weibchen hellbraun mit zwey weißlich-gelben Querſtreifen durch die Oberflügel; das Männchen weißlich-gelb mit einem breiten Streif durch die Oberflügel; die Unterflügel ganz braun. — S. 436. Anmerk. L. nach Erweis der Verſchiedenheit von Ph. Neuſtria.

Syſtem. Verzeichniß der Schm. der Wiener Gegend. S. 57. Fam. L. Sp. 5. Ph. N. Glockenblumenſpinner. (Centaureae Jaceae.)

Füeßli Schweiz. Inſ. S. 34. Nr. 654. Ph. C. Die Lagermotte. Selten.

Jung Verz. europ. Schm. S. 27.

Gleditſch Forſtwiſſenſ. S. 739. Nr. 22. Ph. C. Die Lagermotte.

ONOMAST. Hiſt. Nat. P. VI. p. 336. Ph. C. Der Lagervogel.

Allgem. Magazin der Nat. IX. B. S. 347. Ph. C.

BECKMANNII Epit. Syſt. Linn. p. 168. Ph. C.

T 2

Götze Entom. Beytr. III. Th. II. B. S. 317. Sp. 36. Ph. C. Wiesen- oder Krautringelspinner.

Naders Raupencalend. S. 22. nr. 46. Ph. C. — S. 44. nr. 121. Die Lagermotte. Der Krautringelvogel.

Rösels Ins. Belust. IV. Th. S. 109. Tab. 14. Die zu der Nachtvögel 2ten Cl. gehörige zweyte Art der geselligen auf der Wolfsmilch sich enthaltenden Ringelraupe.

DEGEER Mem. Tom. I. Mem. 6. p. 216. Tab. 13. fig. 1-6. Chenille velue, a poils courts, ornée de rayes longitudinales, jaunes, bleues & noires, qui mange les feuilles d'une espece de Bec de grue, & que je nomme la *Livrée de Prés.* Pag. 696. Tab. 13. fig. 4. 5. 6. Phal. a antennes a barbes, sans trompe; dont la fémelle est brune, a deux rayes d'un jaune clair, & le mâle d'un jaune blanc a rayes brunes. — Tom. II. P. I. p. 299. Ph. C. Phal. Livrée de prés. &c. &c.

Götze Uebers. 1. Th. 2 Quart. S. 7. Gleiche Tafel. — 4 Quart. S. 119. Gleiche Tafel. — II. Th. I. B. S. 213. Der Wiesenlivreyspinner.

Frisch Ins. X. Th. S. 10. nr. 8. 11. Platte. Tab. 8. Von der zwoten Art der Wolfsmilchraupe.

Diese Gattung kommt nach ihren Naturtrieben und der äusern Bildung der vorstehenden wirklich am nächsten. Sie legt ihre Eyer auf gleiche Art, in ringförmiger Gestalt um die Zweige an, und diese sind der Farbe und Bildung nach, von jenen kaum zu unterscheiden. Die Raupe der erstern lebt alleine von den Blättern der Bäume, diese hingegen hält sich an niedere Gewächse, nie trift man sie auf Gesträuchen an. Man hat sie deswegen mit dem Beynahmen der Krautringelmotte bezeichnet. Die Benennung unseres Systems (castrensis, Lagermotte,) wurde ihr von dem Gewebe, in welchem sie sich beysammen enthalten, ertheilt. Die Raupen der Baumringelmotten leben nur nach den ersten Häutungen gesellig, diese aber beständig, wiewohl sie sich bey vollkommenen Wuchs in mehrere Partheyen zerstreuen, und zuweilen auch einzeln angetroffen werden. Sie überziehen die Pflanze, von der sie sich ernähren, unter gemeinschaftlicher Arbeit, mit einem starken und sehr geraumen Gespinnst. Ist der Vorrath aufgezehrt, so tretten sie ihre Wanderungen an, und suchen eine andere Pflanze, die sie ebenfalls zu ihrer Sicherheit mit einem gleichem Gewebe überspinnen, und so trift man verschiedene ihrer vorigen Wohnungen an, nach denen sie auch leicht zu bemerken sind. Doch bey unserer Erziehung unterlassen sie eine ſo mühſame Arbeit, ſie ſcheinen auch dieſes Schutzes, der vielleicht mehr für die Näſſe ihnen dient, nicht nöthig zu haben.

Die gewöhnliche Futterpflanze, iſt die Wolfsmilch (Euphorbia Cypariſſus Linn.) Friſch hat ſie deswegen die zweyte Art von den Raupen dieſer Pflanze geheiſen. Doch iſt die der erſten dem Sphinx Euphorbiae, ganz alleine eigen, als welche ſich lediglich davon ernährt. Dieſe aber ſind nicht ſo ſtrenge in ihrer Koſt, ſie bedienen ſich verſchiedener niederen Gewächſe zu gleich anſtändigen Nahrung. Man hat ſie an anderen Orten auf der Fleckenblume (Centaurea Iacea Linn.) und einigen Gattungen des Storchſchnabels (Geranium Linn.) gleichfalls gefunden. In unſeren fränkiſchen Gegenden habe ich ſie bisher vergebens geſucht. Doch ſind ſie um Frankfurt am Mayn nicht ſonderlich ſelten. Um genauere Beobachtungen anzugehen, und ſelbſten die vorliegende Abbildung liefern zu können, hatte Herr Oehlmann in Leipzig die Gefälligkeit gehabt, mir im May dieſes Jahres eine Anzahl dieſer Raupen zu überſenden. Sie kamen nach geſchickter Verwahrung beſtens behalten an, und würden auch eine zweymahl längere Reiſe ausgeſtanden haben. Ich werde die ſehr ergiebige Beyträge dieſes erfahrnen Liebhabers, öfters zu rühmen haben.

Nach den verſchiedenen Abänderungen der Raupe, die aber ſämtlich einerley Falter ergaben, kommen einige in den Zeichnungen, denen der Ph. Neuſtria ſehr nach. Doch ſind ſie davon, nach ihrem körperlichen Bau ſchon genugſam verſchieden. Sie haben nicht die vorzügliche Länge, noch ganz walzenförmige Bildung wie jene. Ihr Körper iſt vielmehr an beyden Enden dünner, und ſonach auch in der Mitte um vieles dicker geſtaltet. Einige hatten über den Rücken, einen weiſſen, andere einen ſchwarzen Streifen. Die beyden Seitenſtreife waren gemeinlglich von ſehr erhöhtem Blau, doch haben auch einige, wie die vorliegende. 5te Figur, ſolche ganz ſchwarz in beträchtlicher Breite. Die rothgelben Linien daneben nehmen ſich hier weit deutlicher aus. Noch iſt die Fläche mit verſchiedenen einzelnen Punkten beſetzt, die jene nicht führt. Eine ſo ganz bündige Uebereinſtimmung mit der Raupe der Ph. Neuſtria, wie einige erwähnen, kann ich mir daher keinesweges gedenken. Sie genieſen ihre Nahrung ſehr reichlich, und ſchon zu Ende des Junius hatten ſie ſich ſämtlich, ohngeachtet ihrer verſchiedenen Gröſe verwandelt.

Das Gehäuse kommt nach dem Bau und der Farbe mit dem der gemeinen Ringelmotte überein. Es ist nur etwas grösser und mehr gewölbt, auch mit dichteren Fäden verwebt. Die Chrysalide hat nicht minder gleiche Gestalt, Bildung und Farbe. Die Phalenen kamen in drey oder vier Wochen hervor.

Rösel hat das Männchen dieser Gattung nicht gekannt. Der nach seiner 6ten Figur angegebene Falter dieses Geschlechts, ist wie die 5te ein Weibchen. Der Unterscheid ist weit mehr beträchtlich und man sollte kaum nach beyden einerley Gattung vermuthen. Das Männchen, wie unsere erste Figur erweißt, ist nach den Flügeln, die kürzer aber stärker sind, um vieles kleiner. Es hat an den Vordern eine schwefelgelbe Grundfarb, nach den Untern aber, ein dunkles Braun. Die Zeichnungen sind nach erstern nicht minder sehr abweichend. Sie bestehen aus dunkelbraunen ausgeschweiften Streifen, die in einem kleinen Bogen in der Mitte einander beynahe berühren. Selten sind diese Linien ganz zusammen geflossen, sie stehen an den Spitzen öfters von einander sehr beträchtlich ab. Das Weibchen hat dagegen zwey gelbe ausgeschweifte, in die Fläche etwas verlohrene Binden, auf einem ganz einfärbigem dunkel-röthlich-braunem Grund.

Nach Abänderungen ergiebt sich darinnen der erheblichste Unterschied, daß zuweilen nur eine einzelne dieser Binden sichtlich ist. Bey einigen Exemplaren erscheint sie in unterschiedener Breite, und auch in der Mitte getrennt. Eine der seltensten, in ganz blassem Gewand, legt die dritte Figur vor Augen, welche mir aus der Sammlung des Herrn Gerning mitgetheilt worden. Im übrigen sind diese Falter von lebhafter Bewegung.

Der vier und dreysigste europäische Nachtschmetterling.

PH. BOMB. ELING. AL. REV. PROCESSIONEA.

Der Processionsspinner.

La Processionnaire du Chêne.

Tab. XXIX. Fig. 1. Der männliche. Fig. 2. Der weibliche Falter. Fig. 3. Die Raupe auf einem Eichenzweig. Fig. 4. Das Gehäuse. Fig. 5. Die Chrysalide.

LINN. Syst. Nat. Ed. XII. Sp. 37. B. elinguis alis reversis? fuscescentibus (*cinereis*) striga obscuriore. Unzünglichter Spinner mit zurückgeschlagenen aschgrauen Flügeln, und einem dunkleren Streif auf demselben.

Müllers Ueberſ. des N. S. V. Th. I. B. nr. 37. Ph. P. Die Katzeneule.

FABRICII Syſt. Ent. pag. 567. nr. 40. B. B. Pr. Linn. Charakt. Larva gregaria, piloſa, fuſco-cinerea, dorſo nigricante; verrucis luteis. Incedunt per paria inaequalia numero.

Füeßli Schweiz. Inſ. S. 34. nr. 655. Die Proceſſionsmotte. In manchen Jahren auf den Eichen häufig.

Syſtem. Verz. der Schm. der Wiener Geg. S. 58. Fam. L. Sp. 10. Viereichenſpinner. (Quercus Roboris). Ph. P.

Berliner Magaz. II. B. S. 402. nr. 12. Ph. Pr. Die Proceſſionsmotte. Schwarzgrau mit irregulären weiſſen Zeichnungen. — S. 434. Anmerk. K.

Jung Verz. europ. Schm. S. 114.

Götze Entomol. Beytr. III. Th. II. B. S. 319. P. Pr. Der Proceßionsſchwärmer.

Leske Anfangsgr. der N. G. S. 460. nr. 6. Ph. P. Der Proceßionsraupenſpinner.

Gleditſch Forſtwiſſ. I. Th. S. 644. Ph. Pr. Die Proceßionsraupe. Die wandernde Raupengeſellſchaft.

ONOMAST. Hiſt. Nat. P. 6. pag. 401. Ph. Pr. Die Katzeneule.

REAUMUR Mem. IV. Tom. II. pag. 179 - 208. Tab. VIII - XI. La chenille proceſſionaire du Chêne.

Naturforſch. XIV. St. Hrn. D. Kühn Anekdoten ꝛc. S. 60. Von den Proceſſionsraupen. Tab. II. fig. 8 - 12.

Verſchiedene Schriftſteller haben dieſe und die folgende Gattung, theils miteinander verwechſelt, theils für einerley gehalten. Sie ſind ſich zwar nach den Faltern ſehr ähnlich, nach den Raupen aber und ihrer Futterpflanze deſto mehr verſchieden. Dieſe nähret ſich lediglich von der Eiche, jene aber von verſchiedenen Arten der Nadelhölzer, beſonders den Fichten. Nach ihren Naturtrieben kommen ſie faſt gänzlich miteinander überein. Beyde leben in groſer Menge beyſammen und fertigen ſich ein gemeinſchaftliches Gewebe. Sie haben ſich durch ihre Verwüſtungen gleich furchtbar gemacht. In unſerem Franken zwar, hat die Geſchichte keine Denkmale ihrer Verheerungen, nach richtiger Bezeichnung bemerkt, doch ſind die Raupen würklich vorhanden, ohngeachtet ſie ſehr ſeltene Erſcheinungen ſind. Ihre Kenntniß iſt uns daher, ſollte es auch nur wegen des ſyſtematiſchen Unterſcheids ſeyn, nach ſolchen Eigenſchaften an ſich ſehr angelegen. Wie ich ſchon öfters erwähnt habe, vermehren ſich gewiſſe Raupen manche Jahre auſſerordentlich häufig, die dennoch in den folgenden, kaum einzelne mit Mühe aufzuſuchen.

de Nachkommen hinterlassen. Noch können sich einige, nach gewissen im Anbau nutzbaren Pflanzen, gerade am schädlichsten machen, so wenig wir sie vorhin nach diesen Eigenschaften noch kannten. So war die gemeine Fichtenmotte (Ph. Pini) in abgewichenen Sommer vorigen Jahres auch in der Gegend von Berlin sehr häufig, da sie sonsten unter die Seltenheiten gehört, und hatte dem Nadelgehölze beträchtlich geschadet. Ist auch wohl das geringste Insekt mit Verachtung zu begegnen, das doch nach seinen Vermehrungen, mächtig genug ist, den vernünftigen Bewohner des Erdkreises zu bezwingen, wenn ihm nicht die weiseste Vorsicht bestimmte Gränzen setzt. Immerhin sind uns Mittel überlassen, sich ihrer bemächtigen zu können, und dazu ist die Kenntniß ihrer Naturgeschichte an sich unentbehrlich. Oefters sind gerade diejenigen Gattungen in der Folge am wenigsten zu fürchten, die sich durch ausserordentliche Auftritte vorhin furchtbar machten. Andere hingegen waren uns nach ihren schädlichen Eigenschaften noch unbekannt, wo uns aber traurige Erfahrungen eben so unerwartet erst nachgehends belehren. Ich habe hievon ein Beyspiel des jetzt laufenden 1784sten Jahrs anzuführen, wiewohl ich die ausführliche Nachricht, erst in der nach unserem System bestimmten Ordnung dahin diese Gattung gehört, anführen kann. Es hatte eine sonst nur als Seltenheit bekannte Raupe in diesem Jahr grose Verwüstungen angerichtet. Sie war in dem unterhalbgebürgischen Fürstenthum Anspach, insonderheit bey Roth sehr häufig, da sie die von allen Beschädigungen sonst freygelassene Fohrenbäume verheerte, und den so allgemein nutzbaren Waldungen, in weiterer Vermehrung den Untergang gedroht. Und dieß eine Raupe, die wir nur als Seltenheit kannten, ohngeachtet wir sie jährlich seit geraumen Zeiten erzogen haben. Noch ist nicht einmahl nach allen Schriften der Name für dieselbe bestimmt, und ich hatte ihr deßhalb einen eigenen zu geben. Die Raupe ist grün, mit weissen in die Länge sich ziehenden Streifen, und von kaum anderthalbzölliger Gröse. Der Falter, der unter die Eulen-Phalenen (Noctuae) gehört, wie ich ihn in dem weitern Verfolg vorzustellen habe, ist dunkelroth mit weissen Flecken gezeichnet, und sonsten in Sammlungen eine Zierde nach seinem netten Gewand. Ich bemerke diese Umstände, da man ebenerwähnte Gattung mit dieser und der folgenden, nach ähnlicher Würkung, ohngeachtet eines so grossen Abstandes für einerley gehalten. Hier sind die Mittel, wenn auch für die Zukunft meines Bedünkens, keine Besorgnisse sich erheben, gerade bey so neuen Erfahrungen noch

noch am mühſamſten ausfündig zu machen. Die Raupen leben weder geſellig, noch in einem gemeinſchaftlichen Gewebe beyſammen. Sie laſſen ſich bey ihrer Verwandlung durch Fäden herab, und verbergen ſich in die Erde, von da erſt im Frühling die Falter hervorkommen. Hier kann Näſſe und Froſt, wie auch andere ſie zur Nahrung aufſuchende Thiere, ihre gröſte Vermehrung abermahl vermindern. Doch ich habe das übrige an ſeinem Ort meinen Leſern ausführlicher darzulegen.

Die **Raupen** der Gattung, die ich gegenwärtig zu beſchreiben habe, zeichnen ſich durch beſondere Eigenſchaften vor den übrigen aus. Der berühmte **Reaumür** hat ihre Geſchichte zuerſt, und auch am ausführlichſten behandelt. Ihr Aufenthalt ſind lediglich die Fichtenbäume, die ſie auch bey zahlreicher Menge, in kurzer Zeit ihrer immergrünenden Blätter berauben. Man trift ſie in heiſſeren Erdſtrichen unſeres Welttheils häufiger, als in den nördlichen an. In Frankfurt am Mayn ſind ſie gemeiner, in unſeren fränkiſchen Gegenden aber ſehr ſelten. Herr Cammerrath **Jung** entdeckte vor einigen Jahren verſchiedene derſelben in ihrem geräumigen Gehäuſe, eine Meile von Uffenheim. Ich erhielte eine groſe Anzahl davon mitgetheilt, die ich auch erzogen. Herr Doctor **Kühn** berichtet uns nach der in dem **Naturforſcher** eingerückten Beſchreibung, daß ſie auch bey Eiſenach hin und wieder angetroffen werde. Nach **Reaumurs** ausführlichen Bemerkungen, ſind ſie in Frankreich ſehr häufig. So haben mich auch die Nachrichten des Herrn **Devillers** verſichert, der ſie gleichfalls in den ſüdlichen Provinzen Frankreichs fand. Die von da mir mitgetheilte Exemplare, waren den unſerigen gänzlich, nach einerley Gröſſe und Zeichnung gleich. Er hatte beyde Arten nach ihrer Nahrung, die von der Fichte und der Eiche, bereits als weſentliche Gattungen unterſchieden.

Ich habe nun die vorzüglichſte Eigenſchaften dieſer in der That nach ihren Kunſttrieben, ſehr ſeltſam gearteten Raupe, mit wenigem anzuzeigen. Ausführliche Erzehlungen aber finden meine Leſer zur Genüge in den oben erwähnten Abhandlungen eines Reaumürs. Schon in dem Abſetzen **der Eyer**, äuſert die weibliche Phalene eine ganz eigene Kunſt. Sie verwahret d) dieſelben ſehr ſorgfältig durch einen Ueberzug an der Fläche des Stamms, von klebrichter Materie. Dieſen beſtreuet ſie dann mit den abgängigen

d) Nat. Forſch. obenangef. O. Hrn. D. Kühns Bemerk.

Schuppen des wolligten Hinterleibs. Auf diese Unterlage, kommen hierauf die sehr zahlreiche Eyer, in gleichen Linien enge an einander geschlossen zu liegen. Sie sind von weisser auf der Unterseite etwas gelblichen Farb und führen einen schwärzlichen Punkt in der Mitte. Zu mehrerer Beschützung, wird noch die ganze Fläche mit dem Vorrath der übrigen Schuppen sehr regelmäsig überzogen. Die Farbe ist ein etwas glänzendes Dunckelbraun, und daher sind auch diese Eyer nicht leicht auf den fast gleich gefärbten Rinden wahrzunehmen.

Von dem Auskommen an, leben die Raupen in einträchtiger Gesellschaft beysammen. Ihre erste aus feinen Fäden gefertigte Wohnung aber, ist noch nicht beständig. Sie ziehen von einem Ort zu dem andern, und legen sie von neuem an. Diese Veränderung dauert ungefähr bis zur dritten Häutung, oder bis sie zwey Drittel ihrer gewöhnlichen Gröse erreicht haben. Dann bauen sie sich ein gemeinschaftliches sehr geraumiges Gehäuse von zusammenverwebten Fäden. Es ist von so beträchtlichen Umfang, daß es öfters achtzehen bis zwanzig Zolle in der Länge, und fünf bis sechs im Durchschnitt beträgt. Ein solches Lager enthält zuweilen eine Anzahl von sechs bis acht hundert Raupen, welche nach ihrer Gefrässigkeit hinreichend sind, den stärksten Eichenbaum seiner Blätter zu berauben Noch trift man auf einem einzelnen, zuweilen drey oder vier dieser Gespinnste an. Zuweilen pflegt es sich zu ereignen, daß sie sich auch in mehrere Parthien vertheilen, wo man dann nur einzelne Hunderte in diesen Wohnungen findet. Nur auf den alten Bäumen trift man sie an. Das Gehäuse selbsten bestehet aus verschiedenen dichte zusammen verwebten Häuten, und ist von grauweisser Farb, fast wie die Baumflechte, (Lichen), mit denen insgemein die Rinde bejahrter Bäume bekleidet ist, gestaltet. Sie finden sich mehrentheils an den Stämmen nahe an der Erde, öfters aber gegen sieben Schuhe über dieselbe befestigt. Auch zwischen den Aesten, wird es zuweilen angelegt. An sich sind sie eines so grosen Raums benöthigt, da auch ihre Chrysaliden-Verwandlung darinnen erfolgt. Noch lassen sie den Koth in denselben meistens zu Boden fallen, und verweben ihn öfters in das Gespinnste. Die Form des Baues ist nicht bestimmt. Es hat gemeiniglich die Gestalt eines länglichten Sacks, zuweilen ist es kugelförmig gebildet. An dem oberen Theil nächst an dem Stamm wo es befestiget ist, findet sich eine ſehr enge Oefnung, aus der ſich die Raupen einzeln herausbegeben, und dadurch wiederum in ihrem vorigen Wohnplatz einzugehen pflegen. Dieſe Veränderung, zu welcher ſie, um ihre Nahrung zu ſuchen genöthiget werden, erfolgt gewöhnlich bey warmer Witterung des Abends nach Untergang der Sonne. Des Morgens ſtellen ſie ſich in ihrem vorigen Aufenthalt wiederum ein. Doch hat man auch einige hin und wieder zerſtreut angetroffen, welche an den Aeſten und Stämmen zu ruhen pflegen. Dieſe Geſellſchaft, ſcheinet unter ſich durch natürliche Geſetze verbunden zu ſeyn. Sie haben bey dem Auszug ſowohl einen Anführer als bey dem Rückweg, welchen ſie in ihre Wohnungen nehmen. Es iſt dieß aber nicht immer die nehmliche Raupe, ſondern jede ſcheint in dieſem Rang gleiche Rechte zu haben. Der vorderſten Raupe, die ſich zu beſtimmter Zeit aus der Oefnung begiebt, ziehen die übrigen nach. Sie beobachten in dieſem Zug eine eigene Ordnung, von der ſie auch den Namen erhalten. Die erſte, welche den Anfang macht, wird von einer andern, und ſo fort von mehreren die gedränge mit dem Kopf an die Schwanzſpitze anſchlieſſen, begleitet. Dieſe einfache Ordnung beträgt eine Länge von ohngefähr zwey Schuh. Dann folgen ſie in Gliedern von einzelnen Paaren aufeinander. Hierauf kommt eine Reihe, nach welcher ſie jedesmahl zu dreyen nebeneinander ziehen. Dieſe ungleichen Glieder wechſeln dann abermahl mit gleichen ab, jedoch in vermehrter Zahl, nehmlich mit vier nebeneinander angeſchloſſenen Raupen. Dann erſcheinen abermahl ungleiche Glieder, nehmlich Reihen von fünf, auf dieſe von ſechſen und ſo fort, bis ſie endlich insgeſamt ihre Wohnungen verlaſſen haben. Der ganze Trupp folgt ſeinem Anführer in dieſer Ordnung nach, es ſey in Krümmungen oder einer geraden Linie. Wenn dieſer innen hält, ſtehen auch die übrigen ſtille; bey einer geſchwinderen Bewegung aber, rücken auch die übrigen in gleicher Eilfertigkeit nach, keine übereilt die andere, oder tritt aus ihrem Glied hervor. Sie verbreiten ſich dann hierauf Gliederweiß über das Laub der Eiche, welches ſie ebenfalls in angeſchloſſenen Gliedern verzehren. Dann nehmen ſie auf gleiche Art wiederum ihren Rückzug, und leben den Tag über in ihrem Geſpinſte, in ſtiller Ruhe. Bringt man ein ſolches Neſt nach Haus, ſo zeigen ſie einige Tage fort, bey friſch aufgeſteckten Zweigen, gleiche Manövres Dieſe Künſte aber ſcheinen ſie nachgehends zu verlernen, da ſie nur in der Freyheit ſich derſelben bedienen. Wenn man ſie in geringer Zahl in

Gläsern erziehet, unterlassen sie die Arbeit sich ein gemeinschaftliches Gewebe zu fertigen. Doch spinnen sie sich zur Verwandlung beysammen ein. Diese Geselligkeit, und die Art ihren Auszug zu nehmen, ist dieser Raupengattung nicht ganz alleine eigen. Die folgende, die Pithyocampa, besitzt sie auf gleiche Art. Ich habe sie auch an denen der Phalena Lanestris öfters beobachtet. Nur müssen sie von ihrem ersten Auskommen an, niemahlen gestöhrt werden. So habe ich sie nach ihrem sehr geraumigen Gespinnsten in einsamen Waldungen, nach diesen Kunsttrieben zu bemerken zuweilen Gelegenheit gehabt.

Es hat sich diese Raupe noch durch eine schädliche Würkung berüchtigt gemacht, nach der sie wie die folgende seit den ältesten Zeiten, unter die giftigen ist gerechnet worden, und deßhalb wurden vielleicht dem ganzen Geschlecht der Schmetterlinge gleich nachtheilige Würkungen beygemessen. Wir wissen aber nun, daß jede haarige Raupen gleiche Eigenschaft haben. Es können etwa bey diesen die Haare feiner oder steifer, und daher um so eindringender seyn. Da sie in groser Gesellschaft leben, verliehren sie solche desto häufiger, und sonach können sie um so leichter auf die blossen Theile unseres Körpers, gerathen. Man hat daher, die Gespinnste sowohl als die Raupen und ihre Chrysaliden nicht mit blossen Händen zu berühren, um von diesen geringen Beschwernissen befreyt zu seyn. Doch kommt es auch hier, nur auf eine geschickte Behandlung an, um auch davon nicht einmahl eine Ungemächlichkeit zu empfinden. Und so sind sie von so wenig nachtheiligen Folgen, als die Haare von der Ph. Caia, oder die feine Borsten der Indianischen Feige. Durch ein geringes Bestreichen mit Oehl ist dagegen wider beyde leicht Hülfe geschaft. Mithin sind dieß noch lange nicht Würkungen eigentlicher Gifte. Innerlich zwar, wenn sie durch Speisen in den Magen und die Gedärme kommen, könnten sie leicht durch Entzündungen gefährliche Folgen bewürken, und sonach als vermeintliche Gifte sich verhalten. Hier würden aber tausend andere Materien, die im gemeinen Leben uns unvermeidlich sind, eben so furchtbar werden. Noch sind die Würkungen selbst, nach der körperlichen Beschaffenheit der Personen, verschieden. Einige empfinden bey einer Handvoll Haare von den Raupen der Caia, oder irgend einigen andern, nicht die mindeste Würkung. Gemeiniglich aber erwecken sie ein Jucken, und dann können wohl nach ganz natürlichen Gesetzen, bey heftigen Reiben, Entzündungen und Geschwäre entstehen. Dieß alles aber ſind noch lange nicht Würkungen eigentlicher Gifte. Reaumur bemerkt e) daß doch dieſe Raupen zuweilen zu fürchten ſeyen, wenn man ſie auch nicht unmittelbar berührt. Er glaubt, ſie wären gleichſam mit einer Atmosphäre von fliegenden Haaren umgeben, welche dann bey einer Annäherung auf die bloſſen Theile würkten. Doch dieſe Eigenſchaft ſollen nur die Raupen der folgenden Gattung, der Pityocampa eigentlich haben, als die hierinnen weit ſchädlicher ſind. Vielleicht aber hatte die Einbildung, oder eine ganz entfernte Urſache hier ihre eigene Würkung. So erzehlt Herr Fueßli, daß er ſchon nach Beſchaffenheit ſeines Körpers bey der Annäherung der gemeinen Bären-Raupe auf ein paar Schritte, ein ſehr heftiges Jucken empfände; ohngeachtet dieſe gewiß nicht ihre Haare in die Atmosphäre verlohren. Reaumur bemerkt noch, daß man nach genaueren Unterſuchungen, ſolche, anſtatt des Canthariden-Pflaſters ſich zu mehr beſchleunigten Würkungen, gar wohl würde bedienen können f). Zur Zeit hat man keine Verſuche gemacht. Um das Jucken zu vertreiben, das einige durch die Berührung der abgängigen Haare empfanden, pflegte er auch ſtatt des Oehls, den empfindenden Theil ſeines Körpers mit den Blättern des gemeinen Peterſills zu reiben, wodurch ſich alle Ungemächlichkeiten augenblicklich verlohren hatten. Doch genug von dieſen Erzehlungen; mir lieget ob, das Characteriſtiſche in Bezeichnung der Gattung zu erwähnen und ſo wäre in trockener Anzeige, der ſchuldigen Pflicht hinreichend Genüge geleiſtet. Ich habe lediglich was die Abbildung beſagt, noch wörtlich, mit wenigem zu melden, und dieß iſt die Beſchreibung der Raupe, der Chryſalide, und des Falters.

Die Raupe erreicht keine beträchtliche Gröſe. In dem Maas wie die dritte Figur erweißt, pflegt ſie ſchon ihre Verwandlung anzugehen. Nach den Zeichnungen in dem Reaumüriſchen Werk, ſo wie im Naturforſcher, finde ich ſie beträchtlich ſtärker angegeben. Sie iſt mit filzigtem Haare bedeckt, welche bey den Häutungen nach den äuſſerſten Spitzen, eine graue Farbe haben, die ſich aber nachgehends, beſonders über dem dunkelbraunen Rücken, ins Röthlichgelbe verändert. Die Haut iſt ſchwarzbraun, zur Seite aber weißlich gefärbt. Ueber jeden Ring ſtehen in der Mitte zwey erhabene Wärzgen von bleichgrauer Farb, aus denen die Haarbüſche ausgehen. Nach ihren Gang iſt ſie gewöhnlich ſehr träge und langſam.

e) Mem. l. c. pag. 197. Eben das iſt auch von Hrn. Brakenhauſen bemerkt worden. Man ſehe die Abhandlungen der halliſchen naturforſch. Geſellſch. I. Band S. 203.

f) Pag. 195.

Die Gehäuse, von denen die dritte Figur ein einzelnes, abgesondert vorstellt; sind in groser Anzahl sehr gedränge aneinandergeschlossen, und unter sich verwebt. Mehrentheils liegen sie in paralleler Lage nach Art der Bienenzellen beysammen. Sie bilden einen gerundeten Klumpen, der noch überdieß mit einer Unterlage und Ueberzug von filzigten Haaren umkleidet ist. Diese Arbeit, pflegen die Raupen innerhalb des Gespinnstes, des vorigen Aufenthaltes ihrer Wohnungen anzugehen. Zu dem Gehäuse, das jede einzeln sich fertigt, werden die Haare gänzlich verwendet. Man findet sie darinnen in glatter Haut und nach ihrer vorigen Gestalt, ganz unkenntlich enthalten. Die Farbe ist mit den Haaren der Raupe fast einerley, doch um vieles dunkler und mehr röthlich, braun gemischt. Die Figur des Gehäuses ist unbestimmt, theils länglich und gerundet, theils flach oder eckig, wie es die Lage ihrer Verbindung ergiebt.

Die darinnen enthaltene Chrysalide ist sehr weich, und dunkel, ockergelb gefärbt. Der Hinterleib ist kegelförmig verdünnt. An dem äussersten Theil desselben, ragen zwey, jedoch sehr kurze Spitzen hervor, wodurch sich diese Chrysalide von sehr wenigen, die dergleichen Werkzeuge führen, am kenntlichsten bezeichnet g). Die Entwicklung des Falters, erfolgt noch im ersten Jahre, und gemeiniglich in der Mitte des Augusts, nach einem Zeitraum von vier Wochen. Sie kommen gemeiniglich in Zeit von zwey Tägen zugleich hervor, ohngeachtet sich viele Raupen, später in dem gemeinschaftlichen Wohnplatz einzuspinnen pflegen.

Beyde Geschlechter dieser Phalene, sind nach der äuserlichen Bildung, nicht beträchtlich von einander unterschieden. Die erste und zweyte Figur giebt ihren Abstand deutlich zu erkennen. Sie haben sämtlich ein aschgraues Colorit, nur sind sie nach der Stärke der Mischung, der an sich gewöhnlichen Gröse in beyder Verhältniß, und den mehr oder minder gefiederten Fühlhörnern verschieden. An sich hat das Männchen kürzer gestaltete Flügel, die Grundfarbe ist heller, und sonach sind auch die schräge sich durch die Fläche ziehende Binden von dunkelbrauner Farbe, sichtlicher wahrzunehmen. Bey dem Weibchen erscheinen diese Zeichnungen

g) In der Abbildung sind diese Spitzen wegen der schiefen Lage der Chrysalide, nicht ausgedrückt worden. Sie betragen an sich kaum den sechsten Theil einer Linie.

mehr verblichen. Der Hinterleib iſt ſtarker, und mit einer haarigten Endſpitze begränzt. Abänderungen, beziehen ſich faſt lediglich, auf die mehr weiſſe als graue Grundfarb, und denen deutlicher auffallenden Queerſtreifen und Flecken. Ich habe weder nach der Gröſe, noch nach der Bildung etwas abweichendes bey denen Exemplaren aus den ſüdlichen Gegenden unſeres Welttheils wahrgenommen.

Der fünf und dreyſigſte europäiſche Nachtſchmetterling.

PH. BOMB. ELING. AL. REV. PITYOCAMPA.

Der kleine Fichtenſpinner. Die Proceſſionsraupe auf Fichten.

La Proceſſionaire du Pin. REAUMUR.

Tab. XXIX. Fig. 6. Der männliche. Fig. 7. der weibliche Falter. Sämtlich von beyden Seiten.

Bomb. elinguis alis ſubreverſis cineraſcentibus ſtrigis obſoletis, abdomine fuſco annulato.

Syſtem. Verz. der Wiener Schm. S. 58. Fam. L. nr. 11. Bomb. Pityocampa. Der Fichtenſpinner. (Pini ſylveſtris et Piceae.)

Götze Entom. Beytr. III. Th. III. B. S. 59. nr. 71. Pityoc. Fichtenſpinner.

Jung Verz. europ. Schm. pag. 108.

IONSTON. Theatr. Anim. De Inſ. Lib. II. pag. 154. Pityocampa.

REAUMUR Memoires. Tom. II. pag. 149. Pl. VIII. fig. 1-12.

Füeßli Magaz. der Entom. II. Band S. 232. Tab. III. fig. 1-5. Fichtenſpinner. — Neues Magaz. I. Th. S. 44. Nachtrag der Geſch. der Fichtenſpinner, von D. Amſtein.

Dieſe Phalene war bereits denen älteſten Naturkennern bekannt, ſchon in ſo frühen Alter der Inſektenkenntniſſe, als man noch kaum einzelne Gattungen derſelben zu unterſcheiden gelernt. Sie hatte ſich durch die Verwüſtungen der Fichtenbäume, beſonders der in den wärmeren Erdſtrichen einheimiſchen Pignole *h*), durch das ſo auffallende Gewebe ihrer Raupen, hauptſächlich aber nach den gefährlichen Würkungen ausgezeichnet, die ſie unter den Giften berüchtigt gemacht, und vielleicht eben dadurch zum Nachtheil der gan-

h) Pinus Pinea. Linn. deren Kerne geſpeiſt werden.

zen Klasse dieser Thiere, den gehässigsten Verdacht zugezogen. Schon **Plinius** *i)* erwähnt derselben. Wir finden sie gleichfalls in den Werken der ältesten Aerzte, eines **Dioscorides** *k)*, **Celsus, Galenus** und **Avicenna** ganz übereinstimmend beschrieben. Auch den römischen Rechtsgelehrten war sie nicht unbekannt. Es haben ihre Raupen sogar zu eigenen Gesetzen Veranlassung gegeben *l)*. Die Giftmischer hatten die kleingemachte Haare derselben unter die Getränke gemengt, und dieses Insekt zu den abscheulichsten Absichten gebraucht, ohne daß man noch ausgehen können, welche Gelegenheit sie zu dieser Erfindung geleitet. Die Würkungen hatten die obenerwähnte Aerzte, sehr ausführlich bemerkt. Es erfolgte nehmlich auf dem Trunk, in Vermischung dieser Haare, ein heftiger Schmerzen an den Lippen und Gaumen. Die Zunge und die Eingeweide wurden entzündet. Anfangs erweckte es ein gelindes Jucken, das nicht unangenehm schiene. Auf dieses aber vermehrte sich die Empfindung der grausamsten Quaal. Es erfolgte endlich eine brennende Hitze, Eckel der Speise, und der Kranke suchte ein Erbrechen zu bewürken, jedoch mit vergeblicher Mühe. Zu Heilmitteln wurde Oehl und Honig verordnet, das bis zum Erbrechen mußte eingenommen werden. Man hielte damahls schon, diese Würkungen mit denen der Cantariden für einerley, und bediente sich gleicher Gegenmittel. Noch wurden diese Raupen für so gefährlich gehalten, daß die Aerzte **Aetius** und **Paullus Aegineta**, es für die Gesundheit äusserst nachtheilig erklärten, unter den Fichtenbäumen, wo sich dergleichen Gespinnste enthielten, sich zu verweilen, noch weniger aber darunter zu speissen. Zwar nicht wie sie vermeinten, daß die Raupen durch das Blendende der Speisen, deren Geruch, und das Geräusche möchten herabgelockt werden und in die Gefässe fallen, sondern weil sich ihre Haare bey einer ausserordentlich zahlreichen Vermehrung auch in der Luft, allzusehr zu verbreiten pflegen. Dieß sind die vorzüglich-

i) Hist. Mundi Lib. XXIII. C. 2. "Pinorum erucae, quas *Pityocampas* vocant." Von πιτυς den Pignolenbaum, und καμπη eine Raupe.

k) Matthioli in den *Comm. in VI. libros Dioscoridis* Lib. II. Edit. Venet. 1565. c. 55. nennt sie den Uum (Raupe) von Fichten.

l) L. 3. ff. ad Leg. Cornel. de Sicariis. "Alio Senatus consulto effectum est, vt pigmentarii, si cui temere Cicutam, Salamandram, Aconitum, *Pityocampas*, aut Bubrostim, Mandragoram et id quod lustramenti caussa dederint Cantharidas, poena teneantur huius lege."

züglichſte Umſtände, welche die Alten von der Pityocampa erwähnten. An ſich ſind ſie einerley mit denen der vorigen Gattung der Ph. Proceſſionea, wie ich dorten ſchon angezeigt habe, und deßhalb darf ich die Erklärung des vermeintlichen Giftes umgehen.

Dieſe Erzehlungen der Alten wurden noch bis auf unſere Zeiten für fabelhaft gehalten. Es war bey allen Kenntniſſen der Raupengattungen, die Pityocampa als ein räthſelhaftes Geſchöpf, nicht ausfündig zu machen. Sie mangelte unſern teutſchen Gegenden, und ſehr gerne vermiſſen wir ſie gänzlich, wiewohl ſich leicht ihre Wanderungen ereignen können. An ſich iſt doch von den ältern Beobachtern keine Gattung ſo genau und pünktlich beſchrieben worden, als dieſe. Ich berufe mich, um die übrigen Denkmahle zu umgehen, auf die oben angezeigte Beſchreibungen eines Jonſton, der bey keiner Gattung mehrere Pünktlichkeit als bey dieſer erwieſen, wo aber auch ſeine Urkunden zugleich die meiſte Verſtändlichkeit hatten. Uns befremdet es um ſo mehr, wie ſie von Kennern ſelbſt in ihren vaterländiſchen Gegenden verkannt worden. Reaumür beſchreibt ſie ſehr ausführlich, ohne doch im mindeſten anzuzeigen, daß dieß das ſo abentheuerliche Geſchöpf der Alten ſeye. Dennoch iſt nichts gewiſſer als dieſes. Er hielte ſie für eine Abart der Ph. Proceſſionea, und hatte ſie nur durch die Futterpflanze, der Fichte, da jene ſich von der Eiche ernährt, unterſchieden. Die erſte Berichtigung haben wir denen ſo verdienten Herren Verfaſſern des Syſt. Verz. der Wiener Schmetterl. zu danken. Nachgehends hatte Herr Füeßli die erſte Abbildung in oben angezeigten Werk geliefert, und die Beſchreibung des Reaumürs in Ueberſetzung beygebracht. Bereits vor acht Jahren wurden mir die Originale dieſer Falter nach beyden Geſchlechtern, von Herrn Devillers in Lion, mitgetheilt, da ich ihm wegen dieſer Entſcheidung meine Gründe angezeigt hatte. Jetzt ſehe ich mich im Erweiß einer vorhin ſo verworrenen Gattung, die damahls dieſer Weitläuftigkeiten bedurfte, nun bey allgemeiner Annahme gänzlich entübrigt.

In Vergleichung der vorhin beſchriebenen Gattung, der Proceſſionea, kann ich nun um ſo leichter ihre weſentliche Verſchiedenheit zeigen. Es kommen die Raupen nach ihren Kunſttrieben mit jenen faſt gänzlich überein. Sie fertigen ſich gleichfalls ein gemeinſchaftliches Gewebe zur Wohnung. Sie gehen in gleicher Ordnung aus demselben hervor, und finden sich da, wenn sie gesättigt sind, wiederum ein. Niemahlen aber trift man sie auf Eichen, sondern nur auf Nadelholzungen an. Die Phalenen selbsten scheinen dem ersten Anblick nach, kaum erheblich verschieden zu seyn, und dennoch ist nach allen diesen Aehnlichkeiten der Unterschied äusserst beträchtlich.

Es sind schon diese Raupen um vieles gröser, als die von vorerwähnter Gattung. Ich habe ihre Abbildung in der Folge noch beyzubringen, da mir von einigen Freunden, um sie desto genauer darzustellen, Exemplare in der Natur sind verheissen worden. Die mir vorläufig mitgetheilte Nachrichten, stimmen mit denen die uns **Reaumür** in so ausführlicher Abhandlung hinterlassen, pünktlich überein. Die Haare sind über den Rücken mehr fuchsroth, zur Seite aber weißgrau gefärbt. Sie stehen nicht auf einzelnen Wärzgen, wie an jener, sondern buschweise über jedem Ring, die Breite hin auf einem Wulste befestigt. Die Haut ist dunkelschwarz, auf denen sich rothgelbe Haarbüschel um so deutlicher ausnehmen. Die feinere weissen Haare zur Seite und in denen Absätzen gehen sehr leicht durch die Bewegung der Raupe ab, und man siehet sie sogar in der Luft verfliegen. Zur Zeit haben sich diese Geschöpfe in Teutschland noch niemahlen zuverlässig entdeckt. Was man irgend dafür ausgegeben, ist ungewiß, da sie nicht von Kennern sind beobachtet worden. Es kann dieß einmahl die Processionsraupe auf Eichen seyn, oder wenn sie sich von Nadelbäumen genährt, etwa die, welche ich S. 152. vorläufig angezeigt habe. Indessen bemerken die Hrn. Verf. des Syst. Verz. der Wiener Schm. daß sie solche aus den südlichen Gegenden Tyrols, die nahe genug an Italien stossen, mitgetheilt erhalten hätten, wo sie sich von der Rothtanne ernährten. Herr **Füeßli** meldet, daß sie nur in denen mehr mittägig gelegenen Gegenden der Schweiz, in Cleven und Veltlin angetroffen würde. Zur Zeit hat man von einer weiteren Verbreitung keine Nachricht.

Sie sind durch ihre Gespinnste, mit denen öfters ganze Bäume überzogen sind, auch in der Ferne leicht kenntlich. Ein sehr betrübter Anblick in denen heiseren Erdstrichen von Frankreich und Italien, wo sie manche Jahre ausserordentlich zahlreich sich finden! Die Verwüstungen selbsten sind von sehr traurigen Folgen. Die Nadelbäume, welche ihres Grünenden, ten denen ohne dieß ſehr ſparſamen Säften beraubet worden, gehen gänzlich verlohren, beſonders ſind die junge Stämme am erſten zu Grunde gerichtet. Dieſe Raupen kommen früher, als die Proceſſionsraupen auf Eichen zum Vorſchein. Sie durchwintern, und bereits um Weyhnachten trift man ſie in ihrem Geſpinnſte erwachſen an. In der Mitte des März haben ſie ihre vollkommene Gröſe erreicht und gehen ſchon ihre Verwandlung an, welche bey jenen auch in heiſſeren Erdſtrichen erſt in dem Auguſt erfolgt. Schon zu Ende dieſes Monaths haben ſie ihre Wohnungen gänzlich verlaſſen, und ſich in die Erde, in Steine, oder dem unterliegenden Moos begeben, wo ſie ihr Chryſaliden-Gehäuſe anzulegen pflegen. Dieſes iſt, ſo wie die Chryſalide ſelbſten, auſſer der mehr beträchtlichen Gröſe, von erſterwähnter Gattung wenig verſchieden, nur iſt es nicht ſo regelmäſſig beyſammen angelegt. Reaumur traf die Raupen in der Tiefe der Erde von zwey Schuhen, noch lebendig an. Die gemeine Proceſſionsraupe hingegen, gehet in ihrem Geſpinnſte die Verwandlung an, oder bey zu groſſer Anzahl, an den Stämmen der Bäume. Zu Verminderung ihrer Menge, fehlt es ihnen nicht an Feinden. Sie ſind ein gemeiner Raub verſchiedener Vögel, beſonders der Sperlinge, die ſie ohne Schaden verzehren. Man dürfte wünſchen, daß die Landleute mit dieſen eine gemeinſchaftliche Sache machen möchten, da ſie beſonders wegen ihres auffallenden Gehäuſes leicht könnten ausgerottet werden.

Dieß Geſpinnſte, das ſich die Raupen zu ihrem gemeinſchaftlichen Wohnplaz bauen, und ihnen auch zum Schuß für den ſtrengſten Winter dienet, iſt von feſterem Gewebe, als das, welches ſich die Proceſſionsraupen der Eichen, zu ihrem Sommeraufenthalt fertigen. Es hat auch einen weit mehr beträchtlichen Umfang. Das kleinſte enthält acht Zoll in der Höhe, und vier bis fünf im Durchſchnitt, öfters ſind ſie aber auch um ein gedoppeltes gröſer. Sie finden ſich gemeiniglich an denen Spizen der Aeſte mit den Nadelblättern verwebt, und bilden eine trichterförmige Figur. Die Raupen haben wie jene, hier ihre Oefnung zum Ausgang. Sie können übrigens wenige Kälte vertragen. Reaumur fand ſie bey 8 Graden ſeines Thermometers ohne weitere Belebung gänzlich erſtarrt und getödet. Doch ſeine Schlüſſe auf die Beſtimmung der Kälte, die in gewiſſen Gegenden mehrere Grade beträgt, wo aber dennoch dieſe Raupen das Leben erhalten, können aus dieſen Gründen keineswegs ihre Richtigkeit haben. Man weiß, wie sehr der Schutz für Winde, eine vortheilhafte Lage, noch mehr die Verwahrung für Nässe und andere Umstände, das Gegentheil bewürken. Ein geringer Frost schadet oft mehr als die strengste Kälte. Hier ist aber der Ort nicht, dieß umständlich zu erörtern. Ich bemerke nur noch, daß das seidenartige Gewebe dieser Raupen, das sie sich zu ihrer gemeinschaftlichen Wohnung bauen, zu öconomischen Benutzungen Gelegenheit gegeben. Man hat es auf gleiche Art, wie die Seide zu verarbeiten gesucht. Alleine die Fäden hatten die Stärke nicht; ohnfehlbar, weil sie aus zu vieler harzigten Materie, der Nahrung der Raupen, bestanden. Sie durchweichten im heissen Wasser, und liessen sich auch nicht zur Weisse bringen. So ist nothwendig die Materie der Seide, selbsten in den Säften der Pflanze enthalten, und bestehet aus der Absonderung der harzigten Theile. Zum Spinnen gab noch ein anderer Umstand, der eingemengte Koth der Raupen, eine grose Erschwerniß, wenn auch an sich der Faden sehr lang, fein und dichte ist, auch die gemeine Seide an Schönheit übertrift. Doch lange nicht sind dabey die Bequemlichkeiten, wie bey dem gemeinen Seidenwurm zu erwarten, der in seiner Behandlung und leichteren Vortheilen, dennoch alle ähnliche Arten in so reichlichem Maas überwiegt. Es hat ihm darinnen noch keine Gattung den Vorzug strittig gemacht. An sich läßt sich aus jedem Raupen-Gewebe, und dem Chrysaliden-Gespinnste, bey so groser Menge von Gattungen, würkliche Seide fertigen, sie ist aber zur Zeit noch immer zu kostbar. Fast mit gröseren Vortheil, als von dieser Art, würde sich von dem Raupengespinnste unserer Tinea Evonimella, die ganze Hecken damit überziehet, eine weit bessere Seide, nach minderen Schwürigkeiten fertigen lassen. Zur Erziehung, zum Anbau für so grose Bedürfnisse aber, würde sie auch ungleich mühsamere Bearbeitung und grösere Kosten erfordern. Doch diese Betrachtungen gehören nicht hieher, da ich sie nur zur Anzeige, in dem weitläuftigen Umfang der Merkwürdigkeiten dieser Gattung nicht umgehen können. Mir lieget ob, noch mit wenigem den Falter zu beschreiben, und dessen Unterschied zu zeigen.

Die Phalenen kommen gewöhnlich zu Ende des Julius aus ihrem Gehäuse hervor. Doch sind sie, wie Hr. Füeßli bemerkt, zum Theil auch erst im folgenden Jahr, in der Mitte besagten Monaths ausgebrochen. Der Farbe nach, kommen sie denen etwas verblichenen Exemplaren der vorigen Gattung am nächsten. Die Grundfarbe ist ein schmutziges Grau, bey dem Männchen ins Weiſſe, bey dem Weibchen aber mehr ins Braune gemiſcht. Die Schuppen liegen nicht ſonderlich dichte übereinander, ſie verfliegen wenigſtens ſehr leicht. Schrege durch die Flügel ziehen ſich zwey dunklere, etwas verlohrene Binden. Das Männchen unterſcheidet ſich durch ſeine ſtärker gefiederte Antennen und der haarigten Endſpize des Hinterleibs. Dieſer iſt noch überdieß von ockergelber Farb, und in Ringe abgetheilt, welche an dem Weibchen noch deutlicher wahrzunehmen ſind. Dieß ergiebt auch wohl den am meiſten auffallenden Gattungs-Unterſchied von der Phalene der Proceſſionsraupen auf Eichen. Es hat Reaumur noch zwey merkwürdige Abweichungen an dem Weibchen dieſes Falters wahrgenommen. Für die ſparſame Anzahl der damahls entdeckten Gattungen, waren ſie in der That ganz neu. Nun haben ſich ähnliche, in gleicher Maasgabe vorgefunden. Er bemerkt einmahl einen zwiſchen den beyden ſtarkbehaarten Fühlſpitzen, über dem Saugrüſſel hervorragenden Körper, der ſich in zwey Kanten endigt. Er iſt aus fünf übereinander liegenden Schuppen, in der Form, die er mit einer Treppe vergleicht, zuſammengeſetzt. Wir wiſſen aber zur Zeit ſo wenig den Gebrauch als die Abſicht deſſelben zu errathen. Die andere Merkwürdigkeit, iſt die Bekleidung der Endſpitze des Hinterleibs. Einige Gattungen führen dieſe Verzierung von wolligten Haaren, an ſich ſind ſie aber verlängerte Schuppen. Hier liegen ſie glatt, ſehr gedränge übereinander, und haben eine vorzügliche Breite. Sie ſind ſo dünne, daß ſie bey dem geringſten Abſtoſſen, in der Luft wie kleine Wolken ſich verbreiten. Ohnfehlbar bedient ſich das Weibchen derſelben zur Unterwebung des Lagers, bey dem Abſetzen der Eyer. Doch weder von dieſen Kunſttrieben, noch von der Geſtalt der Eyer ſelbſten, haben uns die Beobachter in ihren einheimiſchen Gegenden, einige Nachrichten zu ertheilen vermogt. Ueberhaupt iſt bey dieſer ausführlichen Erzehlung auch im kürzeſten Auszug, doch nach den rückſtändigen Berichtigungen, vieles unerörtert gelaſſen.

Zweyte Linie
der ersten Familie der Spinner, von der zweyten Horde der Phalenen.

Bombyces elingues, alis depressis.

Ohnzünglichte Spinner, mit dachichten Flügeln.

Die erste Linie dieser Familie enthielte solche Gattungen, welche bey sehr kurz gestalteter Zunge, die Hinterflügel über die Vordern, in sitzender Lage aufstehend trugen. Hier werden in natürlicher Ordnung bey einem in gleicher Kürze gestaltetem Werkzeug solche Arten verzeichnet, welche ihre Flügel abhängig, oder dachich führen, sie stehen wenigstens nie über die Vordern heraus. Doch können sie in verschiedenem Grade diese abhängige Lage haben, auch fast in gleicher Ebene liegen. Genug wenn die Vorderflügel die untern gänzlich bedecken. Unser System hat nach einer eigenen Verzierung, die hier untergeordnete Gattungen abermahls in Abtheilung gebracht. Wir nennen sie Parthien, wiewohl ich eben nicht für nöthig erachte, bey dem Einrücken der neueren Gattungen, sie so pünktlich zu sondern. Es ist an sich ihre Anzahl zur Zeit nicht von so beträchtlicher Menge, daß sie um Verwirrungen zu verhüten, eine Eintheilung nothwendig machen. Dieser Unterschied bestehet in der eben oder glatt mit Schuppen bekleideten Oberseite der Brust und des Hinterleibs. Es führen nehmlich einige Gattungen diese Fläche mit erhabenen Spitzen oder borstenförmigen Erhöhungen verschönert, und diese hatten zu besagter Unterabtheilung Anlaß gegeben. Ich habe sie in der Ordnung unseres Systems anzuzeigen, wiewohl ich in der Folge diese Zergliederung unbemerkt lasse. Es sind an sich schon sämtliche Gattungen in so gemächlicher Stuffenfolge so nahe verbunden, daß eine Trennung grösere Schwürigkeiten erhebt. Noch haben wir erst genugsamen Vorrath zu sammlen, um dann die richtige Entwürfe der Eintheilung zu machen. Zur ersten Parthie dieser Linie, rechnet unser System folgende Gattungen, die sämtlich eine einzige, die 39te Virgo ausgenommen, zu unserm Welttheil, und auch zu den Innländischen gehören. Sie sind: Sp. 38. Caia. 40. Hebe. 41. Villica. 42. Plantaginis. 43. Monacha. 44. Dispar. 45. Chrysorrhoea. 46. Salicis. 47. Mendica. 48. Crataegi. 49. Atra. 50. Coryli. 51. Furcula. (52. Curtula.) 53. Anastomosis. Zur zweyten Parthie aber, oder denen mit kammförmigen Rücken, wurden folgende gezehlt, unter denen sich abermahls nur ein einziger Ausländer, Sp. 65. Arenacea, zu den Zeiten des Herrn von Linne bekannt gemacht. Sie heisen: Sp. 55. Fascelina. Sp. 56. Antiqua. Sp. 57. Gonostigma. Sp. 58. Tremula. Sp. 59. Caeruleocephala. Sh. 60. Dictaea. Sp. 61. Ziczac. Sp. 62. Dromedarius. Sp. 63. Cossus. Sp. 64. Palpina. Sp. 66. Morio. Sp. 67. Purpurea. Sämtlich einheimische Producte, zu denen sich fast eine gedoppelte Anzahl neuer Gattungen gesellen! Die mit rothen oder gelben Hinterflügeln buntgefärbte Phalenen dieser Abtheilung, werden Edle Spinner (Bombyces nobiles) geheisen, dahin die Caia, Hera, Plantaginis, Villica und andere gehören. Doch werden auch einige von den Nachteulen, (Noctuis) nach gleichem Gewand dahin gerechnet, die aber nothwendig von diesen zu trennen sind.

Der sechs und dreysigste europäische Nachtschmetterling.

BOMB. ELING. ALIS DEPRES. DORSO LAEVI. CAIA.

Die Caia. Der gemeine Bärfalter.

L'Hérissonne, la Marte, l'Ecaille-martre. DEGEER. De Vlinder uit de groote Beer-rups. SEPP. The Great-Tiger. DRURY.

Tab. XXX.

Fig. 1. Die weibliche Phalene nach gewöhnlicher mit dem Männchen übereinstimmender Zeichnung. Fig. 2. Eine Abänderung des Männchen. Fig. 3. Die Raupe auf der grossen Nessel. Fig. 4. Das weite Gespinnste, in der die Chrysalide Fig. 5. enthalten ist.

Tab. XXXI.

Fig. 1. Eine Abänderung mit dunkelbraunen Oberflügeln und kleinen Flecken. Fig. 2. Eine dergleichen des männlichen Falters mit veränderten Zeichnungen. Fig. 3. Eine Abart mit blassen Vorderflügeln und fast einfärbig rothen Hinterflügeln. Fig. 4. Eine Abänderung mit gelben Hinterflügeln.

Tab. XXXII.

Fig. 1. Eine Abänderung mit braunen Flügeln und weissen Punkten. Fig. 2. Dergleichen mit dunkelblauen einfärbigen Hinterflügeln. Fig. 3. Eine andere mit glänzenden Zeichnungen auf einem dunkelbraunen Grund, von der Oberseite. Fig. 4. Mit einfärbig braunen ungefleckten Flügeln. (Sämtliche Falter von beyden Seiten, ausser Fig. 3.)

LINN. Syst. N. Ed. XII. Sp. 38. Ed. X. Sp. 22. Bomb. elinguis, alis deflexis fuscis: rivulis albis; inferioribus purpureis nigro-punctatis. Ohnzünglichter Spinner mit abhangenden braunen Vorderflügeln und weissen durchkreuzenden Binden; nebst rothen schwarzfleckigen Hinterflügeln. Faun. Suec. Ed. nov. nr. 1131.

Müllers Uebers. des Nat. S. 5. B. 1r Th. S. 663. Ph. C. Der Bär.

RAII Hist. Inf. p. 151. nr. 3. Phal. maior: alis amplis oblongis, albicante et fusco coloribus pulchre variegatis; interioribus rutilis cum maculis nigris: — pag. 152. nr. 7. *Eruca* densius pilosa magna, pilis longissimis incanis, fulvis et nigris varia, cum punctorum albentium lineis annularibus.

System. Verz. der Schmett. der Wiener Geg. S. 52. Fam. E. nr. 1. Ph. Caia. Nesselspinner.

FABRICII Syst. Entom. p. 581. nr. 87. B. Caia. — *Spec. Inf.* p. 198. nr. 122. Linn. Char. — *Larva* solitaria hirta nigricans, segmentis vtrinque punctis tribus elevatis, caerulescentibus. — Pupa folliculata, nigra opaca.

GEOFFROI Hist. d. Inf. Tom. II. p. 108. nr. 8. Ph. pectinicornis elinguis, alis deflexis, superioribus fuscis, rivulis albis, inferioribus purpureis, punctis 6 nigris.

SCOPOLI Entom. Carn. p. 201. nr. 503. Ph. Caia. — Long. unc. 1. lin. 3 1/2 Lat. 6-8. Alae *anticae* caffeatae; rivulis albis, posticae rubrae.

Variat. 1) Alis *primoribus* supra puncto albo prope apicem; *posticis* supra maculis nigris rotundis tribus in limbo, quarum duae interiores sese fere contingentes, tertia nigrae basi imposita, nec non maculis binis pariter nigris in disco contiguis, vna cordiformi.

2) Alis iisdem pallidioribus et fere cervinis; posticis maculis limbi tribus sphaericis, sed interioribus remotioribus; aliis in disco ovatis vnitis.

3) Alis iisdem cervinis, curva linea ad apicem loco puncti, maculaque marginis antica in rivum mutata: posticis macula vnica disci, tribus in limbo, sed exteriore exigua.

Berlin. Magaz. II. S. 404. nr. 13. Ph. C. Die braune Bärenmotte. Die Oberflügel Caffeebraun mit weissen zusammenhangenden Streifen; die Unterflügel roth mit blaulich-schwarzen Flecken.

MÜLLER Fauna Frider. pag. 41. nr. 371. Ph. Caia.

Füeßli Verz. schw. Ins. S. 34. nr. 656. Ph. Caia. Die braune Bärmotte. — Magaz. der Ent. I. S. 285. Des Chorherrn Meyers Bemerk. daß sich die Raupe die Haare mit den Zähnen abschneiden soll. III. St. Tab. I. fig. 11. Ph. Flavia. p. 70.

Naturf. II. St. p. 17. nr. 4. Tab. I. fig. 4. Die braune Abänderung dieses Falters. — III. St. p. 17. Ein ausgeartetes Weibchen. — VIII. St. p. 102. nr. 13. Eine Ausart.

Systeme naturel du regne animal II. p. 144. nr. 12. Ours: Phalene de la Laitue.

Götze Entom. Beytr. III. Th. II. B. Ph. Caia. Der Bärvogel.

Gleditsch Forstwiss. II. S. 976. nr. 19. Ph. C. Die braune Bärmotte.

Leske Anfangsgr. der Naturgesch. I. p. 460. Ph. C. Der Nesselspinner.

Blumen-

Blumenbachs Handbuch der Nat. G. S. 370. nr. 7. Ph. C. Die ſchwarze Bärenraupe.

DRURY illuſtr. of nat. hiſt. Tom. I. pag. 100. Not. wo erwähnt wird, daß das Weibchen über 600 Eyer legt.

Catholicon p. 148. Heriſſonne, Bärraupe.

Neue Berliner Mannigfalt. III. Jahrg. S. 98. wo gemeldet wird, daß ſie ſich achtmahl häuten ſolle.

ONOM. *hiſt. nat.* P. VI. p. 338. Bärenraupenvogel.

Jung Verz. der europ. Schm. S. 24. Ph. Caia.

BECKMANNI Epit. S. Linn. p. 163. nr. 38. Ph. C.

Fiſchers Naturgeſch. von Liefland S. 151. nr. 349. Der Bär.

Gladbachs Catal. Der deutſche Bär.

SEPP Neederlandſ. Inſ. IV. pag. 9. Tab. II. fig. 1—7.

Röſels Inſ. Bel. I. Th. Nachtv. II. Klaſſe S. 1. Tab. I. Die ſchwarzhaarichte Bärenraupe mit ihrer Verwandl.

DEGEER Mem. d. Inſ. Tom. I. p. 198. Tab. 12. fig. 8. 9. Chénille trés veluë noire, dont les poils dès côtés du corps font roux, qui a douzes tubercules, et qu'on nomme l'*Hériſſonne* ou la Marte. pag. 696. Tab. 12. fig. 8. 9. *Phalene* a antennes à barbe, ſans trompe; dont les ailes ſuperieures ſont brunes et blanches et les inferieures rouges a grandes taches noires. — II. Part. I. p. 301. nr. 1. l'Heriſſonne. — Götze Ueberſetz. I. Quart. S. 147. gleiche Tafel. — Der Igel oder der Marder. — IV. Quart. S. 119. gleiche Tafel. — 2. Th. S. 215. nr. 1. Die Igelphalene.

HUFFNAGEL Inſ. Tab. 14. fig. 11. Ed. alt. 3. 4. 9.

Friſch Beſchr. der Inſ. II. Th. 8. 38. nr. 10. 13 Tafel. Bärenraupe.

SCHAEFER Icon. Inſ. Ratiſb. Tab. 29. fig. 7. 8.

Biblioth. reg. Pariſienſ. pag. 13. fig. 1—8. et pag. 16. fig. 1. Papilio purpuraſcens, circulis caeruleis notatus, alis flaveſcentibus virgatis, cum maculis fuſcis.

REAUMUR Mem. d. Inſ. Tom. I. pag. 514. Tab. 36. fig. 1—7.

MERIAN europ. I. pag. 2. Tab. V. et 160.

MOUFFET ed. lat. p. 93. nr. 18. fig. ſuprema — pag. 186. fig. 2. Ambulo ſecundus.

ALBINI Inſ. Tab. 20. fig. C. D.

LISTER Ed. Goedarti pag. 219. fig. 99. Ed. gallica. Tom. II. fig. 17.

BLANCK Herb. Tab. 87. fig. 10. et Tab. 76. fig. 3.

IONSTON Hiſt. Inſ. Tab. VII. XIX.

Diese Gattung hat sich durch die Manchfaltigkeit ihrer Abänderungen am meisten merkwürdig gemacht. Fast stimmen kaum zwey Exemplare miteinander überein. Sie sind größtentheils nach der Grundfarb, der Gröse und den Zeichnungen, auf ganz eigene Art verschieden. Ich habe mich deßhalb vermüssigt gesehen, nach drey, in der Ordnung hier folgenden Tafeln, sie in denen zur Zeit bekanntesten Abweichungen vorzustellen. Unter diesen finden sich zwey, nach dem Sonderbaren des Variirenden, noch ganz unbekannte Erscheinungen. Ob sie sämtlich in ihren Erzeugungen beständig bleiben, ob sie Racen oder eigene Gattungen sind; möchten zu frühzeitige Forderungen seyn, um davon in Ermanglung langjähriger Erfahrungen das Entscheidende zu bestimmen. So viel man weiß, ist immer die Raupe von einerley Farb und Zeichnung, und die angebliche Merkmahle sind so schwanckend, daß sie wenigstens nicht zu systematischen Unterscheid dienen. So sagt man, daß die Raupe von der einfärbigen braunen Art sich öfters zu häuten pflege, und man will es doch an der gemeinen gleichfalls beobachtet haben. Es erfordert zu viele Umstände und allzulangweilige Untersuchungen dieß nach allen Berichtigungen erweisen zu können. Weicht diese Gattung schon von den Eyern einer einzigen Nachkommenschaft ab; so ist das Zufällige einer so erheblich scheinenden Abweichung sich leicht zu gedenken. Die Auswinterung der Raupen, und wer hat da die Häutungen so genau gezehlt, können wie die Futterpflanze, die manchfaltigste Verschiedenheiten ergeben. Wir sind an sich mit der Physiologie dieser Geschöpfe nicht genugsam bewandert. Sie ist nothwendig auf Jahrhunderte noch zu genauerer Kenntniß verspahrt.

Aus den oben angezeigten Schriftstellern erhellet genugsam, wie lange und vielfältig diese Gattung schon bekannt gewesen. Fast erfordert es Ueberwindung, das Gemeine und Alltägliche ihrer Naturgeschichte von neuem zu sagen. Welche Sammler werden die Bärenraupe nicht kennen, oder ihren Falter nicht erzogen haben? Sie gehört unter die gemeinsten, wiewohl sie niemahlen schädlich geworden. Sie lebt einsam, und kaum trift man einzelne Paare an einer einzigen Pflanze an. Sie ist von den heisseren Erdstrichen unseres Welttheils, bis in die kältern verbreitet. Man findet sie in den ersten Tagen des Frühlings bis in dem späterem Herbst, in unterschiedener Gröse. Doch sind die Phalenen, im Freyen eine ziemlich seltene Erscheinung. Sie entfernen sich wenig von den Pläzen, wo sie ausgekommen. Niemahlen hat man ſie auf Blumen, im Aufſuchen ihrer Nahrung angetroffen.

Nach der Geſtalt iſt dieſe Raupe an ſich ſehr kenntlich, und von den ähnlichen Gattungen leicht zu unterſcheiden. Die lange filzigte Haare über den Rücken ſind glänzend ſchwarz, zur Seite aber rothgelb gefärbt. Die Haut iſt von gleicher Schwärze, und noch auf jedem Ring, mit einigen erhabenen Knöpfgen von hellweiſer Farbe beſetzt. Die Raupe rollt ſich bey einer Berührung ſchneckenförmig zuſammen. Sonſten iſt ſie in ihrer Bewegung ſehr behende. In ihrem jugendlichen Alter, ſind die Haare theils grau, theils ockergelb, zuweilen auch mit Aſchgrauen vermengt. Einige derſelben haben noch das beſondere an ſich, daß ſie ihre Haare gänzlich verlieren, und in glatter Haut erſcheinen, nach welcher ſie beynahe unkenntlich werden. Es ereignet ſich dieſes in unterſchiedenem Alter, an ſich aber ſehr ſelten. Bey der nächſten Häutung kommen ſie wiederum mit ihrem dichten Pelzwerk bekleidet, hervor. Zu ihrem Geſpinnſte hingegen werden jedesmahl die Haare gänzlich miteingewebt. Sie haben eben nicht nöthig, ſolche durch ihre Freßwerkzeuge abzunagen, wie man vorgegeben. Sie gehen an ſich ſehr leicht ab, und bleiben ſchon bey einer Berührung in den Händen hangen. Sie dringen in die Haut und erwecken heftiges Jucken. Ein Umſtand, der wie ich ſchon vorhin erwähnt, ſie in den Verdacht des Giftes gebracht. Was den Verluſt der Haare im jugendlichen Alter betrift, ſo ſcheint derſelbe eine Krankheit zu ſeyn. Man hat ſolches faſt bey allen filzigten Raupen bemerkt, beſonders habe ich gleiches bey der Ph. Lanestris, Potatoria und Rubi wahrgenommen, welche dadurch um ſo weniger kenntlich wurden. Einige dieſer Raupen überwintern. Man trift ſie in den erſten Tagen des Frühlings, ſchon in vollſtändiger Gröſe an, gemeiniglich aber in dem Alter der dritten Häutung. Aus den abgeſetzten Eyern dieſer früheren Erzeugung, erwachſen dann noch in dem nehmlichen Jahr die vollſtändigen Raupen, und aus dieſen nach ihrer kurzen Verweilung in der Chryſalide, auch vollends die Falter. So habe ich zuweilen eine in ihrer vollkommenen Gröſe und daneben eine andere, die kaum die erſte Häutung überſtanden, beyſammen angetroffen. Am häufigſten kommen ſie in den Monathen Junius und Julius uns in hieſigen Gegenden vor Augen. Sie halten ſich an Bäume und niedere Gewächſe zugleich, gemeiniglich aber trift man ſie auf dem Waſen, nächſt an den Zäunen und Hecken an. Ihre gemeinſte

Futterpflanze ist die grose Nessel. Doch ist fast keine Raupe so wenig als diese, an eine bestimmte Nahrung gewähnt. Sie läßt sich mit allen Arten der Vegetabilien, in so ferne sie nur genußbare Säfte enthalten, erziehen, es seyen Früchte, Blätter, Blüthen oder Rinden, sie fällt sie eben so begierig an. Unter allen Pflanzen aber pflegt sie den Salat am meisten zu lieben. Man kann sie bey dem reichlichen Genuß der zarten Blätter desselben, zu einer verwundernswürdigen Gröse bringen. Vielleicht würden dann durch Erzeugungen von Eyern so collossalischer Eltern, auch die Nachkommen selbsten sich noch mehr vergrösern. Daß die Futterpflanze auf die Farbe einen Einfluß habe, davon haben mich einige Erfahrungen belehrt, die ich aber deshalb noch nicht für allgemein annehmen kann. Ich hatte nehmlich einige dieser Raupen von ihrem ersten Alter an, mit den öhlichten Blättern des gemeinen Tobacks, und dem Bilsenkraut (Hyosciamus niger) ernährt. Die Falter erhielten würklich ein weit dunkleres Colorit. Einige hatten sehr wenige weise Flecken, und die schwarzen auf den Hinterflügeln nahmen fast zwey drittel der ganzen Fläche ein. Es käme auf weitere Versuche an. Hat man doch schon bey den Vögeln die Erfahrung erprobt, daß sie durch den Genuß öhlreicher Gesäme, ihre Farbe ins Schwarze verändern. Um so leichter möchte bey Raupen diese anomalische Abweichung zu bewürken seyn.

Zum sicheren Aufenthalt ihres nächsten Standes, bauen sich dieselben ein sehr geräumiges Gewebe, mit darunter verwebten Haaren. Sie lassen keine Oefnung daran, vielmehr pflegen sie bey der geringsten Verletzung das schadhafte sogleich zu ergänzen. Die Chrysalide hat eines so sanften Lagers wohl nöthig, sie ist ausserordentlich weich, und nimmt sehr leicht die Eindrücke von der Lage an, die ihr dann sehr nachtheilig werden. Bey den Abstreifen der Raupenhaut ist sie ganz weiß, und färbt sich endlich in ein glänzendes Schwarz. Das Ausbrechen des Falters erfolgt in Zeit von drey bis vier Wochen.

Beyde Geschlechter der Phalene, haben gewöhnlich einerley Zeichnung. Das Männchen macht sich von aussen, durch die stärker gefiederte Fühlhörner den geschmeidigern Hinterleib, und dessen mehr behaarte Endspitze leicht kenntlich. Die Grundfarb ist ein Cofeebraun, nach dem Variirenden in unterschiedener Mischung des Helleren und Dunklern. Gewöhnlich sind die weise durchkreuzende Binden und Flecken der Vorderflügel in der Lage und Bildung, wie sie die erste Figur der XXXten Tafel ergiebt. Nur ist dieses Exemplar eines von der beträchtlichsten Gröse, die ich durch die Fütterung mit Salat erzogen. Die Flecken der Unterflügel sind schwarz, in der Mitte ins Blaue spielend, und noch mit einem gelben Saum umzogen. In der abweichenden Form der breiteren oder schmäleren Binden, der Gröse, und Anzahl der Flecken, sind nun die Abänderungen beynahe unzählig. Ich habe nur von den vorzüglichsten, drey Muster in Abbildung dargelegt.

Die zweyte Figur erwähnter XXX. Tafel, stellet ein Männchen vor, das statt der Binden der Vorderflügel, nur einzelne eckigte Flecken besitzt. Ich habe es unter andern, von einer schon ausgewachsenen Raupe erzogen. Die erste Figur der XXXI. Tafel zeigt einen derjenigen Falter, den ich durch die Erziehung der Blätter vom Bilsenkraut erhalten. Er hat eine beträchtliche Gröse. Die Grundfarb ist ganz dunkelbraun, und es sind nur kleine getrennte Flecken auf demselben wahrzunehmen. Die auf den Hinterflügeln sind um so gröser. Er ist weiblichen Geschlechts. Die zweyte Figur eben dieser Tafel legt eine andere Art vor Augen, welche in dem Abweichenden der Bildung der Binde, mehr Eigenes hat. Ich habe sie mit andern zugleich erzogen.

Diese sämtliche Arten, sind an sich für zufällige Abweichungen zu erklären. Es finden sich aber noch einige, wo dieses auch strittig scheint, wo man eigene Gattungsrechte vermuthet. So ist mir ein Falter, welchen die 3te Figur dieser XXXI. Tafel nach der genauesten Abbildung erweißt, zu Handen gekommen; wovon man zur Zeit noch keine ähnliche Abweichungen kennt. Er wurde zufällig unter einer Anzahl von Raupen, von einem bekannten Liebhaber in Regensburg erzogen. Das Original dieser zur Zeit noch einzigen Abweichung, findet sich nun in der nach den Seltenheiten dieser Art an sich unschätzbaren Sammlung des Herrn Gerning zu Frankfurt am Mayn. Hier sind die Vorderflügel nach der Aussenseite von ganz blassem Lichtgrau, mit wenig Schattirungen von Ockergelb in die Fläche verlohren, auf der einzelne dunkelbraune Flecken stehen. Die Unterseite der Hinterflügel aber ist um so abweichender gestaltet. Statt der schwarzen oder in das Blaue spielenden Flecken, erscheinen hier weise in die Fläche verlohren, oder kaum nach der einfärbig rothen Grundfarbe sichtliche Mackeln. Noch sind die Gesetze dieser Ereignisse, zur Erforschung ein Räthsel. Ich habe in ähnlicher Abweichung einer so seltsamen Bildung, noch an keiner Gattung gleiche Verschiedenheit bemerkt. Nur eine Abart eines Papilio Aglaia, die ich in der Folge der Fortsetzungen beyzubringen habe, und die sich in hiesiger Gegend dieses Jahr entdeckte, hat in der animalischen Veränderung, das zweyte Muster nach so seltsamer Erscheinung ergeben.

Nach der 4ten Figur der XXXI. Tafel habe ich eine Caia mit hochgelben Hinterflügeln, in Abbildung dargelegt. Es wurde das Original von Herrn Cammerrath Jung vor einigen Jahren unter verschiedenen Raupen der gemeinen Art erzogen und mir mitgetheilt. Die Vorderflügel haben die gewöhnliche Zeichnung und Farb, nur der Rand ist gleichfalls mit Gelb sehr stark angeflogen. Die gerundete Flecken der Hinflügel haben nach der Oberseite einen ins blaue spielenden Glanz. Herr Füeßli hat eine sehr ähnliche Art, auf der I. Tafel des III. Stücks des entom. Magazins vorgestellt; die er als eigene Gattung, mit dem Namen Flavia bezeichnet. Dorten sind die Vorderflügel mehr dunkelbraun, die durchkreuzende Binden aber von gewöhnlicher Form, jedoch sehr schmahl. Die Hinterflügel führen ein gleiches Gelb, mit breiten eckigten unförmlich gezogenen Flecken. Die Raupe davon soll sich durch die dünnen und längeren Haare, so wie durch ihre lichtgraue und schwarze Farb ausgezeichnet haben. Allein man hat diese Abweichung auch an der Gemeinen vielfältig bemerkt, ohne daß man noch an dem auskommenden Falter eine so grose Verschiedenheit wahrgenommen. Ich habe sie bey dem gemächlichen Uebergang des Rothen ins Gelbe, wovon ich verschiedene Exemplare aufweisen kann, nothwendig nur für zufällige Abänderung zu erklären. Doch ist die Ursache ihrer Entstehung uns annoch verborgen.

Einen mehr wesentlichen Unterscheid scheinen die Originale der 1. 2. und 4. Figur unserer XXXII. Tafel zu ergeben. Doch ist eben hier die Abkunft und gemächliche Veränderung, nach denen mir mitgetheilten Nachrichten näher erwiesen. Das Exemplar der 4ten Figur ist die eigentliche Stamm-Mutter derer Abarten in ähnlichen Gewand, welche man aus Sachsen zuerst erhalten. Sie führt ein ganz einfärbiges Braun der Vorderflügel, so wie die Hinterflügel nach der Aussenseite ganz dunkelblau, mit weniger Mischung des braunen überzogen sind. Herr Pfarrer **Müller** in Weilar fand diese weibliche Phalene bereits vor 14 Jahre in einer kleinen Waldung ohnweit Halle in Sachsen. Er brachte sie mit einer Nadel angesteckt nach Haus, und sie legte in kurzer Zeit gegen 200 Eyer. Diese waren befruchtet, und er erzog eine zahlreiche Menge von Raupen ohne weiteren Anstand daraus. Doch aus Vernachlässigung hatte er nur zwölf vollständige Falter davon erhalten. Nach seinen Bemerkungen deuchten ihm die Raupen eine schwärzere Farbe der Haare, als die gemeinen, gehabt zu haben. Die meisten hatten sich fünf bis sechsmahl, seiner Beobachtung nach, gehäutet. Sonsten waren sie in ihren Kunsttrieben nicht verschieden. Die auskommende Phalenen hatten nicht einerley Zeichnung und Farb. Einige waren, wie das nach der 4ten Figur abgebildete Original, ganz einfärbig, doch liese sich, wiewohl nur mit bewafnetem Aug, eine merkliche Spur der creutzförmigen Züge darauf entdecken. Es findet sich dieß Exemplar in der Sammlung des Herrn **Gerning**, von da ich es nebst mehreren zur Vergleichung mitgetheilt erhalten. Bey zwey andern, welche noch Herr Pf. **Müller** besitzt, war auch diese Spur der Zeichnungen gar nicht wahrzunehmen. Die Vorderflügel hatten eine mehr hellbraune oder fahle Grundfarb, die Hinterflügel hingegen ein einfärbiges Schwarz ohne den mindesten eingemengten blaulichen Schiller. Der Herr Besitzer hatte ein Paar derselben dem Herrn Ritter von **Linne** nach Stockholm gesandt. Sie sind ihm aber vielleicht nicht zu Handen gekommen, da derselbe solcher nirgends erwähnet. Die übrigen Exemplare ergaben mehr oder mindere Aehnlichkeit nach den Zeichnungen der gemeinen Art. Bey einigen war die weisse Binde deutlich vorhanden, andere hingegen hatten an deren Stelle nur einzelne Punkte. Ich habe zum Muster, nach der sich die Abweichung der übrigen vorstellen läßt, das Original der 2ten Figur dieser XXXII. Tafel gewählt. Es ist eben dasjenige, welches Hr. D. **Kühn** im II. St. des Naturf. nach der 4ten Figur der ersten Tafel beygebracht hat, und sich nun in der Sammlung des Herrn **Gerning** findet. Eine dieser sehr ähnliche Art, welche die 1te Figur dieser Tafel nach genauester Abbildung darstellt, wurde vor dreyzehen Jahren zu Oberrod, einem Dorf bey Frankfurt am Mayn aus einer Raupe erzogen. Hier haben die dunkelblauen Flecken der Unterflügel eine ganz eigene Bildung. Sie sind überdieß durch einen schwärzlichen Schatten in die Fläche verlohren. Ich bemerke noch, nach dem mir aus gleicher

Sammlung mitgetheilten Vorrath, eine seltsame Abweichung dieser Art. Sie hat sich in dem erst abgewichenen 1783. Jahr, in dasiger Gegend entdeckt. Nach den Vorderflügeln kam sie bey gewöhnlicher Gröse und Zeichnung, auch nach den sechs gerundeten Flecken der Hinterflügel, der gemeinen gleich. Der Rand hingegen war mit einem Saum von brauner Farb, in der Breite von ohngefähr 2 Linien umzogen. Diese Abweichungen beweisen genugsam das Zufällige ihrer Entstehung.

Eine der vorzüglichsten Ausarten habe ich nach der dritten Figur dieser XXXII. Tafel dargelegt. Hier sind die Gattungsrechte noch am meisten strittig. Ich habe diese zur Zeit noch einzige Seltenheit von einem Freund in Innspruck mitgetheilt erhalten. Sie wurde im Sommer des abgewichenen Jahres daselbst aus der Raupe erzogen. Nach den mir mitgetheilten Bemerkungen soll sie sich schon durch das ganz einfärbige Schwarz, und den mehr verlängerten Haaren ausgezeichnet haben. Sie wurde bey schon beträchtlicher Gröse vollends mit Salat ernähret, und zur Verwandlung gebracht. An sich hat die Phalene die deutliche Zeichnung der gemeinen Caja. Statt der braunen Grundfarb aber zeigt sich hier ein mattes Schwarz, die sonst weise Binden erscheinen in gleich dunklem Colorit, und gleichen nach ihrem Glanz wie gewässerter Schiller seidener Zeuge. Gleiche Grundfarbe führen die Hinterflügel, die gerundete Flecken aber sind dunkelblau. Diese seltene Mischung giebt dem Falter ein reizendes Ansehen. Er war weiblichen Geschlechts, und hatte eine zahlreiche Menge von Eyern abgesetzt, die aber, wie leicht zu erachten, nicht befruchtet waren. Sie sollen sich durch ihre mindere Gröse, und ganz grünen Farbe, von denen der gemeinen Art abermahls unterschieden haben. Nähere Erfahrungen werden uns des Gewissern belehren. Dieß Original findet sich nun gleichfalls in der berühmten Sammlung des Herrn **Gerning** zu Frankfurt am Mayn.

Der

Der sieben und dreyssigste europäische Nachtschmetterling.
BOMB. ELING. AL. DEPRES. DORSO LAEVI. PUDICA.
Die Pudica. Weisser braunfleckigter Spinner.

Tab. XXXIII. Fig. 1. Die weibliche Phalene von beyden Seiten.

Alis deflexis albis: superioribus maculis fuscis trigonis, inferioribus immaculatis.

Herr Devillers in Lion hatte die Gütigkeit, diese neu entdeckte Phalene mir bereits vor sechs Jahren zu übersenden. Er fand sie nur nach einem Paar einzelner Exemplare, auf denen savoyischen Gebürgen. Das abweichende der Bildung von irgend ähnlichen Gattungen ist hier äusserst beträchtlich. Die Grundfarb beyder Flügel führet ein Weis, das nur wenig ins Graue fällt. Die Flecken sind Dunkelbraun, und meistens dreyeckig gestaltet. Die Brust hat eine Verzierung von weissen Strichen. Im übrigen giebt die Abbildung die Gestalt, so wie die Gröse auf das genaueste an. Soviel ich aus einem getrockneten Exemplar ersehen können, ist diese Phalene weiblichen Geschlechts. Vorstehende Benennung hat der um die Kenntnisse der Natur, so verdiente Herr Professor Fabricius in Kiel, unserer Phalene ertheilt. Ich hatte bey dessen freundschaftlichem Besuch dieses Jahres, solche wie die folgende Gattung demselben zu dieser Bestimmung überlassen, und so wurde in analogischer Verbindung der übrigen Arten, nach den eingetragenen Characteren die schicklichste Wahl getroffen. Wie sehr wäre zu wünschen, wenn bey jeden neuen Entdeckungen eine gemeinschaftliche Abrede könnte getroffen werden. Welche Erleichterung würde sich dadurch für unsre Kenntnisse verbreiten! Noch haben wir von diesem berühmten Gelehrten, nach denen nächstens auszugebenden Mantissen, die gröste Erweiterung entomologischer Kenntnisse in dem Beytrag einer so zahlreichen Menge von Gattungen zu hoffen, deren sich schon auf diesen Reisen durch Teutschland ein ausserordentlicher Vorrath gesammelt.

Der acht und dreyssigste europäische Nachtschmetterling.
PH. BOMB. EL. AL. DEPRES. DORSO LAEVI. CASTA.
Die Casta. Kleine weißbandirte Bärenphalene.

Tab. XXXIII. Fig. 2. Die Phalene von beyden Seiten.

Alis deflexis atris, fasciis duabus dentatis albis; posticis rubris, maculis marginalibus fuscis.

Auch diese hier in der Ordnung eingeschaltete Gattung, ist eine der neuesten Entdeckungen. Wir haben sie dem Herrn **Rummel** zu danken, der nach dem rühmlichen Fleiß im Aufsuchen der Neuigkeiten, sie in einer Gegend bey Preßburg in Ungarn fand. Noch ist sie dermahlen das einzige Exemplar, und wird auch in den Sammlungen in Wien zur Zeit gänzlich vermißt. Doch kann ich meine Leser versichern, daß sich dieser Falter auch in unseren Gegenden würklich vorgefunden. Es sind acht Jahre, wo ich ihn in einem buschigten Gehölze von niederen Stämmen, ohnweit Trautskirchen, fand. Er gieng mir durch einen seltsamen Zufall wiederum verlohren, und eben wollte ich unsere Kenner nach Anzeige einer umständlichen Beschreibung, wegen eines irgend zu Handen gekommenen Exemplars befragen, als ich dieses mitgetheilt erhalten. Mein Vergnügen war um so gröser, durch diesen gefälligen Beytrag alle Anstände gehoben zu sehen. Nach den ersten Blick im Freyen, bey einem sehr schnellen und hohen Flug in denen noch sehr frühen Abendstunden, da er nur wenige Augenblicke, sich auf Blätter niedergelassen, kam mir derselbe als eine der kleinsten Abänderungen der Ph. Hebe für. Ich hatte ihn öfters wahrgenommen, aber nur ein einzigesmahl eines Exemplars mich bemächtigen können. Es war zu Anfang des Junius. Vielleicht wird diese so vorzüglich geschätzte Seltenheit von unseren Liebhabern, nun ehender beygebracht.

Seine Beschreibung bedarf nach der genauesten Abbildung nur wenige Worte. Der Hinterleib ist sehr haarig. Die Fühlhörner aber sind im Verhältniß des ganzen Körpers nicht stark, aber fein gefiedert. Die Vorderflügel haben eine dunkelbraune Grundfarb und zwey weisse zackigte Binden, deren Form die Abbildung genugsam ergiebt. Die Unterflügel führen ein sehr erhöhetes Roth, und sind nur gegen den Rand mit einzelnen schwarzen Flecken bordirt. Der weibliche Falter ist vermuthlich sehr wenig verschieden.

Der neun und dreysigste europäische Nachtschmetterling.

PH. BOMB. EL. AL. DEPR. DORSO LAEVI. FASCIATA.

Der bunte Bärenfalter.

Tab. XXXIII. Fig. 3. Die weibliche Phalene von beyden Seiten.

Alis deflexis, superioribus flavescentibus fasciis maculisque crenatis fuscis; inferioribus luteis rubro inductis, maculis minoribus atris.

Nach dem buntfärbigen Gewand und dem frischen Colorit, möchte die hier beygebrachte Phalene, den Vorzug vor den übrigen dieser sämmtlichen Abtheilung haben. Sie hat die nächste Aehnlichkeit mit der auf der XXXV. Tafel abgebildeten Ph. Villica. Doch ist sie um vieles kleiner, und die Vorderflügel haben eine gelblichte Grundfarb. Die beyde Binden sind dunkelbraun, und kappenförmig gerandet. Die Hinterflügel führen ein noch mehr erhöhtes Gelb, und sind gegen den Rand mit frischem Roth schattirt. Die Punkte stehen fast wie an jener in gleicher Ordnung, nur ein gröserer an der Endspitze, macht den beträchtlichsten Unterschied aus. Die stark behaarte Brust ist braun, und mit einer weissen Linie eingefaßt, der Hinterleib aber einfärbig roth mit einer Reihe brauner Punkte, und einem dergleichen grosen Flecken an der Spitze geziert. Das vorliegende Exemplar ist, so viel sich unterscheiden lassen, ein Weibchen, und dennoch sind die Fühlhörner schon beträchtlich gefiedert. Ich kenne zur Zeit nur dies einzelne Original, nach welchen ich die genaueste Abbildung genommen. Herr **Devillers** hatte die Güte, mit diesem schätzbaren Beytrag, unsere Kenntniß abermahl zu bereichern, und solche schon vor einigen Jahren mir zu beliefern. Er erzog sie aus der Raupe. Nach einem mir mitgetheilten getrockneten Exemplar, zeigte sie die gröste Aehnlichkeit mit der gemeinen Bärenraupe. Die Haare über dem Rücken waren mehr lichtgrau als braun, zur Seite aber mit einem stärker erhöheten Rothgelb verschönert. Eine Abänderung von der Caia, wird aber hier niemand vermuthen, da man diese in der Gegend von Lion öfters erzogen, und sich auch beyderley Geschlechter entdeckt haben. Herr **Fabricius** versicherte mich, daß er sie bereits in einer Sammlung wahrgenommen, und auch in den auszugebenden Mantissen schon eingetragen.

Der vierzigste europäische Nachtschmetterling.

PH. BOMB. EL. AL. DEPRES. DORSO LAEVI. MACULOSA.

Der kleine schwarzfleckigte Bärenfalter.

Tab. XXXII. Fig. 4. Eine weibliche. Fig. 5. eine männliche Phalene. Beyde von der Ober- und Unterseite.

Alis deflexis: superioribus griseis, maculis sparsis nigris, inferioribus rubris nigromaculatis.

System. Verz. der Wiener Schm. pag. 54. Fam. E. Bärenraupen. Edle Spinner. nr. 9. B. Maculosa. Klebekrautspinner. (Galii Aparines.)

Jung Verz. europ. Schm. S. 85.

Götze entom. Beytr. III. Th. III. B.

Frankfurter Beyträge. 50. St. 1780. S. 862. von Herrn Gerning. Tab. II. fig. 1—3.

Diesen artig gezeichneten Falter hatten die Herren Verfasser des Syst. Verz. der Wiener Schmetterl. bereits vor geraumen Jahren entdeckt, und mit obstehendem Namen belegt. Herr Gerning hat ihn dann in obenangezeigter Schrift zuerst bekannt gemacht, und in Abbildung dargelegt. Nach dessen Beobachtungen, sind wir auch benachrichtiget worden, daß diese Phalene nicht in den mittägigen Provinzen Teutschlands alleine zu suchen sey. Sie hat sich auch in der Gegend von Frankfurt, würklich vorgefunden. Die sonst so verhaßte Spinnen hatten zu dieser Entdeckung ihre Beyhülfe geleistet. Es fand ein Liebhaber in ihrem Gewebe diesen Falter, der sich sonsten noch nicht würde bekannt gemacht haben, ganz ohne Beschädigung eingeschlossen. Um so leichter war es, sich seiner vollends zu bemächtigen. Es findet sich dieses einzige Exemplar in obengerühmter Sammlung und ist auch in Abweichung des blasseren Colorits in erwähnten Beyträgen nach der genauesten Abbildung vorgestellt worden. In Vergleichung verschiedener Exemplare, die mir von daher sowohl, als aus denen Sammlungen, des Herrn Cammerrath Jung, und des Herrn Verlegers sind mitgetheilt worden, mit den eigenen, habe ich fast bey jedem eine manchfaltige Abweichung wahrgenommen. Sie beziehen sich aber lediglich, auf das mehr ins blasse oder dunklere gemischte Colorit der röthlich-grauen Grundfarb, nebst der ungleichen Anzahl der schwärzlichen Flecken und deren unbestimmte Bildung. Die nach beyden Geschlechtern vorliegende Zeichnungen, geben ihre Bildung und Lage nach der gewöhnlichen Art, auf das deutlichste an. Einige dieser Zierrathen fehlen zuweilen, und andere sind nach der Gröse verschieden. Von der Raupe haben wir zur Zeit nicht mehrere Nachrichten, als daß sie unter die filzhaarigte gehört. Die Phalene gleicht unserer Ph. Fuliginosa, am nächsten. Nach den fadenförmigen Antennen aber ist jene von dieser Ordnung nothwendig zu trennen.

Der ein und vierzigste europäische Nachtschmetterling.

PH. BOMB. ELING. AL. DEPRES. DORSO LAEVI. HEBE.

Die Hebe. Weißbandirte Bärenmotte.

L'écaille couleur de rose. GEOFFROI.

Tab. XXXIV.

Fig. 1. Die männliche Phalene. Fig. 2. Die weibliche. Fig. 3. Die Raupe auf dem Ruchgraß (Anthoxanthum odoratum.) Fig. 4. Die Chrysalide.

Syst. Nat. Ed. XII. Sp. 40. (Mangelt in der X. Ausgabe.) B. elinguis, alis deflexis atris; fasciis albis; inferioribus rubris; rivulis nigris. Unzünglichter Spinner mit niederhangenden schwarzen Vorderflügeln und weisen Binden, nebst rothen Unterflügeln mit schwarzen Binden und Flecken.

Müllers Uebers. des Naturs. V. Th. I. B. nr. 40. Ph. Hebe. Die Wittwe.

GEOFFROI Tom. II. pag. 109. nr. 9. Long. 10. lign. Ph. pectinicornis elinguis, alis deflexis; superioribus albis, rivulis transversis nigris; inferioribus roseis, macula triplici nigra.

FABRICII S. Ent. pag. 582. Linn. Char. Paulo minor B. Caia; et rivuli alarum anticarum plures reticulati; abdomen supra rubrum, subtus nigrum.

System. Verz. der Wiener Schm. S. 52. Fam. E. nr 2. Ph. Hebe. Garbenspinner. (Achilleae Millefolii.)

Natursorsch. VIII. St. S. 106. nr. 32. Ph. Festiva. — IX. St. S. 222. nach HOLLARS Ins. Tab. I. fig. 2.

CATHOLICON Buchst. H. S. 92. Ph. Hebe.

ONOMASTIC. Hist. nat. P. VI. S. 376. Ph. Hebe.

Göze entom. Beytr. III. Th. II. B. S. 325. Ph. Hebe. Die Wittwe.

Berlin. Magaz. II. S. 416. nr. 32. Ph. Festiva. Die weisse Bienenmotte. — Die Oberflügel weiß mit schwarzen Querstrichen; die Unterflügel roth mit schwarzen Flecken.

Jung Verz. europ. Schm. S. 65.

Maders Raupencalend. S. 11. nr. 8. desgl. S. 25. nr. 25. Ph. H. Die Wittwe.

Gladbachs Catal. Der englische Bär.

Rösels Ins. Bel. IV. Th. Tab. 27. fig. 1. 2. S. 186. Der Falter. Ein sonderbarer schöner Nachtvogel der zweyten Classe mit hoch carminrothen Unterflü-

Z 3

geln und Hinterleib, und weissen über die Quere mit schwarzen Flecken ausgezierten Oberflügeln.

Kleemanns Beytr. I. S. 110. Tab. XIII. fig. 1—4. Die zur zweyten Classe der Nachtvögel gehörige mit bräunlichgrauen Haaren besetzte Bärenraupe; auf der an sandigen Oertern stehenden hohen Hunds- oder Wolfsmilch. (Esula.)

Frisch Beschr. der Ins. VII. Th. S. 14. nr. 9. 2. Platte. 9. Taf. Vom schwarz und weiß fleckigten Nachtpapilion mit dem rothen Leib und Hinterflügeln, und der Raupe woraus er wird.

SCHAEFFER Ic. inf. ratisb. Tab. 28. fig. 1. 2.

GRONOVII Zooph. 853.

MOUFFET Inf. 93. Fig. 4. 5. nr. 18.

IONSTON Tab. VII. fig. 19.

Nach Anzeige der vorstehenden Schriftsteller, war die hier zu beschreibende Gattung seit den ersten Zeiten entomologischer Beschäftigung, ein genugsam bekanntes Product. Sie fand sich in den wärmeren und kälteren Gegenden zugleich. Doch hat sie erst **Rösel** genauer bekannt gemacht, da sie sich beynahe wiederum verlohren. Sie wurde von diesen Zeiten an, ausserordentlich geschätzt, und man dachte sich keine seltenere Phalene als diese. Nun sind unsere Liebhaber zur Genüge damit versehen. Doch kann niemand in unserem Erdstrich auf ihre gewisse Eroberung Rechnung machen, es sey die Raupe oder der Falter. Sie sind beyde in verschiedenen Jahren nach aller Bemühung nicht ausfündig zu machen. Immerhin sind sie sonach auch bey zahlreicher Menge eine der seltensten Erscheinungen, wenn auch etwelcher Vorrath sie auf unbestimmte Zeiten minder schätzbar gemacht. In den wärmeren Gegenden sind sie gemeiner. Herr Devillers versicherte mich, daß sie um Lion eine der gewöhnlichsten so wie in ganz Frankreich die gemeinste sey. Doch **Geoffroi** giebt sie für selten an, und meldet, er habe niemahlen ihre Raupe entdeckt.

Frisch hatte die Phalene ganz kenntlich abgebildet und beschrieben. Bey der Raupe aber, die er aus den Eyern eines gepaarten Weibchen wollte erzogen haben, hat sich derselbe offenbar geirret, und sie mit andern von bekannter Gattung verwechselt. Sie sind niemahlen glatt und von grüner Farbe, wie er sie beschrieben. Ich habe bereits vor fünf Jahren, von Herrn Cammerrath **Jung** eines dieser begatteten Weibchen, das ihm aus Markt-Steft als eine ausserordentliche Seltenheit zugeschickt worden, erhalten. Es war in den ersten Tagen des May. In kurzer Zeit hatte sie über funfzig gerundete Eyer von weißlich-gelber Farbe gelegt. Diese färbten sich nachgehends in das Goldglänzende mit blaulicher Schattirung. In den durchsichtigen Schaalen, waren dann die Räupgen sehr deutlich zu sehen. Am vierzehenden besagten Monaths hatten sie sich sämtlich daraus entwickelt. Sie waren grau mit etwas grünlicher Haut, und mit dünnen Haaren von weißlicher Farbe bekleidet. Ich gab ihnen Blätter von unterschiedenen Obstbäumen, Graß und niederen Kräutern, die sie auch ohne Unterschied benagten. Doch hatten sie gleichfalls den Salat den übrigen Speisen vorgezogen. Ueberhaupt sind sämtliche Bärenraupen, größtentheils nicht an eine bestimmte Pflanzenart gewöhnt. Doch wenn Herr Körner, nach dem Bericht des Herrn Kleemanns solche auf der Wolfsmilch will angetroffen haben; so muß uns dieses sehr befremdend scheinen. Es ist wenigstens von ihrer Vielfrässigkeit die äusserste Probe. Herr Cammerrath Jung hatte wie ich, gleiche Versuche mit dieser Fütterung gemacht. Allein die Räupgen giengen dabey sämtlich verlohren. Doch ich habe die weitere Geschichte der Erziehung dieser Raupen bey ihrer am meisten anständigen Kost, zu erzehlen. Sie häuteten sich bey meiner Pflege den 19ten May zum ersten, und dann den 28ten zum zweytenmahl. Noch zeigten sie keinen Unterscheid, ausser der Gröse, so wie bey der dritten Häutung, welche den 9ten Junius erfolgte. Sie fielen lediglich etwas schwärzer und dunkler aus. Den 30. Junius hatten sie zum viertenmahl diese Veränderung angegangen, wo nur die Haare über den Rücken mehr ins Schwärzliche, zur Seite aber ins Röthliche fielen. Den 14ten Julius hatten sie zum fünftenmahl ihre Haut abgelegt, und behielten dann die beständige Farbe, welche die Abbildung der vorliegenden dritten Figur erweißt. Sie waren ganz dunkelschwarz mit langen, an dem Ende grau gefärbten Haaren. Zur Seite der Luftlöcher und nach der untern Fläche waren sie rothbraun. Von der gemeinen Bärenraupe zeigten sie sich schon nach dem äusserlichen Ansehen, genugsam verschieden. Es mangelten ihnen die weissen Knöpfe, welche jener so eigen sind. Um diese fünfte Häutung anzugehen, hatten sie sich sämtlich zerstreut und sichere Orte gesucht, wo sie ein paar Tage hernach in geraumigen Gespinnsten, als wollten sie verpuppen, sich eingeschlossen haben. Doch kamen sie nach überstandener Häutung wieder hervor, und nährten sich mit größter Begierde. Bisher betrug die ganze Länge der größten Raupe, sieben Linien, und in sitzender Lage, kaum fünf. Die Dicke des Körpers aber, war im Verhältniß um so grösser, sie hatte gegen zwey Linien gemessen. Leider hatte nach einigen Tagen ein Zufall, die weitere Hofnung einer zwar mühsamen Erziehung vernichtet, es gieng mir diese zahlreiche Nachkommenschaft auf einmahl verlohren. Dagegen erhielte ich im folgenden Jahr, bereits in der Mitte des März einige ausgewachsene Raupen, welche sich in der nahe gelegenen Gegend bey Bach auf einer Wiese sehr häufig fanden. Sie genossen noch etliche Tage ihr vorgelegtes Futter, und verwandelten sich ohne weitere Mühe vollkommen. Aus diesen Umständen ist genugsam zu ersehen, daß sie auch im folgenden Jahr noch mehrere Häutungen angehen, oder wenigstens schon in erwachsener Gröse überwintern. Ihre Erziehung vom Ey ist sonach sehr mißlich und mühsam, wenn die Raupen auch sonsten keine Zärtlinge sind.

Ihre Verwandlung pflegen sie auf einerley Art wie die gemeine Bärenraupe anzugehen. Nur ist das Gewebe von einem noch gröseren Umfang, und von stärkeren Fäden. Die Chrysalide ist dicker, aber von minderem Glanz. Sie führt eine kurze und borstige Endspitze. Meine Exemplare hatten eine Zeit von vier Wochen zu Entwickelung der Falter nöthig.

Die Phalene ist wohl ohne weitere Anzeige nach vorliegender Abbildung beyder Geschlechter kenntlich genug. Der gröste Theil den die Fläche einnimmt, ist nach den Vorderflügeln, das Schwarze; sie ist die Grundfarbe, sonst könnte man mit näherer Befugnis das Weise dafür erkennen, dann würden aber dieses die Binden seyn. Doch darauf kommt es nicht an. Die Unterflügel sind ein sehr erhöhetes Rosenroth mit schwarzen abgesonderten oder zusammenhangenden Flecken. Das Männchen führt eine sehr haarigte Endspitze des Hinterleibs, das Weibchen aber einen glatt übereinander liegenden Schopp von dunkelbrauner Farbe, dabey sind die schwarzen Fühlhörner, wie gewöhnlich, sehr dünne. Nach einer grosen Anzahl Exemplare haben sich Abänderungen von gewöhnlicher Art vielfältig entdeckt. Sie beziehen sich auf die unterschiedene körperliche Gröse des Falters, und die Form seiner Zeichnungen. Nimmt man das Schwarze für die Bin-

Binden an; so bemerke ich, daß die beyde mittlere öfters zusammen geflossen erscheinen, ohne, wie nach der zweyten Figur, weißliche Flecken zu haben. Dieß ereignet sich auch an denen der Grundfläche und gegen die Spitze. Es ergiebt dieß sonach keinen wesentlichen Unterschied des Geschlechts. Gemeiniglich sind die schwarzen Binden mit einem ockergelben Saum umzogen, und dieß abermahls nach beyderley Sexus.

Der zwey und vierzigste europäische Nachtschmetterling.
PH. BOMB. EL. AL. DEPR. DORSO LAEVI. VILLICA.
Weißfleckigter Bärenfalter. Der schwarze Bär.
L'écaille marbrée. GEOFFR.

Tab. XXXV. Fig. 1. Der männliche, Fig. 2. Der weibliche Falter. Sämtlich von beyden Seiten. Fig. 3. Die Raupe nach gestreckter Stellung. Fig. 4. Im ruhenden Stand und zugleich nach Veränderung des Colorits. Fig. 5. Das Gehäuse. Fig. 6. Die Chrysalide nebst der abgestreiften Raupenhaut.

Syst. Nat. Ed. XII. Sp. 41. Ph. B. Villica. (Spirilinguis?) alis deflexis atris: maculis octo albidis, inferioribus flavis nigro-maculatis. Ohnzünglichter Spinner mit acht weissen Flecken auf den Vorderflügeln in dunkelblauer oder mehr schwärzlichen Grundfarb, nebst hochgelben schwarzfleckigten Unterflügeln.

Müllers Uebers. des Natursyst. V Th. I B. S. 664. Tab. XXII. fig. 3. Der Raumfleck.

FABRICII Syst. Ent. pag. 581. nr. 85. — Spec. Inf. p. 197. nr. 118. Villica. Linn. Charackter.

SCOPOLI Ent. carn. p. 203. nr. 504. Ph. Vill. Long. unc. 1. et lin. 1. Lat. 7 1/2. Alae anticae nigrae, maculis octo isabellatis albisve. Posticae flavae cerae colore; maculis apiceque nigris.

PODA Inf. 88. Ph. Vidua.

GEOFFROI Hist. der Inf. T. II. p. 106. nr. 7. Ph. pectinicornis elinguis; alis deflexis, superioribus atris, arcis flavescentibus; inferioribus luteis nigro-maculatis abdomine rubro. Long. 1. pouce.

WILKES engl. Moth. a. B. p. 18. Tab. III. a. 2.

System. Verz. der Wiener Schm. S. 53. Fam. E. nr. 7. B. Villica. Spinatspinner. (Spinaceae oleraceae.)

Berliner Magazin II. B. S. 404. nr. 14. Ph. Villica. Die schwarze Bärenmotte. Die Oberflügel schwarz mit weissen Flecken; die Unterflügel gelb mit schwarzen Flecken.

RAII Hist. Inf. p. 156. nr. 4. Phal. media, alis oblongis; exterioribus nigris, maculis maiusculis ochroleucis illitis; interioribus luteis, maculis nigris depictis.

MÜLLER Faun. Frider. pag. 42. nr. 376. Ph. Villica. — Zoolog. Dan. Prodr. p. 118. nr. 1360.

Füeßli Schweiz. Inf. S. 35. nr. 657. Ph. Villica. Die schwarze Bärmotte.

Fischers Naturgesch. von Livland, S. 151. nr. 350. Ph. Vill. Der Raumfleck.

Syst. naturel du regne animal II. p. 144. nr. 13. Phalene de l'Ortie a feuille ovale.

Kleemanns Raupencalender p. 10. nr. 5. Ph. Vill. Der schwarze Bär. Der Raumfleck. S. 24. nr. 51.

Naturforsch. IX. St. S. 223. (Hollar Inf. Tab. VI. fig. 7. Tab. VIII. fig. 4.)

Göze entomol. Beytr. III. Th. II. B. S. 327. nr. 41. Villica. Der schwarze Bär.

Jung Verzeichniß europ. Schmett. S. 151.

ONOMAST. Hist. nat. P. VI. p. 415. Ph. Vill.

BECKMANN Epit. S. L. p. 163. nr. 41. Ph. Vill.

Gleditsch Forstwissensch. I. Th. S. 359. nr. 2. Ph. Vill. Der Rüsternspinner. Die schwarze Bärenmotte. II. Th. S. 977. nr. 20. Ph. Vill.

Gladbachs Catal. Der Jenaische Bär.

Rösels Inf. Belust. IV. Th. S. 192. Tab. 28. fig. 3. Ein zur zweyten Classe der Nachtvögel gehöriger ungemein schöner kohlschwarzer Papilion mit weissen Flecken und oraniengelben schwarzgefleckten Unterflügeln nebst carminrothen Hinterleib. — S. 197. Tab. 29. fig. 1-4. Die zur Nachtvögel II. Cl. gehörige seltene braunhaarige Bärenraupe mit rothem Kopf und Füssen.

REAUMUR Mem. d. Inf. T. I. p. 459. Pl. 31. fig. 1-6. Chénille pourvue d'aigrettes de poils, disposés en rayons.

SCHAEFFER Icon. Inf. Ratisb. Tab. 130. fig. 1.

Frisch Beschreib. der Inf. X. Th. S. 3. nr. 2. 1. Pl. Tab. 2. Der Nachtf. mit schwarzen und weißfleckigten Oberflügeln, pomeranzengelben Unterflügeln und rothem Leibe.

Bibliothec. reg. Parif. pag. 14. figurae omnes. GEOFFR.

PETIVERI Gazophyl. Tab. 33. fig. 10-12.

ALBINI Hist. Inf. Tab. 21.

MERIAN europ. I. Tab. VI.

HARRIS engl. M. 2. B. 9. Tab. 4.

Die Raupe, aus welcher sich diese sehr nett gezeichnete Phalene entwickelt, zeigt nach ihren Naturtrieben sehr wenigen Unterschied von denen der erstbeschriebenen Arten. Sie bedient sich eben so manchfaltiger Fütterung wie jene. Ihre gewöhnlichste Kost sind Gräser (gramina) und die Blätter niederer saftreicher Gewächse. Von dem Ey an, kommt sie das erste Jahr noch nicht zur vollkommenen Gröse. Sie überwintert und gehet dann noch zwey oder mehrere Häutungen an. Man findet sie daher schon in den ersten Tagen des Frühlings. Herr Doctor Kühn in Eisenach hatte die Güte, mir zwey derselben schon in der Mitte des Aprils vorigen Jahres aus dasiger Gegend zu übersenden. Sie sind es, die nach der dritten und vierten Figur dieser Tafel in genauester Abbildung dargestellt worden. Sie hatten bereits eine zöllige Länge erreicht. Und auch in diesem Ausmaas war ihnen die strengste Kälte des Winters ohne Nachtheil gewesen. Die Farbe ist schwarzbraun, auf der etwas lichtere Knöpfe sich zeigen, der Kopf und die Füsse aber führen ein dunkles schwärzliches Roth. Die dickfilzigten Haare sind sehr kurz und die vorderste Ringe in gemächlicher Abnahme verdünnt. Schon nach zwey Tagen hatten sie ihre letzte Häutung angegangen. Die Füsse und der Kopf färbten sich dann in ein helles Roth, die Haare erschienen feiner auch länger und sonst von dunkelschwärzlicher Farb mit einigem Glanz. Zur Seite zeigten sich die Luftlöcher als weisse schwarz eingefaßte Punkte. Nach zwölf bis vierzehen Tägen fertigten sie endlich ihr Gewebe, in welchem sie sich darauf erst nach vier Tägen in Chrysaliden verwandelt hatten. Dieß Gespinnste ist nicht so geräumig als es Rösel vorgestellt. Es war ein eyrundes Gehäuse von dünnen braunen Häuten, wie es die Abbildung der fünften Figur nach seiner Gröse und Form auf das genaueste ergiebt. Die Haare werden größtentheils darinnen verwebt. Schon nach Verlauf zweyer Wochen sind die Phaleuen ausgekommen, und zwar den vierten May. Sie hatten beyderley Geschlechter ergeben. Die Raupe der vierten Figur war um vieles stärker von dunklerer Mischung, mit gilblich gefärbten Luftlöchern. Es hat sich aus deren Chrysalide der weibliche Falter entwickelt.

Beyde Geschlechter der Phalene sind wenig bedeutend von einander verschieden. Die mehr in die Länge gestreckte Flügel und die stärker gekämmte Fühlhörner ergeben den beträchtlichsten Abstand. Die Grundfarbe der Vorderflügel ist ein sehr dunkles, etwas ins blaulichte spielende Schwarz. Die gerundete Flecken sind von hellglänzendem Weiß, an dem Weibchen hingegen mehr ins Gilbliche gemischt *m*). Der Leib ist hochroth mit schwarzen Punkten über den Rücken. Die Hinterflügel führen ein sehr satt gemischtes Gelb, das auf der Unterseite gegen den Rand mehr mit Zinnoberroth vermengt ist. In der Mitte finden sich zwey Reihen ungleichförmiger Punkte und Flecken von schwarzer Farb, so wie auch die vordere Flügelspitze damit in beträchtlicher Breite eingefaßt ist Auf dieser zeigen sich ein paar gelber Punkte, die aber in einigen Exemplaren fehlen. Von Abänderungen sind mir keine erhebliche Verschiedenheiten bekannt. Sie beziehen sich lediglich auf einen oder den andern fehlenden Flecken und dessen abweichende Bildung. Doch hat man eine Art, die über die Hälfte kleiner ist und eine etwas veränderte Bildung der Zierrathen besitzt. Man will beobachtet haben, daß diese sie eigene Racen sind. Es ist aber schon bey der Ph. Caja bekannt, wie sehr die Erziehung zu ändern pflegt, und diese Gattung kommt nach der Natur jener am nächsten.

Der drey und vierzigste europäische Nachtschmetterling.

PH. BOMB. EL. AL. DEPRES. DORSO LAEVI. PLANTAGINIS.

Der Wegerichspinner.

L'écaille brune. GEOFFR.

Tab. XXXVI. Fig. 1. Der weibliche Falter mit rothen Unterflügeln. Fig. 2. Der männl. mit orangefärbigen. Fig. 3. Eine Abänderung mit gelblicher Farbe und geraden Strichen auf den Hinterflü-

m) GEOFFROI beschreibt diese Phalene in oben angeführten Ort sehr ausführlich und genau; doch sagt er, stimme sie mit den Charakteren des Herrn von Linne nicht überein, und es müste derselbe, wenn auch die Citate der angeführten Schriftsteller richtig sind, eine andere Gattung, die Hera, (la Ph. Chinée) gemeynt haben. Seine Worte sind: On voit par ce détail, que la phrase & la description de M. LINNE ne conviennent guéres a notre phalene, quoiqu'il donne plusieurs de Citations que nous marquons. *Elle n'a point*, comme il le dit, *des taches noires avec des bandes blanches.* (Ich finde dieß weder in der X. Ausgabe, die GEOFFR. gebraucht, noch in der XII. wo nachgehends Linne sich doch auf diese Beschreibung selbsten bezogen,) mais elle est noire avec des taches blanchâtres. (So beschreibet sie auch Linne und gedenkt nirgends der schwarzen Flecken.) Il sembleroit avoir voulu designer plutôt, une autres espéce, que nous appellons la *Phalène Chinée*, — mais qui n'a point les antennes pectinées. Es scheint Geoffroi habe die Charaktere von der folgenden Gattung des Systems, der Ph. Plantaginis mit der Villica verwechselt, wodurch diese Irrung sehr wahrscheinlich entstanden.

geln. Fig. 4. Dergleichen von weiſſer Farb. Fig. 5. Ein Weibchen in gewöhnlicher Zeichnung und Colorit. Sämtlich nach der Ober- und Unterſeite. Fig. 6. Die Raupe nach der zweyten Häutung. Fig. 7. In ausgewachſener Gröſe. Beyde auf dem gröſeren Wegerich, Plantago major L. Fig. 8. Die Chryſalide.

LINN. S. N. Ed. XII. Sp. 42. Bomb. Plantaginis; elingüis, alis deflexis atris: rivulis flavis; inferioribus rubro-maculatis. Ohnzünglichter Spinner mit niedergebogenen ſchwarzen Flügeln und gelben durchkreuzenden Binden, nebſt rothen ſchwarzfleckigten Hinterflügeln. Ed. X. Sp. 25. — inferioribus rubris nigro maculatis. Faun. Su. ed. nov. nr. 1132. Gothländiſche Reiſe 273.

Müller Ueberſ. des Naturſ. V. Th. I. B. Sp. 42. Ph. Plant. Die ſpaniſche Fahne.

GEOFFROI Hiſt. d. Inf. T. II. p. 109. nr. 10. Phal. pectinicornis elinguis; alis deflexis; ſuperioribus fuſcis, maculis luteis, inferioribus rubris; maculis quatuor nigris. Long. 8. lign.

FABRICII S. E. pag. 580. nr. 83. B. Plant. Alis deflexis atris, rivulis albis; poſticis luteis; margine maculisque nigris. — Larva piloſa atra, dorſo brunneo. Pupa atra. — *Sp. inſect.* p. 196. nr. 115. — Mas alis poſticis luteis, foemina coccineis.

SCOPOLI Entom. carn. pag. 205. nr. 507. Ph. Alpicola. Long. lin. 7 1/2. Lat. 4. Fuſca; alis anticis maculis rivulisque albis; poſticis limbo ochraceo, maculis fuſcis. In gramineis alpium Vochinenſium. — Ann. V. hiſt. natur. p. 114. nr. 122. Ph. Plantag. Linn. omnino mea Alpicola.

Syſtem. Verz. der Wiener Schmett. S. 53. Fam. E. nr. 4. Ph. B. Plant. Wegerichſpinnerraupe. — Nachtrag. S. 310. zur Fam. E. Ph. Hoſpita. Mit weiſſer Grundfarbe der ſämtlichen Flügel.

Fueßli Schweiz. Inſ. S. nr. 658. Ph. Plantag. Die ſpaniſche Fahne.

Müller Faun. Fridrichsdal. p. 41. nr. 372. Ph. Plant. — Zoolog. Dan. Prodr. pag. 118. nr. 1361. Ph. Plant.

ONOMASTIC. Hiſt. nat. P. VI. p. 398. Ph. Plantag. Der Wegerichvogel.

Götze Entomol. Beytr. III. Th. II. B. p. 328. nr. 42. Plantag. Der Wegerichſpinner.

Jung Verzeichn. europ. Schmett. S. 108.

BECKMANN Epit. Syſt. Linn. p. 164. nr. 42. Ph. Plant.

Kleemanns Raupencal. S. 66. nr. 188. — S. 83. nr. 240. Ph. Plant.

Gladbachs Catal. Das rare Bärchen.

Röſels Inſ. Bel. IV. Th. S. 167. Tab. 24. Die kleine ſchwarze und ziegelrothe Bärenraupe nebſt ihrer Verwandlung in einen ſehr ſchönen zur 2ten Cl. der Nachtvögel gehörigen Papilion.

SCHAEFER Ic. inf. Ratisb. Tab. 92. fig. 5—7.

WILKES engl. M. a. B. 24. Tab. III. a. 15.

Diese Gattung ist nach den Abänderungen so mannichfaltig verschieden, als wir sie irgend bey einer der vorbeschriebenen Arten noch wahrgenommen. Ich habe deßhalb einige der gewöhnlichsten, nach fünffacher Veränderung auf dieser Tafel vorgestellt. Sehr leicht wären noch etliche Platten damit anzufüllen. Doch dieß sind die vorzüglichste, wo selbsten die Gattungsrechte noch strittig sind. Ich habe nur ein einziges mahl diese Raupe erzogen, und sehe mich nicht vermögend, das Gewisse zur Zeit entscheiden zu können. Doch finden wir diese sämtliche Arten in unseren fränkischen Gegenden, und öfters in einem kleinem Bezirk beysammen. Man trift sie des Sommers, auf freyen blummenreichen Plätzen in Waldungen und vorzüglich auf Gebürgen an. Die Herren Verf. des Syst. Verz. hatten die Vermuthung geäusert, die Art mit weissen Flügeln, oder die nach der 4ten Figur dieser Tafel, für eine einige Gattung zu erklären. Nach Maasgabe der Bestättigung hatten sie derselben den Namen Hospita einstweilen ertheilt. Die Phalenen sollen sich, wie sie erwähnen, in ihren Erzeugungen gleich bleiben, und auch in einigen Gegenden ganz alleine, von jenen abgesondert erscheinen. Gleiches versicherte mich auch Herr Devillers von denen in Lion und auf den savoyischen Gebürgen gefundenen Faltern, wovon ich einige mitgetheilt erhalten. Ich habe von den unsrigen nicht den mindesten Unterschied daran wahrgenommen, und diese fanden sich auch mit den übrigen beysammen.

Schon bey dem weiblichen Geschlecht ist das Abweichende nach den gewöhnlichen Gesetzen in dem Unterschied des Colorits, sehr sonderbar. Es haben die Hinterflügel eine schönere Grundfarb, sie sind von sehr erhöhetem Roth. Bey dem Männchen ist sie gelb, jedoch in unterschiedenen Grad der Mischung. Die Gestalt der Zeichnungen und Flecken, wie die erste Figur dieser Tafel ergiebt, ist die gewöhnlichste. Bey andern Exemplaren hingegen, weicht sie um so beträchtlicher ab. Man will die Grundfarbe der Hinterflügel auch an den Männchen von gleichem Roth, wahrgenommen haben. Ich habe wenigstens einen sehr nahen Uebergang der Mischung bemerkt, wie die zweyte Figur ergiebt, wo diese Flügel dunkel pomeranzenfärbig, und zum Theil mit Roth gerandet sind. Man hat sie auch nach einigen Ausarten, die nicht sonderlich selten sind, ganz schwarz. Andere führen diese Fläche nur zur Hälfte damit bemahlt. Dagegen findet sich an dem Rand eine gelbe Binde mit zweyen, auch zuweilen nur einem einzelnem schwarzen Flecken. Die fünfte Figur stellt nach einem eigenen Original aus hiesiger Gegend, eine dergleichen Abänderung vor. Von denen aus dem Blaßgelben ins Weisse übergehenden Arten giebt die dritte und vierte Figur ein Muster. Anstatt der schwarzen Grundfläche der Hinterflügel, und deren Flecken, zeigen sich bey vielen Exemplaren, schmale, gerade ausgehende Striche, wie hier die dritte Figur erweißt. Doch sind sie öfters auch breiter, und von veränderter Form, so wie nach der vierten Figur, ein Exemplar beygebracht ist, wo die Binden der Vorderflügel und die Grundfarb der Hinterflügel ein einförmiges Weiß haben. Diese sämtliche Veränderungen der Flecken, findet man von einerley Bildung, sowohl auf einem hochgelbem als blassen und weissem Grund. Doch habe ich noch kein Original gesehen, wo auf einem rothen Grund der Hinterflügel, sich die einfachen Striche an der Grundfläche der Hinterflügel, nach dem Muster der dritten Figur sich fänden. Sie hatten sämtlich diesen Raum mit Schwarzen ausgefüllt, oder waren zuweilen nur mit einem oder dem andern Flecken geziert. Die Fühlhörner sind sehr geschmeidig und fein gefiedert. Die Fasern zu beyden Seiten liegen an dem Stiel gedränge an, doch kann sie der Falter rechtwinklicht ausbreiten. Bey dem Weibchen sind sie mehr fadenförmig gestaltet.

Die Raupen sind nach ihrem zweyfärbigen Gewand leicht kenntlich. Die ganze Grundfarbe ist ein mattes Schwarz. Die sechs mitlere Ringe sind über den Rücken rothbraun gefärbt. Uebrigens ist die Fläche mit unterschiedenen Knöpfen besezt. Die Haare an den lezten Ringen sind von vorzüglicher Länge, die sich aber nachgehends wiederum verkürzen. Die siebente Figur stellt eine dieser Raupen am größten Ausmaas vor Augen, und die sechste in dem Alter der zweyten Häutung. Ihre Nahrung sind unterschiedene niedere Gewächse. Am meisten werden sie auf dem Wegerich, wovon sie auch die lateinische Benennung erhalten, gefunden. Rösel erzog sie mit dem blauen Nachtveil (Hesperis matronalis Linn.) Sie lassen sich auch gleichfalls mit Salat, wie er schon versuchte, erziehen. Der Wachsthum gehet sehr langsam von statten. Von den Eyern eines gegen Ende des Junius erhaltenen Weibchen, wo sich diese Falter ebenfalls auch bey uns einzufinden pflegen, kamen nach 14 Tagen, wie Rösel erzehlt, die Raupen hervor. Sie hatten, ohne sonderlich ihre Gestalt zu verändern, zu Anfang des Septembers die fünfte Häutung zurückgelegt. Sie suchen einen sicheren Aufenthalt zum Schutz für die Ungemächlichkeiten des Winters, wo sie ohne weitere Nahrung zu geniesen, eine so geraume Zeit, bis in den März des kommenden Jahres verbringen. Hier belebt sie die Frühlings-Sonne wie andere von neuem, und dann wird noch die letzte Häutung angegangen. Ich fand sie noch zu Ende des May in ausgewachsener Grösse, wo auch ohne Anstand die weitere Entwickelung erfolgte. Die Erziehung vom ersten Jahr hingegen ist gemeiniglich sehr mißlich.

Die Raupen verwahren ihre Chrysalide in ein sehr dünnes Gespinnste von weissen Fäden. Diese ist von dunkelschwarzer Farb, und nach beyderley Geschlechtern, noch durch die mehr oder mindere Geschmeidigkeit des Hinterleibs verschieden. Schon in Zeit von vierzehn Tagen erfolgt die vollkommene Entwicklung der Falter. Es ereignet sich dieß, wie ich schon erwähnt, in der Mitte des May. Noch treffen wir aber auch bis zu Ende des Julius die Phalenen, wiewohl zum Theil sehr verflogen an.

Der vier und vierzigste europäische Nachtschmetterling.

PH. BOMB. EL. AL. DEPRES. DORSO LAEVI. MONACHA.

Die Nonne. Weisser schwarzstreifigter Spinner.

Tab. XXXVII. Fig. 1. Der männliche Falter. Fig. 2. Der weibliche. Beyde von der Ober- und Unterseite. Fig. 3. Die Raupe auf einem Fohrenzweig. Fig. 4. Die männliche. Fig. 5. Die weibliche Chrysalide. Fig. 6. Eine Abänderung des männlichen Falters.

LINN. Syst. Nat. Edit. XII. Sp. 43. — Edit. X. Sp. 26. — Faun. Suec. ed. nov. nr. 1150. B. Mon. Elinguis, alis deflexis; superioribus albis atro-undatis, abdominis incisuris sanguineis. Ohnzünglichter Spinner mit niederhangenden weissen Vorderflügeln und schwarzen wellenförmigen Zügen, nebst rothen Einschnitten an dem Hinterleib.

Müllers Uebers. des Natursf. V Th. 1 B. S. 665. pag. 43. Die Nonne.

SCOPOLI Entom. carn. pag. 196. nr. 490. Ph. Monacha. Long. lin. 9. Lat. 4. Alae albae; maculis marginalibus striisque transversis, undulatis, fuscis; posticae fascia obsoleta obscuriore. Incisurae abdominis rubrae; antennae nigrae.

FABRICII S. E. pag. 574. nr. 58. B. Mon. — *Sp. Inf.* p. 188. nr. 81. Habitat in Salice, Malo, Larice, Rubo. *Larva* fusco-cinerea, fasciculis dorsi rubris, segmento secundo macula cordata nigra.

RAII Hist. inf. p. 158. nr. 7. Phal. media ex cinereo albicante et nigro coloribus varia. — p. 159. nr. 8. Eruca rubum idaeum depascens.

System.

Syftem. Verzeichniß der Wiener Schmett. S. 52. Fam. D. Knopfraupen. Larva nodofae; weißlichter Spinner; Ph. Bomb. albidae; nr. 5. Ph. Monacha. Apfelspinnerraupe. (Pyri Mali.)

Berliner Magaz. II B. S. 404. nr. 15. Ph. Mon. Die Nonne. Weiß und grau schattirt, mit geschwungenen und stark ausgezackten Querlinien.

Gleditsch Forstwissenschaft. I. S. 645. nr. 5. Ph. Monacha. Die Nonne. — II Th. S. 739. nr. 23.

Götze entom. Beyträge III Th. II B. S. 330. nr. 43. Ph. Mon. Die Nonne.

Jung Verzeichn. europ. Schm. S. 91.

Gladbach Verz. Die Stadt Hamburg.

MÜLLER Zoolog. Dan. Prodr. pag. 118. Ph. Mon.

Kleemanns Beytr. I. S. 273. Tab. 23. Die großköpfige, breitleibige, graulichbraun und weißfleckigte haarige mit einem dunkelblauen Rückenflecken und blauen Knöpfgen gezierte Baumraupe, mit ihrer Verwandlung in einen Nachtpapilion der zweyten Classe. — Raupencal. S. 26. nr. 60. Ph. Mon.

WILKES engl. M. a. B. Tab. 3. a. 4.

SCHAEFFER Icon. Inf. Ratisb. Tab. 68. fig. 2. 3.

MERIAN. Europ. Inf. Tab. XXII. p. 41. Tab. XXVIII. p. 53.

Beyde in der Ordnung folgende Tafeln enthalten zwey Gattungen, die nach ihrer Stuffenfolge in der That am genauesten verbunden sind. Sie haben nach der Raupe und dem Falter unter sich die nächste Aehnlichkeit gemein. Nach ihren Naturtrieben aber sind sie noch mehr als nach ihrer äusserlichen Bildung verschieden. Diese lebt einsam und wird unter die Seltenheiten gerechnet, jene aber ist gesellig und wegen ihrer Verwüstungen in unseren Gegenden allgemein gehässig. In den mehr nördlich gelegenen Erdstrichen, wo jene hin und wieder angetroffen wird, ist dagegen die Ph. Dispar eine desto gröser geschätzte Seltenheit. Hr. von Linne hat sie nicht in seiner Fauna Suec. angegeben, und nach den mir mitgetheilten Nachrichten ist sie in weit näheren Gegenden sowohl, als den noch mehr entfernten, keineswegs vorhanden. Doch ich habe die Naturgeschichte dieser in Abbildung vorliegenden Gattung zuerst zu erzehlen. Es ist aber hier in kurzer Anzeige das erheblichste bald gesagt.

Die Raupe scheint sich nicht an ein eigenes Pflanzengeschlecht gewöhnt zu haben. Nur ist ihr Geschmack darinnen ganz eigen, daß sie sich von Blättern der Bäume, keineswegs aber von den der niederen oder nicht ausdauernden Gewächse ernährt. Nach meinen Urkunden finde ich ein ziemlich zahlreiches Verzeichniß der Kost, deren sie sich von unterschiedenen Bäumen bedient. Ich fand sie aber in unseren Gegenden lediglich auf der Eiche und Fohre. Doch hat es mir bey zahlreicher Erziehung niemahlen geglückt, sie mit den Blättern der erstern aufzubringen, so leicht es mit denen so trocken scheinenden Nadeln der Fohre erfolgte, womit sich auch ihre Erziehung um so mehr erleichtert. Nur dann, wenn sie schon ihre fast vollkommene Grösse erreicht, liesse sie sich die vorgelegte Eichenblätter noch zur Noth belieben. Sie gelangt niemahlen zu einen beträchtlichen Wuchs, welcher doch nach der Dicke des Körpers, und der ausserordentlichen Stärke des Kopfes, nach den ersten Erfahrungen zu vermuthen ist. Dadurch ist sie schon genugsam in Vergleichung der Ph. Dispar verschieden. Niemahlen führt sie auch eine so dunkel schwarzbraune Farb, sie ist vielmehr ganz lichtgrau, nach den Haaren und der Haut gefärbt. Ich übergehe die genaue Bestimmung so manchfaltiger Linien, Punkte und Flecken von dunklerem Colorit, welche die Abbildung nach ihrer Lage und Bildung auf das genaueste zeigt. Den Abstand von der ersterwähnten Ph. Dispar darf ich eben so wenig umständlich erweisen. Der am meisten auszeichnende Charakter, ist ausser der übrigen leicht zu bemerkenden Verschiedenheit, ein dunkler herzförmig gestalteter Flecken über den Rücken des zweyten Rings, auf einem weißlichten Grund. Jede Ringe sind noch mit verschiedenen Wärzgen besetzt, die theils eine blaue theils braune Farbe haben. Auf demselben stehen die borstenförmige meistens graue oder auch schwarze Haare. Die Natur hat dieser Raupe eben keine Behendigkeit in ihrer Bewegung verliehen, die sie auch wohl nicht nöthig hat. Sie kann dafür um so geschickter auf den spitzigen Nadelblättern der Fohre, die andere so leicht verletzen, ohne Beschädigung wandern, und offene Wege finden.

Bey vollkommen erreichten Wuchs, vermindert sich ihre Gröse, und dann ist sie ihrer Verwandlung sehr nah. Sie gehet solche ohne besondere Kunsttriebe an, da sie sich nur ein leichtes Gewebe zwischen den Blättern erbauet. Für den kurzen Raum von vierzehen Tagen, oder längstens von drey Wochen, nach welcher die Entwicklung der Phalene erfolgt, ist sie in diesem Aufenthalt auch genugsam geschützt.

Die Chrysalide hat dagegen eine ganz eigene Bildung. Ihre Farbe ist rothbraun, mit goldglänzenden Schiller vermengt. Jede Ringe, besonders über den Rücken, sind mit büschelförmigen Haaren besetzt. Die Endspitze führt kurze hackenförmige Borsten. Schon in diesem Stande sind beyderley Sexus sehr deutlich nach der äusseren Bildung zu unterscheiden. Die männliche Chrysalide ist über die Hälfte kleiner, und die Ringe des Hinterleibs sind mehr in eine geschmeidige Spitze verdünnt. Die weibliche hingegen hat eine beträchtlichere Stärke, sie ist auch mehr bauchig gestaltet. Beyde äussern bey dem Berühren eine sehr lebhafte Bewegung.

Der Unterschied beyderley Geschlechter ist nach den Zeichnungen der Flügel, nicht auffallend genug verschieden. Es haben beyde eine weisse doch in ihrem eigenem Grad nicht allzuhelle Grundfarb. Die wellenförmige Streife und Flecken von schwarzer Farb, sind in einem wie dem andern gleichförmig vorhanden. Den beträchtlichsten Abstand ergeben die so stark gefiederte Fühlhörner des Weibchens, und dessen geschmeidige, mit auseinander stehenden Haarbüschel besetzte Endspitze des Hinterleibs. Auf diesem zeigen sich rosenfärbige Ringe, welche bey dem Weibchen, nach der grösseren Stärke des Körpers, um so sichtlicher sind.

Auch hier sind Abänderungen sehr gemein, und nach der stärkern oder feinern Zeichnung, so wie der Gröse selbsten beträchtlich verschieden. Eine der merkwürdigsten habe ich nach der sechsten Figur dieser Tafel dargelegt. Sie findet sich in der Sammlung des Herrn Walthers, welche mehrere Seltenheiten enthält, die ich zum Theil nach deren Besitz, unangezeigt gelassen. Bey dem Verlag dieses Werkes ist es Demselben die vorzüglichste Angelegenheit, sich um den vollständigsten Vorrath dieser Insektenarten zu bewerben. Bereits wurde auch dahin zu Beybringung der Inn- und Ausländischen Gattungen, ein ausserordentlicher Aufwand geleistet, welcher die zugleich angelegte Conchylien- und Mineralien-Sammlung nach ihrem vorzüglichem Werth sich nähert, und vielleicht auch in Zukunft noch übertrift. Die eben angezeigte Ausart fand sich in der Gegend von Leipzig, wo sie aus der Raupe mit andern zugleich erzogen worden. Die Vorderflügel führen auf einem hellweissen Grund ungemein verstärkte Züge von schwarzer Farb, mit der auch der innere Raum beynahe ganz ausgefüllt ist. Die Hinterflügel sind braun mit einer Reihe weisser Flecken, an dem Rand bezeichnet. Dieß alles giebt der Phalene ein sehr befremdendes Ansehen, doch ist sie lediglich Abänderung.

Der fünf und vierzigste europäische Nachtschmetterling.
BOMB. ELING. AL. DEPRES. DORSO LAEVI. COENOBITA.
Die Cönobita. Weißgrauer schwarzfleckigter Spinner.

Tab. XXXVII. Fig. 7. Die weibliche Phalene nach der Ober- und Unterseite.

B. Elinguis alis deflexis: superioribus albis atro-maculatis, abdomine fusco.

Diese Phalene ist gegenwärtig noch eine einzelne Seltenheit, die sich in unseren Gegenden vor wenigen Jahren entdeckte. Es traf solche Herr Hofrath **Rudolph** in einer nah gelegenen Waldung an dem Stamm eines Eichbaums sitzend an. Sie kommt in ihrer Bildung der Ph. Monacha sehr nah und ist wenigstens in der Ordnung auf das genaueste mit derselben verbunden. Die Züge auf den Vorderflügeln zeigen sich aber in ganz veränderter Lage. Es sind überdieß grösere Flecken und in mehrerer Zahl vorhanden. Unter diesen nehmen sich die, gegen die Flügelspitze am meisten aus. Der Hinterleib ist braun mit vierfachen Reihen schwarzer Flecken die Länge hin gezeichnet. Den weiteren Unterscheid wird in geringer Vergleichung die Abbildung ergeben. Dieß von der Güte des Herrn Besitzers mir mitgetheilte Exemplar ist weiblichen Geschlechts. Die Fühlhörner sind sehr dünne und zur Seite noch feiner gefiedert.

Da diese Tafel bereits von unserem geschickten Künstler verfertiget worden, so erhielte ich nach der schon öfters gerühmten Unterstützung des Hrn. Gernings, auch die männliche Phalene dieser Gattung. Sie ist gleichfalls eine einzelne Seltenheit dieser so vollständigen Sammlung. Der Platz hatte es daher nicht mehr verstattet, sie in Abbildung zugleich darzulegen. Ich habe sie deswegen auf die Fortsetzungen zu verspahren, wo zu hoffen ist, daß vielleicht auch ihre Raupe möchte beygebracht werden. Der Unterschied ist nicht sehr beträchtlich. Die Fühlhörner sind schwarz und um vieles stärker, auch mehr gefiedert. Doch keinesweges von so langen federförmigen Fasern, wie es die Männchen der Ph. Monacha führen. Sie liegen an dem Stiel (rachis) sehr gedrängt an. Nach dem cörperlichen Maas ist sie um die Hälfte kleiner als das in Abbildung vorliegende Weibchen. Die Zeichnung der schwarzen Flecken aber sind nach ihrer Lage und Bildung ganz übereinstimmend, nur sind sie in einem etwas grösseren Raum verbreitet. Die Hinterflügel haben ein ganz einfärbiges schwärzliches Braun, und die Endspitze des Hinterleibs ist mit einem dergleichen Haarbüschel besetzt. Ohnfehlbar wird auch die Raupe mit der der Ph. Monacha, das nächst Gleichende haben.

Der sechs und vierzigste europäische Nachtschmetterling.
PH. BOMB. EL. AL. DEPRES. DORSO LAEVI. DISPAR.
Die Stammmotte. Phalene der großköpfigen Raupe.

Phaléne disparate. DE GEER. Le Zig-zag. GEOFF. La chénille a oreilles. REAUM.

Tab. XXXVIII. Fig. 1. Die männliche Phalene. Fig. 2, die weibliche. Fig. 3. Die gemeine Raupe. Fig. 4. Eine Abänderung. Fig. 5. Die Chrysalide in ihrem leichten Gewebe. Fig. 6. Eine Ausart des männlichen Falters.

LINN. S. N. Ed. XII. eSp. 44. Ph. B. el. al. defl. masculis griseo fuscoque nebulosis: femineis albidis lituris nigris. Ohnzünglichter Spinner mit niederhangenden Vorderflügeln, welche bey dem Männchen gelbbraun und schwärzlich nach undeutlichen Binden, bey dem Weibchen aber auf weißlichten Grund mit verblichenen dunklen Flecken gezeichnet sind.

Müllers Uebers. des Naturs. V. Th. I. B. Tab. 16. fig. 2. 11. Beyde Geschlechter. Ph. Dispar. Der Großkopf.

FABRICII Syst. Ent. p. 570. nr. 49. Bomb. Dispar. Linn. Charakt. — Spec. Inf. pag. 182. nr. 66. — habitat in Pomonae arboribus polyphaga, hortorum pestis. *Larva* pilosa albo-lineata, punctis antice caeruleis, postice rubris. Manus pruritu inficit. *Pupa* folliculata, punctis quatuor anticis nigris. Tacta in gyrum se volvit. *Mas* alis fusco nebulosis. *Foemina* duplo maior alis albis, lituris nigris, ova pilis pulverulentis obducit.

SCOPOLI Entom. Carneol. p. 197. nr. 491. Ph. D. Long. lin. 9 1/2. Lat. 5 1/2 Mas. *Mas* alis pallide ochraceis; antice supra fusco-nebulosis; posticis subtus macula fusca. *Foemina* alis albis; anticis lituris aliquot nigricantibus.

GEOFFROI Hist. d. Inf. T. II. p. 112. nr. 14. Phal. pect. el. defl. albis; fascia quadruplici transversa nigra, acute undulata. Long. 1. pouce.

DEGEER Mem. d. Inf. T. II. Part. I. p. 293. nr. 3. Ph. Disparate. — A antennes barbues sans trompe, a ailes etendues blanches avec quelques taches noires dans la femelle, & brunes a rayes ondées noiratres dans le mâle, a pattes & antennes noires dans la femelle.

RETZIUS Gen. et Sp. Inf. Degeer &c. S. 36. nr. 41.

System. Verz. der Wiener Schmett. S. 52. nr. 6. Fam. D. Ph. Dispar. Rosenspinner. Rosae centifoliae.)

Füeßli Schweiz. Ins. S. 35. nr. 660. Ph. D. Der Großkopf. — Magaz. d. Entom. S. 286.

Berl. Magaz. II. Th. S. 406. nr. 16. Ph. D. Die Schwammmotte. Weiß mit braunen, das Männchen hellbraun mit weissen Zeichnungen. III. Th. S. 8. nr. 2. Die bundknöpfige Garten- und Waldraupe.

Glaser von schädlichen Raupen. S. 39. Die Eichen- und Ulmraupe mit Ohren; die buntknöpfige Garten- und Waldraupe; die schädliche großköpfige haarige braune Raupe.

Breßlauer Samml. 1720. May. Cl. IV. Art. 6. S. 567. von den Eyern. — Junius. Art. 4. S. 661. — 1723. October Cl. 4. Art. 5. Dansskakker.

Fischers Naturgesch. von Livland S. 151. nr. 351. Ph. D. Der ungleiche Nachtschmetterling. Der Großkopf.

Neueste Entdeckungen im Rußischem Reich, I. Th. S. 371. Ph. D.

Gleditsch Forstwissensch. I. Th. S. 338. nr. 2. Ph. D. Die Schwammmotte. II. Th. S. 739. nr. 24. Ph. D. Die Stammmotte.

Schrebers öconom. Samml. XIII. Th. S. 153.

Götze entomol. Beytr. III. Th. II. B. S. 331. Ph. D. Die Stammmott.

Blumenbachs Handbuch der Naturgesch. S. 367. nr. 7. Ph. D.

ONOMAST. Hist. nat. Ph. D.

Jung Verzeichniß europ. Schmett. S. 45. Ph. D.

Leske Anfangsgr. der Naturg. I. Th. S. 469. nr. 8. Ph. D.

ONOMAST. Hist. nat. P. VI. p. 350. Ph. D.

BECKMANN Epit. S. L. p. 164. nr. 44. Ph. D.

Kleemanns Raupencalender p. 99. nr. 282. Ph. D. Die Stammmotte.

Rösels Ins. Belust. I. Th. Nachtvög. II. Cl. S. 17. Tab. 3. Die schädliche, großköpfige, haarige, braune Raupe mit roth und blauen Knöpfen nebst ihrer Verwandlung zum P.

Frisch Beschreib. der Ins. I. Th. S. 14. 1. Pl. Tab. 3. Die bundknöpfige Garten- und Waldraupe.

Bibliothec. reg. Paris. p. 27. fig. omnes. (Geoffroi.)

REAUMUR Mem. d. Ins. T. II. Pl. 1. fig. 11-14.

MERIAN. Ins. Tab. 18. 31. 72. 77. 183.

SCHAEFFER Icon. Ins. Ratisb. Tab. 28. fig. 3. 4. masc. 5. 6. foem. — Eulenzwitter mit der Baumraupe ꝛc.

Unter der beträchtlichen Anzahl der bisher behandelten Gattungen der Spinner, ist diese nächst der Ph. Neustria die zwente, welche durch Verheerungen unserer Obstbäume, sich allgemein gehässig gemacht. Die Vermehrung der Raupe ist ausserordentlich zahlreich, und nach der Gefräßigkeit, übertrift sie alle übrige Arten. Es sind derselben zwar die Blätter jeder Bäume gleich anständig, doch insgemein hält sie sich an die AepfelBirnen und Zwetschgen. Sie ist auch auf den Eichen und Weiden vorhanden, und man will sie sogar auf den Nadelhölzern angetroffen haben. Ihre Länge ist im Verhältniß der Dicke nicht sonderlich beträchtlich. Der Kopf ist von ausnehmender Gröse und mit sehr starken Kinnladen versehen. Von daher hat diese Gattung selbsten die Benennung erhalten, doch nicht von dem Kopf der Phalene, wie einige die unrichtige Auslegung gemacht haben. Er ist vielmehr im Verhältniß jeder Arten ungewöhnlich klein. Ein Umstand der in der That, bey den Gesetzen der Entwicklung eine genauere Bemerkung verdient. Wie kommt es? daß einige Raupen dieß gemeinschaftliche Behältniß der Sinnen, nach Verhältniß des Körpers in so geringer Grösse haben, das sich bey der Entwicklung des Falters nachgehends so beträchtlich erweitert, wiederum aber gerade das Gegentheil bey einigen, wie bey dieser Gattung erfolgt? Doch hier ist der Ort nicht, diese physicalische Untersuchungen umständlicher darzulegen. Es liegt mir ob, die Naturgeschichte einer so gemeinen Gattung, nach aller Kürze zu behandeln. Man wird vielmehr die Mittel verlangen, den schädlichen Verwüstungen derselben zu begegnen. Doch so lange unser Erdkörper die Lasten unbezähmter Begierden des vernünftigen Theils seiner Bewohner zu tragen hat, bleiben auch hier die Beschwernisse ein nothwendiges Uebel. Die Natur hat indessen bey einem nach seinen Kräften sehr furchtbaren Insect, uns genugsame Erleichterung verschaft, ihren Verwüstungen begegnen zu können. Es lebt diese Raupe gesellig. Sie hält sich des Tages an den Stämmen der Bäume auf, wo eine an die andere geschlossen, wenigstens nach den ersten Häutungen in zahlreicher Menge, doch in einem kleinem Bezirk ihre Ruheplätze nehmen. Hier kann geringere Nachsicht leicht einen so nachgehenden Schaden verhüten, und bey der über Leben und Tod einem jedem freygelassenen Jurisdiction, mit einem einzigem Schlag ganze Cohorten auf einmahl erlegen. Noch leichter aber ist ihre Vertilgung nach den Eyern zu bewerkstelligen. Das Weibchen setzt sie in zahlreicher Menge an die Stämme der Bäume, oder nahgelegene Wände ab. Sie sind mit Haaren durchwebt, um für Nässe und Kälte geschützt zu seyn, und liegen in ganzen Parthien beysammen. Hier sind sie leicht aufzusuchen, da sie sich besonders in etwas niederen Orten enthalten, und sonach können ganze Nachkommenschaften auf einmahl ohne sonderliche Mühe ausgerottet werden. Gemeiniglich trift man diese Eyer nach frühesten Absetzen, in dem September an. Sie überwintern, und erst im May erfolgt in unseren Gegenden das Auskommen der Raupen. Zu diesen Untersuchungen, ist dann genugsame Zeit übrig gelassen. Auch des Falters selbsten, ist sich leicht zu bemächtigen. Das Weibchen wenigstens liegt den ganzen Tag sehr stille an offenen Orten, und ist nur des Abends in Bewegung, wiewohl es dann bey der Schwere des Körpers, in kurzen Strecken Ruhe-Plätze zu suchen genöthiget ist. Hier kann durch Ausspähung derselben, weit leichter ein zu besorgender Schade verhütet werden. Noch macht ihre Anwesenheit, das Männchen selbsten, durch seinen schnellen, durchirrenden Flug auch bey Tage leicht merklich Es ist in der That die Feinheit der Sinnen zu bewundern, nach denen solches die Anwesenheit eines Weibchens ausfündig zu machen vermag. Man darf nur eines derselben, auch mit einer Nadel befestigt, an einem beliebigen Ort, und dieß auch in Stätten vor den Fenstern, dem Freyen aussetzen; so werden in kurzen die Männchen um dasselbe sich zeigen. So viele Galanterie haben unsere Petitmäters nicht, wenigstens werden sie den Mangel des feineren Gefühls beklagen, das sie in der That zu besseren Absichten bedürfen. Doch ich erzehle das Merkwürdige einer Gattung, ohne sie selbsten nach gerechten Forderungen noch beschrieben zu haben. Es ist dieß aber mit wenigem geschehen.

Die Raupe ist zur Seite mit filzigten, schoppweisestehenden Haaren, über dem Rücken aber mit einzelnen zerstreuten bekleidet. Die vier

ersten

ersten Ringe führen blaue Knöpfgen in einzelnen Paaren. Die sechs folgende aber haben dergleichen dunkelrothe mit gelblicher Einfassung gerandet. Die Grundfarb der Haut ist ein schwärzliches Grau. Ueber dem Rücken zeigt sich eine gilbliche unterbrochene Linie, nebst einigen hin und wieder zerstreuten Punkten von gleicher Farb. Der Kopf führt in der Mitte einen gelben Strich mit einigen Flecken von gleicher Farb. Das übrige ergiebt die Abbildung der dritten Figur ohne weitere Bezeichnung, zumahl bey einer so bekannten Art, nöthig zu haben. Die männliche Raupe ist über die Hälfte kleiner und dunkler gefärbt. Sonsten sind die Abweichungen an sich nicht sonderlich erheblich. Doch eine eigene Race, die sich von den Blättern der Weiden gemeiniglich ernährt, habe ich nach der vierten Figur in Abbildung vorzulegen, für merkwürdig erachtet. Hier ziehet sich über den Rücken ein dunkelbrauner sehr breiter Streif, den gelbe Atomen zur Seite begränzen. Die blauen Knöpfe der vordern Ringe mangeln hier gänzlich, nur die rothen auf den sechs folgenden, sind hier vorhanden. Ich fand diese Art fast jährlich auf Weiden und gemeiniglich ganz von andern abgesondert, beysammen. Die daraus erzogenen Phalenen aber, haben keinen wesentlichen Unterscheid ergeben.

Um die Verwandlung anzugehen, suchen sich diese Raupen sichere Pläße in den Rinden und Höhlungen der Bäume. Hier sind sie ebenfalls leicht zu entdecken, da sie mehrentheils in Gesellschaft sich ein gemeinschaftliches Gewebe fertigen. Oefters verbergen sie sich nur in zusammen verwebten Blättern. Das Gespinnste bestehet aus wenigen doch starken Fäden. Die Chrysalide ist von dunkelbrauner öfters ganz schwarzen Farbe und mit verschiedenen krausen Haaren in einzelnen Parthien hin und wieder bekleidet. Sie äussert bey der Berührung eine sehr lebhafte Bewegung und drehet sich, mit der an einem Faden mit dem Gespinnste befestigten Endspiße in gröster Behendigkeit herum. Sie nimmt dann gewöhnlich eine entgegen geseßte Bewegung, um diesen nicht abzudrehen, wenn er zu sehr angespannt worden. Dieser Mechanismus schüßt sie für feindliche Angriffe. Doch ist hiebey die Absicht noch leichter zu erklären als die Wirkung nach der diese kreißförmige Bewegung erfolgt. Ein gerundeter Körper ohne alle äusere Werkzeuge, um sich damit einen Schwung zu geben, bewegt sich bey freyer Lage mit so heftiger Stärke, ohne an einem anderen Körper anzustossen! Hier sind die Gesetze der Mechanie beynahe unerklärbar. Vielleicht erläutert dieß der innere Bau der Chrysalide, oder kann das Einziehen und Ausstossen der Luft, den Anlaß dieser Wirkungen ergeben? Die entgegengesetzte Drehungen liesen sich durch die Elasticität des Fadens erklären, der den daran befestigten Körper von selbsten in diese Bewegung bringt. Allein die ersten hangen von eigener Willkühr ab. Wir kennen zwar mehrere Chrysaliden dieser Art, doch diese ist nach erwähnter Eigenschaft die vorzüglichste und auch die gröste. Hier sind beyderley Geschlechter leicht kenntlich. Die männliche Chrysalide ist klein, mit einem sehr geschlanken Leib; die weibliche hingegen von ausserordentlicher Dicke. Doch hat sie nicht die lebhafte Bewegung, nach der die männliche sich äusert. Erstere habe ich nach der fünften Figur in Abbildung dargelegt. Das Auskommen der Phalenen erfolgt in einer Zeit von drey oder vier Wochen.

Beyderley Geschlechter sind nach der Gröse und Farb ausserordentlich verschieden. Sie haben deshalb dem Herrn Ritter zur lateinischen Benennung des ungleichen Nachtschmetterlings Anlaß gegeben. Doch haben sich in dem, nach beyderley Geschlecht veränderten Colorit nun mehrere dieser Arten entdeckt. So beträchtlich diese Abweichungen scheinen, so ersiehet man doch nach den wellenförmigen Zeichnungen der Vorderflügel, in beyden die genaue Uebereinstimmung. Das Männchen hat sie nur stärker auf einem schwärzlichem Grund, in dessen mittleren Flecken sich ockerfärbige Atomen vermengen. Die Hinterflügel sind dunkelbraun oder mehr rostfärbig bemahlt. Die Fühlhörner stehen im ruhenden Stand über dem Kopf aufrecht aneinander geschlossen, sie sind überdieß sehr stark gefiedert. Das Weibchen hat eine schmutzige etwas gelblich weisse Grundfarb. Die kappenförmig gezogene Binden sind von brauner zuweilen aber von dunklerer Farb. In der Mitte nimmt sich hier ein winklichter schwarzer Zug nebst einigen Flecken an dem Rand am deutlichsten aus. Der Hinterleib ist ausserordentlich stark und an dem Ende mit Wolle bekleidet. Dieß wäre zur Bezeichnung genug!

Von beyden Geschlechtern finden sich mannichfaltige Abänderungen Das Männchen ist zuweilen sehr blas, seltener aber beynahe ganz dunkel ohne kaum ſichtliche Zeichnungen. Bey dem Weibchen hat man mehrere Züge, auch ſogar eine durchlaufende Binde von ſchwarzer Farb wahrgenommen. Gemeiniglich ſind aber kaum merkliche darauf wahrzunehmen. In den mehr nördlich gelegenen Gegenden iſt dieſe Phalene eine wirkliche Seltenheit, wie ich ſchon in der Beſchreibung der Ph. Monacha angezeigt habe.

Aus den Raupen dieſer Gattung hatte **Herr Voet** in Leiden eine Zwitterphalene erzogen, welche Herr Prediger **Schäfer** in der bekannten Abhandlung ausführlich beſchrieben hat. In ſo geraumer Zeit, wo viele Tauſende dieſer Raupen, in der Hofnung gleicher Seltenheiten ernähret wurden, iſt dieß Exemplar das einzige geblieben. Eine ſehr ſeltſame Ausart kann ich nicht unbemerkt laſſen, deren Original in der Sammlung des Herrn **Walthers** dahier ſich findet. Ich habe die genaueſte Abbildung davon, dieſer Tafel nach der ſechſten Figur beygefügt. Es ſtellt die Oberſeite des Falters nach beyden Flügeln vor, da ſie beyde nicht übereinſtimmend gezeichnet ſind. Der rechte Flügel iſt faſt bis zur Hälfte grau gefärbt, der linke aber in gröſerer Breite dieſes Raums durch einen braunen Flecken in zwey Parthien getheilt. Die Ph. iſt männlichen Geſchlechts und in gröſerem Maas als gewöhnlich. Sie wurde von Herrn **Oelmann** in Leipzig aus der Raupe erzogen.

Der ſieben und vierzigſte europäiſche Nachtſchmetterling.

PH. BOMB. EL. AL. DEPR. DORSO LAEVI. CHRYSORRHOEA.

Der Goldafter. Der Schwan.

Phalene blanche a cul brun. GEOFFR. De Devil's Gold-Ring. RAI.

Tab. XXXIX. Fig. 1. Die männliche Phalene. Fig. 2. die weibliche. Fig. 3. Die Raupe auf einem Zwetſchgenzweig. Fig. 4. Das dünne Geſpinnſte mit der darinnen enthaltenen Chryſalide. Fig. 5. Die freye Chryſalide.

LINN. S. N. Ed. XII. Sp. 45. p. 822. — Ed. X. Sp. 28. p. 502. B. el. alis deflexis albidis, abdominis apice barbato luteo. Ohnzünglichter Spinner mit niederhangenden weiſſen Flügeln und einer gelben haarigten Endſpitze des Hinterleibs. — Fauna Suec. Ed. nov. 1128.

Müllers Ueberſ. des Naturſ. V. Th. I. B. S. 665. nr. 45. B. Ch. Der Goldafter.

FABRICII Syſt. Ent. p. 577. nr. 74. — Spec. Inſ. T. II. pag. 193. Sp. 102. Bomb. Chryſ. Alis deflexis niveis, ano barbato ferrugineo. — *Larva* gregaria, piloſa nigricans, lineis duabus dorſalibus rubris, lateralibus albo faſciculatis. Pupa folliculata, nigricans. Ova lutea lana copioſa fulva tegit.

RAII Hist. Inf. p. 156. nr. 1. Phal. med. al. niveis, cauda obtusa lanugine densa fulva obsita. — Ova in hac specie copioso tormento seu lana fulva involvuntur, suntque rotunda, lutea, quae huius generis nota characteristica est. — p. 343. nr. 5. *Eruca* pilosa mediae magnitudinis, scopulis in gibbum elatis, rubra et albis coloribus varia. *The* Devil's *Gold*-ring, pueris Essexiensibus dicta &c.

Syst. Verz. der Wiener Schm. S. 52. Fam. D. nr. 3. Weißdornspinner. (Crataegi Oxyocanthae.)

GEOFFR. Hist. d. Inf. T. II. p. 117. nr. 20. Ph. pectinic. el. al. defl. albis; foeminae ano piloso ferrugineo. — Long. 9 lign.

Füeßli Schw. Ins. S. 35. nr. 661. Ph. Chr. Der Goldafter. — Mag. der Entom. S. 286.

Naturforsch. VII. St. Götze Verz. S. 123. — VIII. St. S. 103. nr. 16. Ph. Chr.

Berliner Mag. II. Th. S. 406. nr. 17. Ph. Chrys. Der Schwan. — Ganz weiß; das Weibchen mit einem gelbhaarigten Büschel am Ende des Leibs versehen. — III. Th. S. 10. nr. 3. Die schädliche sogenannte bunte Winterraupe. Ph. Chrys.

SCOPOLI Ent. Carn. p. 197. nr. 493. Ph. Chr. — Long. lin. 6. Lat. 3. — Alba; abdominis apice barbato ferrugineo.

Glaser von schädlichen Raupen. S. 44. §. 24. Ph. Chrys. Die Fleckraupe.

MÜLLER Faun. Friderichsd. p. 41. nr. 369. Ph. Chrys. — Zool. Dan. Prodr. p. 118. nr. 1363. Ph. Chrys.

Fischers Naturgesch. von Livland. S. 151. nr. 352. Ph. Chrys. Der Goldafter.

Gleditsch Forstwissensch. I. Th. S. 554. nr. 3. Ph. Chrys. Der Schwan. — II. Th. S. 784. nr. 4.

Götze entomol. Beytr. III. Th. II. B. S. 334. Ph. Chr. Der Goldafter.

Jung Verzeichniß europ. Schmett. S. 36. Ph. Chrys.

BECKMANN Epit. S. L. p. 164. nr. 45. Ph. Chrys.

ONOMAST. Hist. nat. P. VI. p. 341. Der Goldafter.

Kleemanns Raupencalender p. 101. nr. 287. Ph. Chrys. Der Goldafterschwanz; der Brandreitel; die Brandeule. — S. 111. nr. 311.

Gladbachs Verz. Der Brandreitel.

Rösels Ins. Belust. I. Th. Nachtvög. II. Cl. S. 137. Tab. XXII. Die gesellige braune rothhaarige schädliche Baumraupe.

Frisch Beschreib. der Ins. III. Th. S. 8. nr. 4. 2. Pl. Taf. 1. Von den bunten Winterraupen und von dem Zweyfalter daraus.

REAUMUR Memoire. Tom. I. Tab. VI. fig. 2. 10. T. II. Tab. V. fig. 4-12. — Tab. VI. Tab. VII. fig. 1. 2. Chénille commune.

SCHAEFFER Icon. Inf. Ratisb. Tab. 131. fig. 1. 2.

Bibliothec. reg. Paris. p. 29. figurae omnes. (GEOFFROI.)

Diese Raupe führt mit Recht den Namen der gemeinen, wie sie schon Reaumur geheissen. Sie ist in unserem Welttheil aller Orten in zahlreicher Menge alle Jahre vorhanden, und die schädlichste, welche wir kennen. Sie hält sich an jede Arten der Obstbäume und Gesträuche, nie aber nährt sie sich von niederen Gewächsen. Auch die Eiche ist ihr eine gleichanständige Kost. Sie hat sogar in verschiedenen Jahren ganze Waldungen dieser Bäume verwüstet. Ein Anblick, der traurig genug gelassen, wenn sie bis in den Julius, ohne sich erholen zu können, wie im Winter, dürre und unbelaubt gestanden! Doch hier hat die Natur uns sehr leichte Mittel entbothen, die Anzahl dieser Feinde zu vermindern, und wenigstens den Schaden an Obstbäumen zu verhüten. Sie wurden noch mehr durch die heilsamste Landesverordnungen unterstützt. Nur diese Gattung ist der Landmann ausfindig zu machen im Stand. Unter dem Namen der Ausrottung alles schädlichen Ungeziefers musten nothwendig sehr irrige Begriffe entstehen, wo er selbsten der Befehle nicht fatzlich zu erreichen vermochte. Wie wäre es auch möglich, die im verborgenen liegende Eyer einiger Gattungen, und diese in einzelner Zerstreuung aufzusuchen? Hier findet sich in einem auffallendem Gehäuse eine zahlreiche Nachkommenschaft auf einmahl enthalten, zu deren Aufsuchung in sechs Monathen doch einige Täge leicht zureichend werden. Das Weibchen legt ihre Eyer in dem August und September in groser Anzahl an die Blätter der Bäume, zuweilen auch an deren Stämme. Sie sind mit glänzenden goldgelben oder mehr bräunlichen Haaren des Afters, in einem etwas erhaben gebildeten Klumpen von zölligen Gröse durchwebt, und von ausen damit überzogen. In wenigen Wochen enthüllen sich daraus die Räupgen, welche schon vor der ersten Häutung überwintern. Sie fertigen sich ein gemeinschaftliches Gewebe an den Spitzen der Zweige, welches sie nach und nach beträchtlich vergrösern. Es ist von weißgrauer Farb, und öfters, besonders im Frühling, zu drey Zoll in der Länge und zwey im Durchschnitt vergrösert. Dieß Gespinnst ist bey den beyden im Herbst und Frühling kahl gelassenen Zweigen leicht wahrzunehmen. Durch deren Abnahm könnten nun Millionen Raupen in wenigen Stunden ausgerottet werden, und in Berechnung ihrer Nachkommenschaft zugleich eine tausendfältig grösere Zahl. Doch, wenn auch fleisige Gartenbesitzer dahin die gröste Sorgfalt verwendet, und auch für sich die Vortheile geniesen, daß sie keinen

Schaden von dieser Raupengattung befürchten dürfen; so ist doch ihre Anzahl an sich noch zu wenig vermindert. In den Hecken und freyen Gesträuchen, die niemand zu reinigen für erheblich erachtet, bleibt eine unzählbare Menge noch übrig. Ihre von da auskommende Phalenen verbreiten sich abermahl in die Gärten, wo sie ihre Eyer an die für ihre Nachkommen nahrhafteren Bäume abermahl legen. Würden hier mit gemeinschaftlicher Unterstützung ernstlichere Verfügungen getroffen, so könnte diese schädliche Art noch mehr vermindert, wo nicht bis zur Seltenheit ausgerottet werden. Die Berechnung ergiebt sich wenigstens ganz natürlich, daß verminderte Grössen nicht mehr das Ganze betragen. Hier beträgt der Abgang ganze Millionen mit jedem Jahr. Würden für die Folge gleiche Vorkehrungen getroffen, so hätten wir nie Ursache über Verwüstungen dieser Raupenart jemals Klage zu führen! Schon sind bey kleinen Districten diese Vortheile beträchtlich, da sich die Phalenen nur in der Nähe der Bäume enthalten und nie in Strecken zu viertel Stunden entfernen. Genug von diesen gemeinen, jedoch erprobtesten Mitteln. Der beträchtlichste Schaden ereignet sich im Frühling, wenn diese Raupen durch die Wärme früher belebt werden, als die Bäume noch in Blätter getrieben. Hier greifen sie die ausbrechenden Knospen an, und dann ist es nicht zu verwundern, wenn man Bäume noch bis in die Mitte des Sommers nicht ausgeschlagen findet. Ich habe das übrige der Naturgeschichte dieser Gattung zu erzehlen. Fast trage ich aber Bedenken, dasjenige wörtlich anzuzeigen, was schon die Abbildung genugsam ergiebt. Doch es wird als schuldige Pflicht gefordert.

Die ganz ausgewachsene Raupe erreicht im beträchtlichstem Maas kaum eine anderhalbzöllige Länge. Die Grundfarb ist schwarzgrau, und mit ungleichen kurzen Haaren überzogen, die zur Seite sehr filzig sind. Ueber dem Rücken ziehen sich drey rothbraune Linien, die aber durch die deckende Haare nicht sichtlich werden. Zur Seite zeigen sich Linien von weissen ungleich gestalteten Flecken. Noch hat diese Raupe vor andern etwas eigenes, wenigstens kommt sie darinnen nur mit der folgenden Gattung überein. Es sind dieß zwey kugelförmige Knöpfgen von rothgelber Farb über den beyden vorletztern Ringen. Sie sind beweglich, und die Raupe kann sie erhöhen und wieder willkührlich verkürzen. Zur Zeit ist die Absicht dieser Werkzeuge noch nicht bekannt. Auf dem letzten Glied des Körpers finden sich ein dergleichen Paar, wo man aber erstere Veränderung niemahlen wahrgenommen.

Es enthalten sich gemeiniglich mehrere dieser Raupen beysammen, um ihre nächste Verwandlung anzugehen. Ihr Gehäuse bestehet aus einem dünnen häutigen Gewebe mit zusammen gezogenen Blättern und von hellbrauner Farb. Die darinnen enthaltene Chrysalide ist schwarzbraun. Beyde finden sich nach der vierten und fünften Figur in Abbildung dargelegt. Die Entwicklung der Phalenen erfolgt in drey oder längstens vier Wochen.

Das Männchen macht sich von aussen durch seine sehr stark gefiederte schwärzliche Fühlhörner leicht kenntlich. Bey dem Weibchen sind sie sehr dünne. Die Flügel und der ganze Körper ist in beyden ein helles einfärbiges Weiß, nur die wolligte Endspitze, wovon die Phalene die characterisirende Benennung erhalten, führt hochgelbe wolligte Haare. Abänderungen beziehen sich hauptsächlich auf die minder beträchtliche Grösse. Noch zeigt sich öfters der vordere Rand der Aussenseite schwärzlich angeflogen. Zuweilen finden sich darauf einzelne schwarze Punkte in der mitleren Fläche, so wie sie die folgende Gattung führt.

Der acht und vierzigste europäische Nachtschmetterling.

PH. BOMB. EL. AL. DEPRES. DORSO LAEVI. AVRIFLVA.

Der Goldafter mit braunen Rand. Der braun gerandete Schwan.

Tab. XXXIX. Fig. 6. Die männliche Phalene von beyden Seiten. Fig. 7. Die Raupe.

Bomb. el. alis deflexis candidis, margine supperiorum antico fusco, abdominis apice barbaro luteo.

System. Verz. der Wiener Schmett. Fam. D. S. 52. nr. 4. Ph. Auriflua. Gartenbirnspinner. (Pyri communis.)

Füeßli Schweiz. Ins. S. 35. nr. 662. Ph. Similis. Auf den Schwarzdornen und Obstbäumen ziemlich gemein; lebt niemahls gesellschaftlich unter einem Gespinnst, wie die Chrysorrhöa und andere. — Magaz. der Entom. I. St. S. 287. — Die Raupen häuten sich öfters.

Götze entom. Beytr. III. Th. III. B. S. 47. nr. 9. Similis. — S. 58. nr. 59. Auriflua.

Jung Verz. eur. Sch. S. 134. B. Similis. S. 17. Auriflua.

Kleemanns Raupencal. S. 101. nr. 287. — III. nr. 310. Ph. Similis. Der Schwan.

Rösels Ins. Bel. I. Th. nr. V. 2te Cl. S. 134. Tab. XXI. Die kleine, haarige, schwarze, rothgestreiste und weißgefleckte Raupe.

Bey der Gleichförmigkeit dieser Phalene mit der erstbeschriebenen Gattung, hat doch die Natur ein an sich zwar sehr unbedeutend scheinendes Merkmahl für unsere Charakteristik gelassen. Es sind die Vorderflügel gegen den vordern Rand auf der Unterseite bräunlich angeflogen. Im übrigen aber ist kein Unterschied vorhanden. Doch auch dieses Kennzeichen möchte bey einigen Abänderungen der Ph. Chrysorrhöa, fast zweydeutig bedünken, wenigstens wird sehr genaue Kenntniß dazu erfordert. Dorten ist der Rand zuweilen schwärzlich, aber mehr in die Fläche verlohren. Doch haben die Falter einen höheren Grad des Weissen. Insgemein sind noch die Vorderflügel mit einigen schwarzen Punkten und einzelnen Zügen dieser Farbe bezeichnet. Ersterwähnte Phalene, die Chrysorrhöa hat sie zwar auf gleiche Art, doch sind Exemplare in diesen Zierrathen weit seltener als von der gegenwärtigen Gattung. Bey dem Männchen hat der Leib ein dunkleres Rothgelb, er zeigt sich öfters ganz braun, besonders bey denen, deren Raupen sich von der Eiche ernähren. Ich habe es für überflüssig gehalten, das Weibchen vorzustellen, da es ausser den fadenförmigen Fühlhörnern und sonst gewöhnlichen Kennzeichen nichts verschiedenes zeigt. Auch nach den Naturtrieben kommen beyde Gattungen miteinander überein, sie erscheinen auch zu einerley Zeiten. Weder das Gehäuse, noch die Chrysalide ergiebt einen erhebichen Abstand, von denen der ersterwähnten Phalene. Sie lassen sich sogar, wenigstens nach kaum auszudrückenden Merkmahlen miteinander verwechseln. Ich hatte es deswegen für überflüssig gehalten, sie durch Abbildungen darzulegen.

Den wesentlichsten Unterscheid ergiebt die Raupe. Sie ist nach der körperlichen Bildung sowohl, als dem Colorit von vorerwähnter verschieden. Die vordern Ringe sind gemächlich gegen den kleineren Kopf vermindert und sie bilden eine kegelförmige Gestalt. Der dritte Ring ist mehr als die übrigen erhöht, und es zeigen sich da auf einem schwärzem Grund zwey hell, weisse Flecken. Ueber den Rücken, nach den folgenden Absätzen stehet ein breiter

breiter Streif, der in der Mitte durch eine schwarze Linie getheilt ist. Er hat das schönste und fast blendende Roth. Zur Seiten finden sich hellweisse Flecken, wiewohl auch die Haare gleiches Colorit führen. Diese sind mit einigen breiten Borsten, die den Flindern ähnlich sind, untermengt. Die Raupe ist damit geziert, so bald sie ihre Häutung abgelegt hat, und dann scheint sie wie mit Puder bestreut zu seyn. Es gehet aber dieser Putz sehr bald verlohren. Fast sollte man bey dieser auffallenden Bildung, die sich aber nicht mahlen läßt, eine Verschiedenheit der Gattung vermuthen, und doch ist sie ein sehr vergänglicher Schmuck. Im übrigen ist die Raupe, wie die der vorigen Gattung, mit kurzen Haaren bekleidet, nur sind die an den vordern Ringen, so wie jene an der Endspitze, um vieles länger und schwarz gefärbt. Es finden sich auch die dort angezeigten Knöpfgen in gleicher Lage darauf. Die Verwandlung ereignet sich, wie ich schon erwähnet, mit jener auf einerley Art.

Doch es zeigt sich noch eine grössere Verschiedenheit in der Lebensart dieser der Chrysorrhöa so ähnlichen Gattung. Man hat hier niemahlen über Schaden und Verwüstungen Klage geführt. Es ist auch die Raupe nach ihrer Natur derselben nicht fähig. Sie lebt einsam, und kaum finden sich auf dem stärksten Baum ein zehen derselben beysammen. Sie enthält sich zwar auf allen Arten unserer Obstbäume und hauptsächlich auf den Birnen, doch treffen wir sie gewöhnlicher auf dem Hagedorn, den Schlehen, Weiden und Eichen an, aber nie in erheblicher Menge. Sie überwintert nach einigen Erfahrungen schon vor der letzten Häutung. Doch scheint es, daß bey so unterschiedener Gröse, in der wir sie finden, auch einige in dem ersten Jahr von dem Ey an ihre vollkommene Entwicklung erreichen. Ich bemerke noch, daß sehr wenige Schriftsteller, wie die Anzeige ergiebt, den Unterschied beyder Gattungen angezeigt haben. Es gereicht unserem Rösel um so mehr zur Ehre, daß er sie schon längstens gesondert. Zur Bezeichnung des Namens wählte ich den, mit welchem die Herren Verfasser des Syst. Verz. der Wiener Schm. nach zuverlässigen Nachrichten diese Gattung am ersten unterschieden haben. Er ist im lateinischen Ausdruck mit dem, was der griechische unseres Systems bezeichnet, von gleicher Bedeutung, und so möchte diese Wahl wenigstens für den gelehrten Theil der Kenner zur Hülfe des Gedächtnisses dienen.

Der neun und vierzigste europäische Nachtschmetterling.

PH. BOMB. EL. AL. DEPR. DORSO LAEVI. VAU NIGRVM.

Das schwarze Vau.

Tab. XL. Fig. 1. Die männliche Phalene. Fig. 2. die weibliche. Fig. 3. Die Raupe nach der letzten Häutung. Fig. 4. Ebendieselbe im vollkommenem Alter. Fig. 5. Die Chrysalide vom Rücken und Fig. 6. von der Unterseite.

Bomb. eling. dorso subcristato, alis deflexis albis viridescentibus, charactere V nigro in disco superiorum notatis.

FABRICII Syst. Ent. pag. 576. nr. 73. V nigrum, alis deflexis albis, V nigro notatis. — *Larva* fasciculata: fasciculis dorsalibus octo, anticis posticisque albis, collari hirsutissimo. Puppa viridis, macula thoracis nigra. — Spec. Inf. Tom. II. p. 197. nr. 101.

MÜLLER Faun. Frid. pag. 40. nr. 360. L. nigrum. Elinguis, cristata: alis candido-pellucidis: primoribus Littera L nigra. — *Zool. Dan.* Pr. p. 119. nr. 1373. — Inpractis.

Götze Ent. Beytr. III. Th. III. B. S. 46. nr. 7. L nigrum. Der schwarze L Spinner. — S. 51. nr. 28. V. nigrum. Das sächsische schwarze Vau.

Kühn Anl. Ins. zu sammeln S. 102.

Jung Verz. eur. Schm. S. 148. V. nigrum.

Naturforsch. II. St. S. 16. §. 6. nr. 1. Tab. I. fig. 1. (von D. Kühn.) Die Phalene. — XII. St. S. 56. (von Walch) Tab. I. fig. 8. Die Raupe. Fig. 9. 10. Die Puppe.

Es scheint dieß der füglichste Platz zu seyn, diese vorliegende Gattung hier einzuschalten. Der Rücken der Phalene führt zwar etwas kammförmige Erhöhungen, und nach diesen Merkmahlen würde sie näher zu einer der folgenden Abtheilungen gehören. Doch diese Zierrathen sind eben nicht in starker Anlage vorhanden, kaum sind sie deutlich wahrzunehmen. Die Aehnlichkeit der Falter und sogar auch der Raupen ordnet sie schicklich zu diesen Arten, da sie unter jenem in diesem Gewand dort die einzige ist. An sich ist bey dem Eintragen neuer Entdeckungen zur Zeit nicht die pünktlichste Ordnung nach diesen Merkmahlen zu beobachten. Seltenheiten von einzelnen Exemplaren verstatten öfters nicht die Untersuchung anzugehen, ob sie eine kurze oder verlängerte Zunge führen, ob die Flügel in sitzender Lage, dachicht, eben, oder übereinanderschlagend stehen. Berichtigungen, die ich einstens auf den systematischen Abschluß nothwendig zu verspahren habe. Für jetzt ist das Beybringen des Neuen, das Vollständige der Naturgeschichte, weit näher angelegen. Noch deucht es einigen, die Bearbeitung unserer bestäubten Flügler wäre schon zur grösten Vollkommenheit gediehen, und es würde ein Zusammentrag von neuen gefordert. Kaum sind wir aber noch mit den beyden ersten Geschlechtern in einige Ausgleichung gekommen; wo dennoch so vieles in der Vollständigkeit ihrer Geschichte zurück geblieben. In wenigen Jahren würde dann ein neuer Zusammentrag abermahl für nöthig erachtet, und der vorige als unbrauchbar verworfen werden. Einmahl ist es zu frühe nur dahin einen Entschluß zu fassen, wenigstens müste Eigennutz und nicht ernstliche Erweiterung unserer Kenntnisse dazu bewegen. Könnte sich doch ein jeder Liebhaber im Bemühen neuer Entdeckungen, in Ergänzung des Mangelhaften, auch auf Lebens-Jahre genugsame Beschäftigung machen, und mit welchem Dank würden sie nicht jede Freunde erkennen! So wären uns schon Verzeichnisse auch kleiner Districte vom ergiebigsten Nutzen, woran man noch so wenig gedacht. Anstatt aber das Vorzüglichste, das Eigene eines Landes, oder die neuen Entdeckungen zu liefern, werden alle die ältesten gemeiniglich von neuen wiederum mitgenommen, und da noch leidentlich, wenn sie nur getreue Copien enthielten. Ein ewiges Einerley zu lesen, wo man kaum unter hunderten eine einzelne Entdeckung oder in der Beschreibung auf etlichen Bögen, bey irgend einer Gattung einen erheblichen Umstand bemerkt, gehört unter die unerträglichste Lasten. Man frage nicht, warum nicht lieber Neuigkeiten geliefert werden? Sie fordern mehrere Mühe als Copien und Abschriften, wo nur eine etwas verstellte Lage, und da die Beeiferung zu widersprechen, das Geborgte noch überdieß in Nebel verhüllt. Doch es verzeihen meine Leser eine Ausschweifung, die ich keineswegs in dieser Beurtheilung zum Nachtheil anderer wollte gesagt wissen. Ich wünsche im Gegentheil mehrere Bearbeitung, und es ist für mich das gröste Vergnügen, das Zerstreute zu sammlen und zur Ehre der Erfinder darzulegen. Zu diesem Endzweck sind mir jede Schriften ausnehmend erwünscht, und niemahlen zu viel.

Die Phalene die ich hier zu beschreiben habe, findet sich auch in unseren Gegenden. Sie wurde durch Liebhaber in Sachsen zuerst bekannt gemacht, wenn wir sie auch vorhin schon lange kannten. Herr Cammerrath Jung hatte sie schon vor zehen Jahren entdeckt, und ich habe durch die gütige

Mittheilung der von Ihm gefundenen Raupen, die Phalenen öfters erzogen. So wichtig damahls diese Entdeckung war, so sehr hat sich nun bey emsigen Nachforschen das Seltene vermindert. Doch werden zu ihrer Entdeckung geübte Kenner erfordert, und sonach hat diese Phalene noch ihren mit Recht gebührenden Werth.

Es nähret sich die Raupe von den Blättern der Eiche. Man will sie auch auf Linden und Buchen in andern Gegenden angetroffen haben, wo sie sich aber bey uns niemahlen gefunden. Bereits in der Mitte des Junius, wenigstens noch im spätesten Frühling erreicht sie schon ihre vollkommene Gröse. Nach der letzten Häutung erscheinen die Haare sehr lang, besonders an den Vorderringen und der Endspitze des Hinterleibs. Diese verliehren sich aber in wenigen Tagen, und dann hat sie die Gestalt, wie die vierte Figur solche ergiebt. Ueber den Rücken stehen einzelne Haarbüschel, als der vorzüglichste Zierrath. Von diesen, haben drey Paar in der Mitte eine glänzende rothgelbe Farb, die zwey vordern und drey letztern aber, ein helles Weiß.

Zum sicheren Aufenthalt ihrer bevorstehenden Verwandlung, bedient sie sich gemeiniglich eines Blats, das sie nur mit wenigen Fäden zusammen zieht. Die Chrysalide hat unter allen Spinnerarten eine ganz abweichende Bildung und Farb. Sie ist vorne sehr dick, am Ende aber um so dünner zugespitzt. Die Grundfarb ist ein frisches etwas blaulichtes Grün. Ueber den Rücken ziehen sich gelbe gegen die Spitze vereinte Linien die Länge hin. Auf der Unternseite sind die Näthe der Chrysalidenschaale mit schwarzen Linien gesäumt. Die Entwicklung der Phalenen erfolgt sehr frühe. Sie kommen schon, wie man unter der dünnen Schaale die gemächliche Bildung leicht wahrnehmen kann, bereits in acht oder längstens vierzehen Tägen hervor.

Beyde Geschlechter sind nach den gekämmten Fühlhörnern, der Farb und der Bildung der Flügel wenig verschieden. Sie sind sehr dünne mit Schuppen bedeckt, und ganz mit einfärbigen sehr stark ins Grüne fallenden Weiß bemahlt. Es gehet diese Schönheit aber bereits in wenigen Tagen verlohren, und läßt sich auf keine Art nach aller Sorgfalt erhalten, dann kommen sie fast der Farbe der Ph. Salicis gleich. Ein winklichter Zug in der Mitte der Vorderflügel von schwarzer Farb, ist die einzige Verzierung aber auch der wesentlichste Charackter der Gattung. Er hat mit dem römischen V oder wie andere wollen, mit dem L die ähnlichste Bildung.

Der funfzigste europäische Nachtschmetterling.

PH. BOMB. ELING. AL. DEPRES. DORSO LAEVI. SALICIS.

Der Weidenspinner.

L'Apparent. GEOFFROI.

Tab. XLI. Fig. 1. Die männliche, Fig. 2. die weibliche Phalene. Fig. 3. Die gelbe, Fig. 4. die weißfleckigte Raupe. Fig. 5. Die Chrysalide mit gelben Haaren, Fig. 6. dergleichen mit weissen.

LINN. S. N. Ed. XII. Tom. I. Part. II. p. 822. Sp. 46. Ed. X. Sp. 29. Bomb. el. al. deflexis albis, pedibus nigris albo - annulatis. Unzünglichter Spinner mit niederhangenden weissen Flügeln, nebst schwarzen Füssen und weissen Ringen. — Larva pilofa, dorfo longitudinaliter albo maculato. Faun. Suec. Ed nov. 1129. — Acta Upfal. 1736. p. 124. nr. 58.

Müllers Uebers. des Nat. Syst. V. Th. 1. B. nr. 46. Ph. Sal. Der Ringelfuß.

FABRICII Syst. Ent. p. 578. nr. 75. Linn. Char. — Spec. Inf. Tom. II. p. 193. Sp. 103. B. Sal. *Larva* pilofa nigra, dorfo longitudinaliter albo maculato rubro punctato — Puppa folliculata, pilofa, brunnea. Quies 30. dierum.

GEOFFR. Hist. d. Inf. Tom. II. p. 116. nov. 19. Ph. pect. el. al. defl. pedum annulis antennisque nigris.

System. Verz. der Wiener Schmett. p. 52. nr. 2. Ph. *Sal.* Der Weidenspinner. (Salicis albae.)

SCOPOLI Ent. Carn. p. 198. nr. 495. Ph. Sal. Long. lin. 10. Lat. 6. Antennis cervinis; rachi alba; pedibus nigris, albo annulatis.

MÜLLER Faun. Friderichsd. p. 41. nr. 370. Ph. Sal. — Zool. dan. Prodr. p. 118. nr. 1364.

Füeßli schweiz. Ins. S. 35. nr. 663. Ph. Sal. Der Ringelfuß. — Mag. der Ent. II. St. p. 1.

Berlin. Magaz. II. B. S. 406. nr. 18. Ph. Sal. Die Weidenmotte.

Götze entomol. Beytr. III. Th. II. B. S. 336. nr. 46. Ph. Salic. Der Ringelfuß.

Stralsunder Magaz. I. St. S. 233. Die gelbfleckigte Weidenraupe: Der silberweisse Zweyfalter.

Gleditsch Forstw. I. Th. S. 682. nr. 4. Ph. Sal. Die Weidenmotte. II. Th. S. 740. nr. 25.

Fischers Nat. Gesch. von Livl. S. 151. nr. 353. Ph. Sal. Der Weidenschmetterling. Ringelfuß.

ONOMAST. Hist. nat. P. VI. p. 411. Der Weidenvogel.

REZIUS. Gen. et. Sp. Inf. de Geer. p. 37. nr. 46.

Jung Verz. europ. Schm. Ph. Sal.

BECKM. epit. S. L. p. 164. Ph. Sal.

Gladbachs Verz. Der Atlasvogel.

Kleemanns Raupencal. S. 10. nr. 283. Ph. Sal.

Rösels Ins. Belust. I. Th. Nachtv. II. Cl. S. 57. Tab. 9. Die braunhaarige Weidenraupe mit weissen Rückschilden und rothbraunen Knöpfen.

SCHAEFFER Icon. Inf. Ratisb. Tab. 131. fig. 1. 2.

REAUM. Mem. Tom. I. Tab. 34. fig. 4-6. Chénille qui vit fur le peuplier blanc, et fur le Saule.

DEGEER Mem. Tom. I. p. 191. Tab. XI. fig. 13. 14. Chénille velue, a tubercules & a aigrrettes, dont, les poils font dirigés vers les cotes, qui a de grandes taches couleur de fouffre fur le dos, et qui mange les feuilles du Peuplier & du Saule. — p. 696. Tab. XI. fig. 13. 14. (la Phalene) — Tom. II. P. I. pag. 302. nr. 2. Phal. a antennes barbues noires fans trompe; a ailes en toit a vive arréte blanches, dont les pattes font tachetdes noir. — Götze Uebers. I. Th. I. Quart. S. 141. Gleiche Tafel. — I. Th. 4. Quart. S. 118. Gleiche Tafel. — II. B. I. Th S. 216. nr. 2. Ph. Sal. Die von ferne scheinbare und in die Augen fallende weisse Phalene.

Frisch Beschr. der Ins. I. Th. S. 22. II. Pl. 4. Tafel. Die gelbfleckigte rauhe Weidenraupe rc.

LISTER Ed. Goed. pag. 202. nr. 87. fig. 87. — Ed. belg. pag. 25. Tab. III. Procul fpectabilis. Ed. Gallica Tom. II. Tab. III.

MERIAN. Europ. I. pag. 11. Tab. 30.

HARRIS Aurel. II. Tab. V. fig. K. p.

WILKES Eng. M. a. B. 21. Tab. III. fig. 4. 9.

ALBIN Inf. Tab. 84. fig. a--d. BLANCKARD. Inf. Tab. VIII. fig. A. D.

Die in der Ordnung des Systems hier vorgestellte Phalene ist abermahls eine der gemeinsten in unseren Gegenden. Die Raupe kann unter die schädlichen gerechnet werden, wenn uns die Benutzungen einiger gleichgültig scheinenden Pflanzen erheblicher würden, als sie es nach ihren Gebrauch dermahlen sind. Es nährt sich dieselbe von allen Gattungen der Weide, am meisten von der rothen, welche zum Binden dient, doch trift man sie gleichfalls auf den Aspen und Pappelbäumen, zuweilen auch auf den Birken an. In unterschiedenen Jahren ist sie auf den Weiden ausserordentlich zahlreich. Man findet öfters Gesträuche dieser Pflanzenart ganz dürre von denen durch dieselbe abgenagten Blätter. Doch sind die Raupen in einigen Jahren eben so selten. In dem abgewichenem, waren nach vielfältigen Aufsuchen kaum einige in hiesigen Gegenden ausfindig zu machen, so häufig sie sich im vorigen fanden. In der Ordnung habe ich nun von dem ersten Stand den Anfang ihrer Geschichte zu machen.

Die weibliche Phalene setzt die Eyer gemeiniglich zu Ende des Junius ab. Doch dieß ereignet sich keineswegs nach der Zeit in so genau zu bestimmenden Wochen. Sie finden sich an den Blättern, Zweigen und Stämmen in Parthien von zahlreicher Menge, in einer weissen schaumartigen verhärteten Materie angelegt. Ihre Farbe ist ein helles Grün. Man trift zu einer Zeit zuweilen ausgewachsene Raupen im jugendlichen Alter, desgleichen Eyer, Chrysaliden und Phalenen beysammen an. Nach Verlauf eines Monaths erfolgt die Entwicklung, auch nach Erfahrungen oft um vieles später. Die auskommenden Raupen pflegen auch bey aller Wärme und Nahrung kaum ihre zweyte Häutung in dem ersten Jahr anzugehen. Sie überziehen ihre Ruheplätze mit einem seidenartigen Gespinnste, und verbergen sich dann bey annähernder Kälte in sichere Orte. Auch bey der ihnen gegebenen Wärme habe ich keinen zunehmenden Wachsthum bewirken können, der doch in den ersten Tagen des Frühlings ohne Betrieb um so geschwinder erfolgt. Nach allen Häutungen ist die Gestalt und Farbe nicht beträchtlich verschieden, man wird jedesmahl diese so kenntbare Gattung ohne Anstand daraus vermuthen. Ihre Bewegungen sind dann um vieles langsamer als in dem zunehmenden Alter. Die Räupgen sind schon bey dem Auskommen sehr haarig, und die schildförmige Flecken erscheinen als sichtliche Puncte. Man hat sie ausgewachsen in noch mehr beträchtlicher Gröse als die vorliegende Abbildung erweißt, wahrgenommen. Doch finden sie sich gemeiniglich in der Länge um drey auch vier Linien kleiner. Nach den Zeichnungen und dem bunten Gewand kann sie in der That für die schönste gehalten werden, und Liebhaber, die sie zum erstenmal sehen, sind immer der Erwartung, in dem zu erziehenden Falter noch grösere Schönheiten zu bewundern. Man hat sie, wie die vorliegende Abbildungen zu erkennen geben, in ganz verschiedenem Colorit der schildförmigen Zeichnungen über den Rücken wahrgenommen. Sie sind nehmlich theils von hellweisser oder silberglänzender Farb, theils von ungemein erhöhetem Gelb. Auch die Chrysaliden haben nach der bestimmten Farb der Raupe, theils gelbe, theils weisse büschlichte Haare. Die weissen Raupen haben mir die Männchen ergeben, eine Erfahrung, die man aber noch ohne wiederhohlte Versuche nicht für allgemein annehmen kann. Man kennt in verschiedenen Gegenden keineswegs die gelbe Art, und auch Rösel erwähnt derselben nicht, so gemein sie doch in unseren Gegenden ist. Noch sind mir bis zu dieser Anzeige die Versuche mißlungen, ob sich aus der Brut eines einzigen Weibchens beyderley Arten entwickeln, und jede eigene Racen ergeben. Ich werde indessen wiederholte Erfahrungen nicht unangezeigt lassen, wenn sie mich des Gewissern belehren. In der übrigen Bildung kommen beyde überein. Sie führen gelbbraune Haare und rothgelbe Knöpfe. Man wird, wie an beyden erst behandelnden Gattungen, in gleicher Lage ähnlicher Werkzeuge gewahr, welche die Raupe erweitern und einziehen kann. Ueber den vierten und fünften Ring finden sich noch ein paar ganz eigene Spitzen von kurzer Gestalt, wovon wir nicht mehr als ihr Daseyn wissen. Eine umständlichere Anzeige gehört unter die sehr überflüssige Bemerkungen.

Zur Sicherheit ihres nächsten Standes fertigen sich diese Raupen ein dünnes Gewebe von zusammengezogenen Blättern. Es ist von weisser glänzender Farb. Die Chrysalide äussert bey der geringsten Berührung eine sehr lebhafte Bewegung. Ihre Grundfarb ist schwarz, mit weissen Flecken und Linien gezeichnet. Sie ist noch überdieß mit einzelnen Parthien von krausen, theils gelben, theils weissen Haaren, wie solche die Flecken der Raupen hatten, bekleidet. Die männliche Chrysalyde ist kleiner, und um vieles geschmeidiger gebaut. Ob sie beständig weisse Haarbüschel führt, kann ich zur Zeit noch nicht mit Gewißheit entscheiden. Nach der 5ten und 6ten Figur sind beyde nach den Geschlechtsunterschied vorgestellt worden. Zum Auskommen der Phalenen, wird gemeiniglich eine Zeit von vier vollen Wochen erfordert. Die frühesten sind schon in der Mitte des Junius da.

Phalenen von ganz einfärbigem Gewand, sind nach so wenigen Gattungen würklich sehr selten. Hier hat die Natur nicht die mindeste Auszierung der Fläche, die andere in so reicher Maase besitzen, verwendet, und dennoch haben diese Falter ihren eigenen Putz. Es führen die Flügel einen vorzüglichen Glanz. Und dadurch ist dieß einfache Weiß von ähnlichen Arten gänzlich verschieden. Die Schuppen liegen sehr dünne übereinander. Nur die Augen sind schwarz und die Fühlhörner bräunlich gefärbt. Das Männchen hat sie sehr stark gefiedert, bey dem Weibchen aber, sind sie fast fadenförmig gebildet. Nach der körperlichen Gröse trift man die Falter zuweilen um zwey Drittel kleiner an. Sie entfernen sich wenig von dem Ort ihres Aufenthalts, sie liegen bey Tage ganz stille, doch eben nicht verborgen. Bey dem auf Grünem um so mehr abstechendem Weiß, sind sie in beträchtlichen Strecken schon sichtlich. Man findet sie in Paarungen sehr häufig, welche an sich ganze Tage dauern.

Der

Der ein und funfzigste europäische Nachtschmetterling.
PH. BOMB. ELING. AL. DEPRES. DORSO LAEVI. BICOLORIA.
Der Gelbfleck. Canonenvogel.

Tab. XLI. Fig. 7. Die männliche Phalene von beyden Seiten der Flügel.

Bomb. elinguis alis deflexis albis, superioribus fascia disci maculari fulva nigro inducta.

System. Verz. der Wiener Schmett. Fam. A. B. Bicoloria. Weisser gelbgefleckter Spinner. Unbekannte Raupe.

Jung Verz. europ. Schmett. p. 19. B. Bicol.

Naturf. XII. St. nr. 4. Capieux. Beytr. p. 74. nr. 5. Eine sehr seltene Phalene. Tab. II. fig. 9. 10.

Gladbachs Beschr. p. 63. Der rare Canonenvogel. Tab. XXVII. fig. 7. 8.

Zur Zeit hat sich diese Phalene nur in einem kleinen Bezirk des teutschen Gebietes entdeckt. Es sind die Waldungen bey Frankfurt am Mayn und deren benachbarte Gegenden. Von daher hat sich auch zuerst diese Seltenheit in die Sammlungen der Liebhaber entlegener Länder verbreitet, wo sie einen beträchtlichen Werth erhalten. Man weiß sogar die Zeit ihrer ersten Erfindung anzugeben. Es ist das 1775te Jahr, wie ich von einem erfahrnen Kenner berichtet worden. Durch den Fleiß der Sammler und die Entdeckung der Raupe hat sich dieselbe nun in dasigen Gegenden mehr gemein gemacht. Noch haben sich aber zur Zeit keine andere Wohnplätze entdeckt. Sie enthält sich des Tages auf den Birkenbäumen in Ruhe, wo sie durch heftige Erschütterung der Aeste in die untergehaltenen Netze herab gebracht wird. Doch ist sie nach kurzer Verweilung im Flug sehr behende, und entgehet eben so unerwartet, als sie sich vorhin gezeigt.

Nach der Gröse, der Gestalt und weissen Grundfarb kommt sie der Ph. Chrysorrhoea oder Auriflua am nächsten. Sie hat wenigstens das Glänzende der Ph. Salicis nicht, und noch weniger ist sie mit so dichten Schuppen wie diese bedeckt. Der am meisten auffallende Zusatz sind die hochgelbe Flecken in der Mitte der Vorderflügel, welche eine unterbrochene Binde bilden. Sie erscheinen in unterschiedener Form einer stärkeren oder minderen Breite. Diese sind nach Vergleichung sehr vieler Exemplare, gegen die Seite des Hinterleibs jedesmahl mit schwarzen Linien gesäumt. Doch die Gestalt einer Canone sich dabey zu gedenken, dazu wird in der That nicht geringe Einbildungskraft erfordert, wenigstens weiß ich das Aehnliche nicht zu finden. Genug, wenn dadurch eben nicht der Characteristik, doch dem Gedächtniß eine Aushülfe verschaft wird. Zuweilen zeigt sich auch eine Reihe schwarzer Punkte in gleicher Entfernung des Randes, nach unterschiedener Zahl. Beyde Geschlechter haben in diesem Bild eine ganz übereinstimmende Zeichnung. Nur das Weibchen hat, wie gewöhnlich, mehr verdünnte Fühlhörner, einen stärkern Leib und auch etwas länger gestreckte Flügel.

Es hat mir von der Raupe dieser Phalene und ihrer Chrysalide, ein schätzbarer Gönner eine Zeichnung beliefert. Da ich aber zugleich die Versicherung erhalten, sie in der Natur mitgetheilt zu sehen, und noch überdies einige Anstände sich erhoben; so habe ich die Abbildung auf die Fortsetzung verspart, um dort das Vollständige zu liefern. Sie wird in der Länge von einem Zoll und zwey Linien angegeben. Ihre Farbe ist ein einfärbiges Grün mit langen zur Seite ausstehenden Haaren, doch nicht in dem Maas, wie sie die Ph. Leporina besitzt. Sie nähret sich von Birken. Die Chrysalide überwintert, welches an sich bey so frühen Erscheinungen des Falters leicht zu vermuthen ist.

Der zwey und funfzigste europäische Nachtschmetterling.
PH. BOMB. EL. AL. DEPR. DORSO LAEVI. MENDICA.
Die Bettlerin. Frauenmünzen-Spinner.
Phalene de la Chénille du Coq des jardins. REAUM.

Tab. XLII. Fig. 1. Die männliche, Fig. 2. die weibliche Phalene. Beyde von der Ober und Unterseite. Fig. 3. Die Raupe nach der ersten Häutung. Ebendieselbe nach der zweyten, Fig. 4. nach der dritten. Fig. 5. In ausgewachsener Gröse. Fig. 6. Nach einer Abänderung. Sämtlich auf einem Stengel der Frauenmünz. (Tanacetum Balsamita L.) Fig. 7. Das Gehäuse. Fig. 8. Die Chrysalide.

Linn. S. Nat. Ed. XII. Tom. I. p. 822. Sp. 47. Mendica. Bombyx elinguis cinerea tota, femoribus luteis. Unzünglichter ganz aschgrauer Spinner, mit gelben Hüftbeinen. Faun. suec. ed. Nov. nr. 1127.

Müllers Uebers. V. Th. II. B. p. 666. nr. 47. Ph. Mend. Der Bettler.

System. Verz. der Wiener Schmett. S. 54. Fam. F. nr. 3. Ph. Mendica. Frauenmünzspinner.

Fueßli schweiz. Ins. S. 35. nr. 664. Ph. Mend. Der Bettler.

Berlin. Mag. II. B. VI. St. Hufnagels Tab. S. 424. nr. 45. Ph. Murina. Die Mausmotte. Ganz mausfärbig mit einem schwarzen Punct in der Mitte der Oberflügel. An den Zäunen. Im Julius. Von der 3ten Gröse. Selten.

Nat. Forsch. VIII. St. p. 109. nr. 45. Ph. Murina, ist die Mend. Linn. hat zwey schwarze Puncte ꝛc.

Götze entom. Beytr. III. Th. II. B. S. 339. nr. 47. Ph. Mend. Der Bettler.

Jung Verz. europ. Schmett. Ph. Mend. S. 88.

Fischers Naturgesch. von Livland. S. 152. nr. 345. Ph. Mend. Die Bettlerin.

CLERCK. Icon. Inf. Phal. Tab. III. fig. 5.

Herr von Linne hatte diese Gattung nur nach dem männlichen Geschlecht gekannt, nach welchem er sie mit wenigen, doch ungemein charakterisirenden Worten beschrieben. Sie ist durch ihr einfärbiges Braun leicht kenntlich. Die Vorderflügel haben insgemein auf der Oberseite einen einzigen schwarzen Punct. Zuweilen sind deren auch zwey, wie auf der Unterseite vorhanden, und noch zeigt sich bey einigen Exemplaren auch ein dritter. Die Schenkel, besonders nach den Vorderfüssen sind mit gelben wolligten Haaren bekleidet. Die Unterflügel haben auf der Unterseite einen gleichen Punct in der Mitte, auf beyden Seiten aber gegen den Rand, eine unterbrochene Reihe schwarzer Puncte. Das Weibchen kommt nach diesen Zierathen mit dem Männchen überein, nur ist die Grundfarb ein gleichfärbiges Weiß. Es ist etwas dünne mit Schuppen bedeckt, und ohne Glanz. Auf einigen Exemplaren fanden sich mehrere dieser schwarzen Puncte, noch auser denen die über den Rücken stehen. Die Phalene hat sich noch nicht in unseren Gegenden vorgefunden. Die erste Entdeckung beyder Geschlechter, und vorzüglich die erste Erziehung der Raupe haben wir den Herren Verf. des Syst. Verz. zu danken. In den Werken des Herrn Fabricius ist sie nicht angezeigt worden. Sie wird aber in den nächst auszugebenden Mantissen eingetragen werden. Ich bemerke nur, daß die unter dem Nahmen Noctua mendica von demselben verzeichnete Gattung, von dieser gänzlich verschieden ist *n*).

Die Gefälligkeit eines erfahrenen Liebhabers, des Herrn Oehlmann in Leipzig, setzt mich im Stand, das Vollständige der Naturgeschichte dieser

n) Syst. Entom. p. 611. nr. 89. — Spec. Inf. Tom II. p. 231. nr. 113. Noct. mendica, N. cristata, alis deflexis pallide incarnatis, macula media fusca, stigmatibus flavis. Hab. in Germania.

Gattung meinen Lesern darlegen zu können. Es wurde mir von demselben in dem May des abgewichenen 1784ten Jahres eine Anzahl dieser Raupen geliefert. Ihre Erziehung hatte keine Schwürigkeit, sie verwandelten sich in wenigen Wochen zu vollkommenen Chrysaliden, ohngeachtet ich sie in dem zarten Alter der ersten Häutung erhalten. Sie überwinterten in diesem Stande, und ich habe jetzt erst das Auskommen der Phalenen zu erwarten. Die Nahrung der Raupen sind unterschiedene wohlriechende Kräuter, die Melisse, die Menthe nach ihren unterschiedenen Gattungen, hauptsächlich aber, die in Gärten sehr gemeine Frauenmünze. Doch sind sie keinesweges an diese Futterpflanzen so eigen gewöhnt. Ich fand, daß sie mit sehr vielen in ihren Eigenschaften öfters ganz verschiedenen Gewächsen gleichfalls sich ernähren liesen. Am meisten liebten sie die zarten Blätter der hochstämmigen Bohne, womit sie auch am beträchtlichsten zugenommen haben. Nach der Gestalt kommt der Falter der Ph. Lubricipeda am nächsten. Doch ist er nach der Dicke, den büschelförmigen rothbraunen Haaren und nach andern Merkmahlen genugsam verschieden. Die Herren Verf. des System. Verz. haben diese Phalene in eine Familie geordnet, deren Gattungen in der That nach den Raupen und Faltern in der genauesten Verbindung stehen. Es sind die in ihrer Ordnung folgende, Luctifera, die ich der nächsten Tafel beyfüge, dann die Lubricipeda und Menthastri. Ihre Raupen sind sämtlich haarig, mit Rückenstreifen versehen, und von schnellem Lauf, so wie die Phalenen, bey sehr unterschiedenem Colorit, doch fast übereinstimmende Bildung haben.

Bey dem Auskommen vom Ey erscheinen diese Raupen in weißlicher Farb, mit einzelnen langen Haaren und einigen schwarzen Puncten zur Seite. Sie färben sich darauf etwas mehr ins Dunkle, wie von beyden nach ihren Abstand die dritte und vierte Figur erweißt. Dann ist nach der folgenden Häutung der Wachsthum schon mehr beträchtlich, wie ich nach der fünften Figur vorgestellt habe. Die Farbe ist dann von dunklerem Braun, die Haare hingegen sind filzig, doch nicht in Parthien getheilt. Die sechste und siebende Figur legen diese Raupen in ihrer vollkommenen Gröse dar. Hier erscheinen endlich die Haare in Büscheln nach verschiedenen Parthien um jeden Ring. Bey einigen sind sie von heller rothbrauner Farb, bey andern aber mehr ins Dunkle gemischt. Es ist hier kein Rückenstreif sichtlich, dagegen zeigen sich einzelne Puncte von schwarzer Farb. Die Raupen hatten auf dem Boden des Gefäses ein sehr enges Gehäuse angelegt. Es bestunde aus dünnen Häuten und mit andern Materialien verwebten Haaren. Die Chrysalide ist schwarzbraun und an beyden Enden sehr stumpf. Sie äusert bey dem Berühren keine Bewegung. Die Ringe sind sehr verhärtet und zusammengezogen, so weich und ausgestreckt sie auch vorhin bey dem Abstreifen der Raupenhaut waren.

Der drey und funfzigste europäische Nachtschmetterling.

BOMB. ELING. AL. DEPRES. DORSO LAEVI. PUPILLATA.

Der Blaupunct.

Alis concoloribus albis, superioribus punctis duobus nigris, inferioribus vnico, pupillis caeruleis.

Gladbachs Beschr. neuer europ. Schmett. p. 19. Der kleine rare weisse Blausieb. Tab. IX. fig. 3. 4.

Es wird meinen Lesern nicht entgegen seyn, daß ich hier lediglich nach einer Copie eine neue Gattung darlege, von der mir weiter nichts als ihre Existenz zur Zeit bekannt ist. Sie gehört unter die vorzüglichste Seltenheiten, die wenigstens nach dem Original in keiner mir bekannten Sammlung ausfindig zu machen waren. Um so mehr ist mir hierinnen selbsten nähere Nachricht angelegen, und ich habe Freunde dieser Kenntnisse um gefällige Mittheilung zu ersuchen, wenn sie solche etwa besitzen sollten. Ich bemerkte diese Gattung in dem oben angeführten Zeichnungen des Hrn. D. Gladbachs, als die einzige, welche nach ihrer simplen Bildung, das charakteristische unmöglich verfehlen konnte. Bey näherer Erkundigung erfuhr ich, daß das dort abgebildete Exemplar schon längstens wäre verkauft worden, und zur Zeit keine dieser Phalenen sich weiter vorgefunden. Es wurde mir dagegen die Originalzeichnung, von dem die vorliegende die genaueste Copie ist, mitgetheilt. Nach diesen Zeugnissen hatte sich ein Mißtrauen, dazu ich nothwendig veranlaßt worden, gänzlich gehoben. Es soll ferner diese Raupe, nach vorläufigen Erzehlungen, ich kann sie aber nicht für zuverlässig erkennen, sogar filzigte Haare, wie eine Bärenraupe führen. Herr Gladbach bestimmt zwar diese Gattung zur dritten röslischen Classe, oder den Spannmessern, jedoch ohne von der Raupe selbsten einige Nachricht zu geben. Die kurze dachförmige Flügel, die angebliche Stärke des Hinterleibs des Weibchens, und die so beträchtlich gefiederte Antennen des Männchens, verweisen sie näher zu den Gattungen der Horde der Spinner. Doch dieß ist abermahls ohne Besichtigung des Originals für mich nicht mit Gewisheit zu entscheiden.

Die Flügel sind weiß, und nach der Aussenseite auf den vordern mit zwey gerundteten schwarzen Flecken, auf den untern aber nur mit einem einzigen von gleicher Gröse geziert. Ihre Mitte hat eine blaue Pupille, nach welcher sie obstehende Nahmen erhalten. Dennoch mangelt derselbe in oben angeführter Figur des Gladbachischen Werks. In der mir mitgetheilten Zeichnung aber ist er deutlich angegeben. Es wird uns dort keine weitere Nachricht eröffnet, als daß diese Phalene sehr selten und daher sehr theuer wäre. Doch wird noch beygefügt, daß sie sich im April auf der Schaafgarb (Achillea Millefolium) enthalte, und auf dem Boden zu verbergen pflege, wo man nicht immer ohne herculische Arbeit beykommen könnte. Ohnfehlbar ist es meinen Lesern eben so sehr angelegen, das Gewisse zu erforschen, als ich es für Schuldigkeit hielt, hier das Mangelhafte anzuzeigen, um eben dadurch das Möglichste der Vollständigkeit zu erreichen.

Der vier und funfzigste europäische Nachtschmetterling.

PH. BOMB. ELING. AL. DEPRES. DOROS LAEVI. LVCTIFERA.

Der Trauerfalter. Spitzwegerichspinner.

Tab. XLIII. Fig. 1. Der weibliche Falter, Fig. 2. der männliche. Von beyden Seiten der Flügel. Fig. 3. Die Raupe auf dem Mausöhrgen (Hieracium Pilosella L.) Fig. 4. Das Gehäuse. Fig. 5. Die Chrysalide.

Bomb el. nigra, abdomine apiceque alarum inferiorum fulvis.

System. Verz. der Wiener Schmett. S. 54. Fam. F. Hasenraupen. Gelbfüssiger Spinner, nr. 4. B. Lucrifera. Spitzwegerichspinner.

Kleemanns Beytr. S. 246. Die schnelllaufende schwarzhaarige mit einem Rückenstreif gezierte Bärenraupe. Tab. XXX. fig. 1--5. — Raupencal. S. 49. — Das Kaiservögelein.

Göze Entom. Beytr. III. Th. III. B. S. 63. nr. 93. Ph. B. Caesarea. Das Kaiservögelein. Alis tristissimis nigris, posticarum margine interiore, abdomineque luteis.

In einem so düsterem einfärbigem Gewand, wie diese Gattung führt, hat die Natur zugleich verschiedene Spinnerarten gebildet, wo nur eine mindere

Mischung des Colorits, eine etwas veränderte Form und fast unbedeutende Zusätze, den wesentlichsten Unterscheid ergeben. Die Raupe und die Naturtriebe hingegen zeigen sich um so mehr verschieden. Die vorliegende Phalene ist die gröste unter den zur Zeit mir bekannten ähnlichen Arten und am kenntlichsten gezeichnet. Der ganze Körper ist schwarz, nur der Hinterleib und die Endspitze der Hinterflügel, ist in einiger Breite mit gelber Farb bemahlt. Der Unterscheid beyderley Geschlechter zeigt keine erhebliche Verschiedenheit, wie die vorliegende Abbildungen deutlich erweisen. Ich habe sie deswegen beygebracht, weil sie vielleicht in widrigen Vorstellungen, irrige Begriffe hätten ergeben können. Die mehr gefiederte Antennen bezeichnen nach dem Aeusseren, das Männchen genugsam. Die Flügel sind in beyden durchscheinend und sehr dünne mit Schuppen bekleidet. Sie haben keineswegs ein dunkles deckendes Schwarz. Dieß ist zur Characteristik genug. Zuverlässig ist dieß die Phalene, welche die Hrn. Verf. des Wiener Verzeichnisses, unter obstehenden Namen gemeint haben. Man hat sie mit verschiedenen ähnlichen Arten, und selbst mit dem Morio L. verwechselt. Sie scheint die Gattung zu seyn, welche Hr. Fabricius mit dem Namen Bombyx Hieracii in Beziehung auf die Linneische Ph. Atra bezeichnet *o*). Es werden solches die nächst auszugebende Mantissen näher entscheiden. Die Farbe der Flügel stimmt mit der angegebenen Beschreibung überein, so wie die Raupe selbsten. Nur ist das Gelbe des Hinterleibs und die Spitze der Unterflügel nicht angegeben. Sollte dieß Gelbe etwa bey einigen Abänderungen mangeln?

Die in Abbildung hier vorliegende Raupe enthält sich auch in unseren Gegenden; wiewohl sehr selten. Sie entgeht bey ihrem schnellen Lauf sehr leicht, und wird sonst nach ihrer Gestalt für eine bekanntere Art gehalten. Gemeiniglich sind mehrere an einem Ort beysammen. Sie finden sich in abgelegenen einsamen Plätzen im Graß, unter niederen Gesträuchen, an den Rainen oder Ufern kleiner Bäche. Die Futterpflanze ist ihr nicht nach besondern Geschlechtern eigen. Auf der in Abbildung hier beygefügten

o) FABR. *Spec. Ins.* Tom. II. p. 181. nr. 60. B. Hieracii. "Alis subreversis atro-fuliginosis. Syst. Ent. 568. 44. — Ph. *Atra* L. S. N. Sp. 49. — Habitat in *Hieracio*, Delphinio. — *Larva* pilosa atra, linea dorsali sanguinea. Pupa folliculata ferrugineo fusca."

Piloselle pflegt sie sich sonst am meisten zu enthalten. Doch sind ihr die an sumpfigten Orten mehr saftreiche Blätter der Myosotis, oder der Salicaria, des Wegerichs und andere dem Anschein nach gleich angenehm. Man hat sie im Julius zu suchen. Sie ist auch ein paar Monathe später, und sonach in zwey Generationen eines einzigen Jahres vorhanden. Nach der Gestalt kommt sie der Raupe der Ph. lubricipeda am nächsten. Nur sind die Haare ganz schwarz, und an den letzten Ringen beträchtlich verlängert. Ueber den Rücken ziehet sich ein hochrother Streif, und dieß ist auch der wesentlichste Character.

Sie fertiget sich zur Verwandlung ein enges Gewebe von grauer Farb mit darunter verwebten Haaren. Die darinnen enthaltene Chrysalide ist rothbraun und von glänzender Fläche. Sie führt an dem Ende eine sehr kurze Spitze. Aus den überwinterten Chrysaliden kommen die Phalenen nach unserer Erziehung in dem April hervor. Im Freyen hat man sie meines Wissens bey uns noch niemahlen entdeckt.

Der fünf und funfzigste europäische Nachtschmetterling.

PH. B. EL. AL. DEPRES. DORSO LAEVI. (CRISTATO?) MORIO.

Der Morio. Schwarzgestreifter Spinner mit gelben Ringen.

Tab. XLIII. Fig. 6. Die männliche Phalene, Fig. 7. die weibliche. Beyde nach der Ober- und Unterseite der Flügel.

LINN. S. N. Ed. XII. p. 828. Sp. 66. *Morio.* B. el. alis nigris atro striatis; abdominis incisuris flavescentibus. - Unzänglichter Spinner mit schwarzen, dunkler gestreiften Flügeln nebst gelbgefärbten Einschnitten des Hinterleibs.

Müller Uebers. des Natursf. V. Th. II. B. S. 674. nr. 66. B. Morio. Das Mohrenköpflein.

System. Verz. der Wiener Schm. S. 50. Fam. C. Knospenraupen. nr. 1. B. Morio. Lolchspinner. (Lolii perennis.)

Götze entom. Beytr. III. Th. III. B. S. 26. nr. 66. B. Morio. Der Mohrenkopfspinner.

Jung System. Verz. B. Morio.

GRONOVII Zooph. 857. Ph. B. el. nigra, alis subhyalinis marginibus atris.

Bey der Aehnlichkeit der erstbeschriebenen Spinner, glaube ich berechtigt zu seyn, eine in der Ordnung unseres Systems, erst in der Folge angezeigte Gattung, hier einzurücken. Sie stehet mit ersteren in genauester Verbindung, ich

ich kann wenigstens das Kammförmige, nach der sie zur folgenden Abtheilung gerechnet werden, nach allen Exemplaren nicht ersehen. Noch war dem Herrn von Linne die weibliche Phaiene in so abweichender Gestalt, nicht bekannt. Auch die Raupe ordnet sie füglicher hieher. Sie hat ganz eigene knopfförmige Erhöhungen mit einzelnen Haaren. Doch ich kenne sie lediglich nach Beschreibungen, da wir sie in unseren Gegenden nicht besitzen. Die Vollständigkeit ihrer Naturgeschichte hängt von den gefälligen Beyträgen unserer Freunde ab. Wir erhalten diese Phalene von den Insecten-Liebhabern zu Wien, wo sie eben nicht von erheblichster Seltenheit ist. Das Weibchen ist um ein beträchtliches kleiner als der männliche Falter. Der Hinterleib hingegen hat, ohngeachtet der sehr schmalen Flügel eine desto grösere Stärke. Sie sind äusserst dünne mit Schuppen bedeckt, und von bräunlicher Farb. Nur die Endspitze ist rothgelb gefärbt. Die Fühlhörner sind sehr dünne. Dieß Exemplar habe ich von der Güte des Herrn **Gerning** als eine vorzügliche Seltenheit mitgetheilt erhalten, da es an sich eine der neuesten Entdeckungen ist. Das Männchen hat stärker gefiederte Antennen. Seine Flügel sind, wie die vorliegende Abbildung ergiebt, von gröserer Breite, und gleichfalls sehr dünne mit schwarzen Schuppen bedeckt, in den Zwischenräumen der Sehnen aber fast durchsichtig gelassen. Der Hinterleib hat Einschnitte von gelber Farb, welche aber nicht bey allen Exemplaren gleich sichtlich sind.

Der sechs und funfzigste europäische Nachtschmetterling.

BOMB. ELING. AL. DEPRES. DORSO LAEVI. VESTITA.

Der schwarze Sackträger.

Tab. XLIV. Fig. 1. Die männliche Phalene, Fig. 2. die ungeflügelte weibliche nach fremder Abbildung. Fig. 3. Die Raupe mit ihrem Gehäuse auf einem Fohrenzweig; nebst der Futterpflanze, den gemeinen Grasblättern. Fig. 4. Die männliche Chrysalide, Fig. 5. die weibliche.

Bomb. Alis corporeque concoloribus atris.

FABRICII *Spec. Inf.* Tom. II. p. 204. Sp. 146. B. *Vestita.* Alis incumbentibus nigris immaculatis, abdomine subtus villoso albo. — Syst. Ent. p. 686. nr. 105.

Götze Entom. Beytr. III. Th. III. B. S. 53. nr. 39. Vestita. Das sächsische Haarkleid.

Naturforsch. XX. St. p. 57. Tab. II. fig. 1--5.

Unter einer ganz eigenen Abtheilung der Spinner, welche nach neuen Entdeckungen eine eben nicht geringe Anzahl betragen, hat diese wegen ihrer Gröse den vordersten Rang. Es sind dieß, die nach gemeiner Benennung bekannte Sackträger, Raupen, die sich eine eigene Hülle von fremden Materialien fertigen, welches, wie das kalchartige Gehäuse der Schaalenthiere, zu ihren wesentlichen Bedürfnissen gehört. Es haben sich nun mehrere Gattungen unterschieden als man vorhin gekannt, und mit Recht ergeben sie sonach eine eigene Ordnung. Hier ist aber wiederum Verwirrung des Systems, wenn es auf Charactere ankommt, um sie von andern Abtheilungen zu unterscheiden. Man hat sie theils mit kammförmigen theils mit fadenförmigen Fühlhörnern, und noch überdieß von so geringer Gröse, daß sie microscopische Beobachtungen erfordern. Erstere gehören wohl nach diesen Kennzeichen hieher, die übrigen aber zu den Motten (Tineis), und doch kommen sie nach den Raupen überein. So weit wir sie zur Zeit kennen, haben ihre Phalenen ein einfärbiges Gewand und ganz düstere Farb. Kaum sind bey einigen sichtliche Zeichnungen zu unterscheiden. Von allen diesen liefere ich hier zur Zeit nur zwey einzelne Gattungen. Mir ist zu reiferen Beobachtungen angelegen, den wesentlichsten Unterscheid der übrigen zu erforschen, wo aber mehrere Mühe und Beyhülfe erfordert wird als sich vielleicht die wenigste denken. Ohne eigene Erfahrung ist es mir nicht möglich den Leitfaden zu finden, der dieß Gewirre entwickelt. Und dazu stehet es nothwendig noch länger an, zumahl diese Gattungen eben keine der gemeinsten Erscheinungen in hiesigen Gegenden sind. Unseren Liebhabern sind eben diese Arten nach neueren Beobachtungen vorzüglich angelegen. Aber kaum bin ich vermögend nach allen angezeigten Beschreibungen mehr als eine einzige zu entscheiden, und diese nur nach zweyen in der Hauptsache übereinstimmenden Verfassern. Bey den übrigen ist es keinesweges in Ausgleichung zu bringen, welche Gattung jeder Verfasser eigentlich gemeint, da es hier bald auf die Gröse des Falters und bey so einfärbigen Colorit auf dessen mindere oder stärkere Erhöhung, bald auf die Futterpflanze oder die eigene Bildung des Gehäuses ankommt, das alles für die Characteristik nicht hinreichende Entscheidung ergiebt *p*). Nothwendig habe ich bis auf gründlichere Erfahrungen, die mir angelegen sind, hier einen Aufschub zu machen.

p) Bereits haben einige Verfasser vorläufig verschiedene Arten der Sackträger an

Noch ist bey diesen Arten ein Umstand erheblich, der überdieß zu physicalischen Betrachtungen den weitesten Umfang verbreitet. Es würden sich wenigstens für unsere physiologische Kenntnisse wichtige Aufschlüsse daraus ergeben. Man will beobachtet haben, daß das Weibchen der meisten dieser Arten nicht nur ungeflügelt ist, es soll sogar in seiner Hülle ohne auszukommen verborgen leben, und noch überdieß ohne Begattung des Männchen, die Eyer darinnen absetzen, aus der sich dann vollkommene Raupen entwickeln. Ich habe diese Sackträger sehr oft erzogen, aber immer nur geflügelte Phalenen daraus erhalten. Doch verschiedene Zeugnisse sind mir zu ehrwürdig, als daß ich daran zweifeln sollte. Eigene Erfahrungen aber haben mich erst zu überzeugen, und ich werde sie dann meinen Lesern in der Maasse, wie sich solche ergeben, darzulegen nicht ermangeln. Ich füge die mir mitgetheilte Abbildung des Weibchens bey, nach der zweyten Figur dieser Tafel. Sie kommt mit dem im XX Stück des Naturforschers nach obiger Anzeige ganz überein. Man wird nach der Aehnlichkeit, die Made eines Ichnevmons wohl am ersten dabey vermuthen. Aber auch davon wurde der Unterscheid sehr gründlich gezeigt. Daß ich dergleichen von diesen Insecten verletzte Raupen öfters erzogen, bedünkt mich eine unerhebliche Bemerkung zu seyn. Ich erhielte zuweilen aus der Raupe und der Chrysalide sowohl, eine Anzahl kleiner Maden als auch einzelner grosen, wie es sich bey jeden Gattungen zu ereignen pflegt. Dieß bestättigten auch die Erfahrungen des Herrn D. Kühn in Eisenach nach den mir mitgetheilten Nachrichten. Man darf wohl nicht fragen, wie diese Feinde bey einer so starken Hülle der Raupe sich derselben bemächtigen können? Sie ist in ihren Bewegungen sehr langsam, die vordern Ringe liegen blos, und sonach können sich Ichnevmons derselben noch leichter als bey andern bemeistern, da sie minderen Widerstand zu leisten vermag. Die Ph. Viciella des System. Verz. q) ist nun von denen uns bekannten Arten gänzlich davon verschieden. Sie macht sich nach Abbildung und Beschreibungen durch den starken Hinterleib und gerundeten Flügeln am meisten kenntlich. Von dieser Art, wollen nun ersterwähnte Herren Verfas-

gezeigt, denen ich mehrere beyfügen könnte, wenn es nicht auf wiederholte Untersuchungen ankäme. So werden in dem Syst. Verz. der Wiener Schm. S. 290. Anmerk. vier Arten angegeben. Im XX. St. des Naturf. aber sind sechs benennt worden.

q) S. 288. — 296. Tab. I. II. fig. 7.

ser, die sichere Beobachtung angegangen haben, daß die weibliche Phalene ohne Begattung befruchtete Eyer, und diese schon in ihrer Hülle abzusetzen pflege. So gründlichen Gelehrten dieser Kenntnisse, Erfahrungen schlechterdings abzusprechen, würde Beleidigung ihres erprobten Characters seyn. Noch haben diejenige, welche die meisten Einwürfe dagegen erhoben, eben diese Gattung weder nach der Phalene noch nach der Raupe jemahlen gesehen, am wenigsten aber erzogen. Soll dieß unpartheyische Untersuchung heisen? Wir haben der Natur als Lehrerin zu folgen, und nicht sie in unsere vorgefaßte Ideale zu zwingen, wo so trügliche Schlüsse nothwendig entstehen, dazu Vorurtheile Eigensinn und Hang zu widersprechen, die eigentliche Triebfedern sind. Noch schlimmer, wenn sie vollends Machtsprüche in dem anmaßlichen Ton des Dictators enthalten, für den doch keine Mücke in unseren Zeiten sich regt. Einmahl ist die Möglichkeit wirklicher Hermaphroditen erwiesen. Sie betragen in den Reichen der belebten Geschöpfe nichts weniger als gegen zwey Drittel des Ganzen. Ohne alle Widersprüche hat man sie bey einer so beträchtlichen Anzahl Insecten, selbsten denen Fischen, Schaalenthieren und nackenden Gewürmern angenommen. Pflanzen, und zumahl in dem Uebergang des Steinreichs, will ich nicht einmahl erwähnen, da einigen doch noch der Abstand zu beträchtlich bedünkt. So sind Hermaphroditen nach der Zahl des Ganzen ehender eine gewöhnliche Ereigniß, und Gattungen nach getrennten Geschlechtern die geringere Zahl, welche als Ausnahmen erscheinen. Diese beziehen sich nur auf die grössere und edlere Thiere, um in Verbindungen desto höhere Absichten zu erreichen. An sich ist hierinnen die Schöpferskraft so wenig gebunden, als sie es in dem unbegreiflichen Hervorbringen des Ganzen war. Noch giebt es aber Menschen, denen dieß widersinnig scheint, die ohne Erfahrungen alles verwerfen, in allem Unglauben hegen, und auch wirkliche Erscheinungen leugnen, die sie doch nach Gefallen nur besichtigen dürften. Doch, wie weit verliere ich mich in diesen Betrachtungen. Meine Leser werden mir dießmahl eine Ausschweifung verzeihen. Wie sehr werden nicht durch menschliche Irrthümer auch bey diesen Kenntnissen, bey so unschuldigen Geschöpfen, Erschwernisse gemacht, und wie viele hätte ich bey jeder Gattung noch beyzubringen. Mir liegt es ob, die Naturgeschichte des in Abbildung vorliegenden Falters zu erzehlen. Schon nach herstervänten Umständen aber ist fast alles gesagt.

Die Raupe nährt sich vom Gras nach dessen unterschiedenen Gattungen. Man trift sie bereits im Junius in ausgewachsener Größe an, wo sie sich gemeiniglich an die Stämme der Bäume verfügt, um dann die Chrysaliden-Verwandlung anzugehen. Die Farbe der vordern Ringe ist braun und mit schwarzen Linien die Länge hin geziert. Sie verwebt die Oefnung, aus der sie nur nach den vier vorderen Ringen tritt und befestigt sich dann an die Rinde eines Baums, von der das Gehäuse nach der Farb sehr wenig zu unterscheiden ist. Ihre Hülle bestehet aus Stückgen Grashalmen, welche sie abnaget und zu ihrem strohernen Dach auf die geschickteste Art zuzubereiten weiß. Die Raupen suchen schon bey dem Auskommen vom Ey sogleich einige Materialien auf, um sich zu bedecken, wozu ihnen jede nächstgelegene Halme dienen. Mit dem Wachsthum wird diese Wohnung nach und nach erweitert, bis endlich die Raupe selbst ihre Vollkommenheit erreicht, und dieser Beschäftigung müde ist. Die Verwandlung der darinnen enthaltenen Chrysalide gehet sehr langsam von statten. Sie ist von brauner Farb und länglicht gestaltet. Das Auskommen der Phalene erfolgt erst in vier Wochen, zuweilen auch später. Und so scheinen zweyfache Erzeugungen sich des Jahrs zu ereignen. Umständlichere Nachrichten habe ich in der Folge nach Erfahrungen, wie sich solche ergeben, darzulegen, um auch das Characteristische ähnlicher Gattungen anzuzeigen. Zur Zeit bin ich damit noch nicht zu Stande gekommen.

Der sieben und funfzigste europäische Nachtschmetterling.

PH. BOMB. ELING. AL. DEPRES. DORSO LAEVI. DETRITA.

Der graue Sackträger.

Tab. XLIV. Fig. 1. Der männliche Falter.

Alis corporeque cinereo-nigricantibus, concoloribus; fasciis alarum superiorum crenatis saturatioribus.

Es kommt diese Sackträgerphalene mit der vorigen nach der Gröse, dem Umriß und Bau der Flügel überein. Sie hat nicht minder ein einfärbiges Gewand von dunkelschwärzlichem Grau. Nur einige wellenförmige Zeichnungen von stärkerer Mischung nehmen sich auf den Vorderflügeln aus, und dieß ist auch der vorzüglichste Unterscheid. Man findet sie mit ersterer meistentheils an einerley Orten, und gemeiniglich zu gleicher Zeit. Doch nähere Umstände bin ich nicht anzugeben vermögend. Es soll das sackförmige Gehäuse abermahl von ersterwähnter sehr verschieden seyn. Genauere Berichtigungen sind daher nothwendig auf die Fortsetzungen verspart, die ich nach deren Gewißheit beyzubringen nicht ermangeln werde. Noch ist mir eine der vorigen ganz gleichende Art bekannt, welche ein etwas mehr ins Graue fallendes Colorit besitzt. Ich bin aber wegen Mangel genauer Umstände zur Zeit nicht vermögend zu entscheiden, ob sie Varietät oder eigene Gattung ist.

Der acht und funfzigste europäische Nachtschmetterling.

PH. BOMB. ELING. AL. DEPR. DORSO LAEVI. ATRA.

Die schwarze Haar-Phalene.

Tab. XLIV. Fig. 7. Die weibliche Phalene in natürlicher Gröse. Fig. 8. Nach einer vergrösserten Vorstellung.

LINN. S. N. Ed. XII. Tom. I. p. 823. Sp. 49. Atra. Bomb. elinguis, tota Atra. Unzünglichter ganz schwarzer Spinner. (Durchsichtige, flat. gefiederte Flügel, und sehr haarigter Leib.) — "Habitat in Europa. Vpsaliae. C. P. Thunberg. Magnitudo vix muscam carnariam superat. Antennae valde pectinatae. *Alae* deflexae; superiores maiores."

Müllers Nat. Syst. V. Th. I. B. p. 667. nr. 49. Ph. Atra. Der Mohr.

Götze entomol. Beytr. III. Th. II. B. S. 341. Ph. Atra. Die Mohrin.

Mit der Phalene Atra des Herrn von Linne hat es in Rücksicht der entscheidenden Kennzeichen gleiche Bewandniß nach dem Strittigen, wie bey den vorerwähnten Arten. Es sind die Charactere nach den angegebenen Merkmalen nicht hinreichend bestimmt. In einem gleich schwarzen Gewand haben sich nun verschiedene Gattungen entdeckt, welche damals unbekannt waren. Ein Fall, der sich für die Zukunft öfters nach wörtlichen Charaktern ereignen kann, da wir nothwendig nicht die Entdeckungen der folgenden Zeiten und also auch den specifischen Unterscheid nicht kennen. Herr von Linne konnte damahls nach so wenigen Worten eine Gattung ganz richtig bestimmen, welche im Abstand der übrigen, die einzige war, und keinem Mißverständniß ausgesetzt schien. Nun aber haben sich mehrere entdeckt, denen gleiche Bezeichnung angemessen ist, wo es aber an sich unmöglich wird, ohne Zeugnisse die gewisse Meynung zu erforschen. Jeder hielt eine ganz schwärzliche Phalene von geringer Gröse, und wenn sie nur kammförmige Fühlhörner hatte, für die unstrittige Atra des Herrn von Linne, und doch sind es eben so viele eigene Gattungen. Ich kann daher nach den Schriftstellern, welche sich unter gleichen Nahmen dahin bezogen, zur Zeit keine Entscheidung finden, ich habe sie deßhalb unangezeigt gelassen. Sogar der Morio, die Luctifera, die Vestita, Detrita und andere ähnliche, wurden unter diesem Nahmen genennt. Noch tadelte man andere Verfasser, daß sie solche schwarz oder grau angegeben, da jeder doch eine ganz verschiedene Gattung gemeint. Ich zweifle, ob es die Gedult meiner Leser ertragen möchte, von allen die anzuführenden Belege zu lesen, da sie an sich keine Berichtigung ergeben. Einmahl sind wir an Charactere gehalten, und in deren Uebereinstimmung wird es niemahlen ein Fehler seyn, eine Gattung für die ächte, welche sie auch seyn mag, anzunehmen. Bey der in Abbildung vorliegenden Phalene stimmen die oben angeführte Merkmahle des Herrn von Linne am genauesten überein. Es ist aber nur die Frage, ob sie auch nach Angabe, in der Gegend von Upsal zu finden ist. Ich habe nach verschiedenen übereinstimmenden Exemplare dieser in Abbildung vorliegenden Phalene von Herrn Devillers in Lion erhalten. Er fand sie in den Gebürgen der dasigen Gegend sowohl, als in den von Savoyen, wiewohl sie mit Mühe zu erhalten war. In unseren teutschen Gefilden aber ist sie nicht vorhanden. Wir haben dagegen eine sehr ähnliche, doch ganz wesentlich verschiedene Gattung. Es ist die, welche ich auf eben dieser Tafel nach der 8ten Figur unter dem Nahmen Ph. Pulla in Abbildung beygebracht habe. Hier ist eben die Frage, ob es etwa nicht die in Upsal einheimische Atra des Herrn von Linne ist. Das Kennzeichen der ausserordentlich stark gefiederten Antennen, und die Gröse einer Schmeißmücke (Musca carnaria) bestimmt sie am nächsten für die characterisirte Gattung. Nördliche und südliche Gegenden haben immerhin einige Producte gemein, und so konnte es ebenfalls auch bey dieser seyn. Die vorliegende Gattung ist indessen genugsam bestimmt, und auf die Benennung kommt es nicht an. Anstatt Naturgeschichte zu erzehlen, hat hier das System die meiste Weitläufigkeit ergeben. Wäre es aber auch möglich bey so unermeßlichen Zahl der Geschöpfe ohne dieses Hülfsmittel nur den geringsten Theil nach unendlich gröseren Verwirrungen vernünftig kennen zu lernen? Wie, wenn erst auf richtige Bestimmung keine Rücksicht genommen würde, da doch die Natur nach weit geringeren Kleinigkeiten specifischen Unterscheid äusserer Merkmahle, gelassen hat. Nun muß ich die beygefügte Abbildung auch wörtlich beschreiben. Ich habe das gröste Exemplar gewählt, das ich nach unstrittigen Merkmahlen für die weibliche Phalene gehalten. Einige waren um zwey Drittel des körperlichen Innhalt kleiner, andere aber betrugen ein noch weit geringeres Maas. Doch waren sie in allen ganz übereinstimmend gebildet. Die Flügel sind sehr dünne und nur mit einzelnen zerstreuten Schuppen bedeckt, welche sich aber bey geringer Bewegung gänzlich verlieren. Man findet sie daher, kaum ein paar Stunden nach ihren Auskommen schon mit ganz durchsichtigen und glänzenden Flügeln, wie solche die Hymenoptera führen. Die Antennen sind sehr stark gefiedert und mit Querfasern aneinander gefügt. Im Verhältniß des kleinen Körpers sind sie ausserordentlich groß, und überdieß von ganz eigener Bildung. Ich habe deswegen diese Phalene nach einer mäßigen Vergrösserung dargestellt, um ihre Gliedmassen deutlicher zu erkennen, und zugleich im übrigen den Abstand von der folgenden Gattung, die ich Ph. Pulla genannt, zu zeigen. Dieß wird nun aus deren Vergleichung genugsam erhellen.

Der neun und funfzigste europäische Nachtschmetterling.

PH. BOMB. ELING. AL. DEPRES. DORSO LAEVI. PULLA.

Die Mücken-Phalene.

Bomb. elinguis atra, alis latioribus margine piloso undique cincta, squamis capillaris sparsim tectis.

System. Verz. der Wiener Schmett. S. 133. Tineae. Schaben. Fam. A. Scheinspinner Schaben. Phal. Tin. Bombyciformes. Sp. 3. Tin. Muscella. Fliegenflügelichter Schabe. Unbekannte Raupe r).

Das Strittige dieser Phalene in Rücksicht des Systems habe ich bereits in Beschreibung der vorigen Gattung erwähnt. Hier ist nun lediglich der Unterscheid derselben zu bemerken. Es scheint zwar, daß Herr von Linne unter dem Nahmen Atra, diesen vorliegenden Falter eigentlich gemeint habe.

r) Hieher wird auch von den Herren V. nach Beyfügung des Linneischen Nahmens die Atra gerechnet, und Tinea Graminella geheissen. Es ist aber wahrscheinlich, daß damit unsere Vestita möchte gemeint seyn, oder ihre erste Gattung, Tinea Graminella; Graßschabenraupe. Es stimmt die angeführte Beschreib. des GEOFFROI Teigne a fourreau de paille composé, mit solcher am nächsten überein. Doch ist es wegen Aehnlichkeit anderer Arten abermahl nicht mit Gewißheit zu bestimmen.

Er

Er ist wenigstens auch in weiter nördlich gelegenen Erdstrichen unseres Welttheils vorhanden. Doch hat derselbe nicht so beträchtlich gefiederte Antennen wie jener, und dieß ist nach übereinstimmender Grösse der vorzüglichste Abstand. Es kommt einmahl auf die Benennung nicht an, genug wenn ich die hier vorliegende Art, um Verwirrung zu verhüten, genauer bezeichne. Die Flügel sind in Vergleichung der erst beschriebenen Phalene um vieles breiter gebildet, wie die hier beygefügte vergrösserte Abbildung deutlich erweißt. Sie sind minder durchsichtig und von düsterem Schwarz. Doch liegen die Schuppen nur einzeln, in Gestalt kurzer Haare darauf. Sämtliche Flügel haben noch das Eigene, daß der Rand derselben in seinem ganzen Bezirk mit Franzen bordirt ist. Es sind parallelansstehende Borsten, wiewohl von feinstem Gewebe. Der Leib ist zwar sehr haarig, doch lange nicht in der Dicke und so zottig wie sie die Atra führt. Die Fühlhörner fand ich niemahlen von der beträchtlichen Stärke, wie bey ersterer Art. Dieß kann das Characteristische einer eigenen Gattung genugsam bestimmen. Ich bemerke noch, daß zuweilen die Flügel ganz durchsichtig erscheinen, da die haarigte Schuppen sehr leicht durch den Flug sich verlieren. Man findet diese Phalene zu Anfang des Sommers im Gras auf Wiesen, oder in Waldungen auf blumigten Plätzen. Mehrentheils trift man sie in einem kleinen Bezirk zahlreich beysammen an. Doch sind sie schwer zu entdecken, und noch mühsamer zu fangen. Sie entgehen schon auf ein paar Schritte dem Gesicht. Ihre Farbe, und der durchirrende Flug schützt sie für Nachstellung mehr, als durch würkliche Waffen. Man trift sie auch zuweilen in einiger Betäubung auf den Grasstengeln sitzend an.

Der sechzigste europäische Nachtschmetterling.

BOMB. ELING. AL. DEFL. DORSO LAEVI. CRATAEGI.

Der Weißdornspinner.

La chénille demi-velue d'aube-épine. REAUM. Phalene à queue fourchue. DEGEER.

Tab. XLV. Fig. 1. Die Raupe auf einem Zweig des Weißdorns. (Crataegus Oxyocantha L.) Fig. 2. Das Gehäuse. Fig. 3. Die männliche, Fig. 4. Die weibliche Phalene, Fig. 5. ein Hermaphrodit, nach der einzigen zur Zeit bekannten Erscheinung. Fig. 6. Eine Abänderung des Weibchens.

LINN. S. N. Ed. XII. Tom. I. p. 823. Sp. 48. B. *Crataegi*. Elinguis, alis deflexis cinereis rotundatis: fascia obscuriore, ano barbato. Ohnzünglichter Spinner, mit niedergeschlagenen, gerundeten, aschgrauen Flügeln, nebst dunkler gefärbten Binde und bärthigen Endspitze des Hinterleibs. — Similis Ph. Mendicae, parva a Ph. *Vitis* idaeae aliter, quam solis antennis et sexu? Faun. Suec. Ed. nov. nr. 1126.

Müllers Uebers. des Nat. Syst. V. Th. 1. B. S. 666. nr. 49. Ph. Cr. Die Dorneule.

System. Verz. der Wiener Schm. S. 58. nr. 8. Ph. Cr. Hagedornspinner.

Füeßli Schweiz. Ins. S. 35. nr. 665. Ph. Cr. Die Dorneule.

FABRICII Spec. Ins. Tom. II. p. 194. Sp. 104. Crataegi. Linn. Char. — Larva pilosa nigra fasciis albis tuberculisque quatuor ferrugineis.

Götze entomol. Beytr. III. Th. II. B. S. 340. nr. 48. Ph. Cr. Der Weißdornspinner.

Jung Verz. europ. Schm. Ph. Cr.

DEGEER Mem. Tom. I. p. 193. Tab. XI. fig. 20. 21. Chénille velue noire, a rayes transversales en demi cercle d'un blanc jaunatre et a quatre tubercules rousses, qui vit sur le Saule l'Ozier. — p. 696. — Tom. II. Part. I. p. 300. nr. 3. — a antennes barbues sans trompe, à ailes un peu débordées, d'un gris cendré avec une large bande transversale obscure sur les Superieures.

Götze Uebers. des Degeerisch. Werks, 1. Quart. S. 143; gleiche Tafel und Figur. — 4. Quart. S. 119. — II. B. I. Th. S. 214. nr. 3. Der Gabelschwanzspinner.

Diese Phalene hat sich durch eine ausserordentliche Abweichung, eine der seltensten Erscheinung unter den übrigen Gattungen, am meisten merkwürdig gemacht. Es ist der Zwitter, welcher nach der fünften Figur in genauester Abbildung erscheint. Ich habe bereits in einer besondern Abhandlung, denselben vor einigen Jahren, denen Naturfreunden zu weiteren Untersuchungen nach dem Sonderbahren seiner Umstände dargelegt s). Damahls war dieß die zweyte Ereigniß unter den bekannten Geschöpfen dieser Art, und die erste Abbildung nach der Natur. Man hatte wenigstens den Hermaphroditen der Ph. Dispar, welchen Herr Prediger Schäfer so ausführlich nach einer ihm mitgetheilten Zeichnung beschrieben, lange in Zweifel gezogen. Nun haben sich gleiche Seltenheiten auch von anderen Gattungen entdeckt. Es sind dieß vorzüglich die Zwitterphalenen

s) Beobachtungen an einer neuentdeckten Zwitterphalene des Bombyx Crataegi von Friedrich Eugenius Esper. Mit einer illum. Kupfertaf. Erlangen, in Verlag Wolfgang Walthers 1778. in 4. "Bey damaliger Abwesenheit vom Druckerort, ist aus zufälliger Irrung, mein Vornahme unrichtig beygesetzt worden."

einer Pavonia und Pini. Da aber wo der Unterscheid der Geschlechter nach den Fühlhörnern, und der Farbe der Flügel nicht gleich auffallend ist; haben sich noch keine Erfahrungen gleicher Ereignisse verbreitet. Sie fordern eine allzu genaue Beobachtung, wenn sie auch in den Untersuchungen der Hauptsache, der Vollkommenheit beyder vereinten Geschlechter, vielleicht nähere Aufschlüsse ergeben würden.

Das merkwürdige dieses hermaphroditischen Falters werden meine Leser in ersterwähnter Abhandlung ausführlich angezeigt finden. Um Weitläuftigkeiten zu umgehen, habe ich lediglich das Vorzüglichste in der Kürze anzuzeigen. Es wurde diese Abweichung von den gewöhnlichen Gesezen, oder Mißart t), bereits im Jahr 1777. von Herrn Cammerrath Jung erzogen. Sie findet sich noch als die gröste Seltenheit in dessen kostbaren und auserlesenen Sammlungen, wo sie zur genauesten Untersuchung jedem Liebhaber kann vorgezeigt werden. Was schon die Abbildung der fünften Figur auf das genaueste erweißt, ist dieser Falter nach der rechten Seite vollkommen wie der männliche gebildet. Die Linke hingegen hat sogar auch nach der Hälfte des Leibs und dem fadenförmigen Fühlhorn die ganze Gestalt des Weibchens. Dieß ergiebt die Vergleichung beyder Geschlechter, welche ich nach der vierten und fünften Figur dargestellt habe. In der That könnte man beyde nicht vollkommener nach zerschnittenen Hälften vereinen, als sie die Natur in diesem Exemplar gebildet. Ob sie aber nach ihren inneren Theilen gleiche Vollkommenheit hatten; ob sie mehr der weibliche als der männliche Sexus waren; ob einer oder der andere, oder beyde zugleich, zu Erzeugungen ihre Fähigkeit hatten; dieß und noch mehreres blieb bey einer Seltenheit dieser Art, zu Erforschungen eine unbeantwortete Frage. Die Möglichkeit nach ähnlichen Beyspielen in der Natur, wird kein vernünftiger Kenner leugnen. Ich gebe zu, daß man dieß nach so mißlichen Umständen, etwa auch bey tausend erzogenen Hermaphroditen dieser Art, nicht nach überzeugenden Erfahrungen wird erweisen können. Indessen kann

t) (monstrum) Nach dem der von mir gebrauchten Benennung in Eintheilung der Varietäten, wovon ich in Diss. de Varietatibus Specierum, — Sect. I. §. 18. und Sect. II. §. 12. nr. 4. gehandelt.

sich solches nach der erwiesenen Möglichkeit eben so unerwartet ereignen. Man hat wenigstens noch kaum angefangen auf diese Untersuchungen einige Aufmerksamkeit zu verwenden. Ich habe erfahrnen Kennern diese merkwürdige Erscheinung dargelegt, um mich darinnen durch ihre Urtheile zu belehren. Diese sind nun auf mannichfaltige Art ausgefallen, wie sich leicht gedenken läßt, ohne aber in der Hauptsache irgend nähere Aufklärung, wie ich verhofte, zu erhalten. Einige hatten bey der Frage über die Möglichkeit würklicher Hermaphroditen ihren gänzlichen Beyfall geäussert, und zur Bestärkung noch mehrere Gründe beygefügt. Ein anderer hingegen, hat sogar die Existenz des Originals nach der vorliegenden Abbildung geleugnet, und dem Herrn Besitzer, wie mich, nach willkührlichen Machtspruch einer offenbahren Irrung beschuldigt. Weder die Phalena Dispar des Hrn. Voet, noch diese, und weiter war in solcher Beurtheilung kein Hermaphrodit dem Verfasser bekannt, wurden für das angenommen, was sie doch würklich sind. Unsere Liebhaber und ich verhoften über dieß Phönomen nähere Aufklärung zu erhalten. Wie befremdend war es aber, anstatt derselben den Ausspruch zu lesen, den man freylich nicht von der Philosophie der Iroquesen erwartet, „es möchte die ganze Sache entweder Irrung, oder vorsetzlicher Betrug seyn.“ Eben als wenn Menschen ausser seinem Bezirk, in etwelcher Entfernung nicht die von der Natur verliehene Sinne zur Beurtheilung besässen. Ich kann mir nicht gedenken, wie es jemand beygehen kann, Erfahrungen schlechterdings zu läugnen. Doch bey diesen Vorwürfen, die anderen beleidigend fallen, müssen wir Mitleiden über so sehr erniedernde Schwäche haben. Der Verfasser ist aufgefordert, eigenen Augenschein bey dem Herrn Besitzer dieser Seltenheit zu nehmen, und Ehrenwegen zu widerrufen. Erforschungen der Wahrheit nach unpartheyischen Urtheil, sind doch ächten Gelehrten die schuldigste Pflichten! Bey einem so richterlichen Gutachten, war noch am meisten die unter alle Anfangsgründe erniederte Kenntniß zu beklagen. Ich schäme mich sie zu erzählen. Er sagt uns in so untrüglicher Unterweisung, „daß es eben nichts erhebliches sey, wenn ein Falter wie dieser, ein kammförmiges und fadenförmiges Fühlhorn zugleich hätte; er könnte in seiner Sammlung Spannenmesser-Phalenen darlegen, deren Männchen Fühlhörner ganz von ersterer, und die Weibchen ganz von der andern Art, würklich hätten.“ Welchem Lehrling wird ein so gemeiner Umstand unbekannt seyn? Nur ein Blick in das System könnte ihn belehren, daß die Gattungen der Spannenmesser eine dreyfache Abtheilung haben; solche, deren beyderley Sexus, Fühlhörner von einerley Art, kammförmig oder fadenförmig besitzen, und dann wo die Männchen nur erstere haben. Gerade diese, die gemeinste Sorte, war ihm alleine als eine Seltenheit bekannt. Verzeihen meine Leser eine Ausschweifung, zu der ich mehr zur Vertheidigung für andere bin aufgefordert worden, als daß mir so grobe Beschuldigungen nahe giengen, die ich dennoch zur Berichtigung darzulegen schuldig bin. Ich schone Nahmen und Stelle, aus Patriotismus gegen unsere Nation, anzuzeigen, da sie ihr leider keine Ehre sind.

Doch meine Leser lassen sich für dießmahl gefallen, daß ich noch weiter einer Beurtheilung, der im Reich der Insekten abentheuerlichen Erscheinung dieses Hermaphroditen erwähne. Kaum sind sie von drey oder vier verschiedenen Gattungen zur Zeit noch bekannt, wo man freylich wegen ihrer Seltenheit keine Versuche hat anstellen können, um zu erforschen, wie sie sich etwa in ihren Generationen verhalten. Wer würde sich auch überwinden, so kostbare Stücke, die im Werth bey Liebhabern ansehnliche Juwelen übertreffen, zu diesen Versuchen zu zernichten? Würden sie auch die ergiebigsten Aufschlüsse ergeben; so wäre doch lange nicht wider Zweifel von ersterwähnter Art, die Sache selbst zu erweisen; da nothwendig das belehrende Exemplar fast gänzlich müste vernichtet werden. Würde doch nach diesen Erscheinungen die Möglichkeit eines vollkommenen vereinten Sexus geleugnet, wenn auch die Natur, auf so vielfältige Art ihre Existenz uns hinreichend gezeigt. Hier kommt es nicht auf Schlüsse in der Studierstube an, denen die Natur so vielfältig entgegen handelt. Wir haben unserer Lehrerin zu folgen, die sich nicht immer nach unseren Theorien bequemt. Es sind Untersuchungen anzugehen. Diese aber fordern mehrere Jahre, als etwa Minuten zu so entscheidenden Folgerungen aus unrichtigen Hypothesen, bedürfen.

Noch habe ich einer anderen Erklärung dieser Abweichung von gewöhnlichen Gesetzen, zu erwähnen. Nach dieser ist die geschwindeste Auskunft getroffen, die Natur mag wollen, oder nicht. Hermaphroditen sind dieser Meynung zufolge ganz unerhebliche Abänderungen! Das fadenförmige und kammförmige Fühlhorn, die Form, und die veränderte Farbe der Flügel, und auch wie nothwendig hinzugesetzt werden muß, die innerliche getrennte Structur der Geschlechtstheile, die schon von aussen ersichtlich ist, alles dieß soll nichts weniger als Unterscheid des Sexus, sondern lediglich eben nicht Varietät, sondern gleichgültige Verwechslung seyn. Aeusserliche Kennzeichen des männlichen Geschlechts, können nach dieser Meynung, dem Weiblichen in gleicher Maasse zukommen, wenn immerhin bey Insekten die Natur am vielfältigsten, und am wesentlichsten den Unterschied darinnen gebildet hat. Hier gehet vollends unsere Metaphysic verlohren, und das von allen Erdenbewohnern angenommene Principium indiscernibilium ist leider nur eine eingebildete Chimäre. Zum bündigsten Beweiß dieser vermeintlichen Erklärung, werden vollends die Bärte des männlichen Geschlechts, mit den Fühlhörnern der Insekten, in Vergleichung gebracht. Freylich giebt es da Hörner von ganz mannichfaltiger Art! So wenig ein bärtiges Frauenzimmer, heist es, für männlichen Geschlechts könne erklärt werden, so wenig wäre dieß auch eine weibliche Phalene mit kammförmigen Antennen, deren sich nach eigenen Gattungen so viele finden. Um dieß zu behaupten, deucht mich, müsse man selbst zuvor Insekt gewesen seyn! Haare, von so zufälliger Entstehung, mit diesen wesentlichen Organen in Vergleichung zu bringen, weiß ich nicht mit meiner Physic zu verbinden. — Völkern eines bekannten Welttheils, hat zwar die Natur eine nach unserer Mode so beschwerliche Bekleidung gänzlich versagt, deßhalb aber haben sich doch nie kammförmige Fühlhörner, an einer weiblichen Phalene, die sie nach ihrer Gattung fadenförmig hat, jemahlen vorgefunden. Noch ist dieß so wesentliche Kennzeichen des Sexus, lange nicht das einzige zur Bestimmung des Unterschieds. Es finden sich derer mehrere, als etwa nur Haare des Bartes, nach obiger Vergleichung betragen. Merkmahle, die an sich bey Säugthieren niemahlen so ersichtlich sind, als bey Schmetterlingen von ganz eigenen Sinnen. Der Bau der Flügel, der Umriß, das Colorit, die Zeichnungen, die abweichende Gröse, dieß alles ist in beyderley Sexus dieser Geschöpfe nach allen einzelnen Theilen, also auf unzähliche Art verschieden. Dieß aber soll nach obiger Meynung nicht Unterscheid der Geschlechter seyn, »sondern die Natur habe nur bey der so auffallender Bildung eines Hermaphroditen, einen einzigen Sexum, ohne daß er solchen würklich enthält, hervorgebracht, und er müsse entweder ganz Männchen oder ganz Weibchen seyn, so wie Charaktere, die jenem zukommen, auch das andere Geschlecht, nach dem Zufall des Variirenden haben könne." Damit sind nun alle philosophische Aufgaben auf einmahl berichtigt! Würde so nach die Chimäre des Horaz existiren, so dürften wir nach diesen Behauptungen, durchaus nicht sagen, daß sie aus den Theilen eines Ochsen, Löwen, Pferds oder Vogels bestünden, sondern sie sind Abänderungen einer einzigen Gattung. Die Natur hat lediglich das Pferdartige in eine ochsenförmige Bildung gebracht, oder das Thier ist ganz Vogel, nur hat sich der Pferdekopf daran geformt, der aber immerhin nichts anders als ein Schnabel bleibt, und so nach nur zufällige Abänderung des Geschlechts der Vögel ist. Auch hier übergehe ich die Belege, es ist meinen Lesern genug eine Meynung erzählt zu haben, die ich hier nothwendig anführen und erörtern muste. Was mich noch dabey am meisten befremdete, war: daß eine Beobachtung des berühmten Herrn Oberbergrath von Scopoli, ohne Einwendung für ungezweifelt angenommen worden, wo doch nach Art dieser Einwürfe, weit grössere Schwürigkeiten könnten erhoben werden. Es hatte nehmlich dieser verdiente und so sorgfältige Naturforscher, einstens zwey Raupen der Ph. Pini beysammen erzogen. Sie hatten sich in ein gemeinschaftliches Gehäuse eingesponnen, und bey dem Auskommen erschien eine vollkommene Zwitterphalene. Sie legte befruchtete Eyer, aus denen auch vollkommene Raupen kamen. Dieß wurde als ungezweifelt angenommen, und für die einzige Möglichkeit der Hermaphroditen erklärt. Könnten sich denn aber nicht eben so leicht in gemeinschaftlicher Hülle eines einzigen Eyes, auch zwey Individuen zugleich vereinigen, da es doch nach öfteren Häutungen, und den folgenden Entwicklungen weit mehrere Umstände erfordert. Hier sind nach dieser Erfahrung zwey Raupen, gerade aus Zufall von beyderley Geschlecht, beysammen erzogen worden. Sie haben sich zugleich gehäutet, und nach freundschaftlicher Neigung, wider die Gewohnheit dieser Arten, in ein gemeinschaftliches Gewebe vereint. Nothwendig haben sie die zottige Raupenhaut, und diese zugleich in einer Minute ehe sie erhärten können, abgestreift. Beyde Chrysaliden müssen sich in pünktlicher Lage, Kopf an Kopf, und Seite an Seite, miteinander verbunden haben. Die Häute die sie umgaben, hatten sich nothwendig getrennt, und die darinnen enthaltende Säfte sich miteinander verbunden, ohne daß bey dem Durchbruch etwas verlohren gegangen. Noch kam aus der Verbindung so sonderbar vereinten Chrysaliden, nicht ein Falter, mit acht Flügeln zum Vorschein, sondern von vieren nach gewöhnlicher Art. Hier muste sich also das Verwachsen, noch pünktlicher ereignet haben, daß sich gerade der rechte Flügel des einen, und der linke des andern, in gemeinschaftlicher Brust vereinten, oder die fehlende sich gänzlich vernichtet haben. Noch besassen diese verwachsene Falter nur einen einzigen Kopf, und hatten beyderley Zeugungsglieder zu vollkommenen Gebrauch. Diese Umstände zusammen genommen, bedünkten nach obiger Erklärung, doch gar nicht erheblich zu seyn. Es ereignet sich zwar öfters, daß zwey Raupen in einem gemeinschaftlich gefertigten Gehäuse sich verwandeln. Doch trift man selten zumahl bey diesen Arten, beyde Chrysaliden darinnen vollkommen gebildet an. Es gehet eine gemeiniglich verlohren. Würde es nicht, wenn ich auch in diese Erfahrung nicht den mindesten Zweifel setze, wahrscheinlicher seyn, daß schon eine Raupe von beyden, nach ihrer ursprünglichen Entstehung, hermaphroditisch gewesen, und die andere, bey dem Abstreifen der Haut, in so engen Raum zu Grund gegangen. Doch wie lange verweile ich in diesen Berichtigungen, wozu ich mich durch allzu ernstliche Aufforderung, genöthigt gesehen. Die als beträchtliche Mängel verlangte Untersuchungen, ob der Zwitter, der Ph. Cratägi, vollkommen beyderley Sexus gewesen, ob eine natürliche Fortpflanzung sich eriegnen können, und die Beantwortung eben so vieler Fragen, als mir dabey aufgefallen, werden meine Leser nach dem Unmöglichen dieser Forderungen von selbsten ermessen. Untersuchungen dieser Art fordern öftere Ereignisse, und dazu längere Jahre als in wenigen Minuten entworfene Theorien, denen die Natur so vielfältig widerspricht. Doch nun zur friedlichen Erzählung der Geschichte unserer in der Ordnung hier zu beschreibenden Gattung. Zur Zeit weiß ich aber keine neuen Zusätze beyzufügen, es ist das Erhebliche mit wenigem gesagt.

Die erste Figur dieser Tafel stellt eine Raupe nach der beträchtlichen Gröse vor. Sie ist von blaulichtschwarzer Grundfarb, und mit dünnen

dünnen zum Theil verlängerten Haaren nach der ganzen Fläche besetzt. Ihre Verzierungen sind sehr auffallend, und nach diesen wird man sie nicht leicht verkennen. Es haben jede Ringe, nächst den Einschnitten, halbcirculförmige Binden von gelber zuweilen auch weisser Farb. Daneben stehen jedesmahl zwey dunckelrothe Knöpfgen mit steifen Borsten besetzt. Zuweilen erscheinen nur vier der mittleren in diesem Colorit, die übrigen aber sind dunkler, fast schwärzlich. Zu beyden Seiten findet sich längst denen Luftlöchern noch eine weisse, oder vielmehr aus unterbrochenen Flecken zusammengesetzte Linie. Die Raupe behält, so viel ich beobachten können, durch alle Häutungen einerley Farb und Zeichnungen. Ihre gewöhnliche Futterpflanze ist der Hagedorn, wovon sie auch die lateinische Benennung von dem Herrn Ritter erhalten. Doch trift man sie auch auf den Weiden, Schlehen, und Zwetschgenbäumen, seltener aber auf der Eiche an. Man findet sie auch einzeln und unseren Gegenden ist sie niemahlen eine gemeine Erscheinung gewesen. Nach Beschaffenheit der früher oder späteren Wärme des Frühlings wird sie in der Mitte des May, oder zu Anfang des Junius schon in ausgewachsener Grösse gefunden.

Nach den Kunsttrieben und ihrer Verwandslungart, kommt sie denen der Phalene Catax und Lanestris am nächsten. Das zwischen Blättern eyförmig angelegte Gewebe von gelblicher Farb, ist gleich feste, doch mehr in die Breite gedruckt, und von keinem so regelmäsigem Bau. Die Chrysalide ist schwarzbraun, nach beyden Enden sehr stumpf. An sich ergiebt sie zu bezeichnendem Unterscheid der gewöhnlichen Arten keinen erheblichen Abstand. Die Phalene entwickelt sich noch in dem ersten Jahr, doch sehr späte, gemeiniglich in dem September, und also in acht bis zwölf Wochen.

An dem Männchen sind die Flügel um vieles kürzer, auch mehr gerundet zugeschnitten als an dem Weibchen. Die dritte Figur giebt ein Muster nach dem Colorit, und denen bindenförmigen Zeichnungen. Zuweilen ist das Weisse mehr ins Aschgraue verlohren, und die Binden sind dunkler oder auch heller, in grösserer und minderer Breite aufgetragen. Die Fühlhörner sind stark gefiedert, das Weibchen aber hat sie fadenförmig und feiner gebildet. Die Grundfarb ist ein dunkleres

Braun, mit mehrerern wellenförmigen und zackigten Binden bezeichnet. Nach der Grösse sowohl, als der unterschiedenen Höhe oder Vertiefung der Farb, sind die Abänderungen in beyden sehr manchfaltig. Man hat sie von dunklem Braun, mit einer einfachen, oder auch gedoppelten, fast verlohrenen Binde. Eine der erheblichsten habe ich nach der fünften Figur dargelegt, welche ich aus der Sammlung des Herrn Gerning mitgetheilt erhalten. Hier ist die Grundfarb von röthlichem Lichtgrau, und mit gelblichen Streifen verschönert. Nach gleicher Anlage hat man sie auch dunkelbraun. Bey solchen Verschiedenheiten ist es nicht zu befremden, wenn der Herr von Linne eine andere Gattung mit ähnlicher Grundfarb und dunkleren Binde, mit dieser verwechselt, und unter dem Nahmen Noctua Vitis ideá als eine vermeintliche Abänderung, oder Geschlechtsverschiedenheit der Ph. Cratági, in das System eingetragen. Doch wurde sie als zweifelhaft angegeben *u*). Sehr wahrscheinlich ist dieses das Weibchen der Ph. Heckta, wie die angegebene langen Hinterflügel, nach ihren wesentlichen Kennzeichen genugsam erweisen.

Der ein und sechzigste europäische Nachtschmetterling.

BOMB. EL. AL. DEPR. DORSO SVBCRISTATO TRIMACVLA.

Dreyfleckigter Spinner.

Fig. 1. Die männliche Phalene, Fig. 2. Die weibliche, Fig. 3. eine Abänderung.

Alis cinereo-fuscis, fasciis tribus macularibus albidis.

System Verz. der Wiener Schm. S. 59. Fam. M. Halbhaarraupen. Großstirnigte Spinner. nr. 4. Trimacula. Graulichter Sp. mit drey vereinigten weissen Mackeln. Unbekannte Raupe.

Götze Entom. Beytr. p. 60. nr. 73. — Nach gleicher Anzeige.

Ich schalte hier einige Gattungen ein, die nach der Aehnlichkeit der Zeichnung, mit der vorstehenden in nächste Verbindung kommen. In der Vollständigkeit ihrer Naturgeschichte aber, ist nur allzu vieles mangelhaft geblieben, und selbst in Absicht des Variirenden ist bey dem Un-

u) S. N. Ed. XII. p. 823. Sp. 48. Crataegi Anmerk. "Similis Ph. mendicae, parva. — An distincta a Ph. Vitis idaeae aliter, quam solis antennis et Sexu?" — p. 834. Sp. 88. *Vitis idaeae.* Ph. Noctua subelinguis, alis cinereis fascia transversali saturatiore: inferioribus planis. Fn. su. 1163*. Habitat in Vaccinio, Vite idaea. Distincta alis inferioribus minimo plicatis, longitudine superiorum.

terscheid verwandter Arten das Gewisse zur Zeit nicht zu bestimmen. Diese Phalene ist in unseren Gegenden keine seltene Erscheinung. Sie wurde auch aus Raupen auf Eichbäumen, ohne sie nach ihren Kennzeichen genau zu bemerken, öfters erzogen. Der männliche Falter hat rostfärbige gekämmte Fühlhörner, an dem weiblichen aber sind sie sehr dünne fadenförmig gebildet. Die Oberseite der Vorderflügel hat ein bräunliches Aschgrau zur Grundfarb, auf welcher ausgeschweifte Streife schrege sich durchziehen. Die Zwischenräume sind weis gelassen; und bilden sonach, besonders bey einigen Exemplaren, wo sie noch mehr in die Fläche verlohren erscheinen, drey weisse Flecken.

Nach den mir mitgetheilten Nachrichten, soll es die Gattung nach obiger Anzeige seyn, welche die Herren Verf. des Syst. V. unter beybehaltener Benennung gemeint haben. Der Falter nach der Abbildung der dritten Figur, wurde von einigen für eine eigene Gattung erklärt. Es läßt sich aber, nach ersteren, das Gemächliche der Abweichung sehr sichtlich erklären. Die bräunliche Grundfarb ist nur stärker verbreitet, und die parallellaufende Streife deutlicher ausgedruckt. Nach Vermuthungen möchte die Raupe von der der folgenden Art, wenige Verschiedenheit ergeben. Doch wie oft fehlen hierinnen unsere Schlüsse.

Der zwey und sechzigste europäische Nachtschmetterling.

BOMB. ELING. AL. DEPR. DORSO LAEVI. ROBORIS.

Weißgestreifte Eichen-Phalene.

Tab. XLVI. Fig. 4. Der männliche, Fig. 5. Der weibliche Falter. Fig. 6. Die Raupe auf einem Eichenzweig. Fig. 7. Die Chrysalide.

Alis superioribus fuscis, strigis albidis lunulaque media nigra.

System. Verz. der Wiener Schm. S. 49. Fam. A. Scheinschwärmer Raupen. — Mondmacklichte Spinner nr. 7. Bomb. Chaonia. Steineichenspinner, Quercus Roboris.

FABRICII Genera Inf. Mant. p. 283. Noctua laevis, deflexis cinereis: Strigis duabus undatis albis, macula centrali nivea: lunula nigra. Roesel Inf. I. Ph. 2. Tab. 50. Hab. in Germaniae quercu. — Media. Antennae setaceae, simplices. Strigae alarum albae fusco marginatae. — *Larva* glabra viridis utrinque lineis duabus longitudinalibus flavis. Puppa nigra. — *Spec. Inf.* Tom. II, pag. 217. Sp. 47. Noct.

Roboris, laevis, alis deflexis cinereis, strigis duabus fuscis undatis albis, macula centrali nivea, lunula nigra.

Göze Entom. Beytr. III. Th. III. B. S. 57. nr. 56. Chaonia. Nach Anz. des Syst. Verz.

Rösel Ins. Bel. I. Th. Nachr. II. Cl. p. 270. Nr. 50. Tab. 50. Die glänzende blaßgrüne und schlanke Eichenraupe, mit gelben Streifen, nebst ihrer Verw. ꝛc.

Diese Raupe ist auf unseren Eichbäumen eine der gemeinsten. Man findet sie nach gewöhnlicher Witterung im Julius schon ausgewachsen. Sie ist sehr schlank, und im Verhältniß der Länge von beträchtlicher Stärke. Die Grundfarb hat nach den gemeinsten Exemplaren, ein helles, bläulicht oder weißlichtes Grün, mit einigem Glanz. Zu den einzigen Verschönerungen führt sie zwey über den Rücken und dergleichen zu beyden Seiten hochgelbe durchlaufende Streifen, von gleicher Breite. Nach vollendetem Wuchs, begiebt sie sich in die Erde, wo sie sich mit dünne zusammengezogenen Fäden ein Gewölbe baut, und zur Chrysalide verwandelt. Diese ist schwarzbraun, glänzend und mit einer kurzen Spitze am Ende versehen. Sie durchlebt in ihrem Aufenthalt den ganzen Winter, und erst in dem April bricht die Phalene daraus hervor.

Das Männchen ist durch die kammförmige Fühlhörner, und dem haarigen Hinterleib, am kenntlichsten verschieden. Im übrigen haben beyderley Geschlechter, wie aus der vierten und fünften Figur abzunehmen, eine kaum erhebliche Abweichung. Die Grundfarb ist in beyden ein dunkles röthliches Braun. Auf dieser zeigen sich zackigte, schwärzlich eingefaßte Binden von weißlichter Farb. In der Mitte findet sich auf einem hellerem Flecken eine mondförmige Mackel, von schwarzer Farb, die hier den wesentlichsten Charakter ergiebt. Man hat sehr manchfaltige Abänderungen dieser Gattung. Ich bemerke nur diejenige, welche Rösel nach obiger Anzeige vorgestellt hat. Die Grundfarb ist aschgrau, oder mehr schwärzlich, wie mit blasser Dusche angelegt. Man glaubte, daß lediglich dem Weibchen dieses Colorit eigen wäre. Ich besitze sie aber nach beyderley Geschlechter von gleicher Abweichung. Zuweilen erscheinen sie noch dunkler, und der weisse Flecken in der Mitte verbreitet sich in einem grösserem Raum. Auch die Binden sind bey einigen breiter, und um vieles heller. Alle diese Abweichungen darzustellen, wird man keineswegs verlangen.

Der drey und sechzigste europäische Nachtschmetterling.

BOMB. EL. AL. DEPR. DORSO SVBCRISTATO. OBLITERATA.

Der verblichene Eichenfalter.

Fig. 1. Der männliche Falter. Fig. 2. Der weibliche.

Alis fuscescentibus obliteratis, striga maculaque in medio albida.

Es möchte diese Phalene für eine Abänderung der vorigen bedünken. Sie kommt derselben wenigstens sehr nah. Die Flügel aber führen eine grössere Breite, sie sind ungemein dünne, und fast durchscheinend mit Schuppen bedeckt. Ihre Grundfarbe ist ein sehr blasses Gemische von Braun, mit Weissen in die Fläche verlohren und dadurch ist sie genugsam verschieden. Es mangelt noch überdieß der schwarze mondförmige Flecken in der Mitte der Flügel, welchen die Ph. Roboris hat. Dieß alles zwar wird eine genaue Vergleichung ergeben, welche nach ihrem Abstand Kleinigkeit betragen. Mehr aber weiß ich auch nicht davon zu erzählen. Diese Arten finden sich zu Frankfurt am Mayn, und andern Gegenden. Hier sind sie mir niemahlen zu Handen gekommen. Die Raupe ist noch nicht bekannt, doch soll sie sich gleichfalls auf Eichen finden.

Der vier und sechzigste europäische Nachtschmetterling.

BOMB. ELING. AL. DEPR. DORSO LAEVI. CRENATA.

Eichenspinner mit kappenförmigen Binden.

Fig. 3. Der männliche Falter. Fig. 4. Der weibliche.

Alis pallide fuscis, striga media duplici crenata.

In der Aehnlichkeit beyder erstbeschriebenen Gattungen, ist diese zwar nach sehr geringen Abstand, dennoch mehr wesentlich als jene unter sich verschieden. Nach Vergleichung einiger Exemplare, hat sie eine weit geringere Grösse. Die kappenförmige gedoppelte Binde, welche an dem weiblichen Falter noch auszeichnender ist, ergiebt das deutlichste Merkmahl. Die Grundfarb ist ein braunliches Lichtgrau, in der sich die dunklere Einfassung der weissen Binden verliehret. Das Weibchen hat längere Flügel, und feine fadenförmige Antennen. Auch diese Gattung wurde mir aus der so reichen Sammlung des Herrn Gerning mitgetheilt. Sie findet sich, nach vielen übereinstimmenden Exemplaren, in der Gegend von

Hh 3

von Frankfurt am Mayn. Sehr wahrscheinlich ist sie an mehreren Orten vorhanden. Man hat sich nur nicht die Mühe gegeben, die mit so wenig auffallenden Farben bekleidete Spinner, einer Aufmerksamkeit zu würdigen. Mir sind sie näher als die in buntscheckigtem Gewand, die man längstens kennt, zur Vollständigkeit dieser Abtheilung angelegen. Wie viel ist aber davon zu berichtigen übrig!

Der fünf und sechzigste europäische Nachtschmetterling.

BOMB. ELING. AL. DEPR. DORSO LAEVI. FERRVGINEA.

Rostfärbiger Spinner.

Tab. XLVII. Fig. 5. Der männliche, Fig. 6. Der weibliche Falter.

Alis ferrugineis, fasciis nigricantibus nubeculosis.

Auch diese Spinner-Gattung, welche eben nicht unter die seltenen gehört, wurde noch keiner Anzeige gewürdigt, wenigstens hat man zur Zeit eine Abbildung vermißt. Bey einem so düsterem Gewand, und noch überdieß bey sehr abweichenden Varietäten, ist es hier schwer das Charakteristische wörtlich anzuzeigen, man hat sich an die Zeichnung zu halten. Die Hauptfarb der Vorderflügel ist rostfärbig, besonders nach dem männlichen Falter. Durch die Fläche ziehen sich zwey schwärzliche verlohrene Binden, welche an dem weiblichen Falter in deutlichen Streifen verändert, erscheinen. Die Hinterflügel sind ockerfärbig, mit einem schwarzen Fleck in der Mitte und zur Seite mit dergleichem Farbe angeflogen. Noch ist von diesem Falter die Raupe unbekannt. Man trift ihn in den meisten Sammlungen unserer fränkischen Gegenden an. Bey Nachfrage näherer Umstände aber, haben sich nicht mehrere Erläuterungen ergeben, als ich hier angezeigt habe.

Der sechs und sechzigste europäische Nachtschmetterling.

BOMB. ELING. AL. DEPR. DORSO SVBCRISTATO. LOLII.

Der Lülchspinner.

Tab. XLVIII. Fig. 1. Der männliche Falter. Fig. 2. Der weibliche. Fig. 3. Die Raupe in mittlerem Alter, auf einem Halm des Lülchgrases (Lolium perenne Linn.) Fig. 4. in ausgewachsener Grösse. Fig. 5. Die Chrysalide.

Alis fuscis, venis albidis, fascia marginali macularum nigra, media disci maiori albida, minori adiacente circinali, utrisque puncto seu linea nigra notatis.

Der hier nach beyden Geschlechtern in Abbildung vorliegende Spinner, hat mit einer längst bekannten Gattung der Eulenarten, der Noctua Typica das nächstgleichende gemein. Vielleicht ist er deßhalb so lange verborgen geblieben, da man beyde für einerley gehalten. Bey genauerer Untersuchung wird die Verschiedenheit nur allzubeträchtlich, als daß eine Verwechslung könnte vermuthet werden. Dorten findet sich zwar bey einerley Grösse und Umriß der Flügel, auch gleiche Grundfarb, und ähnliche hellgesäumte Sehnen, allein die Zeichnung der Flecken, wie eine Vergleichung sehr leicht ergiebt, ist gänzlich daran verändert. Das Männchen hat sehr stark gefiederte Fühlhörner, welche die Ph. Typica niemahlen führt. Noch ist die blasse Mackel gegen die Mitte mit einem schwarzen Punkt, nach dem weiblichen Falter aber, den ich nach der zweyten Figur beygefügt habe, durch eine mondförmige Binde von dergleichen Farbe geziert. Auch Abänderungen haben diese Phalene öfters ganz unkenntlich, nach dem ersten Anblick gebildet. Ich besitze ein Exemplar derselben von lichtgrauer Grundfarb, wo nur die Sehnen braun gefärbt erscheinen; und die dunklere Flecken ein ganz befremdendes Ansehen ergeben. Wir besitzen diese Gattung in unserem Franken, nach einigen Wohnplätzen sehr häufig; und nur in dieser Rücksicht, wo man die Beobachtungen noch nicht gemacht, sind sie wie insgemein jede Gattungen sehr selten. Bereits im März nach gewöhnlicher warmen Witterung trift man die Phalene an Zäunen und Gemäuern sitzend an.

Ich habe sie aus der Raupe in der Gegend von Anspach vielfältig erzogen. Sie fand sich in Getraidfeldern, so wie in Wiesen auf dem Gras, von dessen Arten sie sich ohne Unterscheid der Gattung genährt. Zur Benennung habe ich deshalb eine der gemeinsten Pflanzen, wo ich sie fand, das lolium, den Lülch gewählt. Auf Nahmen kommt es eben nicht an, wenn nur die bezeichnende Sache seine gewisse Bestimmung hat. Diese Raupe ist in der Mitte des Junius schon in ausgewachsener Grösse zu finden. Sie liegt nahe an den Wurzeln in der Tiefe verborgen, wo sie des Abends sich an die Grasstengel begiebt. Bey zahlreicher Vermehrung könnte sie wegen ihrer Gefräßigkeit leicht so schädlich als die schwedische Ph. Graminis werden. Nach den Eigenschaften und der Gestalt, kommt sie derselben sehr nah, so wie auch der Falter nur durch

durch die geringere Grösse, und nach dem vorzüglichstem Kennzeichen einem weissen zahnförmigen Flecken, von diesem verschieden ist. Man hat sie vielleicht für einerley gehalten, ohngeachtet wir die ächte Ph. Graminis in unseren Gegenden nicht besitzen x). Die Raupe ist ganz walzenförmig gerundet, und von glatter glänzenden Fläche. Die Grundfarbe ist dunkelbraun, und mit schwarzen Queerstreifen gitterförmig durchzogen. Sie führet zu beyden Seiten lichtgraue etwas fleischfarb, schattirte Streifen, welche sich vom Kopf bis an die Endspitze die Länge hin ziehen. Nach der dritten Figur habe ich eine in ihrem mittlerem Alter, nach der vierten hingegen im vollkommenen Wuchs, und der ihr vorzüglichsten Grösse eines Exemplars, vorgestellt. Sie gehet zur Verwandlung in die Erde, und die Entwicklung der Phalenen erfolgt in den ersten Tagen des Frühlings. Die Chrysalide ist braun und von gewöhnlicher Form.

Der sieben und sechzigste europäische Nachtschmetterling.

BOMB. ELING. AL. DEFL. DORSO LAEVI. NVBECVLOSA.

Wolckenfleckigter Spinner.

Tab. LXVIII. Fig. 6. Die männliche Phalene, nach beyden Seiten.

Bomb. alis fuscis striis nigris, fasciis duabus albidis obliteratis, macula disci albida lunata nigro inducta.

Es kommt diese Phalene schon im März bey gemäsigter Witterung zum Vorschein. Man trift sie in Waldungen an den Stämmen der Bäume sitzend an. Wie mich Herr Gerning versichert, nährt sich die Raupe

x) Die Phalene, welche unter dieser Benennung in den Hufnaglischen Tabellen, (Berl. Mag. II. B. IV. St. S. 412. nr. 27. Graminis, der (Grasvogel) angegeben worden, ist nach Berichtigung des Herrn von Rottemburg, (Naturf. VIII. St. S. 105. nr. 27.) die Ph. Mi. Doch scheint es, daß derselbe unter der angegebenen Ph. Graminis die vorliegende Gattung möchte gemeynt haben. Es heist "— die wahre Ph. Graminis hat mit diesem Vogel (Ph. Mi) gar keine Aehnlichkeit, sondern gleicht am meisten der Ph. Typica, wiewohl sie sich auch von dieser durch ihre sehr starke haarige Fühlhörner unterscheidet. Als etwas besonderes merke ich an, daß ich niemals das Weibchen von der Ph. graminis L. finden können, ohngeachtet dieser Vogel eben nicht unter die seltenen gehört, und ich das Männchen davon alle Jahre des Abends fange."

Raupe von den Bircken, wo sie im Junius zu suchen ist. Sie soll nach den Syst. Verz. der Wiener Schm. unter die erste Familie gehören. Die Haut ist gerieselt, oder rauh von kleinen Wärzgen, und die Farbe grün. Mehreres kann ich zur Beschreibung nicht erzählen.

Der Falter hat, wie die genaue Abbildung erweißt, eine sehr düstere Grundfarb von dunklem Braun. Die Länge hin ziehen sich unterschiedene schwarze Striche von ungleicher Breite, so wie auch schrege zwey dergleichen kappenförmige Binden durch die Fläche laufen. Sie sind mit weisser in die Grundfarbe verlohrenen Schattirung gesäumt. Der wesentlichste Charakter ist im übrigen, der mondförmige, oder mehr eyrunde weißgraue Flecken in der Mitte oder näher gegen den Rand und die Flügelspitze. Er ist gegen die innere Seite, in Form eines halben Zirkels, sehr breit mit schwarzer Farbe eingefaßt, und in der Mitte mit einem dergleichen zur Seite verlohrenen Flecken getheilt. Das Weibchen ist grösser und von dunklerer Farb, die Fühlhörner aber sind fadenförmig gebildet. Ausser diesen und der Stärke des Hinterleibs, sind beyde Geschlechter, nach den Zeichnungen kaum erheblich verschieden.

Der acht und sechzigste europäische Nachtschmetterling.

BOMB. ELING. AL. DEFL. DORSO LAEVI. SPHINX.

Die Sphinx-Phalene.

Tab. XLIX. Fig. 1. Die Raupe auf einem blühenden Lindenzweig. Fig. 2. der männliche Falter. Fig. 3. Die Chrysalide.

Alis cinereis, fusco-nubeculosis, striis longitudinalibus nigris, marginalibus in angulos conniventibus.

Berliner Magaz. III. Band., S. 400. nr. 75. schwärzlichgrau, flammig gezeichnet.

Naturf. IX. St. S. 133. nr. 75. Ph. Phinx. Der Storch.

Götze Entom. Beytr. III. Th. III. B. S. 47. nr. 10. Ph. B. Sphinx. Der Storch.

Jung europ. Schm. S. 136. Ph. Sphinx.

Rösel Ins. Belust. III. Th. S. 239. Tab. 40. fig. 1—5. Die auf Eichen und Linden sich aufhaltende blaßgrüne Raupe, mit vier gelben und einer weissen Linie, an welcher der letzte Absatz mehr als die übrigen erhöht ist.

Die sonderbare Stellung dieser Raupe im ruhenden Stand, hat zu ihrer Benennung Anlaß gegeben. Sie trägt den Kopf mit den vier ersten Ringen gerade in die Höhe gerichtet, und sonach dachte man sich in dieser Aehnlichkeit den fabelhaften Sphinx der Alten. Sie hat hierinnen mit der Raupe des Ligusterfalters einerley Eigenschaft, welche zu Bezeichnung des Geschlechtes der Abendschmetterlinge Gelegenheit gegeben. In dem Wörterbuch des Valmont Bomare, wird sie unter dem Nahmen La chenille du Cassini sehr kenntlich beschrieben. Er bemerkt, daß sie gleichsam als der Astronom unter den Raupen, zu Betrachtung der Gestirne den Kopf in die Höhe gerichtet trägt. Die Verfasser des System. Verz. der Wiener Schm. haben sie in dieser Beziehung B. Cassinia geheisen v). Ich habe erstere schon längstens eingeführte und bekanntere Benennung beybehalten, und die andere einer ähnlichen Gattung beygelegt, die auf dieser Tafel zugleich in Abbildung erscheint. Es soll ihre Raupe eine ähnliche Stellung haben, und so gar strittig seyn, ob nicht erwähnte Verfasser diese Gattung darunter möchten gemeynt haben. In dieser Berichtigung kommt es weiter auf die Benennung nicht an.

Rösel hat bereits die Raupe und ihre Verwandlungen auf das genaueste beschrieben. Sie ist in unseren Gegenden eine der gemeinsten. Man trift sie, so bald die Linden und Eichbäume in volles Laub ausgeschlagen sind, in erwachsener Grösse an. Man wird sie auch auf Kirschbäumen und Buchen, doch etwas seltener gewahr. In dem Alter vor der letzten Häutung ist sie ausserordentlich zart, fast durchscheinend und mehr ins Gelbe gefärbt. Bey vollkommenem Wuchs verändert sie sich ins Weisse, mit minderer Mischung des Grünen. Der letzte Ring ist mehr als die übrigen erhöht, und fast pyramidenförmig gestaltet. Ueber den Rücken ziehen sich ein Paar hellweisse und zur Seite zwey hochgelbe Streifen die Länge hin. Sie vereinigen sich an der Endspitze in winklichte Züge. Wir finden sie zuweilen noch grösser, als die vorliegende Figur erweißt. Sie begiebt sich zur Verwandlung in die Erde. Die Chrysalide ist dunkelbraun und ganz nach gewöhnlicher Gestalt der Phalenenarten gebildet. Ihre Entwicklung erfolgt im späten Herbst, gemeiniglich im October, doch pflegen auch einige zu überwintern, und erst im Frühling des folgenden Jahres auszubrechen.

v) Syst. Verz. S. 61. Fam. P. Scheineulenraupen. Haarige Spinner. nr. 1. B. Cassinia. Graslindenspinner La Cassini Valm.

Die Phalene besitzt wohl wenige Schönheiten, wenn solche in dem Bunten des Gewandes bey diesen Geschöpfen gesucht werden. Die Grundfarb ist ein blasses Aschgrau, welches von einzelnen eingestreuten schwarzen und braunen Atomen sehr unreine oder schmutzig läßt. Noch sind verschiedene schwarze Striche die länge hin auf der Fläche der Vorderflügel wahrzunehmen. Gegen den äussern Rand erscheinen in einer Reihe, spitzwinklichte Flecken mit weissen Linien eingefaßt. Abänderungen nach der helleren oder dunklen, zuweilen ganz braunen Grundfarb, desgleichen nach der Verschiedenheit der schwarzen Streifen, sind bey dieser Gattung sehr zahlreich. Fast treffen wir kaum zwey Exemplare in pünktlich übereinstimmender Bildung an. Die Fühlhörner sind sehr lang und stark gefiedert. Das Weibchen aber hat sie fadenförmig. Im übrigen ist es ausser dem gewöhnlichen Unterscheid nicht abweichend gebildet.

Der neun und sechzigste europäische Nachtschmetterling.

BOMB. ELING. AL. DEFL. DORSO SUBCRISTATO. CASSINIA.

Die Phalene des Cassini.

Tab. XLIX. Fig. 1. Der männliche Falter. Fig. 4. eine ähnliche Art, als vermuthliche Abänderung.

Alis cinereis angustioribus, venis atomisque nigris, punctis nervorum albis.

Zur Zeit ist diese Spinner-Gattung noch sehr wenig bekannt und in unseren Sammlungen eine vorzügliche Seltenheit. Ich habe sie abermahl den gütigen Beyträgen des Herrn **Gerning** zu danken. Sie wird in der Gegend von Wien gefunden, und soll daher in dem System. Verzeichniß bereits eingetragen seyn, doch ist man wegen des Nahmens noch ungewiß. Nach den Vermuthungen einiger Kenner wurde sie für die Cassinia gehalten, die Phalene die ich eben unter dem Nahmen der Ph. Sphinx beschrieben. Weiter als diese Bemerkung, weiß ich von ihrer Naturgeschichte nichts zu erwähnen. Es ist lediglich noch wörtlich anzuzeigen, worinnen die charakteristische Merkmahle bestehen. Die Grundfarb der Vorderflügel ist ein helles Aschgrau, mit sehr feinen schwärzlichen Atomen bestreut. Die Sehnen sind gleichfalls schwarz, und wie unterbrochen mit weissen Punkten besetzt. Der vordere und äussere Rand ist in paralleler Lage mit einer Reihe stärker angelegter Punkte gesäumt. Die Fühlhörner sind sehr zart, stark gefiedert und von brauner Farb,

Ii 2

sie bezeichnen dadurch am kenntlichsten den männlichen Falter. Das Weibchen hat sie fadenförmig, und um ein beträchtliches länger. Im übrigen ist es bey gleicher Grösse nur nach der Grundfarb der Vorderflügel, die dunkler ist, verschieden, und sonach war eine Abbildung, die sich nach diesem Abstand leicht gedenken läßt, wohl sehr entbehrlich.

Weit erheblicher ist die Phalene, welche ich nach der fünften Figur unter dem Nahmen einer Abänderung, dieser Tafel beygefügt habe. Es läßt sich das Entscheidende bey einem einzelnen Exemplar, und da in so grosser Aehnlichkeit unmöglich bestimmen. Es muß solches die Raupe nebst andern mir mangelnden Nachrichten ergeben. Für die Rechte einer eigenen Gattung, sind auch bey so gleichförmiger Bildung dennoch sehr wesentliche Abweichungen da. Die Flügel sind mit ersterem Falter nach einerley Form gebildet, sie haben auch eine nur etwas dunklere Grundfarb. Die schwärzliche Punkte und der mittlere Flecken ist ebenfals vorhanden. Nur die Sehnen sind feiner, sie führen die weissen Punkte nicht. Der Hinterleib ist beträchtlich stärker und ganz von brauner Farb. Die gröste Verschiedenheit ergeben die Antennen. Sie sind zur Hälfte gefiedert und gegen die Spitze fadenförmig gezogen, wie sie einige Spannenmesser führen. Ein Umstand der sie von beyderley Sexus der Gattung der vierten Figur, wesentlich unterscheidet. Nothwendig habe ich nähere Erfahrungen abzuwarten, um das Gewisse darlegen zu können. Vielleicht haben einige Liebhaber nähere Gelegenheit um darinnen Aufschlüsse zu geben, welche ich zu meiner Belehrung zu erbitten habe. Das Exemplar dieses in Abbildung vorliegenden Falters, findet sich in der Sammlung des Herrn Walthers dahier. Es wurde aus Sachsen nebst andern beygebracht.

Der siebzigste europäische Nachtschmetterling.

BOMB. ELING. AL. DEPR. DORSO LAEVI. CORYLI.

Der Haselspinner.

Phalene du Noisettier. DEGEER. De Eike Borstel-Rups-Vlinder. SEPP.

Tab. L. Fig. 1. Die Raupe in ausgewachsener Grösse; auf einem Zweig des Haselnußstrauchs (Corylus Avellana L.) Fig. 2. Das Gespinst. Fig. 3. Die Chrysalide. Fig. 4. Der männliche Falter nach vorzüglicher Abänderung. Fig. 5. Der weibliche.

LINN. S. N. Ed. XII. Tom. II. p. 823. Sp. 50. Ph. B. Coryli, elinguis, thorace variegato, alis antice griſeo nebuloſis: poſtice caeruleſcenti - glaucis, antennis flavis. Unzünglichter Spinner mit fleckigtgeſtreifter Brnſt; nach den Vorderflügeln zur Hälfte gegen die Grundfläche von braunröthlicher Farb mit wolkigten Zügen, gegen den äuſſern Rand aber, mit aſchgrauer ins bläuliche fallender Grundfarb, nebſt gelbbraunen Fühlhörnern. — Faun. ſu. ed. nov. 1123.

Müllers Ueberſ. des Nat. Syſt. V. Th. I. B. S. 667. nr. 50. Ph. Cor. Die Haſeleule.

FABRICII S. Entom. p. 573. nr. 56. — *Spec. Inſ.* Tom. II. p. 187. nr. 78. Bomb. Coryli, alis deflexis glaucis, faſcia ferruginea, puncto nigro albo - annulata, thorace variegato.

Berl. Magaz. II. B. S. 408. nr. 19. Ph. Cor. Die Haſelmotte. Die Oberflügel hellgrau mit weißlichen braunen und gelblichen Zeichnungen ꝛc.

Syſt. Verz. der Wiener Schmett. S. 55. Bürſtenraupen. nr. 4. Coryli. Haſelnußſpinner.

Fueßli Schweiz. Inſ. S. 35. nr. 667. Ph. Cor. Haſelmotte.

Götze Entom. Beytr. III. Th. II. B. S. 342. nr. 50. Ph. Cor. Haſelſpinner.

Gleditſch Forſtwiſſenſch. I. B. S. 569. nr. 4. Ph. Cor. Die Haſelmotte.

ONOMAST. Hiſt. nat. P. VI. p. 344. Ph. Cor. Der Haſelſtaudenvogel.

BECKM. Epit. S. Linn. p. 164. nr. 50. Ph. Cor.

Gladbachs Catal. Das Eichhorn.

Kleemanns Raupencal. S. 88. nr. 254. Ph. Cor. Die Haſelmotte.

RETZIVS Gen. et Sp. Inſ. Degeer etc. p. 39. Ph. Cor.

Röſels Inſ. Bel. I. Th. Nachtv. II. Cl. S. 204. Tab. 58. Die auf der Haſelnußſtaude ſich aufhaltende kleine gelbliche fleiſchfarbige Bürſtenraupe mit zwey Haarhörnern ꝛc.

SEPP. Nederl. Inſ. IV. St. Nacht - Vl. p. 69. Tab. XVII. De Eike Borſtel - rups.

DEGEER Mem. Tom. I. p. 265. Tab. 18. fig. 4. 5. Chénille a broſſes et a aigrettes, d'un blanc jaunâtre, et rayés d noir, du Bouleau. — p. 699. Ph. a antennes a filets et a courte trompe, moitié brune et moitié cendrée - blanchatre. — T. II. p. 319. Ph. du Noiſettier. etc. Götze Ueberſ. I. Th. 2. Quart. S. 42. — 4. Quart. S. 127. — II. B. I. Th. S. 231. nr. 8. Die Haſelphalene ꝛc.

ALBINI Hiſt. Inſ. Tab. 90.

WILKES engl. M. a. Butterfl. 31. Tab. 3. c. 5.

Den erſtern Erfindern kam dieſe Raupe auf den Haſelnußſtauden zu Handen, und deßhalb wurde ihr der Nahme von benannter Futterpflanze gegeben. Man trift ſie aber in unſeren Gegenden gewöhnlicher auf der Schwarzbuche, den Schlehen, Hagedorn, Weiden, und ſelbſt der Eiche an. Sie hat in der Mitte des Septembers erſt, ihre vollkommene Gröſse erreicht. Es ist ungewiß, ob sie schon im Frühling vorhanden, und eine zweyte Erzeugung erfolgt. Sie spinnt, ihre Verwandlung anzugehen, ein dünnes aschgraues Gewebe, zwischen Blätter, oder auch von anderen ihr zum Schutz dienenden Materialien. Die Chrysalide ist nach dem Bruststück schwarz, nach dem Hinterleib aber rothbraun gefärbt. Sie überwintert, und die Phalene bricht erst in den warmen Tagen des Frühlings hervor.

Doch ich habe die Raupe selbsten erst zu beschreiben, welche die Abbildung zwar am deutlichsten ergiebt. Die Grundfarb ist ein weißlichtes Rothbraun, oder blasses Fleischfarb, zumahl im jugendlichem Alter. Ueber dem Rücken ziehet sich eine dunkelbraune Linie bis an die Ringe der Vorderfüsse, wo über dem, nächst am Kopf ein grauer schwarzgesäumter Flecken sich zeigt. Zur Seite der Luftlöcher finden sich in dünner Anlage mehrere gerade ausstehende Haare, mit denen die Fläche an sich, jedoch nur einzeln besetzt ist. Ueber den letzten Ring sowohl, als über den vierten und fünften werden einzelne Büschel, und an dem nächsten gegen den Kopf, zu beyden Seiten beträchtlich verlängerte wahrgenommen. Bey einer Berührung rollt sich die Raupe schneckenförmig zusammen.

Die Phalene nach der vierten Figur, stellt im Ausmaas eines der grösten Exemplare vor, und zwar nach dem männlichen Geschlecht. Die Hälfte der Flügel ist von dunklerem Braun als an dem Weibchen, wo die Fläche mehr fleischfarbig angelegt ist, wie die fünfte Figur erweißt. In der Mitte zeigt sich nebst verschiedenen ausgeschweiften Linien von schwarzer Farb ein dergleichen Ring, der zuweilen einen schwärzlichen Flecken zum Mittelpunkt führt. Die Hälfte gegen den äusseren Rand ist aschgrau mit weißlichten Schattirungen, und einer dergleichen von den Sehnen durchschnittenen schwarzgesäumten Binde bemahlt. Die Fühlhörner sind braun und an dem Männchen stark gefiedert, der Hinterleib aber ist sehr haarig.

Der ein und siebzigste europäische Nachtschmetterling.

BOMB. ELING. AL. DEFL. DORSO LAEVI. PLVMIGERA.

Federbuschspinner.

Tab. L. Fig. 6. Der männliche Falter. Fig. 7. Eine Abänderung gleichen Geschlechts.

Alis flavescentibus, fascia media saturatiore, antennis plumosis.
Naturf. III. St. S. 3. Tab. I. fig. 2. Der grosse Schnurrbart.

Auch diese Spinner-Gattung in so abweichender Bildung und ganz eigenen Gestalt, hat sich in unserer Gegend sehr lange verborgen gehalten. Wir haben ihre Entdeckung den Bemühungen unseres berühmten Herrn Hofrath **Rudolphs** zu danken. Es fand dieser um die Heilkunst so verdiente Gelehrte, bey einer zur Erhohlung von so mühsamen Geschäften und den Erweiterungen dieser Kenntnisse ausgesetzten Untersuchung, die Raupe dieser Phalene, in der Nähe hiesiger Gebürge, bereits vor einigen Jahren. Sie enthielte sich auf dem grossen Ahorn, (Acer platanoides). Die Farbe war grün, mit unterschiedenen helleren und dunkleren Streifen gezeichnet. Sonach möchte es wohl die nehmliche Gattung seyn, welche die Herren Verf. des Syst. Verz. unter gleichen Nahmen eingetragen haben; wenigstens ist derselbe nach einem so wesentlichen Merkmahl der Phalene sehr bezeichnend. Nähere Umstände aber, so wie die Abbildung der Raupe, werde ich in der Folge darzulegen nicht ermangeln. Ich zweifle auch nicht, daß dieß der nehmliche Falter ist, welchen Herr D. **Kühn** nach obiger Anzeige in dem Naturforscher bekannt gemacht. Er fand sie in einer Kluft bey Eisenach, bey der Zubereitung aber hatte sich solche allzusehr verflogen.

Die Phalene nach der sechsten Figur ist, wie ich erwähnt, von hiesiger Gegend, und männlichen Geschlechts. Das Weibchen zeigte nach der äusseren Bildung ausser den dünnen und fadenförmig gestalteten Fühlhörnern, so wie den gewöhnlich stärkeren Hinterleib keine Verschiedenheit an. Ich habe in beyden nach Colorit und Zeichnungen kaum eine erhebliche Abweichung wahrgenommen. Die Grundfarb ist ein hellbräunliches Gelb, mit ganz dünne überlegten Schuppen. Die Vorderflügel haben in der Mitte eine breite ausgeschweifte Binde von dunklerer Mischung, zuweilen ganz schwärzlich. Sie ist zur Seite des Aussenrandes mit einer schmalen von hellerer Farb, in gleichbreiten Abstand gesäumt. Die ausserordentlich stark gefiederte Antennen, welche Flaumfedern gleichen, sind diesem Falter unter der Horde dieses Geschlechts ganz alleine eigen, wenigstens kennt man zur Zeit nach dem Verhältniß des Körpers, in dieser Art noch keine Europäer. Noch sind sie durch die circulförmige, oder mehr ausgeschweifte Krümmungen der Fasern, die sonach mit den Flammen die nächste Aehnlichkeit haben, gänzlich verschieden. — Eine Abänderung, oder vielleicht eigene Raçe, die ich nach der fünften Figur vorgestellt habe, hat sie noch in weit beträchtlicherer Anlage. Es findet sich dieß Exemplar in der Sammlung des Herrn Walthers, und ist aus der Gegend von Wien beygebracht worden. Es hat wie die Abbildung erweißt, ein grösseres Ausmaas der Fläche. Sie kommt der Abbildung des Herrn D. Kühns am nächsten. Auch die Grundfarb ist dunkler, und die Binde schwärzlich gefärbt. Der übrige Abstand ergiebt sich aus beyder Vergleichung.

Der zwey und siebzigste europäische Nachtschmetterling.

BOMB. ELING. AL. DEFL. DORSO LAEVI. CVRTVLA.

Kurzleibiger aschgrauer Spinner. Die grosse Erpelschwanz Phalene.

Phalene hausse-queue fourchue. DEGEER. De kleine Wappenträger. SEPP.

Tab. LI. Fig. 1. Die Raupe auf einem Weidenzweig. Fig. 2. Die Chrysalide. Fig. 3. Das Gespinst. Fig. 4. Die männliche Phalene.

LINN. S. N. Ed. XII. p. 823. Sp. 52. *Curtula* P. B. elinguis, thorace ferruginato, alis deflexis glaucis, striga alba, apicibus macula testacea. Unzünglichter Spinner, mit dunkel rostfärbiger Brust, röthlich aschgrauen niederhangenden Flügeln, nebst weissen Strichen, und röthlich braunen Flecken an beyden Flügelspitzen. Faun. su. Ed. nr. 1124.

Müllers Uebers. des Nat. Syst. V. Th. I. B. S. 668. nr. 52. Ph. Curt. Der Kurzarsch.

FABRICII S. Ent. p. 574. nr. 61. Bomb. C. Alis deflexis glaucis, strigis albis maculaque apicis fusca. *Spec. Inf.* Tom. II. p. 188. Sp. 84. B. Curt.

Syst. Verz. der Wiener Schm. S. 55. Fam. II. Schopfraupen. Stirnstreifige Sp. nr. 2. B. Curt. Rosenweidenspinner.

Fueßli Schweiz. Ins. S. 35. nr. 669. Ph. C. — Magaz. der Entom. II. St. S. 2. Ph. C.

Berl. Magaz. II. B. S. 408. nr. 20. Ph. C. Der Erpelschwanz. Aschgrau mit einem grossen mausefarbenen Fleck an der Spitze der Oberflügel, in welcher eine weisse geschwungene Linie.

MVLLERI Faun. Frid. p. 41. nr. 367. Ph. C. — Zool. Dan. Prodr. p. 118. nr. 1366.

Göze

Götze Entom. Beytr. III. Th. II. B. S. 346. nr. 52. Ph. C. Der Erpelschwanz. I

Jung Verz. Europ. Schm. S. 39. Ph. C. (Wird von den beyden folgenden Gattungen dieser Tafel unterschieden.)

Gleditsch Forstw. I. Th. pag. 646. nr. 9. Ph. C. Der Erpelschwanz. II. Th. S. 740. nr. 27.

ONOMAST. Hist. Nat. P. VI. pag. 347. Ph. C.

Kleemanns Raupencal. S. 112. nr. 316. Der grosse Erpelschwanz, der Waffenträger.

Gladbachs Catal. das Weidenglückchen. Der Teppig.

Langs Verz. S. 43. Ph. C. Der grosse Erpelschwanz.

Rösels Ins. Bel. III. B. S. 256. Tab. 43. Die zu der Nachtv. II. Cl. gehörige kleine Weidenraupe, mit dem fleischfärbigen Rückenstreif und zwo rothen Rückenwarzen.

SEPP. Neederl. Inf. IV. Tab. I. fig. 12 — 18. De kleine Wappendräger uit de Matjes - Rups.

DEGEER Mem. der Inf. Tom. II. P. I. p. 323. nr. 11. Tab. V. fig. 1. Phal. hausse-queue fourchue. — à antennes barbues sans trompe, à corcelet huppé avec une grande tache ovale d'un brun obscur, à ailes d'un gris - de souris, avec quatre lignes transverses blanchâtres, un point blanc, et une tache rousse. — Tom. II. P. I. p. 325. — Chénille demi velue grise, à tubercules jaunes, avec deux rayes noires, et deux rayes jaunes aux côtés, et deux points noirs veloutés sur le dos. Götze Uebers. II. B. I. Th. S. 234. gleiche Nummer. — S. 236. Die Raupe ꝛc.

Frisch Besch. der Ins. V. Th. S. 18. Tab. V. fig. 1 — 6. Von der Weidenraupe mit zwey weissen Buckelpunkten.

In der Ordnung unseres Systems findet sich vor dieser Gattung, die Ph. Furcula eingerückt, welche ich nach ihrer näheren Verbindung bereits oben nach der Ph. Vinula und Erminea beschrieben habe w). Das Sonderbare in der Gestalt der Endspitze, hatte dem Herrn von Linne zur Benennung dieses kleinen Falters Anlaß gegeben. Bey der Furcula ist diese Spitze etwas breit oder fast gabelförmig, hier aber kurz abgeschnitten gestaltet. An sich sind beyde ausserordentlich von einander verschieden. In weit grösserer Aehnlichkeit haben sich neuerlich zwey Gattungen entdeckt, die eine nähere Ausgleichung bedürfen. Ich habe sie nach der

w) Seite 102. Tab. XIX. fig. 4 — 7.

fünften und sechsten Figur dieser Tafel, in Abbildung dargelegt. Nach dem Ausschnitt der Flügel und dem Bau ihres Körpers stimmen sie sämtlich überein. In sitzender Lage liegen die Flügel sehr enge an dem Leib angeschlossen, oder wie zusammen gedrückt, die Endspitze aber stehet gekrümmt über dieselben hervor. Die Grundfarb ist ein blasses ins röthliche gemengtes Aschgrau. Fast bis zur Hälfte sind die Vorderflügel in dunkler und heller Mischung nach geraden Abschnitten bemahlt. In der Mitte derselben stehen zwey, auch öfters mehrere rothgelbe Flecken und daneben ziehet sich eine weisse Binde in ausgeschweifter Richtung hindurch. Gegen die Grundfläche finden sich noch zwey dieser Binden, und an dem Eck des äusseren Randes ein schwarzer Flecken. Dieß sind die vorzüglichste Charaktere. Nach der Lage der ausgebreiteten Flügel hat man diese Phalene auch grösser, gemeiniglich aber um eine auch zwey Linien kleiner. In Vergleichung der beygefügten ähnlichen Arten, habe ich hier ihren Unterscheid am füglichsten zu zeigen, um in der Folge eine wiederhohlte Beschreibung zu umgehen. Die Ph. Anachoreta, nach der genauesten Abbildung der fünften Figur, ist an sich am meisten kenntlich. Die Grundfarbe hat ein helles ins fleischfarbene fallendes Ockergelb. Die Flügelspitze ist in beträchtlicher Breite rothgelb, und hat einen mondförmigen Flecken in der Mitte. Nun ist die Ph. Reclusa, der Falter nach der sechsten Figur nicht sowohl durch die mindere Grösse, als durch die veränderte Zeichnung davon verschieden. Hier ist die abgegränzte dunklere Farb gegen die Flügelspitze nicht wahrzunehmen, die Fläche aber hat einerley Mischung. Dagegen ist fast in der Mitte eine braune Binde, welche den weissen Streif enthält, ganz abgesondert zu sehen. Sie hat zur Seite der Flügelspitze einen Saum von röthlichem Gelb. Nach Abweichung einiger Varietäten, ist diese Mischung kaum merklich, wovon die siebende Figur ein Muster giebt. Im übrigen kommt dieser Falter mit der Ph. Curtula überein. Die Weibchen sind nur durch die feinen gekämmten Fühlhörner und der dicker gestalteten Endspitze des Hinterleibs verschieden. Diese Bemerkungen sind zum Unterscheid genug. Ich habe nun die Raupe unserer vorliegenden Gattung zu beschreiben.

Sie nähret sich von den Blättern der Weide, doch zuweilen ist sie auch auf der Aspe und Zitterpappel vorhanden. Auf der Eiche, wie im System des Herrn von **Linne** gemeldet wird, habe ich sie in hiesigen Gegenden niemahlen gefunden, wenn sie zwar leicht an diese Kost möchte zu gewöhnen seyn. Sie baut sich von dem Auskommen des Ey an, vermittelst zusammengezogener Blätter einen sichern Aufenthalt, den sie nach gemächlichen Wachsthum öfters verändert. Sie verzehrt die verwebten Blätter, und sucht sich abermahl andere aus, die ihr zur Sicherheit und dann zur Nahrung dienen. Es scheint eine zweyfache Erzeugung dieser Raupe sich zu ereignen. Ich traf sie im Herbst erwachsen an, wo sie ihre vollkommene Verwandlungen angegangen, wenn auch einige Chrysaliden überwintern, die erst im Frühling sich entwickeln. Noch ist mir die Phaläne selbsten im Freyen schon in den ersten Tägen des Frühlings zu Handen gekommen. Hier läßt es sichs nach der Calenderangabe nicht so genau auf einzelne Monathe bestimmen.

Nach der Gestalt und Bildung ist diese Raupe ganz eigen. Sie ist mit kurzen dünne stehenden Haaren besetzt. Doch verliehret sie solche zuweilen, und erscheinet ganz glatt. Auf dem vierten Ring und dem vorleztern stehen sie beträchtlich verlängert, und schoppweise beysammen. Vorliegende Abbildung der ersten Figur enthält nach dem cörperlichen Maas, die gröste Stärke eines mir bekannten Exemplars. Insgemein sind sie um drey auch vier Linien kleiner. Wie Sepp beobachtet, haben sie vom Ey an, fünf Wochen bis zur Chrysalidenverwandlung nöthig. Der ganze Rücken ist auf einem lichtgelben zuweilen mehr aschgrau gefärbten Grund, mit einzelnen in der Mitte jedes Rings abgesonderten Strichen von dunkelgrauer Farbe, bezeichnet. Sie hat deßhalb bey einigen den Nahmen der Madenraupe, nach der Aehnlichkeit die man sich in diesen Zügen dachte, erhalten. Der letzte Ring an der Endspitze, und der vierte von dem Kopf an, führt in der Mitte eine erhöhte Warze von röthlicher Farb. Daneben stehen bey dem erstern, zur Seite zwey hellweisse Flecken. Das Gespinnste ist aus zarten Fäden eyförmig zusammengewebt, und gemeiniglich zwischen Blätter angelegt. Die Chrysalide ist braun und mit einem Stachel bewafnet.

Der drey und siebzigste europäische Nachtschmetterling.

BOMB. ELING. AL. DEFL. DORSO LAEVI. ANACHORETA.

Die rothgelbe Erpelschwanz-Phalene. Kurzleibiger rothgelber Spinner.

Tab. LI. Fig. 6. Der männliche Falter von beyden Seiten der Flügel.

Alis rufescentibus, apice fulvo, macula intermedia nigra strigisque albis.

Systemat. Verz. der Wiener Schm. S. 56. Fam. H. Schopfraupen. Stirnstreifige Spinner. nr. 3. Anachoreta Korbweidenspinner.

Jung Verz. Europ. Schm. S. 8. 29.

Ich habe diese Gattung bereits in Beschreibung der vorstehenden nach ihren wesentlichen Unterscheid angezeigt, und ich finde weiter nichts beyzufügen, als daß sie nach zuverlässigen Nachrichten eben diejenige ist, welche die Herren Verf. des System. Verz. unter obstehenden Nahmen bezeichnet haben. Die Raupe habe ich niemahlen erzogen, wenn auch die Phalene wiewohl etwas selten, im Frühjahr auf Weiden bey uns gefunden wird. Herr Sepp berichtet, daß sie weit mehr als die der ersterwähnten Phalenen unter sich, verschieden wäre. Er versprach eine Abbildung beyzubringen, welche aber in der Fortsetzung dieses Werks zur Zeit nicht erschienen ist. In pünktlich übereinstimmender Bildung habe ich diesen Falter auch aus der Gegend von Lion in Frankreich erhalten.

Der vier und siebzigste europäische Nachtschmetterling.

BOMB. ELING. AL. DEPR. DORSO LAEVI. RECLVSA.

Die kleine Erpelschwanz-Phalene.

Tab. LI. Fig. 6. Die männliche Phalene. Fig. 7. Eine Abänderung.
Fig. 8. Die Raupe auf einem Weidenblatt.

Alis cinerascentibus glaucis fascia rufo-fusca, linea intermedia alba.

System. Verz. der Wiener Schm. S. 56. Fam. H. nr. 4. B. Reclusa. Roßmarinweidensp.

Berl. Magaz. II. B. S. 226. Ph. Pigra. Der kleine Erpelschwanz. Röthlichweis. An der Spitze der Oberfl. blaßröthlichbraun. Kommt mit der Ph. Curtula überein; ist aber merklich kleiner. An den Zäunen, im Junius. Dritte Grösse. Selten.

Naturf. VIII. St. S. 109. Ph. Pigra.

Jung Verz. europ. Schm. S. 106. Pigra.

Rösel Ins. Bel. IV. Th. S. 81. Tab. XI. fig. 1—6. Die zur Nachtvögel II. Kl. gehörige kleine braun und grau gestreifte Eschenraupe mit der gelben Seitenborte.

Auch diese Phalene finden meine Leser in Vergleichung des Aehnlichen dieser Arten, schon bey Anzeige der vorletzteren Gattung der Ph. Curtula beschrieben. Sie ist nach dem cörperlichen Ausmaas die kleinste unter denen hier in richtiger Stuffenfolge verbundenen Gattungen. Die Verf. des Syst. Verz. haben sie nach der vorzüglichen Eigenschaft, den in sitzender Lage fast senkrecht zusammengeschlossenen Flügeln, Reclusa geheisen. Herr Hufnagel aber hat sie Pigra von der trägen Bewegung des Falters genannt; die mehreren eigen ist.

Die Raupe nährt sich gleichfals von den Weiden, den Pappelbäumen und Eschen (Fraxinus elatior L.) Man findet sie nach der gewöhnlichen warmen Witterung früher als die der Ph. Curtula, bereits zu Anfang des Julius. Nach ihren Kunsttrieben und übrigen Eigenschaften habe ich keinen erheblichen Abstand zu bemerken. Sogar das Gespinnst und die Chrysalide kommt mit denen, wie sie die Ph. Curtula hat, überein. Ich habe deßhalb eine Abbildung für überflüssig gehalten, da man sich so leicht das geringere Ausmaas der Grösse vorstellen kann. Nach der so abweichenden Verzierung aber ist die Raupe leicht kenntlich. Bey gleichförmiger Bildung des Körpers erscheinen die dort röthlich gefärbte Wärzgen ganz schwarz. Die Endspitze ist rothgelb. Eine kettenförmige Linie, von sehr erhöhtem Gelb, umgiebt die Seite der Luftlöcher nächst denen über derselben sich in die Länge durchziehenden schwarzen Streifen. Merkmahle die sehr wesentlich sind. Vielleicht hat sie die Raupe der P. Anachoreta, die ich zur Zeit nicht kenne, noch von grösserer Verschiedenheit.

Nach der fünften Figur habe ich eine Varietät dieses Falters noch beygefügt. Er ist weiblichen Geschlechts, nur ist es nach meinen Erfahrungen noch nicht entschieden, ob dieß veränderte Colorit sich nach dem Serus bestimmt, oder als zufällige Abänderung erscheint. Die Grundfarb ist dunkler, und das Rothgelbe kaum in verlohrener Mischung daran zu sehen. Sollte die Natur bey so weniger Abweichung abermahl eigene Gattung gebildet haben?

Der fünf und siebzigste europäische Nachtschmetterling.

BOMB. ELING. AL. DEPR. DORSO LAEVI. ANASTOMOSIS.

Brauner streifigter Spinner. Der Espenspinner.

Phalene hausse-queue grise. DEGEER.

Tab. LII. Fig. 1. Die weibliche, Fig. 2. Die männliche Phalene, beyde von der Ober- und Unterseite der Flügel. Fig. 3. Die Raupe auf einem Weidenzweig. Fig. 4. Das dünne Gespinnste mit der darinnen enthaltenen Chrysalide.

LINN. S. N. Ed. XII. p. 324. Sp. 53. Bomb. el. thorace ferruginato, alis deflexis griseo-cinerascentibus; strigis tribus pallidis subanastomosantibus. Unzünglichter Spinner mit schwärzlich rostfärbiger Brust, niederhangenden röthlichbraunen ins Aschgraue schattirten Flügeln, nebst dreyen zum Theil zusammenlaufenden Streifen von weißlicher Farb. Faun. Sued. nr. 1125.

Müllers Uebers. des Natursyst. V. Th. I. B. S. 668. nr. 53. Ph. Anast. Das Wirrband.

SCOPOLI Entom. carneol. pag. 201. nr. 1. Ph. Anast. Long. lin. 6. lat. 6. Thorax cristatus; antice macula brunnea. Corpus et alae cinerascentes; striis subquaternis albidis, maculaque corticina ad apicem margini insidenti.

FABRICII Syst. Ent. pag. 575. nr. 62. — Sp. Inf. Tom. II. p. 189. Sp. 85. — B. Anast. Alis deflexis griseis, strigis tribus albidis subanastomosantibus, thorace ferruginato.

Syst. Verz. der Wiener Schm. S. 57. nr. 1. Fam. II. Bomb. Anast. Lorbeerweidenspinner.

Fueßli Schweiz. Ins. S. 35. nr. 670. Ph. Anast. — Magaz. der Ent. II. B. S. 3.

Berl. Magaz. II. B. S. 420. nr. 39. Ph. Anast. Die Espenmotte. Grau an einigen Orten ins gelbliche fallend, mit braunen Punkten und schwarzen Querstreifen.

MÜLLERI Faun. Frid. p. 41. nr. 368. Ph. Anast. — Zool. Dan. Prodr. p. 118. nr. 1. Linn. Char.

Gleditsch Forstw. II. p. 741. nr. 30. Ph. Anast. Die Espenmotte.

ONOMAST. Hist. Nat. P. VI. pag. 315. Ph. Anast.

CATHOLICON. A. pag. 320. Anast.

Göze Entom. Beytr. III. Th. II. B. S. 348. Ph. Anast. Der Espenspinner.

Jung Verz. europ. Schm. Anast. S. 8.

Gladbach Cat. Der Zapfen.

Rösels Ins. Bel. I. Th. Nachtv. II. Cl. S. 157. Tab. 26. Die buntfärbige und besonders niedlich gezeichnete Zapfenraupe.

DEGEER Mem. Tom. II. Part. I. p. 322. nr. 10. Ph. hausse-queue grise. — à antennes barbues sans trompe, à corcelet huppé avec une grande ovale d'un brun obscur, à ailes d'un gris brun melé de roux, avec des lignes transverses. ondées pâles. — Tom. II. P. I. p. 323. Chenille demi velue brune, à tubercules rouges, blanches et jaunes aux côtés et deux mamelons élevés carnus.

Götze Uebers. II. B. I. Th. S. 233. nr. 10. Der graue Hochschwanz. — S. 234. Die Raupe ꝛc.

GOEDARTI Hist. Inf. I. Tab. 33. — Ed. Listeri Tab. 23. admodum rara.

Diese Phalene kommt nach dem Habitus denen erstbeschriebenen am nächsten. Sie hat sehr ähnliche Zeichnungen und fast gleichen Ausschnitt der Flügel, sie streckt auch die behaarten vordern Füsse mit eingezogenem Kopf, in sitzender Lage aneinandergeschlossen hervor. Darinnen kommt sie auch mit der Ph. Fascelina und Pudibunda überein. Unser System hat ihr daher in Uebergang zu diesen Gattungen die lezte Stelle angewiesen. Die Grundfarb ist rothbraun mit hellem Ockergelb schattirt, bey dem Männchen aber mehr schwärzlich. Auf der Fläche erscheinen drey durchlaufende Binden von weißlichem Grau. Die in der Mitte, sind durch eine schreggezogene, an beyden Enden mit einander verbunden, sämtlich aber mit schwarzen Linien, und bräunlich verlohrenen Schatten gesäumt. Ein schwärzlicher nierenförmig gestalteter Flecken, und gegen den Rand eine Reihe dergleichen länglichrunder von unterschiedener Grösse, lassen sich leicht zu weiterem Unterscheid bemerken. Das Männchen hat sie nach geringer Abweichung etwas kleiner, wie aus der zweyten Figur zu ersehen.

Die Raupe trift man im Julius auf Weiden, Aspen und dem Hagedorn an. Ihr Wachsthum ist sehr gemächlich, doch bricht der Falter schon in vierzehen Tägen aus seiner Chrysalide hervor, wiewohl gemeiniglich erst im spätem Herbst. Nach der Manchfaltigkeit der Zeichnungen würde eine sehr weitläufige Beschreibung erfordert werden, um einzelne Verziehrungen anzuzeigen. Es ist aber das charakteristische mit wenigem gesagt. Die Grundfarbe ist braun, und die ganze Fläche mit kurzen dünnestehenden Haaren besezt. Ueber dem vierten und lezten Ring stehen pyramidenförmige fleischerne Erhöhungen mit Haarbüscheln bewachsen. Den Rand umgiebt eine hochgelbe Linie, und der Rücken ist in diesem Zwischenraum schwarz, mit gelben und weissen Punkten in gleichen Paaren geschmückt. Zur Seite der Luftlöcher finden sich dergleichen hochrothe Punkte. Zur Sicherheit ihres künftigen Standes baut sich diese Raupe ein dünnes seidenartiges Gewebe, von grauen röthlichglänzenden Fäden. Die Chrysalide ist schwarzblau, mit zwey hochrothen Rückenstreifen geziert. Sie führt am Ende des Hinterleibs eine kurze Spitze, womit sie an dem Gehäuse befestiget ist.

Der sechs und siebenzigste europäische Nachtschmetterling.

BOMB. ELING. AL. DEPR. DORSO LAEVI. MUNDA.

Der Doppelpunkt.

Tab. LII. Fig. 5. Die männliche. Fig. 6. Die weibliche Phalene.

Alis cinereis stigmate pallido, punctis nigris marginalibus binis.

Unter obstehenden Nahmen haben wir diese Phalene aus der Gegend von Wien zugeschickt erhalten. Sie findet sich aber auch in unseren Gegenden, und ich habe sie selbst einstens aus den Raupen erzogen, wiewohl ohne genaue Bemerkung angehen zu können, da sie über Nacht schon ihre Verwandlung angegangen. In Zukunft habe ich eine ausführlichere Anzeige davon zu geben. Die Grundfarbe ist nach beyden Flügeln ein lichtes mit aschgrau vermengtes Braun. In der Mitte zeigt sich ein nierenförmiger Flecken, der nach einigen Exemplaren kaum sichtlich ist. Unter demselben gegen die Grundfläche, stehet ein dergleichen eyrunder, welchen man an dem Weibchen deutlicher bemerkt. Gegen den Rand finden sich schwarze länglich gerundete Punkte, paarweise miteinander vereint. Oefters ist nur ein einzelnes dieser Paare vorhanden, und zwar in der mitleren Fläche gegen den Rand. Noch sind einzelne Atomen von schwarzer Farb, und ein verlohrener Schatten darauf wahrzunehmen. Die Fühlhörner sind sehr lang und stark gefiedert, an dem Weibchen aber fadenförmig und sehr dünne. Der Hinterleib ist mit wolligten Haaren bekleidet.

Der sieben und siebenzigste europäische Nachtschmetterling.

BOMB. ELING. AL. DEPR. DORSO LAEVI. DONASA.

Aschgrauer röthlichgefleckter Spinner.

Tab. LII. Fig. 7. Die männliche Phalene.

Alis cinerascentibus nebulosis, maculis rusis, striga marginali albida.

Ich

Ich füge hier diese neue Phalene bey, wenn sie auch mit voriger nicht den schicklichsten Platz da zu haben scheint. Sie stehet mit ersterer in genauester Verwandschaft, und fast möchte sie nur Abänderung derselben bedünken. Es findet sich aber bey geringer Untersuchung sehr vieles ganz wesentlich verändert. Sie wurde mit voriger aus Wien unter obstehenden Nahmen beygebracht, und dieß Exemplar ist in der schon öfters gerühmten Sammlung des Herrn Walthers enthalten. Nach neuen Entdeckungen hat sich der nehmliche Falter auch in unseren Gegenden vorgefunden, und ich besitze ein Paar davon in ganz übereinstimmender Zeichnung.

Die Grundfarb der Vorderflügel ist aschgrau mit röthlicher Mischung. Es zeigen sich nach Maasgab der Abbildung darauf verschiedene rothbraune in die Fläche verlohrene Flecken. Die gegen den Rand haben fast gleiche Lage, wie die schwarzen Punkte der ersterwähnten Ph. Munda, sie sind aber dunkelroth und in die Fläche verlohren. Die weisse Binde erscheint hier stärker und schwärzlich gesäumt. Noch sind dergleichen auch gegen die Grundfläche vorhanden. Der nierenförmige Flecken (Stigma) zeigt sich in gleicher Lage, doch in etwas veränderter Form, und es fehlt der eyrunde daneben. Die Fühlhörner sind kürzer und feiner gefiedert, der Hinterleib hingegen ist von schwärzlicher Farb. Den übrigen Abstand wird eine genaue Vergleichung ergeben. Nach einer Abänderung in meiner Sammlung, von einem Exemplar aus hiesiger Gegend, ist die Grundfarb ganz Aschgrau, und der nierenförmige Flecken kaum sichtlich. Dieß ist aber auch alles, was ich zur Zeit von dieser Gattung berichten kann.

Dritte Linie der Spinner.

BOMB. ELING. AL. DEPR. DORSO CRISTATO.

Unzünglichte Spinner mit niederhangenden Flügeln und kammförmiger Brust.

Herr von Linne hat dieser Familie noch die dritte Linie beygefügt, unzünglichte Spinner mit kammförmig verzierter Brust. Mich bedünkt aber diese Abtheilung sehr überflüssig zu seyn. Einmahl hat es die Zahl der vorhandenen Gattungen nicht erfordert, und dann kommt der angegebene Charakter nicht im Gegensatz mit dem, der für diese Familie bestimmt ist, nehmlich den zurückgeschlagenen oder gleichdeckenden Flügeln. Es ist dieß der folgenden Familie eigen. Es läßt sich auch die Länge der Zunge nicht mit gleicher Genauigkeit messen, sie erfordert bey einigen Gattungen eine sehr mühsame Untersuchung, und öfters ist sie auch gar nicht anzugehen. Einzelne Seltenheiten können nicht zu diesen Untersuchungen beschädiget werden. Eben so wenig ist es wegen der kammförmigen Brust bey einigen verwandten Arten zu entscheiden, welcher Familie sie zugehören. So werden meine Leser verschiedene neue Gattungen eingerückt finden, ohne daß ich dahin die genaueste Rücksicht genommen, die ich nur zu seiner Zeit mir vorbehalten habe. Für jezt ist es uns näher angelegen, das verborgene aufzusuchen, und das Möglichste nach der Vollständigkeit zu leisten. Wie sehr habe ich nicht darum unsere Freunde zu ersuchen, das irgend versteckte aufzusuchen, und durch gütige Mittheilung gemeinnütziger machen. Dann sind systematische Entwürfe leicht gefertigt, noch leichter aber das unrichtige verbessert. Die Eintheilung der Spinner, welche Herr von Linne für seine Zeiten bestens entworfen, könnte füglicher nach Maasgabe der Tagschmetterlinge umgeändert werden. Der Umriß der Flügel, die Zeichnungen, und noch mehr auffallende Merkmahle als die eingezogene Zunge oder die so leicht verderbte Verzierung der Brust und des Rückens, würden näher entscheidende Merkmahle ergeben. Die zurückgeschlagene Flügel von den Gattungen der ersten Familie der Spinner, bezeichnen in ihrem Bau einen auch im übrigen ganz wesentlichen Charakter. Man hat nach dem Umriß noch weiter, gerundete, gezahnte, schmale, eckigte, spitzigausgehende Flügel, wenn dahin die Familien sollten bestimmt werden. Schon bezeichnen die mit einem Zahn an dem innerem Rand, Gattungen von ganz eigner Abtheilung, welche hier verschiedentlich getrennt erscheinen. Noch sind in Rücksicht der Zeichnungen und des Colorits Abtheilungen in ganz richtiger Stuffenfolge vorhanden. So finden sich wenigstens unter Ausländern äugige Spinner, wenn sie unter den Europäern auch selten sind. Dagegen kommen einfärbige, punktirte, gefleckte, bandirte, und mit der ganz eigenen Verzierung den Narben (Stigmata) bezeichnete, in ganz richtiger Abtheilung vor. Hier hat die Natur für systematische Entwürfe zu unserer Erleichterung genugsam gesorgt. Nur ist sie noch selbsten aufzusuchen, und bis dahin sind die Mängel unsers Systems seinem unsterblichen Verfasser noch lange nicht als Unvollkommenheiten zuzurechnen. Was die gefiederte Fühlhörner betrift, so rechne ich nur diejenige Phalenen zu den Spinnern, die sie in zwey gleichausstehenden Parthien, nach Art der Federn haben; keinesweges aber solche wo nur einzelne Fasern sind; die als Haare den Stiel umgeben, oder wo derselbe nur Einschnitte hat. Von letzteren sind unter den Nachteulen nur allzuviele vorhanden.

Der acht und siebenzigste europäische Nachtschmetterling.

BOMB. EL. AL. DEFL. DORSO CRIST. ARGENTINA.

Silberfleckigter Spinner. Eichenbuschspinner.

L'Argentée.

Tab. LIII. Fig. 1. Die männliche, Fig. 2. Die weibliche Phalene.

Alis superioribus denticulatis flavis (griseis), punctis maculaque argentea duplici.

System. Verz. der Wiener Schm. S. 62. Fam. R. Buckelraupen. Rückenzähnigte Sp. nr. 2. Argentina. Eichenbuschsp. S. 249. §. 4. *Phal.* elinguis cristata, alis deflexis, superiorbus dentatis, olivaceo-griseis, maculis punctisque argenteis. *Larva* nuda, griseo et fusco-rubescenti varia, segmentis quarto, decimo ac undecimo tuberculoso-gibba. Hab. in Quercu. Tab. I. fig. 2. a. Die Raupe und die Phalene.

FABRICII Spec. Inf. Tom. II. p. 186. nr. 73. B. Argentina. Al. defl. dent. griseis argenteo-maculatis.

Götze Entom. Beytr. III. Th. III. B. nr. 10. B. Argent.

Jung Verz. europ. Schm. B. Argent.

Unter den silberfleckigten Phalenen, deren sich nach der Abtheilung der Nachteulen mehrere entdeckt haben als unser System angegeben, ist diese zur Zeit nur die einzige Gattung von der Familie der Spinner. Die erste Entdeckung sowohl, als den genauesten Bericht ihrer Geschichte haben wir nach obiger Anzeige, den Herren Verf. des Wiener Verz. zu danken. Ich habe hier das merkwürdigste davon auszuzeichnen. Die Phalene findet sich in der Gegend von Wien, von da wir sie zur Zeit alleine erhalten. Durch die gütige Unterstützung des Herrn Gerning wurden mir zur Vergleichung unterschiedene Exemplare beliefert. Die hier vorliegende Figuren ergeben einen Unterscheid zweyer ganz eigenen Racen. Nach der gelben Grundfarb des Männchens, welches die fünfte Figur bezeichnet, sind auch gleiche Weibchens vorhanden, so wie nach dem grünlichgrauen Weibchen der zweyten Figur, einerley gefärbte Männchen sich fanden. Zur Ersparniß der Abbildungen habe ich daher von beyden Geschlechtern diese Muster vorgestellt, da man sich das Einförmige in der Uebereinstimmung ausser dem, wodurch jeder Sexus verschieden ist, leicht vorstellen kann. Im übrigen sind die Kennzeichen keiner Irrung unterworfen. Die Vorderflügel führen in der Mitte an dem inneren Rand einen hervorragenden Zahn von feinen Borsten. Die beyde silberglänzende Flecken, und ein Paar kaum auszudrückende Punkte, bezeichnen, wie die Abbildung erweißt, das Charakteristische genugsam. So wird man auch die bindenförmige Streife, die rothgelbe Flecken an der Spitze des inneren Randes und den äusseren Unterscheid des Sexus nach der Stärke und Verziehrung des Hinterleibs, die kammförmig und fadenförmige Fühlhörner, ohne weitere Anzeige leicht bemerken.

Die Raupe nähret sich von den Blättern junger Eichen, und nach oben angezeigten Nachrichten, wird sie im Junius und Julius in den bey Wien nah gelegenen Gehölzen jährlich gefunden. Es wurden mir lebende Originale, oder wenigstens in Weingeist erhaltene von da verheisen, um die genaueste Abbildung darlegen zu können. Ich habe nothwendig in deren Erwartung solches auf die Fortsetzung zu verspahren. Doch ich muß nach obigen so zuverlässigen Urkunden sie vorläufig beschreiben. Ihre Länge ist von einem Zoll und etlichen Linien, auch die Dicke nicht minder in gleichem Verhältniß beträchtlich. Nach der rothbraunen mit weiß vermischten Grundfarb, kommt sie den Zweigen der Bäumen gleich. Ueber dem Rücken zeigt sich auf der ganz glatten Fläche ein weißlichter Streif, und daneben stehen zwey Reihen gelblicher Flecken. Der Kopf ist braungelb bemahlt, und die vordern Ringe sind schmaal und gemächlich verengert. Auf dem vierten, und den beyden letztern finden sich kegelförmige Erhöhungen mit schwarzen Strichen eingefaßt. Die Raupe verfügt sich zur Verwandlung in die Erde. Ihre Chrysalide ist schwarz, und an beyden Enden sehr stumpf. Die Phalene kommt daraus in Zeit von drey Wochen gemeiniglich hervor, doch zuweilen auch erst im Frühling des folgenden Jahrs.

Der neun und siebenzigste europäische Nachtschmetterling.

BOMB. (SPIRILINGUIS) DORSO CRIST. FLAMMEA.

Flammenfleckigter Spinner.

Tab. LIII. Fig. 3. Die weibliche Phalene von beyden Seiten.

Alis subdentatis rufis, macula disci flava repanda adiacente linea lata nigra.

Diese noch gänzlich unbemerkte Spinner-Gattung fand sich in dem südlichen Italien, von da sie Herr Doctor **Panzer** in Nürnberg erhalten. Durch dessen gütige Mittheilung bin ich in Stand gesetzt, solche in genauester Abbildung darlegen zu können. Wie viele Seltenheiten sind noch in jenen Gegenden verborgen, und wie wenig sind der Liebhaber, die sich dorten darum bemühen. Kaum haben sich die Untersuchungen von Reisenden, weiter als auf die Landstrasse erstreckt, und da schon sind genugsame Seltenheiten aufgestossen. Wie, wenn erst Beobachtungen mit ernstlichen Fleiß würden angestellt werden, welche Bereicherungen hätten wir uns von da zu versprechen! Von dem vorliegenden Falter habe ich bey dem Mangel aller Nachrichten nichts als eine wörtliche Anzeige seiner Gestalt und Zeichnung zu erwähnen. Nach der äusseren Bildung würde man solchen in nächster Verwandschaft unter die Noctuas versetzen, und zwar zu der Ph. Gamma, welcher er am meisten gleicht. Die Fühlhörner aber sind würklich gefiedert, und nicht etwa nur feine ausstehende Haare, wie einige Nachteulen haben; sie sind in doppelte Parthien getheilt, doch von sehr feiner Structur. Der Rand ist zappenförmig ausgeschnitten. Die Grundfarbe der Vorderflügel hat eine verlohrene Mischung von röthlichem Braun und Lichtgrau, mit dunkleren Schattirungen. Die Zeichnungen sind sehr charakterisirend. In den Vorderflügeln findet sich ein breiter viereckigter etwas verlohrner Flecken von schwarzer Farb. Durch diesen ziehet sich schrege ein ausgeschweifter von gilblichem Weiß. Er ist fast wie eine Flamme, so wie man sie insgemein mahlt, gestaltet, und in der Mitte mit zwey feinen Linien durchschnitten. Unter demselben zeigt sich ein breiter rautenförmiger sehr langer Streif von schwarzer Farb und daneben gegen die Grundfläche noch ein anderer, so wie unterschiedene Flecken und Punkte, die ich ohne Anzeige umgehe, da sie die Abbildung genugsam besagt. Das vorliegende Exemplar ist weiblichen Geschlechts, ob aber beyderley Sexus nach den Zeichnungen abermahl verschieden ist, werden weitere Entdeckungen ergeben.

Der achtzigste europäische Nachtschmetterling.

BOMB. ELING. AL. DEFL. DORSO CRIST. VESTIGIALIS.

Brauner weißnarbigter Spinner. Der Erdläufer.

Tab. LIII. Fig. 4. Der männliche Falter, Fig. 5. Der weibliche, nach vorzüglichster Abänderung.

Alis superioribus cinereis, stigmatibus reniformi et circinali albis, maculisque variis obliteratis fuscis.

Berl. Magaz. II. B. IV. St. S. 422. nr. 42. Ph. Vestigialis. Der Erdläufer. Weißgrau, die Oberflügel braun schattirt, und mit braunen Flecken, die Unterflügel ganz weißgrau. Aufenthalt; in den Fugen der Zäune und unter den Blättern des Wullkrauts, im Junius. Dritte Grösse, nicht selten.

Naturf. VIII. S. 107. nr. 43. von Herrn v. Rottemburg nach obiger Erläuterung. Ph. Vestig.

Götze Entom. Beytr. III. Th. III. B. S. 45. nr. 3. Ph. Vest. Der Erdläufer.

Jung Verz. europ. Schm. S. 150. Ph. Vest.

Nach obiger Anzeige ist dieß die von Herrn von **Rottemburg** unter gleicher Benennung von ihm sehr genau beschriebene Phalene *x*).

x) Naturf. ob. angef. O. — "Dieser Vogel ist, wie ich glaube, noch von keinem außer dem Hrn. Hufnagel beschrieben werden. Die Grundfarb der Oberflügel, ist bey einigen weißgrau, bey andern weißbraun. Die Unterflügel sind schmutzigweiß, gegen den äussern Rand aschgrau. Seine Unterscheidungszeichen lassen sich schwer beschreiben, doch sind die Hauptzeichen folgende: Nahe an der Einlenkung der Oberflügel stehet ein ganz kurzer aber starker schwarzer Strich, auf diesen folgt etwas weiter nach der Mitte und dem untern Rand derer Flügel, ein langer dunkelbrauner Fleck, der nach der Flügelspitze convex, nach der Einlenkung zu aber mit einem schwarzen Hacken eingefaßt ist. Zunächst über diesem stehet ein ganz kleiner ovalrunder Fleck, welcher weiß, und mit einer schwarzen Linie umzogen ist. Dicht neben diesem, weiter nach der Flügelspitze zu, stehet ein grosser nierenförmiger Fleck, der in der Mitte dunkelbraun, am Rand weiß und mit einer schwarzen Linie eingefaßt ist. Hierauf folgt eine Reihe dunkelbrauner Stri-

Sie iſt auch in unſeren Gegenden gemein, und wir haben ſo manchfaltige Abänderungen davon, daß etliche Tafeln zur Vorſtellung nothwendig erfordert würden. Die vorliegende Figuren ergeben die gewöhnlichſte Arten und nach ihrem beträchtlichſten Umfang. Wir beſitzen ſie in gemächlicher Abnahme der Gröſſe ſogar um die Hälfte kleiner, und zugleich kommen ſie unter das angegebene Maas. Die Raupe enthält ſich in der Erde und nährt ſich von Wurzeln. Sie ſoll in der Fortſetzung beygebracht werden. Ich darf mich bey umſtändlicher Anzeige des Charakteriſtiſchen nicht verweilen, da zur Vergleichung ähnlicher Arten ſich nach der Abbildung der Unterſcheid leicht ergiebt, wozu auch die ausführlichſte Beſchreibung nicht würde zureichend ſeyn. Die Antennen ſind an dem Männchen ſehr lang und ſtark geſiedert, an dem Weibchen aber ganz fadenförmig gebildet. Die Grundfarb der Vorderflügel iſt gemeiniglich lichtbraun, zuweilen aber auch ganz ſchwärzlich, und die Flecken entweder heller oder dunkler. Oefters zeigt ſich auch eine Mackel mehr oder weniger darinnen. Das Weſentlichſte der Zeichnungen iſt, der nierenförmige gröſſere Flecken von weiſſer Farb, und daneben ein gerundeter kleinerer. Unter dieſen ſtehet eine lange ſehr breite Linie, die gemeiniglich braun, bey einigen aber ganz dunkelſchwarz iſt. Oefters mangelt ſie gänzlich, wie hier an dem Weibchen, nach der fünften Figur.

Der ein und achtzigſte europäiſche Nachtſchmetterling.

BOMB. EL. AL. DEPR. DORSO CRIST. PUDIBUNDA.

Die gelbe Bürſtenraupenphalene.

La patte-etendue blanche. GEOFFR.

Tab. LIV. Fig. 1. Die männliche, Fig. 2. Die weibliche Phalene. Beyde nach der Ober- und Unterſeite der Flügel. Fig. 3. Die Raupe kriechend auf einem Apfelzweig. Fig. 4. Ebendieſelbe, nach der Veränderung der Farb, vor ihrer Verwandlung zur Chryſalide. Fig. 5. in zuſammengerollter Lage. Fig. 6. Das Geſpinnſte. Fig. 7. Die Chryſalide.

LINN. Syſt. Nat. Ed. XII. Tom. I. P. II. p. 824. Sp. 54. Bomb. Pudib., elinguis criſtata, alis cineraſcentibus: faſciis tribus fuſcis linearibus undulatis. Unzünglichter Spinner mit kammförmiger Bruſt, bleichgraulichten Flügeln, und drey gleichbreiten

che, die mit dem äuſſern Flügelrand parallel laufen, und eine unterbrochene Binde vorſtellet. Es iſt dieſer Vogel von der Gröſſe der Ph. Chryſorrhoea."

wellenförmigen Binden. Faun. Suec. Ed. nova 1118. Syst. Nat. Ed. X. pag. 521. nr. 144. Ph. Geometr. *Scopularia* — pectinicornis, alis canescenticus; fasciis tribus obscurioribus; posticis albidis.

Müllers Uebers. des Nat. Syst. V. Th. I. B. S. 669. nr. 54. Ph. Pudib. Der Kopfhänger.

RAII Hist. Inf. p. 344. Eruca maior pulcherrima pilosa, e viridi flavicans, 4 in medio dorso *scopulis* e flavo albicantibus, cum purpureo penicillo longiore supra caudam.

FABRICII Syst. Ent. p. 570. nr. 50. Bomb. Pudib. *Spec. Inf.* Tom. II. pag. 183. nr. 68. Alis deflexis cinereis, strigis tribus undatis fuscis.

System. Verz. der Wiener Schm. Fam. G. Bürstenraupen; Streckfüssigte Spinner. (Chenilles à brosses) nr. 1. Ph. Pudib. Wallnußspinner.

Fueßli Schw. Ins. S. 35. nr. 671. B. Pudib. Der Rothschwanz. Magaz. der Entom. II. St. S. 3.

Berl. Magaz. II. B. S. 418. nr. 35. Ph. Pudib. Der Rothschwanz. Aschgrau mit drey graubraunen Queerstreifen durch die Oberflügel. Naturf. VII. St. p. 126.

GEOFFR. Hist. d. Inf. Tom. II. p. 113. nr. 15. *Ph. Pud.* — *La patte - étendue.* Ph. pect. el. al. defl. cinereo undulatis, fasciis transversis obscurioribus, capite inter pedes porrectos.

MÜLLERI Faun. Frid. p. 40. nr. 364. B. Pudibunda. pag. 47. nr. 412. Ph. Noct. *Intica* — *Zool. dan. Prodr.* Ph. Pudib. p. 118. nr. 1367.

Götze Entom. Beytr. III. Th. III. B. S. 1. nr. 54. Ph. Pudib. Der Kopfhänger.

Syst. Nat. du regn. an. Tom. II. p. 146. nr. 19. Ph. de la Chénille à brosses, qui se trouve sur le Châtaigner.

SCOPOLI Entom. Carn. p. 194. nr. 489. Ph. Pud. Long. lin. 9½ Lat. 4½. Antennae rufae; rachi alba; Alae albidae: *anticae* lineis tribus, repandis, umbrinis fasciatae; paginae alae inter fasciam mediam et posticam umbrina tota; *posticae* subtus macula media fusca.

ONOMATOL. Hist. Nat. P. VI. p. 403. Ph. Pud.

Gleditsch Forstw. I. S. 569. nr. 5. Ph. Pud. Der Rothschwanz.

BECKMANN Epit. Syst. Linn. p. 164. nr. 54. Ph. Pud.

Fischers Nat. Gesch. v. Livland. S. 152. nr. 355. Ph. Pud. Der Kopfhänger Schaamhafter Nachtschmetterl.

Jung Verz. europ. Schm. Ph. Pud. S. 116.

Maders Raupencal. S. 32. III. Ph. Pud. Der Kopfhänger, Streckfuß.

Rösels Ins. Bel. I. Th. Nachv. II. Cl. S. 222. Tab. 58. Die gelbe Bürstenraupe, und derselben Verwandl. III. Th. S. 270. §. 6. Berichtigung wegen der Fühlhörner.

ADMIRAL Tab. XVIII. Merians Borstelrupsie.

DEGEER. Mem. d. Inf. Tom. I. S. 243. fig. 7—12. Belle chénille velue jaune, à brosses et à aigrettes, qui a des bandes transversales noires et veloutées à la jonction

jonction de quelques anneaux, et qu'on trouve en Automne sur les Poiriers, les Chataigners et d'autres arbres — p. 697. Tab. 16. fig. 11-12. — Tom. II. P. I. p. 317. *Ph. patte étendue blanche.* Ph. à antennes à barbes jaunes sans trompe; à corcelet huppé, à ailes cendreés blanch à tres avec des rayes transverses ondeés et cendrées. — Göze Uebers. I. 7. Abh. II. Quart. — IV. Quart. S. 120. — II. Th. I. B. S. 229. nr. 6. Der weisse Streckfuß. — Gleiche Figuren.

SCHAEFFER Icon. Inf. Ratisb. Tab. 44. fig. 9. 10. Das Weibchen. Tab. 90. fig. 1. 2. 3.

WILKES engl. Moth. 2. B. p. 30. Tab. 3. c. 2.

REAUMUR Mem. Tom. I. Tab. 33. fig. 4—12. pag. 534.

GOEDART Ed. Listeri. Tab. 81. pag. 191. *Merian.* Europ. I. Tab. 47. *Albin.* Hist. Inf. Tab. 26.

Beyde in der Ordnung hier folgende Gattungen kommen auch nach den Raupen in ihrer Form und Bildung miteinander überein, sie scheinen nur nach dem Colorit abweichend zu seyn. Doch es ist jede sehr eigen gewöhnt, und nach den Natur- und Kunsttrieben verschieden. Diese nähret sich von Bäumen unterschiedener Art, hauptsächlich den Birn- Aepfel- Zwetschen-Bäumen und Eichen, jene aber hält sich mehr an niedere Gewächse. Sie wird auch weit zahlreicher als die gegenwärtige Gattung bey uns gefunden. Diese hat sich immerhin selten gemacht. Man trift sie im Sommer gemeiniglich aber im Herbst in ausgewachsener Gröse an. Die Raupe der Fascelina ist schon sehr frühe und in unterschiedener Gröse bis in die Mitte des Sommers vorhanden. Die Phalene entwickelt sich noch im ersten Jahr, die von der Pudibunda hingegen, kommt erst im folgenden Frühling zum Vorschein. Abweichungen die wesentlich sind, und es liessen sich leicht noch mehrere beyfügen. Doch ich habe nur das vorzüglichste anzugeben. Diese Raupe bleibt sich in allen Häutungen gleich. Die Grundfarbe ist ein grünliches Gelb, nach den Einschnitten aber schwarz, wie die fünfte Figur nach der ihnen gewöhnlichen Lage, wenn sie berührt werden, ergiebt. Die in würflichter Form über dem Rücken abgetheilte Haarbüschel sind von glänzenden und öfters sehr erhöhtem Gelb. Nur der letzte der mehr verlängert, aber sehr schmal ist, hat die Form eines Schweifes, und ist bey allen Abänderungen mit hellem oder dunklerem Rosenroth gefärbt. Zwey Tage ohngefähr ehe die Raupe ihre Verwandlung angehet, verändert sie ihr Colorit ganz in diese Farbe, nach der sie öfters sehr unkenntlich wird. Es ist in der That einer Untersuchung würdig, wie es kommt, daß so gar die Haare verändert werden. Nach der vierten Figur habe ich sie in diesem Gewand dargelegt.

Das Gespinnste ist gelb und von den eingemengten Haaren etwas rauh, nach der Form aber mehr eyrund und regelmäsiger gebaut, als es die Raupe der Fascelina zu fertigen gewohnt ist. Die Chrysalide hat nach Aehnlichkeit der Raupe über dem Rücken filzigte Haare und ihr Vordertheil führt eine schwarze, der Hinterleib aber eine rothbraune Farb.

Beyderley Geschlechter dieser Phalenen sind nach der Gestalt und dem Colorit sehr beträchtlich verschieden; da sie bey der Fascelina kaum etwas Abweichendes ausser den gewöhnlichen Kennzeichen haben. Das Männchen hat stark gefiederte Antennen von röthlicher Farb, und einen sehr behaarten Hinterleib. Die Füsse sind an beyden Gattungen wolligt. Die Falter haben in sitzender Lage mit mehrern die Stellung gemein, daß sie mit eingezogenem Kopf, die Vorderfüsse aneinander geschlossen gerade ausstrecken. Da man dieß an unserer Phalene zuerst bemerkte, so dachte man sich die Stellung eines bescheidenen oder beschämten, und legte ihr den Namen bey, den sie jetzt führt. Vielmehr ist es Wachsamkeit, um jede Annäherung eines Feindes leichter zu bemerken. Die Grundfarb sämtlicher Flügel bestehet aus einem unreinem Weiß, das zuweilen ins Aschgraue oder Röthliche fällt. An dem Männchen zeigen sich mehrere Atomen, und sehr breite von diesen zusammengesetzte Binden mit eingemengter braunlicher Farb, noch über dieß aber unterschiedene dergleichen Striche und Punkte. Einige kommen sogar dem Männchen der Ph. Fagi nach diesem sehr ähnlichen Zeichnungen gleich. Das Weibchen führt gewöhnlich drey schmale ausgeschweifte Streifen, nach unterschiedenen Exemplaren von minderer Stärke und Erhöhung der Farb. Das übrige ergiebt die Abbildung, und ich darf mich bey einer, allen Liebhabern längst bekannten Gattung nicht weiter verweilen.

Herr von Linne hat in der zehenden Ausgabe seines Systems, eine Species unter den Spannenmessern eingerückt, welche er Ph. Scoparia genennt. Diese wurde nach der zwölften Ausgabe, wie ich oben angezeigt habe, für eine Abänderung der Ph. Pudibunda erklärt. Wir wissen nicht, welche eigene Art derselbe damit gemeint. Doch nach seiner Erklärung, ist die Sache von ihm selbsten dahin entschieden. Wie leicht kann nicht eine mindere Grösse die gewöhnliche Zeichnung verstellen. Es hat sich unser Verfasser unter erwähntem Namen, auf eine Abbildung des Clerks, nach dessen achten Figur der fünften Tafel bezogen. Hier aber erblicken wir einen aschgrauen ganz unkenntlichen Falter. Doch dieß darf uns nicht befremden, es finden sich in diesem Werk mehrere von der entscheidensten Bestimmung, die man nach so veränderten Gewand gänzlich verkennt. Sie ist weder die Ringelraupe des Frisch, noch die grössere Neustria des Mouffet, wie in dem Catholicon unter dem Namen Chenille annulaire ist angegeben worden. Nur das Original des Herrn von Linne könnte die zu erhebende Zweifel entscheiden, und doch diese sind von ihm selbsten gehoben.

Der zwey und achtzigste europäische Nachtschmetterling.

BOMB. ELING. AL. DEPR. DORSO CRIST. FASCELINA.

Die schwarze Bürstenraupenphalene.

Phalene patte étendue agathe. GEOFFR. La Limaçonne GOED

Tab. LV. Fig. 1. Die ausgewachsene Raupe auf einem Stengel des Löwenzahns (Leontodon Taraxacum Linn.) Fig. 2. Das Gespinnst. Fig. 3. Die Chrysalide, Fig. 4. Die männliche, Fig. 5. die weibliche Phalene.

LINN. Syst. Nat. Ed. XII. p. 825. Sp. 55. B. Fascel. elinguis cristata cinerea, alis superioribus antice fasciis duabus angustis fulvo-fuscis, scutello bipunctato fulvo. Unzünglichter aschgrauer Spinner mit kammförmiger Brust, nach den Vorderflügeln mit zwey schmalen, (öfters) rothgelb eingefaßten Streifen nebst einem rothgelben Schildgen mit zwey schwarzen Punkten. Faun. Su. Ed. nova 1119.

Müllers Uebers. des Nat. Syst. V. Th. I. B. S. 669. nr. 55. Ph. Fascelina. Der Büschelraupenvogel.

RAII Hist. Inf. p. 186. nr. 8. Ph. obsolete cinerea, alas corpori velut circumvolvens, pedes primores longa et densa lanugine hirsutos antrorsum longissime porrigens p. 334. Phal. cinereo-albicans &c. pag. 344. *Eruca* nigra media longis pilis hirsutis, quinque in medio dorso innascentibus pilorum longiorum scopulis nigro albo et ex luteo viridi coloribus variis.

FABRICII Syst. Ent. p. 571. nr. 51. *Spec. Inf.* Tom. II. p. 184. nr. 69. B. Fasc. Alis deflexis cinereis, atomis nigris strigisque duabus fulvis repandis.

Mm 2

System. Verz. der Wiener Schm. Fam. G. nr. 3. B. Fasc. Kleeblumenspinner.

Fueßli Schweiz. Ins. S. 35. nr. 672. B. Fasc. Die Bürstenmotte. Magaz. Der Ent. II. St. S. 4.

Berlin. Magaz. II. B. S. 422. nr. 41. Ph. Fasc. Die Bürstenmotte. Aschfärbig mit vielen feinen braunen Punkten und einem schmalen braunen Querstreif durch die Oberfläche.

MÜLLERI Faun. Frid. pag. 40. nr. 365. B. Fasc. Zool. dan. Prodr. pag. 118. nr. 1368.

Götze Entom. Beytr. III. Th. III. B. S. 95. B. Fasc. Die Bürstenmotte.

MÜLLERI Faun. Fried. pag. 40. nr. 363. Ph. Fasc. Zool. dan. Prodr. pag. 118. nr. 1368.

ONOMAT. Hist. Nat. P. I. p. 469. *Antennulata* Mouff. Die Löwenzahnraupe. P. VI. p. 366. Ph. Fasc. Der Buschelraupenvogel.

Götze Entom. Beytr. III. Th. III. B. S. 5. nr. 55. Ph. Fasc. Die Bürstenmotte.

Gleditsch Forstw. I. pag. 683. nr. 7. Ph. Fasc. Das gestreifte Band. — II. S. 740. nr. 28.

CATHOLICON A. p. 359. Antennulata Mouff. Löwenzahnraupe.

BECKMANN Epit. S. Linn. p. 164. nr. 55. Ph. Fasc.

Syst. Nat. du regne Animal. II. p. 147. nr. 20. Ph. du Trefle.

Jung Verz. europ. Schm. p. 53. Ph. Fasc.

Maders Raupencal. S. 15. nr. 18. Ph. Fasc. Bürstenmotte.

Gladbachs Verz. Das Bärgen.

Rösels Ins. Bel. I. Th. Nachtv. II. Cl. 217. Tab. 37. Die graue Bürstenraupe und derselben Verwandlung.

DEGEER. Mem. Tom. I. p. 161. Tab. 15. fig. 12—15. Chénille noire trés-velue, à cinq brosses demi-noires et demi-blanche sur le dos, et à trois longues aigrettes noires — p. 697. Tab. 15. fig. 15 *Phalene* à antennes à barbe, sans trompe, d'un gris d'achate, à deux rayes noires bordées de jaune et à tache noire bordée de blanc. — Tom. II. P. I. pag. 318. nr. 7. *Phalene patte-étendue agathe.* Götze Uebers. II. Quart. 7. Abh. S. 40. — 4. Quart. S. 119. — II. Th. I. B. S. 230. nr. 7. Gleiche Tafeln und Figuren. Der achatfärbige Streckfuß.

WILKES engl. M. M. a. B. p. 30. Tab. III. c. 1.

MOUFFET. Hist. Inf. p. 189. *Merian* eur. Tab. 8. Albin. Hist. Inf. Tab. 26. *Goedard.* p. 1. Tab. 36. Ed. *Listeri* fig. 80.

Die wesentlichsten Kennzeichen dieser Gattung, habe ich bereits bey voriger in Vergleichung ihrer Aehnlichkeit erwähnt. Sie ist von den heiseren bis in die kältesten Erdstriche unseres Welttheils gemein und so vielfältig beschrieben, daß ich fast Bedenken trage, das so oft Gesagte vom neuen zu wiederholen. Doch aus Pflicht habe ich nur das vorzüglichste anzuzeigen. Die Raupe nährt sich von saftreichen Kräutern, dem Löwenzahn, dem Wegrich und fast sind ihr jede Gräser gleich angenehm: Auch auf Eichen, Weiden und Schlehen wird sie angetroffen. Nach der unterschiedenen Gröse und Alter, scheinen öftere Generationen sich zu ereignen, zumahl da auch die vollkommene Entwicklung, noch das erste Jahr und von der Chrysalidenverwandlung an, wenigstens in drey Wochen erfolgt.

Wie ich schon erwähnt habe, ist diese Raupe fast nur nach dem Colorit von voriger verschieden. Ihre Grundfarb ist grau mit Gelben vermengt. Die bürstenförmig abgetheilte Haarbüschel gegen die Spitzen aber sind schwarz, im übrigen weiß. Nach der ersten Häutung erscheinen sie gelb, und da kann öfters eine so gemeine Raupe in diesem Anzug sehr befremdend scheinen. Ihre Gröse und sonach die auskommende Falter haben kein bestimmtes Maas. Sie verwandeln sich im ersten Jahr, wenn auch sonst Ueberwinterungen nach Chrysaliden und Raupen sehr wahrscheinlich sind. Unsere Erfahrungen haben dieß bey so gemeinen Gattungen noch nicht entschieden.

Das Gewebe, das sie sich zur Verwahrung oder in Hofnung eines besseren Standes erbauet, ist sehr geraumig. An sich ist es nicht so regelmäßig angelegt, als wir nach unserer Beurtheilung vermeinen. Die Figur hat wenigstens nichts bestimmtes. Bald ist es eyrund, bald länglich oder verbreitet, wie es die Lage am bequemsten erfordert. Die Farb ist aschgrau mit untermengtem Schwarz von den eingewebten Haaren. Die Chrysalide führt über dem Rücken nach Aehnlichkeit der Raupe filzigte Haare, ihre Grundfarb aber ist schwarzbraun.

Nun habe ich noch die Phalenen selbsten anzuzeigen. Vorliegende Abbildungen stellen sie in ihrer beträchtlichsten Gröse vor, sonsten aber sind sie im körperlichen Maas um die Hälfte kleiner. Nach dem Colorit erscheinen hier beyde Geschlechter in ihrer gewöhnlichsten Tracht. Gemeiniglich ist die Grundfarb sehr verblichen, und die schwärzliche Binden daran ganz unkenntlich. Diese sind zur Seite mit röthlichbraunen Atomen eingefaßt, doch nicht bey allen Exemplaren. Die Füsse, der Kopf und der Hinterleib sind mit wolligten aschgrauen Haaren sehr dichte besetzt. Mehreres finde ich unnöthig zu erwähnen.

Der drey und achtzigste europäische Nachtschmetterling.

BOMB. EL. AL. DEPR. DORSO CRIST. ANTIQUA.

Der antique Spinner. Spinner der Alten. Der Sonderling.

L'etoilée. GEOFFR. Phalene paradoxe DEGEER.

Tab. LVI. Fig. 1. Die männliche Phalene. Fig. 2. Das ungeflügelte Weibchen. Fig. 3. Die männliche Raupe auf einem Eichenzweig. Fig. 4. Das Gespinnste. Fig. 5. Die Chrysalide.

LINN. Syst. Nat. Ed. XII. Sp. 56. B. *Antiqua* — elinguis, alis planiusculis: Superioribus ferrugineis lunula alba anguli postici: foemina aptera. Unzünglichter Spinner mit flachstehenden rostfärbigen Flügeln und einem weissen winklichten Flecken an der Spitze des innern Randes der Vorderflügel. Ungeflügeltes Weibchen. Faun. Suec. Ed. nr. 1120.

Müllers Uebers. des N. S. V. Th. I. B. S. 670. nr. 56. Ph. Antiqua. Der Sonderling.

RAII Hist. Inf. pag. 173. nr. 24. Ph. cinericea ventricosa corpore brevi, alarum expers (Foem.) pag. 200. nr. 24. Ph. minor rufa, in utraque ala exteriore macula alba rotunda prope angulum imum interiorem insignita. (Mas) — pag. 344. nr. 8. *Eruca* sublutea pilosa, quatuor in medio dorso agminulis seu penicillis pilorum longiorum luteorum, et longo pilorum nigrorum penicillo in cauda.

SCOPOLI Entom. carn. p. 198. nr. 486. Ph. Ant. Long. lin. 7. Lat. 5 ½. Antennae longitudo est dimidia latitudinis alae anticae, quibus macula corticina alba linea terminata ad apicem, nec non lunula alba prope posticum angulum. Folliculus duplex vt in *Pudibunda*.

FABRICII Syst. Entom. pag. 584. nr. 98. *Spec.* Inf. Tom. II. pag. 201. Sp. 136. Bomb. Ant. Linn. Char..

GEOFFROI Hist. d. Inf. Tom. II. p. 119. nr. 23. Phal. pectinic. eling. al. rotund. fusco-ferrugineis superioribus, macula alba anguli ani; foem. aptera. L'etoilée. Long. 7. lign.

Berl. Magz. II. B. S. 408. nr. 21. Ph. Ant. Der Lastträger das Weibchen weiß und ohne Flügel. Die Flügel des Männchen glänzend braun, mit weissen und oraniengelben Zeichnungen.

Altes Hamb. Mag. I. B. 6. S. p. 167. Ungeflügelter Schmetterl.

Naturf. V. St. S. 253. Ph. Ant.

System. Verz. der Wiener Schm. S. 55. Fam. G. nr. 5. Apricosen-Spinner. Ph. Ant.

MÜLLERI Faun. Fridr. p. 41. nr. 366. Ph. Ant. — Zool. dan. Prodr. p. 118. nr. 1369.

Götze Entom. Beytr. III. Th. III. B. S. 8. nr. 56. B. Ant. Der Sonderling.

Fueßli Schweiz. Jns. S. 35. nr. 673. B. Ant. Der Lastträger. — Mag. der Entom. II. B. S. 4.

Schriften der königl. norw. Gesellschaft der Wissensch. IV. Th. S. 281. nr. 37. Tab. 16. fig. 14. B. Ant.

Neue Manchfalt. II. Jahrg. S. 516. 612.

Gleditsch Forstw. I. S 388. nr. 4. Ph. Ant. Der Lastträger. — S. 549. nr. 4.

CATHOLICON. Litt. A. S. 372. Ant.

ONOMAST. Hist. Nat. P. VI. p. 315. Ph. Ant. Der Sonderling.

Jung Verz. eur. Schm. B. Ant.

BECKMANN Epit. Syst. Linn. p. 164. nr. 56. B. Ant.

Acta Upsal. 1736. pag. 25. nr. 74. Pap. alis depressis cinereo-fuscis; antennis pectinatis.

Blumenbachs Handb. der Naturgesch. S. 370. nr. 8. B. Ant.

Syst. Nat. du regne An. II. p. 146. nr. 18. Ph. de la Chenille à brosses sur le Prunier.

Gladbachs Cal. Das Esparcettvögelgen.

Maders Raupencal. S. 32. nr. 79. B. Ant. Der Lastträger; Sonderling.

Rösels Jns. Bel. I. Th. Nachtv. II. Cl. S. 225. Tab. 39. fig. 1—3. Die mit rothen Knöpfen gezierte graue Bürstenraupe, nebst denselben Verwandl. fig. 4. Das ungeflügelte Weibchen. III. Th. S. 81. Tab. 13. Das Männchen.

DEGEER. Mem. Tom. I. p. 253. Tab. XVII. fig. 1—5. Chénille trés commune, noire à quatre brosses jaunâtres sur le dos, et à cinq aigrettes noires en forme de pinceaux, qui a des tubercules rouges et qui mange les feuilles des plusieurs especes d'arbres. — I. S. 697. Tab. XVII. fig. 13—15. Ph. à antennes à barbes, sans trompe, dont la Femelle est grise et sans ailes, et dont le mâle est jaune brun, à deux taches blanches. — Tom. II. P. I. p. 292. nr. 2. — *Phalene paradoxe. &c.* Götze Uebers. I. B. II. Quart. S. 33. 4. Quart. S. 120. II. Th. I. B. S. 208. nr. 2. Gleiche Tafeln. — Das Paradoxum.

GOEDART. Ed. List. pag. 185. nr. 78. Tab. 78. a. b. Eruca miranda. *Antiik* peregrinum. *Schwammerd.* Hist. Gen. pag. 186. Tab. X. Eruca. Chrys. Ph. Mas et foem. *Albin.* Hist. Inf. Tab. 26. Merian. eur. Tab. 8.

WILKES engl. M. a. B. p. 30. Tab. III. c. 1.
REAUMUR Mem. Tom. I. Tab. 19. fig. 12. 17.

Hier hat unser System abermahl zwey Gattungen mit einander verbunden, die nach der Aehnlichkeit der Raupe und der Falter in genauester Stufenfolge zusammen gehören. Fast scheint nur die Farb den Unterschied alleine zu ergeben. Nach beyden sind die Weibchen ungeflügelt, und von allen bisher behandelten Spinnerarten ganz eigens verschieden. Bey so vielen Entdeckungen, haben sich zur Zeit keine ähnliche, ausser etwa den Sackträgern, vorgefunden; sie sind in ihrer Art die einzigen geblieben. Unter den Spannermessern aber sind ungeflügelte Weibchen eine desto gemeinere Erscheinung, und nach den neueren Ergänzungen noch zahlreicher geworden.

Die in Abbildung vorliegende Raupe, war schon den ältesten Entomologen bekannt, aber auch bis auf Röseln, nach dem Abweichenden ein sehr parador scheinendes Geschöpf geblieben. Er hat erst späte das Männchen erzogen. Nun ist es gar nichts seltenes mehr. Wir finden die Raupe, wie beyderley Phalenen, sehr häufig in hiesiger Gegend, und sie ist auch aller Orten in unserem Welttheil vorhanden.

Man trift sie gemeiniglich im Junius und Julius, auch noch in späteren Monathen an, wo sie wahrscheinlich vollends überwintert. Sie nähret sich von Blättern der Bäume, und besonders von Zwetschen, Eichen, dem Hagendorn und Erlen; doch es würde das Verzeichniß ihrer Kost sehr weitläuftig werden, wenn ich solche nach allen Gattungen anführen sollte.

Die weibliche Raupe ist von ansehnlicher Stärke, und öfters nach gleichem Verhältniß der Dicke, über zwey Drittel grösser. Man wähle sich gewöhnlich zur Erziehung die ansehnlichsten Exemplare, und sonach werden auch nur die weibliche Phalenen daraus erzogen, wiewohl die von der männlichen fast häufiger sind. Gleiches hat sich auch bey der folgenden Gattung ereignet. Beyderley Sexus sind ausser der Gröse sonsten nicht nach äusseren Merkmahlen erheblich verschieden. Ein rothbrauner, öfters dunkelschwarzer Streif, ziehet sich über den Rücken die Länge hin. Die übrige Fläche ist bläulichgrau, mit verschiedenen schwärzlichen und bräunlichen Schattirungen. Eine Reihe rothgelber Knöpfgen zu beyden Seiten,

erhebe

erheben sich über diesen dunklen Grund, neben den darunter stehenden weißlichten Haarbüscheln am meisten. Auch hier finden sich auf dem neunten und zehnten Ring gleiche Erhöhungen, wie die Raupe der Chrysorröha und Aurislua haben. Sie können erweitert und verengert werden. Die Fläche ist mit kurzen Haaren besetzt. Der nächste Ring an dem Kopf, so wie der sechste und der letzte, haben diese Haare ausserordentlich verlängert. Ihre Endspitzen führen anstatt der gewöhnlichen Verdünnung, kleine Knöpfgen. Nach diesen hat die Raupe ein befremdendes Ansehen, sie scheint nicht uneben wie Rösel sich ausdruckt, viereckigt, oder nach dem angenommenen Punkten dieser Spitzen, ein Rectangulum vorzustellen. Ueber dem letzten Ring raget ein dergleichen Schopp von Haaren in beträchtlicher Stärke hervor. Dieß wäre zur Bezeichnung genug. Sie fertigt sich vor ihrer Verwandlung ein geraumiges eyrundes Gespinste von grauer Farb, wie einige von vorigen Arten aus mehrern Häuten zusammen gewebt. Die Chrysalide ist gemeiniglich gelb mit dunkelbraunen Binden gezeichnet, doch öfters fast ganz mit dieser Farbe bemahlt. Die Entwicklung erfolgt gewöhnlich schon in drey Wochen, Spätlinge aber überwintern.

Herr von Linne hat sehr wahrscheinlich die Benennung dieser Phalene von der Aehnlichkeit der Bildnisse genommen, die wir insgemein in den geschnittenen Steinen, oder anderen Denkmahlen des Alterthums finden, wo der Schmetterling ein Sinnbild der Unsterblichkeit ist. Sie kommen wirklich nach der Form am meisten damit überein, wenn sie auch im mindesten nicht das Charakteristische haben. Doch schon Goedart hat derselben diesen Namen beygelegt, und sonach unserem Herrn Verfasser im lateinischen Ausdruck den ersten Anlaß gegeben. Die Flügel des Männchen haben eine fast ebene Lage, doch schliessen sie an dem innerem Rand zu beyden Seiten an, sie sind sehr wenig in dachichter Form niedergebogen. Die Grundfarb ist rothgelb mit Braunem vermengt, und dieß nach Abänderungen in unterschiedener Höhe und Vertiefung. Zwey in die Fläche verlohrne Binden von dunkler Farb, ziehen sich in gleichen Entfernungen durch die Flügel. Ein eckigter hellweisser Fleck an der untern Flügelspitze, bezeichnet den wesentlichsten Charakter. Nach unterschiedenen Exemplaren hat man beyde Geschlechter in noch mehr beträchtlicheren Gröse erzogen als vorliegende Zeichnungen erweisen. Das Weibchen ist nach dem Bau seines Körpers ganz abweichend gebildet, und denen die es zum erstenmal erzogen, muste sie in der That befremdend scheinen. Der Hinterleib ist von auserordentlicher Dicke, und öfters um die Hälfte stärker. Er enthält, wie man will beobachtet haben, ein drey bis vier hundert Eyer, es ist der ganze innere Raum bis an die Brust damit ausgefüllt. Die äusere Fläche ist gelblichgrau, und mit schwärzlich, aschgrauen Haaren bedeckt. Das Weibchen der Gonostigma, kommt damit gänzlich überein, doch gemeiniglich ist es von dunklerer Farb. Zur Seite der Brust sind kaum merkliche Spuren von Flügeln wahrzunehmen. Die Fühlhörner sind kurz und dünne. Eine hermaphroditische Phalene, wenn sie sich ereignen sollte, würde durch ihr seltsames Ansehen sehr auffallend seyn und zu wichtigen Beobachtungen Gelegenheit geben. Bey der Last des Körpers, ist das Weibchen sehr träge und entfernt sich selten von dem Ort wo es ausgekommen. Hier sezt es zugleich seine zahlreichen Eyer nach der Begattung ab, und gemeiniglich auf das zurückgelassene Gespinst. Doch wird es zuweilen von dem Männchen, besonders wenn es von keinem allzugewichtigen Körper ist, durch den Flug auf die Gipfel der Bäume gebracht. Bey so fruchtbarer Vermehrung, würden wir die schädlichste Folgen zu befürchten haben; allein man hat noch niemalen bey uns darüber geklagt. Die Raupen sind in ihrem Genuß sehr mäßig. Sie fallen leicht durch die geringste Erschütterung von den Zweigen herab, wo sie gemeiniglich verlohren gehen. Schon Gödart will deren Raupen aus unbefruchteten Eyern erzogen haben.

Der vier und achtzigste europäische Nachtschmetterling.

BOMB. EL. AL. DEPR. DORSO LAEVI GONOSTIGMA.

Der eckfleckigte Spinner.

La Soucieuse. GOED.

Tab. LVI. Fig. 6. Die männliche Phalene. Fig. 7. Das ungeflügelte Weibchen. Fig. 8. Die männliche Raupe. Fig. 9. Die weibliche. Beyde auf einem Zweig der Schwarzbeere. (Vaccinium Myrtillus L.) Fig. 10. Die Chrysalide.

LINN. Syst. Nat. Ed. XII. p. 826. Sp. 57. D. Gonost. elinguis, alis planiusculis: superioribus ochraceis macula trigona anguli postici: femina aptera. Unzünglichter Spinner mit ebenen flachausgebreiteten Flügeln, einem dreyeckichtem weissen Flecken an der untern Spize der ockergelben Vorderflügel. Ungeflügeltes Weibchen.

Müllers Uebers. des Nat. 8. V. Th. I. B. nr. 57. Ph. Gon. Der Eckfleck.

SCOPOLI Entom. carn. p. 199. nr. 497. Ph. GON. Long. lin. 6. Lat. 5 ¼. Ochracea alis anticis macula trigona, alba. — Differt ab *Antiqua* antennis rachi ochracea. Alis subtus concoloribus: primoribus supra fascia antica obsolete obscuriore, atmosphaera fusca circa maculam albam.

System Verz. der Wiener Schm. S. 55. Fam. G. Nr. 6. B. GON. Zwetschenspinner.

Göze Entom. Beytr. III Th. III. B. S. 11. B. GON. Der eckfleckichte Spinner.

Jung Verz. europ. Schm. GONOST.

GNOMAST. Hist. nat. P. VI. p. 372. Ph. GON.

Fueßli schweiz. Ins. S. 36. nr. 674. Ph. GON. Der Eckfleck. — Magazin der Ent. II. St. p. 6.

Naders Raupencal. S. 32. nr. 30. Ph. GON.

Gladbachs Catal. Das Pommeranzenvögelgen.

Rösels Ins. Bel. I. Th. Nachtv. II. Kl. S. 229. Tab. 40. Die schön pomeranzengelb gestreifte Bürstenraupe.

WILKES engl. M. a. Butt. p. 31. fig. 3, c. 4. ALBINI Hist. ins. Tab. 90.

Aus der Beschreibung der erstbehandelten Gattung wird der Unterscheid dieser so ähnlichen Falter schon genugsam erhellen. Beyde kommen nach der Bildung und den Naturtrieben fast gänzlich miteinander überein, und das bedarf ich nicht umständlich zu wiederhohlen. Nur nach der Farbe und den Zeichnungen ist bey aller Aenlichkeit doch der Abstand sehr beträchtlich. Die Grundfarb des Männchens ist dunkel braun, und auch die Hinterflügel auf beyden Seiten damit überzogen. Die vordern haben nach der Aussenseite, wolckigte Schattirungen von schwärzlichem Braun. An beyden Flügelspitzen stehen zwey hellweisse Flecken, da die Antiqua nur einen einzigen hat. In dem Zwischenraum finden sich öfters mehrere in Form einer getrennten Binde. Noch zeigt sich eine rothbraune schwarzeingefaßte Mackel mit hellerem Rand begränzt, gegen die Grundfläche. Der Stiel der Antennen ist ockerfärbig. Das ungeflügelte Weibchen hat gemeiniglich eine dunklere aschgraue Farb. So viel ich an den meisten Exemplaren bemerkt habe, sind hier die flügelförmige Auswüchse etwas in gröserer Anlage wahrzunehmen, wiewohl sie kaum diesen Namen verdienen. Ob eine von der andern

Nn 2

Gattung, wie Herr von Linne geäusert, seinen Ursprung genommen, bleibt wohl eine unentschiedene Frage y).

Die Raupe ist nach dem Colorit mehr als die Phalene verschönert. Ihre Grundfarb ist ein sehr erhöhtes Rothgelb, mit schwarzen Streifen über dem Rücken, in welchen zu beyden Seiten gelb und weisse kettenförmige Linien stehen. Diese Linien aber werden gemeiniglich mit den ausstehenden Haaren bedeckt. Die Bürsten über dem Rücken sind länger und öfters von höherer Mischung des Gelben. Dagegen mangeln die in der Mitte zu beyden Seiten hervorragende Haarbüschel mit Knöpfgen. Die männliche Raupe ist wie die vorige um vieles kleiner. Man findet beyde Gattungen zu gleicher Zeit, und öfters an einerley Bäumen. Doch wird man sie auf niedern Gesträuchen am meisten gewahr, und fast niemalen auf den Schwarzbeeren im Junius vermissen. Sonsten hält sie sich auf Eichen und Zwetschgen auf. Das Gehäuse ist wie das der Raupe der Antiqua gestaltet, und auch nach der Farbe kaum zu unterscheiden. Die Chrysaliden sind nach ihrem Sexus so wie die Raupen, durch die Gröse und den mehr geschmeidigen Bau leicht zu erkennen. Sie führen Haare über dem Rücken. Die männliche ist mehr hellbraun, die weibliche aber schwarz, mit rothgelben Einschnitten, und weissen Flecken zur Seite des Bruststücks bezeichnet Ihre Phalenen entwickeln sich nach Beschaffenheit der Witterung in achtzehn Tagen oder drey Wochen. Die Eyer sind weiß, und werden von dem Weibchen mit eingemengten Haaren klumpenweise beysammen abgesetzt.

Der fünf und achtzigste europäische Nachtschmetterling.

BOMB. EL. AL. DEPR. DORSO CRIST. TREPIDA.

Aschgrauer Spinner mit fleckigtem Rand der Hinterflügel.

Tab. LVII. Fig. 1. Die Raupe auf einem Eichenzweig. Fig. 2 Die männliche, Fig. 3. die weibliche Phalene. Fig. 4. Die Chrys. Alis cineris striis rufis, atomis nigris maculisque albis; inferioribus margine exteriore albo-nigroque maculato.

y) S. N. l. c. not. Differt adeo parum ut vix mereantur distingui; ex una cer-
a Ph. Antiqua, ac Sph. Porcellus ab Elpe- re altera olim orta, non casu.
nore, vel Ph. Pavonia minor a maiore,

Rösel Ins. Belust. III. Th. S. 272. Tab. 68. Fig. 3. Die ungemein schön gezeichnete, grün und weiß gestreifte Eichenraupe mit gelben und rothen Seitenstreifen.

Kleemanns Beyträge, S. 115. Tab. XVIII. A. B. die Chrys. und der weibliche Falter.

Die Ordnung unsers Systems leitet uns auf eine Gattung, die Ph. Tremula, wo schon alle Kenner nach eifrigster Erforschung die wißbegierigste Nachfrage gehalten, bey der es aber noch eben so unentschieden geblieben. Sie ist die einzige in diesem Verzeichniß nach den bisher behandelten Gattungen, bey der ob dem Strittigen, keine Erörterung zu treffen war. Ohne die Geduld meiner Leser zu sehr ermüden, habe ich hier in möglichster Kürze die Anstände vorzulegen. Herr von Linne beschreibt nach der 58ten Species, einen Spinner z) unter dem Namen der P. Tremula, den zwar schon Clerck so geheisen. Wir wissen nicht, ob der angezeigte Aufenthalt die Zitterpapppel (populus tremula), der Raupe, von der nicht das mindeste erwähnt wird, oder der Phalene, wie in gleicher Beziehung schon öfters geschehen, eigentlich zugehört. Es kommt in näherer Bestimmung auf die Charaktere der Gattung an, und diese haben es nun alleine zu entscheiden. Es wird der Falter nach seinen specifischen Unterscheid mit folgenden Merkmalen bezeichnet. Die Vorderflügel haben eine dunkelbraune Grundfarb, und der Rand ist schwärzlich gesäumt, (al. *exustis*, margine nigricantes.) An der innern Seite der Flügel, näher gegen den Körper steher eine hervorragende Spitze, ein sogenannter Zahn (denticulus), der aus einem Büschel schwarzer steifer Haare besteht. Die Fühlhörner sind rostfarbig, nicht beträchtlich gefiedert, aber zweymal länger als

z) S. N. Ed XII. pag. 826. Sp. 58. „*Tremula* Ph. B. elinguis subcristata, alis superioribus exustis margine interiore denticulo notatis, antennis ferrugineis. Fn. su. ed. nov. n. 1121. Hab. in Populo tremula. Thorax postice subtrilobus. Alae superiores in margine tenuiore denticulo subulato piloso. In der Fn. su. wird er im nachfolgenden noch weiter beschrieben. „ Magnitudo media. *Antennae* parum pectinatae, ferrugineae, thorace duplo longiores. *Lingua* vix ulla. *Thorax* cinereus, postice subtrilobus, vix manifeste fasciculatus. *Alae* superiores deflexae, colore exusto, *margine utroque nigricantes*; in margine tenuiore, versus thoracem denticulus subulatus pilis fasciculatis. *Inferiores alae* albidae. Tibiae antice hirsutae. Clerk phal. *Ph. Tremula*. Hab. in Populo. “

die Brust. In der weitern Beschreibung wird noch bemerkt, daß die bekleidenden Haare des Vorderleibs in drey Lappen getheilt sind, und nicht eigentlich aus kammförmigen Erhöhungen bestehen. Ihre Farbe wird aschgrau angegeben. Von den Hinterflügeln wird noch bemerkt, daß sie eine ins weißliche gemischte Grundfarbe führen. Dieß sind die sämtliche Merkmale. Diejenige Gattung nun, auf welche sich solche anwenden lassen, ist nothwendig die Ph. Tremula des Herrn von Linne, wenigstens wird niemand einer Irrung deßhalb beschuldigt. Unsere Tafel legt einen Falter vor, der in der Ordnung der Zahnflüglichten, wie Dicktäa, Zickzack und Dromedarius, an sich hieher gehört. Alle ersterwähnte Kennzeichen, stimmen damit pünktlich überein. Es ist auch diese Phalene in den nördlichen Erdstrichen wirklich vorhanden, und sonach wäre die Sache entschieden. Allein es besitzt dieser Falter noch ein wesentliches Merkmal, wo es befremdend geschienen, daß Herr von Linne solches unbemerkt gelassen. Es sind nehmlich die Hinterflügel zwar weißlich, der äusere Rand aber ist in beträchtlicher Breite, nach gleichlaufender Gränze, schwärzlich mit weissen Flecken gezeichnet. Doch wenn die Flügel nicht weit genug geöfnet werden, ist dieser Charakter nothwendig nicht wahrzunehmen, noch weniger in geschlossener Lage, wie etwa ein getrocknetes Exemplar beschaffen war. Was noch weitere Bedenklichkeiten erhoben, ist, daß Herr von Linne diese Phalene selbsten niemalen in eigener Sammlung gehabt, er hat sie nach einem Original charakterisirt das er in der Sammlung des Clercks gesehen, wie er sich auch selbsten dahin beruft. Sie ist von ihm aber nie in Abbildung beygebracht worden, wir vermissen sie in dessen ausgegebenem Werk. So haben mich die gefällige Nachrichten des Herrn Hofrath Schrebers, und Herrn Professor Fabricius versichert. Nach diesen Umständen muß ich die Entscheidung meinen Lesern überlassen.

Noch hat man vielfältig den Namen der Tremula dem Falter beygelegt, den ich auf der folgenden 58ten Taf. nach der 5ten Figur vorgestellt habe. Es ist die Ph. Dicktäa nach ganz unstrittigen Kennzeichen. Der in unserem System angegebene Charakter, des in der Mitte die Länge hin weisgelassenen Raums, welcher der angeblichen Tremula mangelt, entscheidet dieß ausser den übrigen Merkmalen genugsam. Die Herrn Verfasser des Wiener Verz. haben beyde Falter in ihrem System nach richtiger Ordnung eingetragen. Bey näherer Erkundigung hatte ich erfahren, daß sie ebenfalls unter dem Namen der Ph. Tremula L. die hier in Abbildung vorliegende Gattung wirklich damit gemeint haben. In der That lassen sich auch die angegebene Kennzeichen nicht verfehlen. Zur Auskunft wegen des Strittigen, wurde vom Herrn Abt Schiffermüller, wie ich näher versichert worden, dahin die Ausgleichung getroffen, daß nun der in ihrem Verzeichniß angeführte Name der Tremula als einer unbekannten Gattung, wenn sie nicht Varietät der Ph. Dictäa ist, gänzlich eingehen sollte. Dagegen kommt der in Abbildung hier vorliegende Falter an dessen Stelle unter dem Namen der Ph. Trepida, zu stehen. Ich habe ihn so nach um weitere Verwirrung zu verhüten, beybehalten.

Nun muß ich endlich die Geschichte unseres Falters erzehlen. Rösel hat zuerst die Raupe, ohne aber die Phalene daraus zu erziehen, entdeckt. Diese wurde vom Herrn Kleemann nachgehends in Abbildung beygebracht. Wir treffen sie auf starken Eichbäumen, in erwachsener Größe noch im spätem Herbst gemeiniglich an. Doch wurde sie auch schon zu Ende des Julius öfters gefunden. Nach der Gestalt nähert sie sich den Raupen der grössern Sphinxe. Der Kopf und das Gebiß ist sehr stark, und der Körper an beyden Enden verdünnt. Die hellgrüne Fläche, die sich zur Seite ins dunklere färbt, ist etwas rauch anzufühlen, und mit weissen Punkten, so wie dergleichen Linien über den Rücken, bezeichnet. Die schrege Querstreifen, die öfters ins Gelbe fallen, sind die vorzüglichste Verschönerung. An den vordersten Ringen stehen zwey erhabene Flecken dieser Farb, in ungleicher Gröse. Die Raupe begiebt sich zur Verwandlung in die Erde, wo sie nach angelegtem geraumigen Gewölbe sich in eine dunkelschwarze Chrysalide verwandelt. Die vollkommene Entwicklung erfolgt gemeiniglich erst in der Mitte des Frühlings, auch zuweilen noch später.

Man findet die Phalenen in sehr unterschiedener Gröse, und Abänderungen sind hier nicht minder sehr zahlreich, besonders nach dem Aschgrauen oder mehr bräunlich gefärbtem Grund, so wie den mehr oder weniger sichtlichen Zeichnungen. Der äusere Rand, führet eine Reihe rothbrauner Striche, und einige derselben finden sich auch in der mitlern Fläche. Das Gemische von schwarzen Atomen, und den weissen und dunklern Flecken, lässet sich nicht ohne ausführliche Anzeige beschreiben. Das vorzüglichste habe ich bereits oben erwähnt, und die Abbildung giebt das übrige auf das genaueste an.

Der sieben und achtzigste europäische Nachtschmetterling.

BOMB. EL. AL. DEPR. DORSO CRIST. CAERULEOCEPHALA.

Blauköpfiger Raupenspinner. Der Blaukopf.

Le double Omega GEOFFR. La tête bleue GOED.

Tab. LVIII. Fig. 1. Die Raupe auf einem Apfelzweig. Fig. 2. Die männliche Phalene. Fig. 3. Das Gespinste. Fig. 4. Die Chrysalide.

LIN. S. N. Ed. XII. p. 826. Sp. 59. P. B. *Caerul.* elinguis cristata, alis deflexis griseis: stigmatibus albis coadunatis. Unzünglichter Spinner mit kammförmiger Brust graubraunen niederhangenden Flügeln, und weissen zusammenvereinten narbenförmigen Flecken. Faun. suec. ed. nova 1117.

Müllers Uebers. des Nat. Syst. V. Th. I. B. nr. 59. Ph. Caer. der Blaukopf.

RAII Hist. Inf. p. 163. nr. 17. Ph. alis exterioribus pullis: duabus tribusve maculis albis e duobus circulis compositis contiguis notatis. — p. 163. nr. 17. *Eruca* rarius pilosa, mali, pyri.

System. Verz. d. Wien. Sch. S. 59. Fam. M. Halbhaarraupen, Großstirnigte Spin. nr. 3. Ph. Caer. Mandelspinner.

Fueßli schweiz. Ins. S. 36. nr. 676. P. Caer. Der Blaukopf. — Magaz. der Ent. II. St. S. 6.

Berlin Magaz. II. B. S. 410. nr. 22. Ph. Caer. Der Blauk. Braun, etwas ins graue und blaulichte fallend. Die Oberflügel mit drey aneinander stossenden gelblich weissen Flecken.

FABRICII S. ent. p. 164. n. 59. B. Caer. — *Spec. inf.* To. II. p. 185. nr. 72. — Al. defl. gris. fasciis duabus ferrugineis, maculaque albida duplicato - didyma.

Reise durch Norwegen, S. 69. Bemerkung: daß die Raupen alle Obstbäume kahl gefressen.

GEOFFROI Hist. d. Inf. T. II. p. 122. nr. 27. Ph. Caer. — pectinicornis elinguis, al. defl. fuscis, macula duplici albido — flavescente geminata. Le double — omega. Long. 10. lign.

MÜLLERI Faun. Fridr. p. 40. nr. 1370. Ph. Caer.

ONOMAST. Hist. nat. P. VI. p. 326. Ph. Caer.

Syst. Nat. d. Regn. an. II. p. 149. nr. 27. Phal. du Poirier, qui est le bleu-cephale. Coeruleocephalus.

Götze Entom. Beytr. III. Th. III. B. S. 13. nr. 59. Ph. Caer. Der Blaukopf.

Nouv. Mem. de l'Acad. roy. d. sc. et. bell. L. 1772. Bernoulli, Beobacht. von befruchteten Eyern ohne Begattung.

Bonnets und anderer Abhandlungen aus der Insecktologie. S. 97. nr. 20. Ph. Caer. Beobachtung eines fleischernen Horns am ersten Ring dieser Raupe, zwischen der Unterlippe und den vordersten Füssen.

Blumenbachs Handb. der Nat. 9. S. 370. nr. 10. Ph. Caer.

BECKMANN Epit. S. L. p. 164. nr. 59. Ph. C.

Jung Verz. europ. Schmetterl. Ph. Caer. p. 24.

Gladbach Catal. Der Brillenvogel.

Gleditsch Forstw. II. S. 785. nr. 6. Ph. Caer. Die Blauk. Ph.

Maders Raupencal. S. 13. nr. 12. Ph. Caer.

Rösels Ins. Bel. I. Th. Nachtv. II. Cl. S. 205. Tab. 16. Die dicke meergrüne gelbgestreifte und schwarzpunktirte Raupe.

Frisch Beschr. d. Ins. X. Th. S. 5. nr. 3. Tab. 3. Die blau grünliche Raupe mit gelben Streifen, und der Pap. davon.

REAUMUR Mem. Tom. I. Tab. 18. fig. 6—9.

WILKES engl. M. a. B. 6. Tab. 1. a. 12.

GOEDART Hist. Inf. I. Tab. 61. *Albini* Hist. Inf. Tab. 13. fig. 13. *Merian.* eur. Tab. 9.

Diese Raupe ist eine der gemeinsten in unsern Gegenden, und öfters sehr schädlich. Sie hält sich an alle Arten der Obstbäume, besonders den Aepfeln, Birnen und Kirschen. In der Mitte des Junius hat sie nach gewöhnlicher Witterung, ihre vollkommene Gröse erreicht. Sie spinnt sich dann ein festes sehr enges Gehäuse, mit eingemengten Materialien die sich ihr am nächsten finden. Die untere Hälfte ist flach, die obere eyrund gewölbt, die Fäden aber sind weis. Es stehen etliche Wochen an, bis sie sich in dieser Wohnung verwandelt, und die Phalenen kommen erst in drey Monathen, gemeiniglich im spaten Herbst hervor. Einige pflegen auch zu überwintern. Die Chrysalide ist rothbraun, und im Verhältniß der Raupe sehr klein.

Die Erziehung der Raupen ist sehr mißlich, und auch im Freyen, vielen Zufällen ausgesetzt. Sie sind ein gewöhnlicher Raub der Ichnevmons und anderer Insekten. Auch die Vögel gehen ihr am meisten nach. Der träge Gang, die glatte Fläche, da sich kaum hin und wider einzelne Haare zeigen, und vielleicht noch mehr ihre helle und auffallende Farbe, setzt sie ohne Wiederstand, so vielen der gehässigsten Feinde aus. Sie verlangt beständig grünes Futter, und frische Luft, das ihr bey einem so saftreichen Körper auch sehr nöthig ist. Wann daher diese Geschöpfe auch sonst nicht beschädiget werden, gehen sie dennoch ganz unvermuthet in Fäulnis über. Viele bleiben in dem Gehäuse zurück ohne sich zu entwickeln, und von den auskommenden Faltern fallen die meisten mangelhaft oder verunstaltet aus. So hat die Vorsehung in den weisesten Absichten, ihren Verwüstungen die nothwendig jede Jahre entstehen würden, sehr enge Gränzen gesetzt. Nach der Farb ist sie eine der schönsten, besonders bey Abänderungen in erhöhetem Colorit des Blauen und Gelben. Der Rücken ist öfters ganz weiß und die übrige Fläche blaß, ins Grünliche verlohren. Ueber jedem Ring stehen vier ins Gevierte geordnete Punkte von schwarzer Farb; einer der vordern ausgenommen, der sie nur nach einem einzelnem Paar, aber vorzüglich vergrössert führt.

Die Phalenen sind nach den Kennzeichen des Sexus, wenig bedeutend von einander verschieden. Die braune ins Aschgraue mit wolkigten Flecken verlohrne Grundfarb, ist in beyden, theils heller, theils dunkler angelegt. In der Mitte der Vorderflügel zeigt sich ein groser weisser Flecken aus drey einzelnen Narben zusammengesetzt. Er ist ins gelbliche gemischt, und führt in der Mitte einen schwärzlichen Schatten. Dieß ist auch der wesentlichste Character. Nach einigen Abänderungen erscheint diese Mackel mehr in einzelne Parthien getrennt, sie ist zuweilen grösser, öfters aber um vieles kleiner. Die Fühlhörner des Männchens sind stark gefiedert, an dem Weibchen aber ganz fadenförmig gebildet.

Der acht und achtzigste europäische Nachtschmetterling.
BOMB. EL. AL. DEPR. DORSO CRIST. DICTAEA.
Der Porcellanraupenspinner.

Tab. LVIII. Fig. 5. Die männliche Phalene von beyden Seiten.

LINN. Syst. Nat. Ed. XII. p. 826. Sp. 60. *Dictaea.* Ph. B. el. al. deflexis exustis plaga albida; inferioribus albis. Unzänglichter Spinner mit niederhangenden, gegen den Rand schwarzbraun, angeflogenen, in dem mittlerem Raum weißstreifigten Flügeln *a*).

a) „Habitat in Barbaria, rarius in Europa media. Corpus testaceum uti Antennae. *Alae Superiores* supra exustae; plaga media longitudinali albida et puncto lineaque nivea juxta thoracem. *Inferiores* albae, ad angulum ani fuscescentes.„

Müllers Uebers. des N. S. V. Th. I. B. S. 672. nr. 60. Ph. Dictaea. Der Brandflügel.

System. Verz. der Wiener Schm. S. 62. Fam. R. Buckelraupen. Rückenzähnigte Spinner. nr. 1. Dictaea. Schwarzpappelspinner.

FABRICII Syst. Ent. Append. pag. 831. Sp. 55. 56. Ph. Dict. Linn. Char. — Spec. Inf. Tom. II. p. 187. Sp. 77. Hab. in Europae Populo nigra, Betula alba.

Götze entom. Beytr. III. Th. III. B. Sp. 60. B. Dict. Der Braungeflügelte Spinner. S. 45. nr. 2. Porcellanea. Der Porcellanspinner in Beziehung auf Berl. Mag. nr. 38. Albo-grisea; margine interiore toto, anteriore semifusco.

Naturf. VI. St. S. 116. Tab. V. fig. 4.

Berlin. Magaz. II. B. S. 420. (Hufn. Tab. nr. 38. Ph. Porcellanea: Die Porcellanenmotte; weißgrau, der innere Rand ganz, der vordere um die Hälfte braun. Raupe: glatt, oben braun, an den Seiten weißlich, glänzt als wenn sie mit Firnis überzogen wäre. Lebt einsam auf den Eichen. Die Phalene an den Zweigen der Bäume, im August und September, von der zwoten Grösse, sehr selten.

Verschiedene Schriftsteller haben diesen Nachtschmetterling mit der Ph. Tremula verwechselt, wie ich schon oben bey deren Erwähnung, umständlich dargelegt habe *b*). Die Charactere des Herrn von Linne sind so entscheidend, daß ich weiter zur Erläuterung nichts beyzufügen finde. Auch nach den Abänderungen haben sich kaum erhebliche Abweichungen vorgefunden. Man hat die Phalene in unterschiedener Grösse, und gemeiniglich um vieles kleiner, als die vorliegende Zeichnung erweißt. Oefters ziehet sich der braunangeflogene Rand tiefer in die Fläche, und der weißgelassene Streif ist dann dunkler und um vieles schmäler. Die schwarzen Striche an den Flügelspitzen sind auch zuweilen breiter, so wie die an dem innern Rand. Das Weibchen hat fadenförmige Fühlhörner. In unseren Gegenden ist diese Gattung nicht sonderlich selten. Man findet die Raupe, im Junius auf Eichen, zuweilen auch auf den Aspen und Birken. Ich habe sie jährlich erzogen, und doch bin ich durch einen Zufall, ausser Stand gesetzt worden, sie in Abbildung hier darzulegen. Sie wird in der Folge mit mehreren beygebracht werden, dahin ich auch die genauere Bemerkung ihrer Geschichte ausgesetzt habe. Schon Hufnagel hat sie nach obiger Anzeige sehr kenntlich beschrieben. Sie ist ganz walzenförmig gerundet, von hellglänzender Fläche, in unterschiedener Mischung von Grauen und Braunen. Oefters ist sie ganz roth wie rohes Fleisch, zuweilen aber mehr

b) S. 285.

ins Braune oder Violette gefärbt. So hat sie auch Herr **Meinecke**, in oben angezeigten Stück des Naturforschers beschrieben. Beyde ergaben ohne Unterschied einerley Phalenen. Zur Verwandlung begiebt sich die Raupe in die Erde, von da das Auskommen des Falters erst in den warmen Tagen des Frühlings erfolgt.

Der neun und achtzigste europäische Nachtschmetterling.

BOMB. EL. AL. DEPR. DORSO LAEVI. VELITARIS.

Die Segelmotte.

Tab. LVIII. Fig. 6. Die männliche Phalene.

Alis cinerascentibus, denticulatis, strigis duabus albidis repandis fusco-marginatis.

Berlin. Magaz. III. B. S. 394. nr. 64. Schmutziggelb, mit 2 braunen zwey Querstreifen, davon die hinterste unterbrochen ist. Ph. Noct. Velitaris.

Naturforscher IX. St. S. 129. nr. 64. Ph. Bomb. Velitaris.

Knochs Beytr. zur Ins. Gesch. 1. St. S. 66. nr. 14. Tab. IV. fig. 8. Bomb. Velitaris. Die Segelmotte. Elinguis, cristata, alis pallide moschatinis; superioribus strigis duabus albis undatis lineola intra apicem fusca.

Götze Entom. Beytr. III. Th. III. B. S. 193. nr. 21. Noctua Velitaris.

Jung Verz. europ. Schm. Bomb. Vilit.

Schon vor geraumen Jahren, wurde diese Phalene in den **Husnaglischen** Tabellen unter obstehendem Namen angezeigt, und von Herrn von **Rottemburg** genauer beschrieben. Sie ist auch in unseren Gegenden nicht allzuselten, man hat sie öfters von der Raupe erzogen, die sich auf den Eichen enthält. Ich werde in der Fortsetzung eine Abbildung darlegen, da ich zur Zeit, wegen einiger Umstände noch genauere Erfahrungen anzugehen habe. Sie gleichet denen Raupen der Ph. Zikzack und Dromedarius, wenigstens hat sie gleiche Höcker wie jene. Unter welchem Namen sie in dem Systematischen Verzeichniß der Wiener Schmetterlinge möchte angezeigt seyn, kann ich zur Zeit nicht zuverlässig bestimmen.

Die Phalene wurde von einigen unter die Eulen gerechnet, und in der That ist die Entscheidung derselben zweifelhaft, wenigstens hält sie die Gränze. Sie gehört am nächsten zu den Spinnern. Die Fühlhörner des Männchens haben zur Seite einzeln ausstehende Haare die in gleichen Reihen geordnet sind, wie wohl sie nur dünne und zerstreut liegen. Das

Weibchen hat sie ganz fadenförmig. Nach den hervorragenden Borsten des innern Flügelrandes, dem Zahn (Denticulus), wird man sie in der Ordnung dieser so genau verwandten Arten am ersten suchen, und in gleicher Uebereinstimmung hat sie hier den schicklichsten Platz. Die Grundfarb ist nach wenigen Abänderungen doch sehr verschieden. Gemeiniglich hat sie ein blasses Braun nach dem Muster, wie die Hinterflügel und die Unterseite gefärbt erscheinen c). Oefters aber zeigt sie ein lichtes Aschgrau, und in diesem Gewand fand ich einige Exemplare um vieles grösser, als die vorliegende Abbildung erweißt. Dasjenige welches ich zum Muster gewehlt, hält das Mittel. Es ist die Grundfläche der Vorderflügel theils aschgrau theils braun gemischt. Die Zeichnungen der ausgeschweiften Binden sind gleichförmig gebildet, nur zuweilen von hellerem Colorit. Die Gränzen dieser Binde sind mit braunen, etwas in die Fläche verlohrenen Linien gesäumt, die zuweilen ins Schwärzliche fallen. Die Flügelspitze hat nach der Aussenseite noch einen bräunlichen Streif. Dieß ist zur wörtlichen Anzeige genug.

Der neunzigste europäische Nachtschmetterling.
BOMB. EL. AL. DEPR. DORSO CRIST. ZICZAC.
Der Zickzackraupenspinner.

Le Ziczac. DEGEER. Le bois veiné. GEOFFR.

Tab. LIX. Fig. 1. Die männliche Phalene. Fig. 2. Die Raupe auf einem Weidenzweig Fig. 3. Das Gespinste. Fig. 4. Die Chrysalide.

c) Naturforsch. obenang. Ort. — „Die Farbe aller Flügel ist bey diesem Vogel schmutzig gelb, oder eigentlich weiß. Durch die Oberflügel gehen nicht weit von der Einlenkung, zwey dunkelbraune ziemlich starke Linien dicht nebeneinander, und formiren eine Queerbinde. In einiger Entfernung laufen wieder zwey dergleichen Linien durch die Flügel, die aber in der Mitte unterbrochen sind, und davon die äusserste nur so stark als die der vorhergehenden, die andere aber ganz schwach ist. In der obern Flügelspitze ist ein kurzer, schreger, dunkelbrauner Strich. Die Unterflügel sind ohne Schattirungen. Alle vier Flügel sind unausgezackt und ohne Sahm. Am untern Rand der Oberflügel ist ein kleiner mit Haaren besetzter Zacken, wie an der Ph. Camelina, Ziczac Dromedar. Palpina und andern. Es ist dieser Vogel etwas kleiner als die Camelina. Herr Hufnagel setzet ihn mit Unrecht unter die Noctuas, denn das Männchen hat haarige Fühlhörner, antennas pectiniformes, es ist daher dieser Vogel ein Bombyx.„

LINN. Syst. Nat. Ed. XII. p. 826. Sp. 61. Ph. B. Ziczac. subelinguis, alis deflexis dorso dentatis apicibusque macula grisea subocellari, antennis lamellatis. Mit etwas verlängerten Zunge, niedergebogenen Flügeln, einer haarigten Zahnspitze in der Mitte des innern Randes, und augenförmig gestalteten Mackel gegen die Spitze der Vorderflügel, nebst blätterichten Fühlhörnern. Faun. su. Ed. nr. 6.

Müllers Uebers. des N. S. V. Th. I. B. S. 672. nr. 61. Ph. Ziczac. Der Zickzack. Die Sattel- oder Drachen-Kameelraupe.

GEOFFROI Hist. d. Inf. Tom. II. pag. 123. nr. 29. Phal. Pectinicornis elinguis, alis exterioribus fuscis, venis plurimis, fascia circulari, et marginis interioris appendice nigricantibus, inferioribus albidis, limbo lineari fusco. *Le bois veiné.* Long. 7. lin.

System. Verz. der Wiener Schm. S: 63. Fam. R. Raupen mit buckelförmigen Erhöhungen ꝛc. nr. 5. Ph. B. Ziczac. Flechtenweidenspinner.

FABRICII. Syst. Ent. pag. 573. Sp. 55. — *Spec. Inf.* Tom II. p. 186. Sp. 76. B. Ziczac. — Antennis squamatis.

Berlin. Magaz. II. B. S. 410. nr. 23. Ph. Zicz. Das Zickzack. Weißgrau und gelblich, an einigen Orten braun; die Unterflügel weißgrau.

Fueßli Schweiz. Inf. S. 36. nr. 677. Ph. Zicz. Magaz. der Ent. II. St. S. 7.

MÜLLERI Faun. Frid. pag. 40. nr. 362. Ph. Ziczac. Zool. Dan. Prodr. pag. 119. nr. 1371.

Neuer Schaupl. der Natur IV. Th. S. 361. Kameelraupe.

Gleditsch Forstw. II. Th. S. 740. nr. 29. Ph. Zicz.

ONOM. Hist. Nat. P. VI. p. 419. Ph. Zicz. Der Kameelraupenvogel.

Götze Entom. Beytr. III. B. III. Th. S. 16. nr. 61. Ph. Zicz. Der Zickzack-spinner.

Jung Verz. europ. Schm. Ph. Zicz. S. 156.

BECKMANNI Epit. S. Linn. S. 164. nr. 61. Ph. Zicz.

Lessers Theolog. der Inf. S. 263 Anm. o. die Kameelraupe. Ed. II. S. 106. Anm. d. Eruca Camelus — Φοβεgος. —

Gladbachs Catal. Das Cameel.

Rösels Inf. Bel. I. Th. Nachtv. 2te Cl. S. 129. Tab. 20. Die Kameelraupe mit ihrer Verwandl.

Frisch Beschr. der Inf. III. Th. S. 4. nr. 2. I. Pl. Tab. 2. Raupe mit dem Cameelrücken.

REAUMUR Mem. Tom. II. Tab. 22. fig. 9—16.

DEGEER Mem. Tom. I. p. 116. Tab. VI. fig. 1—10. *Chénille* rase, à trois tubercules charnus en forme de cornes sur le dos, qui mange les feuilles d'Ozier et du Saule, et qu'on a nommée le Ziczac. — p. 696. Tab. VI. fig. 7—10.

Phalene à antennes à barbes, sans trompe; d'un brun pâle, et dont les ailes superieures sont marquées vers leurs base d'une grande tache obscure. — Tom. II. Pars I. — pag. 309. nr. 1. — Phal. Ziczac. a trois tubercules — nr. 2. — Ph. Ziez. à cinq tubercules Tab. IV. fig. 17. — Chénille — fig. 13. — Göze Uebers. I. Th. I. Quart. S. 90. IV. Quart. S. 118. — II. Th. I. B. S. 222. nr. 1. Das dreyhöckerichte Zickz. — Gleiche Tafeln und Fig.

GOED. Hist. Inf. 3. Tab. E. — Φοβεζος. Ed. List. fig. 21. *Albin.* Hist. Inf. Tab. 14. fig. 20. *Merian.* europ. Tab. 147.

SCHAEFFER Ic. Inf. Nat. Tab. 99. fig. 2. 3.

WILKES. engl. M. a. B. 12. Tab. 1. d. 1.

Hier folgen abermahl ein paar, nach ihrer Aehnlichkeit in ganz richtiger Stuffenfolge verbundene Gattungen. Lassen sich auch in möglichen Gestalten, noch mehrere dazwischen gedenken, so sind doch diese die einzigen die man zur Zeit entdeckt, und ihre Verwandschaft ist so nahe, als sie bey irgend einigen Arten sich findet. Die Raupen haben gleiche Gröse und Farb, nur in der Form und der Anzahl der Höcker über den Rücken sind sie am wesentlichsten verschieden. Die nächste Aehnlichkeit mit diesen hat die Raupe der erstbeschriebenen Ph. Velitaris, welche ich in der Folge beyzubringen habe. Diese sämtliche Falter haben gleiche Gestalt und Umriß der Flügel, nur die Ph. Dromedarius hat sie nach ausstehenden Spitzen etwas mehr gezahnt. Nach dem Colorit und den Zeichnungen aber ist die Abweichung desto grösser. Doch ich habe ihre Geschichte in der Ordnung zu erzehlen, es kommt diese Gattung nothwendig zuerst.

Man findet die Raupe im Julius, und noch bis in dem spätesten Herbst. Jede Arten der Weiden, dienen ihr zur Nahrung, doch hält sie sich mehr an die mit saftreichen und weichen Blättern. Auf der Wollweide ist sie am seltensten wahrzunehmen. Man trift sie nur einzeln und zerstreut an, doch ist sie nicht sonderlich selten. Die vorliegende Abbildung giebt nach den gewöhnlichsten Exemplaren das größte Ausmaaß zu erkennen. Sonst sind sie um vieles kleiner. Nach sehr gemächlichem Wuchs, fertigt sie sich endlich bey vollkommenem Alter, zur Verwandlung ein starkes Gespinnste von weissen Fäden. Es wird dieß gemeiniglich zwischen Blättern oder andern Materialien angelegt. Die Chrysalide ist von ganz gewöhnlicher Form, und schwarzbraun von Farb, zuweilen aber mehr roth. Die auskommenden Phalenen erscheinen erst im folgendem Jahr, und nach gewöhnlicher Witterung im May, auch zuweilen früher oder später.

Die Gestalt der Raupe ist wirklich sehr sonderbar, und hat schon öfters denen die sie zum erstenmahl sahen, Bewunderung erweckt. Die vordern Ringe sind geschmeidig verdünnt, die letzten aber desto stärker, und in sitzender Lage in die Höhe gerichtet. So mußte sie bey dem ersten Anblick die sichere Vermuthung erwecken, daß man den dickeren Theil für den Kopf, den dünnern aber für deu Hinterleib gehalten. Ueber dem Rücken des fünften und sechsten Ringes stehen zwey fleischerne pyramidenförmige Erhöhungen, welche zuweilen auch die beyden folgenden haben, nur sind sie in sehr geringer Anlage und keineswegs von der Stärke, wie sie die Raupe der Ph. Dromedarius führt. Sie sind gegen den Kopf dunkelbraun gefärbt, von da sich auch ein breiter Streif von gleicher Farbe über den Rücken ziehet. Die zwey letzten Ringe sind gelb, und öfters in unterschiedener Mischung, pomeranzenfärbig, oder auch rothbraun. Die übrige Fläche ist nach verschiedenen Abänderungen, von sehr verändertem Colorit. Man findet diese Raupe zuweilen ganz braun, oder auch grün, und wiederum mit Weissem, oder Blaßgelbem gemischt. Gemeiniglich ist sie röthlich braun, mit etwas Violetem vermengt. Ich habe zur Abbildung ein Muster gewählt, wo sich diese Veränderungen fast beysammen finden, sie hält wenigstens das Mittel. Hier ist die Fläche ein blasses Fleischfarb etwas ins Grüne verlohren. Der Rückenstreif hat ein dunkles Grün, und die schregen Striche zu beyden Seiten sind mit Weissem gesäumt.

Beyderley Geschlechter der Falter haben nach dem Colorit eine kaum erhebliche Verschiedenheit. Die gegenwärtige Abbildung, stellt ein Männchen vor, und zwar nach dem Ausmaas eines der größten Exemplare. Die Grundfarb der Vorderflügel ist ein lichtes Braun, öfters aber auch dunkler, und heller gemischt. In der Mitte, doch näher an der Flügelspitze, stehet ein dunkler, mondförmiger Flecken, an dem zu beyden Seiten zwey von heller Mischung sich finden. Sie sind mit rothbraunen kappenförmigen Zügen eingefaßt, und gleichen einigermassen einem augenförmigen Flecken. Die Hinterflügel sind schmuzig weiß, mit einem schwärzlich-braunen Queerstreif in der Mitte bezeichnet. Die Fühlhörner sind sehr zart gefiedert, an dem Weibchen aber ganz fadenförmig gebildet. Das übrige ist aus der Abbildung hinreichend zu ersehen.

Der

Der ein und neunzigste europäische Nachtschmetterling.
BOMB. EL. AL. DEPR. DORSO CRIST. DROMEDARIVS.
Die Dromedarraupen-Phalene. Der Dromedar.

Het Scherpe Drakje. ADM.

Tab. LIX. Fig. 5. Der männliche Falter. Fig. 6. Der weibliche. Fig. 7. Die Raupe. Fig. 8. Dergleichen nach einer Abänderung Beyde auf einem Birkenzweig Fig. 9. Die Chrysalide.

LINN. Syst. Nat. Ed. XII. pag. 827. Sp. 62. *Dromedarius.* Ph. B. el. al. defl. superioribus nebulosis dorso dentatis: litura baseos anique flavescentibus. Unzänglichter Spinner mit niederhangenden wolkigten Vorderflügeln und gelben Flecken gegen die Grundfläche und den Hinterleib.

Müllers Uebers. des N. S. V. Th. S. 672. nr. 62. Ph. Dromedarius. Der Dromedar.

Syst. Verz. der Wiener Schmett. S. 63. Fam. R. nr. 7. Ph. Drom. Der Birckenspinner (Betulae albae.)

Berlin. Mag. II. B. S. 416. nr. 33. Ph. Dromed. Der Kameelbuckel. Die Oberflügel schwärzlich graubraun mit verschiedenen, theils ockergelben graubraunen, theils dunkelgrauen Flecken und Strichen; die Unterflügel weißgrau.

FABRICII Syst. Ent. Append. p. 831. nr. 55. 56. Linn. Char. — *Spec. Inf.* Tom. II. p. 187. *Larva* solitaria nuda, brunnea, gibberibus quatuor dorsalibus larvae Ziczac simillima.

Götze Entom. Beytr. III. Th. III. B. S. 19. nr. 62. Ph. Dromedarius. Der Dromedarspinner.

Jung Verz. der europ. Schm. Ph. Dromed.

L'*Admiral* Naauwk. Wahrnehm. 23. Verand. Tab. XIV. Het Scherpe-Drakje.

Wie ich bereits erwähnt, hat diese Raupe mit der erstbeschriebenen die genaueste Verwandschaft. Auch nach den Natur- und Kunsttrieben kommen beyde miteinander überein. Doch hat Admiral, welcher die erste Abbildung davon geliefert, eine zweyfache Erzeugung, die auch bey der Ph. Ziczac sehr wahrscheinlich ist, öfters beobachtet. Er fand einige in der Mitte des Octobers des 1739ten Jahres, welche sich zu Ende des Novembers in Chrysaliden verwandelten. Die Phalenen kamen erst im Julius hervor, und hatten sonach 209 Täge zur Entwicklung nöthig gehabt. Im folgendem Jahr erhielt er einige am 4ten Julius schon erwachsen, welche in drey Tagen ihre Verwandlung angegangen haben. Aus dieser sind bereits den

24. Julius, und sonach in siebzehen Tägen die Phalenen ausgegangen. In unseren Gegenden hat man diese frühere Verwandlung noch nicht beobachtet. Die Blätter der Birken sind die gemeinste Nahrung dieser Raupen. Doch man hat sie auch auf den Haselnuß-Gesträuchen, den Erlen und andern Stauden angetroffen. Sie sind wie die von der vorigen Gattung sehr träge, und nehmen auch gleiche Stellungen an. Im ruhenden Stand ist öfters der Kopf und der Hinterleib zugleich in die Höhe gerichtet. Gemeiniglich aber finden sie sich in der Lage, wie die achte Figur ergiebt. Diese Abbildung wurde mir von Herrn Oelmann in Leipzig nebst sehr sorgfältigen Beobachtungen zugestellt. Nach der siebenden Figur habe ich ein Exemplar aus hiesiger Gegend noch beygefügt. Es ist nur in der Mischung des Röthlichen von diesem verschieden. Ich habe solches durch die Güte des Herrn Cammerrath Jung bereits vor einigen Jahren erhalten. Nach der äussern Form unterscheidet sich diese Raupe, durch die vier beträchtliche Erhöhungen über dem Rücken und der pyramidenförmigen Spitze des letzten Rings. Diese Höcker sind rückwärts gekrümmt, und an den äussersten Theilen rothbraun gefärbt. Ein dergleichen Strich ziehet sich auch vom Kopf über dem Rücken in ungleicher Breite, und darneben noch ein schreger zur Seite des letzten Paars der Bauchfüsse. Die Grundfarb ist gelblich in unterschiedenen Mischungen des Grünen. Die untere Seite aber ist dunkler ins Blaulichgrüne gefärbt. Auf der Fläche gegen die Luftlöcher stehen noch unterschiedene blaßgezeichnete Seitenstreifen. So viel von den wesentlichsten Merkmahlen im Abstand der Raupe der Phalena Zickzack.

Die Raupe selbsten gehet auf die nehmliche Art wie letztere, ihre Verwandlung an. Das Gespinnste wird nach gleichen Kunsttrieben gefertigt. Die Chrysalide ist gemeiniglich dunkelbraun. Sie führt am Ende zwey stumpfe Stacheln, welche in eben so viel ausstehende Spitzen getheilt sind.

Die fünfte und sechste Figur stellet die Phalenen nach beyden Geschlechtern vor. Es ist der Unterschied, wie aus der Abbildung genauer abzunehmen, nicht erheblich, und bey manchen Exemplaren nach der Farbenmischung kaum verschieden. Die ockergelben zackigten Binden, auf dem schwärzlich grauen Grunde nehmen sich am deutlichsten aus, so wie der narbenförmige Flecken in der Mitte. Sie sind zur Seite rothbraun gesäumt. Der ausstehende Zahn an der innern Seite des Randes ist schwarz, und etwas grösser als an der Ph. Zickzack gebildet. Die Fühlhörner des Männchens sind stärker gefiedert. Mehreres wird zu genauerer Anzeige nicht gefordert.

Der zwey und neunzigste europäische Nachtschmetterling.
BOMB. EL. AL. DEPR. DORSO CRIST. TRITOPHUS.
Die graue Zickzackphalene.

Tab. LX. Fig. 1. Die männliche, Fig. 2. Die weibliche Phalene. Fig. 3. Eine Abänderung.

Ph. Bomb. el. al. defl. superioribus cinerascentibus, dorso dentatis, strigis atomisque pallidioribus flavescentibus.

Diese Gattung, die ich zugleich von verschiedenen Freunden mitgetheilt erhalten, findet sich auch in unseren Gegenden. Doch ist ihre Raupe noch unbekannt. Nach Erzehlungen gleicht sie der Ph. Zickzack am meisten, doch mehreres kann ich zur Zeit nicht berichten. Auch die Phalene hat mit dieser Gattung die nächste Aehnlichkeit nach dem Umriß und Ausschnitt der Flügel, sonach möchte die Raupe selbsten nicht allzubeträchtliche Abweichungen haben. Nach andern Nachrichten, die mit näherer Gewißheit die Sache zu entscheiden haben, ist dieß die Ph. Tritophus des Syst. Verz. *d*). Ich behalte diese Benennung bey, da dorten keine Charaktere sie näher bestimmen und der Name solche am schicklichsten bezeichnet.

Vielleicht wird man bey dem ersten Anblick dieser Ph. nur zufällige Varietät der Ph. Dromedarius vermuthen. Sie kommt derselben wirklich am nächsten, besonders nach dem weiblichen Sexus. Es sind die ausgeschweifte kappenförmige Streifen so wie die hellgerandete Mackeln, in der Mitte der Vorderflügel in gleicher Form und Lage vorhanden. Nur gegen den äussern Rand findet sich noch ein Zusatz, den jene nicht hat. Es ist eine Reihe länglichter schwarzer Flecken auf einem lichterem Grund. An dem Männchen oder der ersten Figur dieser Tafel, sind diese Zeichnungen, wie ich nach mehreren Exemplaren beobachtet, nicht in glei-

d) S. 63. nr. 6. Fam. R. Zitterpappelspinner.

cher Deutlichkeit wahrzunehmen, und die Queerstreifen fehlen gänzlich. Die Fühlhörner sind nach gleicher Stärke gefiedert, und der Zahn des inneren Randes der Flügel, in gleicher Anlage gebildet. Desto beträchtlicher aber ist die Abweichung des Colorits. Hier ist nichts von dem Gelben und Röthlichen wahrzunehmen. Die Grundfarbe ist nach der Aussen- und Innen-Seite sämtlicher Flügel ein lichtes Ockergelb und die Zeichnungen darauf schwärzlich, mit unzählichen dergleichen einfärbigen Atomen bestreut. Ich habe diese Gattung nach Exemplaren von hiesigen und entlegenen Gegenden ganz übereinstimmend wahrgenommen, und nicht minder gleichen Unterscheid des Sexus gefunden. Eine seltene Abweichung, oder ist es abermahl eigene Gattung, zur Zeit kann es nach einem einzelnen Exemplar nicht mit Gewißheit entschieden werden, habe ich nach der dritten Figur beygefügt. Das Original findet sich in der Sammlung des Herrn Hofrath **Rudolphs**. Es ist aus hiesiger Gegend. Das veränderte daran ist für Varietät allzubeträchtlich und wesentlich genug. Nur verstatten es die Regeln nicht, bis auf nähere Berichtigung die Sache zu entscheiden. Hier mangeln die bindenförmige Streifen der Vorderflügel, der mittlere Flecken ist dunkelroth und weißlich gesäumt, noch ziehet sich ein dergleichen in die Fläche verlohrener Streif die Länge hin, in gleichen Abstand des Randes. Der übrige Raum ist schwarzgrau in unterschiedenem wolkichtem Gemische. Auch die Fühlhörner sind braunroth. Nähere Erfahrungen hoffe ich in der Folge darlegen zu können.

Der drey und neunzigste europäische Nachtschmetterling.

BOMB. EL. AL. DEPR. DORSO LAEVI. OLEAGINA.

Olivenfärbigerspinner. Schlehenspinner.

Tab. LX. Fig. 4. Die männliche Phalene von der obern und untern Seite.

Ph. B. el. al. deflexis viridibus nigro-caeruleoque marmoratis, macula reniformi alba, limbo crenato flavo.

Syst. Verz. der Wiener Schm. Fam. M. Halbhaarraupen. Sp. 2. B. Oleagina. Schlehenspinnerraupe. Pruni spinosae. Schlehenspinner.

Jung Verz. europ. Schm. S. 98.

Götze Entom. Beytr. III. Th. III. B. pag. 60.

In unseren Gegenden hat sich diese sehr nett gezeichnete Phalene noch nicht vorgefunden. Wir erhalten sie von Wien, wo sie nicht sonderlich selten ist. Die Herrn Verf. des Syst. Verz. haben ihr obstehenden Namen von der Farbe der Vorderflügel gegeben. Ihre Raupe nähret sich von Schlehen, und Zwetschenblättern. Sie ist glatt mit schwarzen Punkten, und hin und wieder mit einzelnen Haaren besetzt. Ersterwähnte Herren Verfasser haben sie nach ihrer nächsten Aehnlichkeit zwischen die Ph. Bucephala und Cäruleocephala geordnet. Auch in Leipzig findet sich dieselbe, wie ich aus einigen von da erhaltenen Exemplaren ersehen.

Die wolkigte Flecken der Vorderflügel, sind von ungemein erhöheten und sehr glänzendem Grün, die dunklere dazwischen aber schwarz ins violette spielend. Den äusseren Rand begränzt ein breiter Saum von hellgelber Farb. Er ist mit schwarzen kappenförmigen Zügen gesäumt, und in der Mitte durch einem breiterem Streifen getheilt. Die Brust führet starke ausstehende Haare in unterschiedenen kammförmigen Erhöhungen. Die Fühlhörner haben im Verhältniß des Körpers eine vorzügliche Länge. An dem Weibchen aber sind sie fadenförmig oder kaum merklich gefiedert. Dieß sind zur nöthigsten Anzeige die wesentlichsten Kennzeichen, das übrige ist aus der Abbildung abzunehmen.

Der vier und neunzigste europäische Nachtschmetterling.
BOMB. SPIRIL. AL. DEFL. DORSO CRIST. SEGETVM.
Wintersaatspinner.

Ph. Bomb. alis superioribus fusco-cinereis, stigmatibus strigisque obscurioribus.

Syst. Verz. der Wiener Schm. S. 81. Eulen. Fam. N. Erdraupen, gemeine Eulen. nr. 12. Noct. Segetum. Wintersaateule. (Secalis cerealis, gramine et radice.) pag. 252—276. Ph. Spirilingus cristata, alis incumbentibus, superioribus fuscis, stigmatibus ordinariis, inferioribus lacteo-griseis. Mas, antennis pectinatis. *Larva* nuda fuscenti livida, striis pluribus obsoletis, segmentis singulis punctis 4 nigricantibus, capite bistriata. Habitat frequens in segete siliginea radices praeprimis devorans. Tab. I. a. fig. 3. Die Phalene. Tab. I. b. fig. 3. Die Raupe.

FABRICII Spec Inf. Tom. I. p. 223. Sp. 78: Noct. *Segetis.* cristata, alis incumbentibus ferrugineis, strigis undatis obscurioribus, posticis albidis.

Götze Entom. Beytr. III. Th. III. B. S. 216.

Jung Verz. europ. Schm. S. 132.

Breßlauer Samml. IX. Vers. 1719. Cl. IV. Art. VIII. §. 1. p. 592.

Pp 3

Es hat sich die Raupe dieses Spinners, nach längst veralteten Nachrichten so gehässig gemacht, als irgend eine der schädlichen die wir kennen. Sie lebt in der Erde verborgen, und begiebt sich nur dann hervor, wenn ihr die zur Nahrung nöthige Wurzeln mangeln. Es sind dieß besonders die von Kohlgewächsen und denen Gräsern, hauptsächlich aber den sämtlichen Getraidarten. Sie bedient sich zwar auch der Blätter dieser Pflanzen zur Nahrung, und man kann sie damit erziehen, doch ereignet sich dieß im Freyen sehr selten. Durch die Beschädigung verwelken die Pflanzen und gehen gänzlich zu Grund, ohne daß man aussen solche bemerkt. So haben sich manchfaltige Nachrichten ihrer allgemeinen Verwüstung in vielen Ländern unseres Welttheils verbreitet. Doch ist bey den meisten das bestimmte der Gattung nicht entschieden, man hat die Ph. Graminis und vielleicht auch andere bey zahlreicher Vermehrung, mit dieser für einerley gehalten. Eine ausführliche Beschreibung hievon haben uns die Herren Verfasser des Systematisch. Verz. zur Probe ihres Entwurfs geliefert. Dorten sind auch die verschiedenen Vorkehrungen angezeigt, ihren Verwüstungen zu begegnen. Es kommt hier auf manchfaltige Umstände an, die ihre eigene Behandlung erfordern und sich im allgemeinen nicht bestimmen lassen. Es sind gewisse Perioden, die vielleicht in zwanzig und mehreren Jahren nur einmahl sich ereignen. Solten die Verheerungen anhaltend werden, so sind denn Mittel genug übrig gelassen ihnen Einhalt zu thun. Es kommt nur auf den Ernst und den Fleiß in der nöthigen Verwendung an. Man kann sich der Phalenen auf unterschiedene Art bemächtigen, es lassen sich die Raupen, welche unter den Erdschollen in ihren Höhlungen verborgen liegen, aufsuchen, dann können Chrysaliden und Eyer vernichtet werden; immerhin die sicherste Mittel, wenn es darum Ernst ist oder die Mühe verlohnt. Doch ich erwähne hier der Verhütung nachtheiliger Folgen, von denen wir doch nur selten und in unseren Gegenden fast keine Erfahrungen haben. Kaum ist die Phalene noch nach ihrer Gattung bekannt. Wir treffen sie an Zäunen und Wänden, zuweilen auch in verborgenen Klüften und unter den Steinen an. Sie verfügen sich auch öfters bey Nacht in die Zimmer, wohin angezündete Lichter sie locken. Die Raupe hingegen kommt uns im Frühling bey Umarbeitung der Gärten und Felder, zuweilen als eine einzelne Seltenheit zu Handen. Seit einigen Jahren war keine derselben ausfindig zu machen, und ich mußte daher die Abbildung auf die Folge verspahren. Wir finden sie nach genauester Uebereinstimmung in obenangeführten Werk beygefügt. Es ist das Charakteristische derselben mit wenigem angezeigt. Der Körper ist walzenförmig, an beyden Enden aber kegelförmig verdünnt und die Fläche glatt mit einigem Glanz. Die Farbe ist ein unreines Braun, nach Abänderungen etwas lichter oder dunkler gemischt. Ueber den Rücken hin ziehet sich ein blasser Streif, der zu beyden Seiten mit einem schwärzlich, braunen eingefaßt ist, zuweilen aber auch in die Fläche verlohren erscheint. Jeder der mittleren Ringe hat vier schwarze Punkte, in ungleichen Paaren geordnet. Bey denen zur Seite, stehen öfters noch einige blaßgelbliche Flecken. Die Raupen kommen im August und September aus den Eyern hervor, und erreichen noch im ersten Jahr ihre Grösse bey der letzten Häutung. Dann suchen sie einen sicheren Aufenthalt für den Winter, und kommen im May wieder zum Leben, wo sie am meisten schädlich werden. Erst im Junius erfolgt die Verwandlung zur Chrysalide, aus denen sich die Phalenen schon in vier Wochen entwickeln. Die Natur hat ihnen sehr wenigen Putz verliehen, es ist alles bey ihrem verborgenen Aufenthalt in gleich düsterem Gewand gebildet. Die Vorderflügel sind bräunlich-aschgrau oder erdfärbig. Einige dunklere Streifen und Flecken, machen die sämtlichen Verzierungen aus. Unter diesen ist ein narbenförmiger Flecken und darneben gegen die Grundfläche ein gerundeter, das vorzüglichste Merkmahl. Oefters sind diese Zeichnungen so blaß angelegt, daß sie kaum zu erkennen sind. Bey andern ist die ganze Fläche ein düsteres Grau. Die Unterflügel sind weiß, mit einem ins blaue spielendem Schiller. Die Fühlhörner haben eine ausnehmende Länge und sind stark gefiedert, an dem Weibchen aber fadenförmig gebildet. Im übrigen ist der Unterschied beyderley Sexus nach der Farbe kaum erheblich.

Der fünf und neunzigste europäische Nachtschmetterling.

BOMB. ELING. AL. DEPRES DORSO CRIST. COSSVS.

Die Cossusphalene. Die Weidenbohrerphalene.

Le Cossus. GEOFFR.

Tab. LXI. Fig. 1. Die männliche Phalene von beyden Seiten der Flügel. Fig. 2. Die rothe Raupe. Fig. 3. Dergleichen fleischfarben, auf einem Stück eichenem Holz. Fig. 4. Das von Spähnen aus der Rinde gefertigte Gehäuse. Fig. 5 Eine männliche Chrysalide. Fig. 6. Eine dergleichen weibliche.

LINN. Syst. Nat. Ed. XII. pag. 817. Sp. 63. *Cossus*. B. eling. alis deflexis nebulosis, thorace fascia atra, antennis lamellatis. Unzünglichter Spinner, mit niederhangenden wolkigten Flügeln, einem mit schwarzer Binde begränztem Bruststück und blätterichten Fühlhörnern. — Faun. su. ed. nov. Sp. 1114.

Müllers Uebers. des Nat. Syst. V. Th. S. 673. nr. 63. Ph. Cossus. Der Holzdieb.

RAII Hist. Inf. pag. 150. nr. 2. Ph. Grandis, alis cinerascentibus, lineolis creberrimis nigricantibus. — pag. 351. nr. 25. *Eruca* maxima subterranea, raris pilis obsita, supina parte tota, excepto capite, rubra, prona flava.

SCOPOLI Entom. carn. pag. 200. nr. 500. Ph. Coss. Long. unc. 1. et lin. 5. lat. 9½. *Thorax* antice linea transversa cerea, postice maculis binis nigris lateralibus. *Alae posticae* murinae, basi albidae, obscurioribus anastomosantibus lineis reticulatae, *anticae* basi et medio murinae, alibi albae, utrinque lituris strigisquae transversis nigris lineolisque murinis ramosisque variegatae.

FABRICII Syst. ent. ent. p. 569. nr. 48. B. Coss. Linn. Char. — *Larva* subpilosa incarnata, dorso sanguineo, capite nigro. Pupa folliculata antice brunnea, postice flava. — *Spec. Inf.* Tom. II. pag. 182. Spec. 65. — forte potius ad Hepialos amandanda, quibus et larvae (*accedunt*.)

GEOFFROI Hist d. Inf. Tom. II. p. 102. nr. 4. Ph. Pectinicornis, elinguis, alis albocinereis, striis transversis nebulosis nigris; abdomine annulis albis. Le Cossus. Long. 15. lign.

Syst. Verz. der Wiener Schm. S. 60. Fam. N. Holzraupen. Bleichkingligte Spinnner. Nr. 1. B. Coss. Kopfweidenspinner. Salicis pentandrae truncatae.

Berlin. Magaz. II. B. S. 410. nr. 24. Ph. Coss. Der Weidenbohrer. Grau und weiß marmorirt; die Unterflügel ganz grau.

Fueßli Schweiz. Ins. S. 36. nr. 678. Ph. Coss. Der Holzbohrer.

Jung Verz. S. 36. B. Coss.

Götze Entom. Beytr. III. Th. III. B. S. 19. nr. 63. Bomb. Coss. Der Weidenbohrer.

Lessers Insectotheol. S. 357. Anm.

LYONNET sur Lesser Tab I. fig. 17—22. — Traité anatomique de la Chenille qui ronge le bois de Saule.

MÜLLERI Fauna Friederichd. pag. 40. nr. 388. Ph. B. Coss. — *Zool.* dan. Prodr. p. 119 nr. 1372.

Syst. Nat. du regn. An. II. pag. 142. nr. 4. B. Coss.

ONOMAT. Hist. P. III. p. 444. — P. III. p. 345. B. Coss.

Leske Anfangsgr. der Nat. Gesch. S. 460. nr. 9. B. Coss. Der Holzbohrer.

BECKMANN

BECKMANNI Epit. Syst. Lin. p. 165. n. 63. B. Coss. Physic. öcon. Bibl. VII. Th. S. 293.

Blumenbachs Handb. d. Nat. S. 371. n. 11. Ph. Coss. Weidenraupe.

Stralsunder Magaz. I. Th. S. 256. Ph. Coss. Weidenholzraupe.

Neuer Schauplatz der Natur IV. Th. S. 73. Ph. Coss. Holzraupe; Holzdieb.

DEGEER Mem. Tom. II. Part. I. p. 368. n. 1. Ph. coss. — à antennes filiformes feuilletées, sans trompe, à corcelet huppé, avec une bande noire et un collier blanc, à ailes d'un gris cendré avec une infinité de veines transverses noires. — *chénille* rase luisante d'un rouge-brun en dessus, et blanc-jaunatre en dessous, avec deux plaques l'cailleuses brunes sur le premier anneau. — Göze Uebers. II. Th. 1. B. S. 268. n. 1. die Cossusphalene. — S. 270. Anmerk.

Börners Samml. aus der Naturgesch. I. S. 157. Naturgesch. des Weidenbohrers. (aus Lionnet.)

Gleditsch Forstwiss. II. Th. S. 742. n. 33. Ph. Coss. der Weidenbohrer.

Gronovii Zooph. p. 204. 837.

Gladbachs Catal. Der Holzvogel.

Rösels Ins. Bel. I. Th. Nachtr. II. Le. S. 113. Tab. 18. Die grose roth und fleischfarbige Holzraupe mit ihrer Verwand.

SEBAE Thes. Tom. IV. Tab. 49. fig. A. 1-6. Tab. 51. fig. m. m. Ph. ligni salicini etc. de willige hout-Vil.

SCHAEFFERI Icon. inf. rat. Tab. 61. fig. 1. 2.

WILKES engl. M. a B. p. 15. Tab. II. a b.

REAUMUR Mem. To. I. Tab. XVII. fig. 1-5.

Frisch Ins. Bel. VII. Th. p. 1. Tab. 1. Von der großen wurmförmigen Erdenraupe und dem Papilion der daraus wird.

MOUFFET Hist. inf. p. 196. Spondyla rubra. ALBINI h. inf. Tab. 35. GOEDARDI H. Inf. 2. Tab. 33. MERIAN. europ. Tab. 36. PETIVERI Gazoph. Tab. 51. Fig. 9.

Nach den sonderbaren Eigenschaften und dem auszeichnenden Umständen ihrer Natur-Geschichte, hat sich diese Gattung vor allen sehr merkwürdig gemacht. Sie hat wenigstens am meisten den Fleiß sorgfältiger Beobachter erweckt, und dieß schon seit lang verflossenen Jahren. Noch, ehe man mehrere Arten von Raupen kannte, die nach gleich gewichtigen Körper sich von dem Holz der Bäume ernähren, wurde diese ganz ausgemacht für den Cossus der Alten erklärt, welche Benennung auch unser System behalten hat. Plinius und andere Schriftsteller erzehlen uns bey den Klagen über die Schwelgerey ihrer Zeiten, daß man gewisse Würmer als eine vorzügliche Delikatesse zu schätzen angefangen *e*). Sie wurden aus dem südlichen Deutschland und dem benachbarten Afrika mit grossen Kosten beygebracht. Man erzog sie mit Sorgfalt, und zu besserem Geschmack, wurden sie mit Mehl gemästet, oder vielleicht dadurch erhalten. Ein Aufwand der in der That sehr beträchtlich war. Uns befremdet es jetzt, wie der damals schon so lüsterne Römer an diesem eckelhaften Desert, so viele Reize gefunden. Noch verabscheuen wir nicht die weit unreineren Krebse, Insekten von einerley Art, die doch das angenehme ihres Geschmacks von einer weit eckelhafteren Nahrung haben. Sie bleiben uns immer beliebt, sie sind uns gewohnt. Schnecken und Austern, die nach der Klasse der Thiere, und ihrem Körperlichen, wenig Abweichendes haben, werden denen die sie schätzen, dennoch angenehm bleiben, und wer wird es tadeln. Dem Chinesen schmeckt der eingemachte Seidenwurm noch jetzt sehr herrlich, und haben doch andere auch an Spinnen die delicatesten Leckerbissen gefunden. Es giebt Nationen, die Ameisen genießen und Thiere die sie auf ihrem eigenem Körper ernähren. Der Heuschrecken, einer täglichen Speise der Araber will ich nicht erwähnen, so alt sie auch ist. Wir haben vielmehr uns zu verwundern, wie eine bey den Römern so gerühmte Speise als die Cossus waren, ganz in Vergessenheit gekommen. Ohnfehlbar war es der Mangel der damahligen Kenntnisse und sonach die Seltenheit sie beyzubringen. Doch unsere Phalenenraupe war es wohl nicht. Diese hat schon nach den Geruch so viel widriges, daß sie nicht die mindeste Reize zum Genuß hätte erwecken können. Plinius sagt zwar, sie nähre sich von der Eiche, und nur aus dieser Ursache glaubte man, daß sie nicht der Cossus der Alten gewesen, weil sich solche nur im Weidenholz enthielte. Allein sie ist gerade in diesen Bäumen sehr selten, in den Eichen aber aller Orten gemein. Man hat sie auch in Ulmen-Birn- und Aefelbäumen gefunden, meines Wissens aber niemahl in dem Holz der Nadelbäume. Es ist sehr wahrscheinlich,

e) PLINII Hist. mundi Lib. XVII. c. 24. De Romanis: „Iam pridem et hoc luxuria esse coepit: praegrandesque roborum vermes delicatiori sunt cibo. *Cossos* vocant atque etiam farina saginati, hi quoque *altiles* fiunt. Sollte wohl nicht die Lesart, statt altiles, das schon durch saginati ausgedrukt ist, nicht alites besser seyn und, so wäre der Verstand; sie verwandeln sich gleichfalls in geflügelte Thiere, wie schon von einigen erwähnt worden. Aelian. Hist. An. Lib. XIV. c. 13. Indorum regem in mensa secunda, apposuisse vermem quendam in planta nascentem, quam igne tostum pro delicatissimo habuerint cibo.„

und faſt erwieſen, daß dieſer Coſſus die Larve der Schröter, oder der grö-ßern Holzböcke, war *f*). Dieſe kommen der Beſchreibung am nächſten. Doch hat man die Species damahls gewiß nicht mit ſolcher Genauigkeit unterſchieden, und ſo kann es ſeyn, daß auch andere ähnliche Arten zu gleichen Gebrauch gedienet haben. Werden doch die fetten Larven des Curculio Palmarum und des Cerambyx cervicornis, noch heut zu Tage in Indien von den Landeseinwohnern als Delicateſſen geſchätzt. Wir werden ſie aber niemalen darum beneiden. Nun muß ich die Geſchichte unſerer Phalenen-Gattung in der Kürze erzehlen.

Es hat ſchon **Friſch** dieſe Raupe und ihren Falter ausführlich beſchrieben, **Röſel** aber genauere Beobachtung darüber angeſtellt. Von **Lyonnet** wurde ſie zergliedert, und in einem beſondern Werk davon die ausführlichſte Nachricht gegeben *g*). Das Weibchen pflegt die Eyer in groſer Anzahl, gemeiniglich zu eilf bis zwölf hunderten abzuſetzen. Sie werden an die äuſere Rinde der Bäume gelegt. Die auskommende Raupen, dringen dann in die innere ein, wo ſie lange zwiſchen dem Holz ihren Aufenthalt haben und ſich von derſelben ernähren. Bey ſtärkeren Kräften dienet dann das Holz zum gewöhnlichen Futter; ſie durchnagen die feſteſten Theile des Baums, der dadurch gänzlich beſchädiget wird. Nothwendig verurſacht dieß nachgehends eine Fäulniß durch den zurückgelaſſenen Koth, aus dem, mit den Säften vermengt, ein bräunlicher Schleim entſtehet. Er hat einen ſehr wi-

f) S. BEIREIS Progr. de uſu Hiſt. Nat. wo ſehr umſtändlich gezeigt wird, daß dieſe Coſſusraupen die Larven des Schröters (Lucanus Cervus L.) geweſen. Leske Ueberſ. der Philoſ. Tranſ. II. S. 44. *Ionſton* hat in der Hiſt. Nat. Inſect. p. 189, die Nachrichten der älteſten Schriftſteller hievon geſammelt, aus welcher ich nur folgendes anführe, welches die Schröter Larve ganz unſtrittig macht. „*Coſſi* rugoſi admodum ſunt corporis, unde et Conſules quidam romani *Coſſi* vocabantur — pedes utrinque tres, non procul a capite penduli (alſo keine 16füſſige Raupe.) breves exiles nigricantes. Corpus annulis duodenis conſtat, verſus caudam ſemper minoribus et pellucidis; caput craſſiuſculum, colore nigro, duo in fronte laminae — ſinguli annuli in lateribus, ſingulis punctis rubentibus, modice cavis notantur. Tardigradum valde eſt animal —„ etc.

g) Er hat auſer den Nerven, Luftröhren und andern Gefäſen, nur für den Kopf 228 Muſculn angegeben. In dem Körper fand er 1647 derſelben, und noch wurden auf den Magen und die Gedärme 2186, alſo in allen 4061. Muſculn gerechnet. Es würde aber eine jede Raupe eine gleiche Anzahl beſitzen, wenn ſie, wie dieſe mit gleicher Sorgfalt könnte unterſucht werden.

drigen Geruch. Man bemerkt ihn an bejahrten Eichen sehr häufig, und er giebt dann ein sicheres Merkmahl der in ihnen enthaltenen Gäste. Noch ist der Schade um so beträchtlicher, da diese Raupen weit längere Zeit zur Verwandlung nöthig haben, als andere, sie verbrauchen dazu zwey bis drey Jahre. Man hat beobachtet, daß sie achtmahl sich zu häuten pflegen. Zur Verminderung des Schadens in Waldungen, ist wohl kein anders Mittel übrig gelassen, als diese Feinde selbsten in ihren unterschiedenen Ständen aufzusuchen. Wird doch schon durch die Vertilgung eines einzigen Weibchens ein tausendfältiger Nachtheil verhütet, und wie vielmehr erst in den Progressionen auf die folgende Zeiten. Ich habe vielfältig abgebrochene Stämme klästeriger Eichen betrachtet, welche in ihren mittlern biß an die Aeste geräumigen Höhlungen, über fünf Schuhe hoch, mit Koth von diesen Raupen angefüllt waren. Doch der, von den gleich schädlichen Schröter und Holzbock-Larven hatte dabey ein gleiches betragen. Die Vermehrung dieser Thiere würde von allzunachtheiligen Folgen seyn, wenn ihnen die Natur nicht engere Gränzen gesetzt hätte. Sie haben ihre eigenen Feinde, eine gewisse Gattung von Läusen oder Acaris, die sie zu Grunde richten. Noch werden sie am meisten von den Ichnevmons aufgesucht, die sie in ihren innersten Winkeln verfolgen, und ohnfehlbar durch den starken Geruch herbey gelockt werden. Sie flüchten sodann aus den Bäumen, und selten trift man auser denselben eine einzige unverletzt an. Nach unserer Erziehung bedarf diese Raupe, wenn sie einmal einige Grösse erreicht hat, die wenigste Bemühung. Man giebt ihr ein Stück frischen Holzes mit Rinde, oder von faulendem das noch nicht vertrocknet ist. Dieß wird öfters mit Wasser benetzt, um die Vestigkeit zu vermindern, und der Raupe auch mehrere Nahrung zu geben. Man hat sie in gläsernen oder irdenen Geschirren zu verwahren, weil sie hölzerne leicht durchnagt. Noch ist zu verhüten, mehrere beysammen zu erziehen, da sie sich selbsten angreifen und verzehren. Sie klettert in glatten Gefässen, welches bey der Schwere des Körpers andern unmöglich ist, ohne sonderliche Mühe hinan. Es wird dieß durch Fäden bewirket, die sie zu beyden Seiten in winklichter Lage bevestigt, und so entstehet eine Leiter, deren sie sich auch bey grösserem Gewicht mit Vortheil bedient.

Sie erreicht, wie die Abbildung zu erkennen giebt, eine ausserordentliche Grösse. Man hat sie so gar noch stärker gefunden. Die Grundfarb ist nach dem Auskommen vom Ey, ein blaſſes Fleiſchfarb, das ſich bey den folgenden Häutungen immer mehr ins Dunkelrothe erhöhet. Hiervon giebt die zweyte Figur, in ausgewachſener Gröſſe das gewöhnlichſte Muſter. Die Seite ſo wie die untere Fläche iſt ins Gelbe gemiſcht. Man hat ſie ſonſt um vieles bläſſer, auch nur mit einem ſchmalen Rückenſtreif von dunklerer Miſchung. Nach der dritten Figur habe ich noch eine Abweichung beygefügt, die auſſer ihrer ſo anſehnlichen Stärke, durch ein blaſſes Roſenroth verſchieden iſt. Doch habe ich einerley Falter daraus erzogen. Sie ergab eine weibliche Phalene von ſehr beträchtlicher Gröſe. Noch vor der letzten Häutung war dieſe Raupe ganz weis, ſie kam der Schröter-Larve am nächſten und färbte ſich erſt ſtärker bey ihrer letzten Veränderung. Vielleicht iſt dieß diejenige Gattung welche die Herren Verf. des Syſt. Verz. unter dem Nahmen Terebra *h*) dieſer beygefügt haben. Sie hatten ſie nur nach der Raupe gekannt, ohne die Phalene erzogen zu haben. Bey einem ſo beträchtlichen Abſtand ſind an ſich Vermuthungen eigener Gattungsrechte gegründet. Der verdienſtvolle Verfaſſer, Hr. Abt Schiffermüller hat, wie Herr Gerning mir zu melden die Güte gehabt, aus einem nach angelegener Erkundigung an ihn erlaſſenen Schreiben, erwähnt: daß der Spinner Terebra ſehr wenig von dem Coſſus des Linne möchte verſchieden ſeyn. Die Raupe die weiß iſt, mit einem braunen Kopf, wurde aus Sachſen, in einem bleyernem Käſtgen demſelben geliefert, und gieng verlohren ehe noch eine Abbildung davon konnte genommen werden. Eine andere wurde nachgehends von dem Hrn. Abt in einem Pappelbaum gefunden, die aber bey dem Ausnehmen verletzt worden. Man kennt alſo zur Zeit die angebliche Ph. Terebra nicht.

Ich komme auf unſere Raupe zurück. Nach der Form und dem Gliederbau ſtimmen beyde der hier beygefügten Figuren mit einander überein. Der Kopf iſt dunkelbraun, und der nächſte Ring hat über dem Rücken zwey dergleichen Flecken. Die ſechs Vorderfüſſe haben ſpitzige doch kurze Klauen, die Bauchfüſſe aber ſind um vieles ſtumpfer und kürzer. Die Kienladen ſtehen beträchtlich heraus und ſind zu ihrem Gebrauch ſehr ſtark. Die Raupe greift damit auch ihre Feinde an, und kann ſich dadurch ſehr ernſtlich wehren. Noch bedient ſie ſich zur Vertheidigung eines andern Mittels. Sie ſprützet, wenn ſie böſe gemacht wird, einen röthlichen Saft aus dem Mund.

h) S. 60. B. Terebra. Salbenbaumſpinner. (Populi nigræ.)

Er bestehet aus kleinen Tropfen, und wird ein paar Zolle weit fort getrieben. Der Körper ist flach in die Breite gedruckt und gegen die letzten Ringe gemächlich verdünnt, die Haut aber ganz glatt und glänzend, nur hin und wieder mit einzelnen etwas steifen Haaren besetzt. Sie scheint die Luft im Freyen nicht wohl vertragen zu können, da sie sich beständig verbirgt. So fertigt sie sich öfters ein Gehäuse von zernagter Rinde, aus der sie sich aber bald wieder begiebt, und dann die Anlage zu einem neuen macht. Was die übrigen Eigenschaften betrift, die man an derselben vorzüglich will bemerkt haben, so sind sie an sich den meisten Raupen-Gattungen gemein. Sie können lange unter dem Wasser dauern, und einige Stunden ohne Nachtheil in luftleeren Raum sich erhalten. Noch, wie ich beyzufügen habe, tödet sie auch nicht der elektrische Schlag. Insgemein gehen sie im Frühjahr ihre Verwandlung an, wo sie ein dauerhafteres Gewebe von zernagten Splittern der Rinde und des Holzes, sich fertigen. Einige erhielt ich im December, die sich schon im Januar eingesponnen hatten, und zu vollkommener Entwicklung der Phalenen, gleichfalls nur ein drey Wochen bedurften.

Die Chrysalide ist von denen der gemeinen Arten sehr abweichend gebaut. Das Vordertheil ist gewölbt, und gehet in eine stumpfe Spitze aus. Sie hat eine glänzende dunkelbraune Farb, doch ist sie vornen mehr schwarz. Bey einigen ist der Hinterleib von hellem Gelb. Die Einschnitte sind sehr tief und über den Rücken mit kurzen sehr harten Spitzen besetzt. Die Raupe nach der zweyten Figur ergiebt diejenige Chrysalide, die nach der fünften abgebildet ist. Die nach der sechsten, hingegen kam von der grösern blassen Raupe. Jene ist fast ganz einfärbig dunkelbraun, diese aber mehr mit Gelben und Rothen vermengt. Die Endspitze führet zwey ausstehende stumpfe Stacheln, die ihr zur Bevestigung dienen. Nach ihren Kunsttrieben, hat diese Chrysalide noch ein ganz eigenes Vermögen. Sie drängt sich, vor dem Ausbrechen des Falters, an den verdünnten Theil der Rinde hervor, und hält sich bis in der Mitte des Hinterleibs darinnen bevestigt. Dann sprengt sie erst die Schale auf, die in zwey auseinanderstehende Rollen zerfällt. Hierauf sucht die Phalene einen bequemen Platz zur Ausbildung der Flügel. Es wollen einige beobachtet haben, daß sie sich sogar aus den tiefsten Gängen des Stamms biß an die Mündung der von der Raupe gefertigten Löcher, bewegt. Allein man wird jederzeit das Gespinste nur unter der Rinde angelegt finden, und nie habe ich bey vielfältiger

Erziehung bemerkt, daß ſie ganz aus ihrem Gehäuſe heraus getretten wäre.

Die Gröſſe der Phalenen iſt ſehr verſchieden. Man hat ſie in Vergleichung des Ausmaſes ſo klein, als die Männchen der Pavonia minor insgemein ſind. Noch habe ich andere wahrgenommen, welche die vorliegende Abbildung um einige Linien übertrafen. So iſt auch die Miſchung der Grundfarbe ſehr abweichend. Einige waren ganz dunkelbraun, und die ſchwarzen Striche darauf kaum kenntlich. Andere führten ein ſchmutziges Aſchgrau, und bey einigen war es mehr braun. Die Zeichnungen ſelbſten aber ſtimmten in allen nach ihren weſentlichen Kennzeichen überein. Die Hinterflügel fand ich öfters ganz ſchwarzbraun, ohne ſichtliche Striche von dunklerer Farb. Gemeiniglich ſind ſie wie hier, mehr lichte oder aſchgrau gefärbt. Die vordern Flügel führen ein wolkigtes Gemiſche, von Weiß und Braun. Eine faſt unzählbare Menge ſchwarzer Linien von unterſchiedener Länge durchkreuzen die Fläche. Eine genauere Anzeige wird man nicht fordern, da es ſchon die Abbildung deutlich erweißt. Die Männchen haben ſtark gefiederte Fühlhörner von ſchwarzer Farb, an dem Weibchen aber ſind ſie feiner gebildet. Im Flug geben dieſe Falter ein brummendes Geräuſche.

Der ſechs und neunzigſte europäiſche Nachtſchmetterling.

BOMB. EL. AL. DEFL. DORSO LAEVI AESCULI.

Blaupunktirter Spinner. Das groſe Blauſieb.

Tab. LXII. Der männliche. Fig. 2. Der weibliche Falter. Fig. 3. Die Chryſalide. Fig. 4. Die Raupe auf einem Aſt der Roßkaſtanie (Aeſculus Hippocaſtanum L.) Fig. 5. Das männliche Fühlhorn vergröſert. Fig. 6. Das weibliche, und Fig. 7. Der Legeſtachel (enſis).

LINN. Syſt. Nat. Ed. XII. To. I. p. 833. Sp. 83. (*Noctua Aeſculi*). Elinguis laevis nivea, antennis thorace brevioribus, alis punctis numeroſis caeruleo-nigris, thorace ſenis. Unzünglichter Spinner (Eule) mit kürzeren Fühlhörnern als die Bruſt, und dunkelblauen ſehr zahlreichen Punkten, nebſt ſechs beſondern auf der Bruſt. — Faun. ſu. Ed. n. 1150. Noct. *Pyrina.*

Müllers Ueberſ. des Nat. Syſt. V. Th. S. 679. nr. 83. Ph. Aeſc. Der Blauſieb.

Berlin. Mag. III. B. S. 290. nr. 36. Ph. *Pirina.* Der Lindenbohrer. Weiß mit vielen ſtahlblauen Flecken.

System. Verz. d. Wien. Schm. S. 59. (Fam. N. Holzraupen, bleichringigte Spinner.) Sp. 3. Bomb. Aesc. Pferdkastanienspinner. (Abbild. im Titulkupfer.)

Füßli Schweiz. Ins. S. 36. nr. 688. Ph. Aesc. Die Punkteule. Bey Genf.

FABRICII Syst. Ent. p. 590. nr. 5. *Hepialus* Aesculi. Niveus, alis punctis numerosis caeruleo - nigris, thorace senis. *Larva* flava, nigro - punctata, capite caudaque nigris. — *Spec. Ins.* Tom. II. p. 208. Sp. 5. Hep. Aesc.

Götze Entom. Beytr. III. Th. III. B. S. 82. Sp. 83. Ph. Aesc. Das Blausieb. *Poda* Ins. 88. 16.

Fischers Naturgesch. v. Livl. S. 360. Ph. Aesc. Das Blausieb. Gleditsch Forst. I. Th. S. 391. nr. 10. Ph. Pirina. Der Lindenbohrer. BECKMANNI Epit. S. L. p. 165. nr. 83. Ph. Aesc. Jung Verz. neuer Schm. Ph. Aesc. Maders Raup. Cal. p. 1. nr. 2. Ph. Aesc. Das Blausieb.

Rösels Insekt. Belust. III. Th. S. 276. Tab. 48. fig. 5. 6. Die zur Nachr. 2ter Kl. gehörige schöne hochgelbe Holzraupe in den Apfelbäumen.

Naturforsch. IX. St. S. 114. nr. 36. Ph. Pirina. (von Rottemburg) — XII. S. 73. nr. 4. Ph. Aesc. Tab. II. fig. 7. das Weibchen. (Capieux)

Beschäft. der Berl. Gesellsch. naturf. Fr. III. Th. S. 50. §. 1. Ph. Aesc. Das Blausieb. Tab. I. fig. 1. Das Männchen. Fig. 2. Das Weibchen. Die Chrysal. in Buchenholz. (D. Kühn.)

SCHAEFFER Icon. Ins. rat. Tab. 31. Fig. 8. 9. HARRIS Tab. II. Fig. 3. 4. REAUMUR. Mem. Tom. II. Mem. XII. p. 468. Pl. 38. Fig. 1—4. SEBAE Thes. To. IV. Tab. 48. Fig. K. 9. Ph. Cyprinulus dicta, vulgo Tygris terrestris. *Het Karpetje, of Land - Tyger.* Pyrina Lin. sehr unförmliche Abbildung, mit viereckigten oder geschachten Flecken.

In der Ordnung des Systems, wurde diese Gattung nach obiger Anzeige, den Nachteulen zugesellt. Dem Herrn von Linne war nur das Weibchen bekannt. Dieß hat fadenförmige Fühlhörner wiewohl von ganz eigener Art, sind an der Grundfläche mit wolligten Fasern besetzt, und im übrigen batterförmig gegliedert. Ich habe eines nach mäßiger Vergrößerung unter der sechsten Figur zu mehrerer Deutlichkeit in Abbildung vorgestellt. Die Fühlhörner des Männchens aber sind von ganz veränderten Bau. Sie sind kammförmig und fadenförmig zugleich. Die an der Grundfläche ausgehende Fasern, sind sehr lang, und stark, dabey durch andere querausstehende, filzigt in einander gewebt. Sie bilden eine hohle gerundete Platte, und gleichen denen der grösern Attakern am nächsten. Ihre untere Seite ist weiß, von dichterem Filz eines wolligten Gewebes. Die fünfte Figur giebt eines nach gleicher Vergröserung in der Form von

ausen

aufen zu erkennen. Sonach bedarf es wohl keiner weitern Erläuterung, diese Phalene zu den Spinnern zu rechnen, wo ihr schon längstens von andern die eigene Stelle ist angewiesen worden. Ich ordne sie am füglichsten hieher, da sie mit dem Cossus, in nächster Verbindung steht. Ihre Raupen bedienen sich einerley Materialien zur Nahrung, und kommen sich in der Form am nächsten. Die Phalene hat ebenfalls nach den äuseren Kennzeichen hier den schicklichsten Platz, wenn sich auch in der Stuffenfolge noch unergänzte Lücken dazwischen finden.

Genug von den Angelegenheiten des Systems, ich habe die Naturgeschichte eines lange verborgenen Geschöpfes, nach den erheblichsten Umständen anzuzeigen. Hier muß ich die gefälligen Mittheilungen einiger Freunde rühmen, die mich in Stand gesetzt haben, die genaueste Nachrichten hievon zu liefern. Es ist, wie leicht zu erachten, die Raupe und die Phalene, diese nach ihren verborgenen Aufenthalt und der mißlichen Erziehung, und jene an sich, eine seltene Erscheinung. Herr Cammerrath Jung hatte sie bereits vor einigen Jahren erzogen, und davon mir die wichtigsten Bemerkungen mitgetheilt. Im abgewichenen Jahr fand sie auch Hr. Straßkircher, und erzog sie glücklich, nach vielen sorgfältigen Bemühungen. Er hat die genaueste Zeichnung nach seiner eigenen Geschicklichkeit davon sowohl, als nach einzelnen vergröserten Theilen gefertigt, und damit nebst den sorgfältigsten Beobachtungen mich bereichert. Von Herrn Gerning erhielt ich dann das seltene Männchen dieser Phalene und dadurch wurden die übrigen Anstände gehoben.

Es nähret sich diese Raupe von dem Holz verschiedener Bäume. Man trift sie aber selten in starken Stämmen an, da sie vielleicht für ihre Werkzeuge zu veste sind, und etwa allzuwenige Säfte reichen. Frische Aeste, das sogenannte Schlagholz, sind ihr gewöhnlichster Aufenthalt. Sie bleibt uns daher sehr verborgen, da sie durch die Höhe gesichert ist. In den Birn- und Aepfelbäumen, werden sie bey uns gemeiniglich wahrgenommen, und zwar öfters in Gesellschaft der Raupen der Ph. Cossus. Herr von Linne giebt das Holz der Roßkastanie, (Aesculus Hippocastaneum) für ihre gewöhnlichste Fütterung an. Er hat ihr von daher auch den eigenen Nahmen beygelegt. Vorhin hieß sie bey ihm Ph. Pyrina, nach den ersten Nachrichten ihres gewöhnlichen Aufenthalts, den Birnbäumen. Sie wird auch in Buchen, Erlen, und Pappelbäumen, und vielleicht noch in mehreren Pflanzen gefunden. Sie ist im September zu suchen, wo sie schon die erste Häutung zurück gelegt hat. Man wird sie in besagten Aesten der Bäume, schon durch die Löcher gewahr, aus denen sie nach eigener Reinlichkeit den Koth zu schaffen pflegt. Er ist von weißröthlicher Farb, wie das Holz welches sie benagt, doch sehr trocken und locker. Bey dieser Verrichtung bedeckt sie jedesmal die Oefnung mit zernagten Spänen, und einem leichten Gewebe. Ohnfehlbar ist ihr der Zugang der Luft nachtheilig, oder verwahrt sie sich dadurch für den Nachstellungen der Ichnevmons und anderer Feinde. Doch begiebt sie sich, besonders nach unserer Erziehung, zuweilen ganz heraus, wo sie im Gehen, Seidenfäden bevestigt und dadurch auch in glatten Gefässen, sich Wege bahnt, wie die Cossusraupe zu fertigen gewohnt ist. Sie verbraucht ein volles Jahr zu ihrer Verwandlung. Man hat die Phalene im August, gemeiniglich an den Stämmen sitzend wahrgenommen, in welcher Zeit also auch die Eyer abgesetzt werden. Die vorliegende Abbildung stellt eine Raupe von mittlerer Gröse vor. Sie hat einen weiblichen Falter ergeben, der um weniges im Ausmaas gröser war, als hier die Zeichnung des Männchens erweist. Da man die weibliche Phalene in so beträchtlichem Abstand des körperlichen Umfangs findet, so sind nothwendig auch die Raupen von grösserem Maas vorhanden. Der Körper ist weich und glänzend, der Gang der Raupe aber sehr langsam und träge. Die Bauchfüsse sind kurz, oder fast nur wie erhabene Wärzgen gestaltet, die sie ein und ausziehen kann. Die Vorderfüsse haben sehr spitzige Klauen. Die Kienladen sind stark und von schwarzer Farb. Die ganze Fläche des Körpers führt ein lichtes Gelb, das sich gegen den Kopf und zur Seite ins Dunklere oder Röthlichgelbe ziehet. An dem Kopf stehen zwey schwarze Flecken, welche wirklichen Augen gleichen. Sie verbirgt solche gemeiniglich unter dem nächsten Ring. Ueber demselben zeigt sich ein groser von gewölbter Form, und glänzend schwarzer Farb. Er führt eine härtere Schaale und dienet der Raupe ohnfehlbar zum Schutz in ihren so vesten Gängen. Ein jeder Ring ist mit zwölf erhabenen glänzenden Punkten, in gedoppelten Reihen besetzt, wenigstens nach den mittleren in dieser bestimmten Zahl.

Wie ich schon erwähnt, pflegt sie zu überwintern, und man hat sie um das Vertroknen zu verhüten, vom Herbst, bis in den Frühling im Keller zu verwahren. Zur Verwandlung baut sie sich eine eigene Höhlung unter der Rinde, deren Ausgang mit verwebten Fäden geschlossen wird. Die wirkliche Verwandlung zur Chrysalide erfolgte im Junius, und die Phalene kommt nach den Beobachtungen des Herrn Straßkircher, im August zum Vorschein. Kurz vor dem Ausschliefen drängt sich die Chrysalide aus dem Gespinste bis zur Hälfte hervor. Dann ist auch in der durchscheinenden Schaale schon die ganze Bildung des Falters wahrzunehmen. In einer Stunde hat hierauf die Phalene ihre Vollkommenheit erreicht. Die Chrysalide ist braun von länglichter Gestalt, und etwas rauh anzufühlen. Sie hat über dem Kopf ein eigenes Werkzeug, das noch an keiner bemerkt worden. Es ist eine stumpfe einwärtsgebogene Erhöhung in Form eines Hackens. Vielleicht ist sie desselben zum Durchdringen des vesteren Gewebes benöthigt.

Es zeigt sich diese Phalene selten in ihrem vollständigen Puz. Die Flügel sind sehr dünn mit Schuppen bedeckt, und hin und wieder durchscheinend gelassen, und diese Betleidung gehet leicht in wenigen Tagen verlohren. Die Grundfarb ist ein etwas unreines Weis. Die dunklen Punkte darauf, sind schwarz und spielen in schiefer Richtung ins Blaue, zum Theil auch ins Grüne. Beyde Geschlechter sind nach den Zeichnungen nicht erheblich verschieden. An sich varirt die Anzahl und Gröse der Flecken, so wie das Schillernde derselben. Das Männchen hat sie kleiner, doch in grösserer Menge. Den Unterschied der Antennen habe ich schon oben angezeigt. Das Weibchen besizt seinen vorzüglich verlängerten Legestachel, welchen ich nach Vergrösserung, unter der siebenten Figur vorgestellt habe. Er ist braun und aus harten Schaalen zusammen gesezt. Die äußerste Spize führet steife Haare. So stellt sich derselbe auf der untern Seite vor. Die Eyer hoffe ich in der Folge mit andern zur Probe in Abbildung beyzubringen. Sie werden einzeln an die Zweige erstbenannter Bäume gelegt.

Der sieben und neunzigste europäische Nachtschmetterling.

BOMB. EL. AL. DEPR. DORSO CRIST. PALPINA.

Die Fischschwanzphalene. Die Schnauzenmotte. Der Rüsselspinner.

Phal. en museau. DEGEER. De Snuit-Vlinder. SEPP.

Tab. LXIII. Die männliche Phalene. Fig. 2. Die weibliche. Fig. 3. Die Raupe auf einem Weidenzweig. Fig. 4. Die Chrysalide.

LINN. S. N. Ed. XII. To. II. p. 828. Sp. 64. *Palpina* Bomb. el. cristata, alis deflexis dentatis strictis nigro - venosis, palpis porrectis pennatis. Unzünglichter Spinner mit kammförmiger Brust, niedergebogenen, gezahnten, und schwarzstreifigten Flügeln nebst sehr starken ausstehenden federförmigen Fühlspitzen. Faun - su. ed. nov. nr. 1146.

Müllers Uebers. V. Th. I. B. S. 673. nr. 64. Ph. Palp. Der Sichelfühler.

FABRICII Syst. entom. p. 575. nr. 64. B. palp. Linn. Char. — Spec. inf. To. II. p. 189. Sp. 83.

Syst. Verz. der Wiener Schm. S. 62. Fam. N. Scheinspinnerraupen, großzähnigte Spinner. nr. 2. Bomb. palp. Weißweidenspinner.

Fueßli schweiz. Ins. S. 36. nr. 679. Ph. Palp. Die Schwanzmotte. — Magazin der Entom II. St. S. 85. Berlin. Magaz. II. B. S. 422. nr. 40. Ph. palp. Die Rüsselmotte. Naturforsch. II. St. S. 14. Tab. 14. Tab. I. Fig. 6. Jrichschwanzmotte. (D. Kühn.) — VIII. St. S. 107. nr. 40. (von Rottemburg.) Götze Entom. Beytr. III. Th. III. B. S. 24. nr. 64. B. Palp. Der Rüsselspinner. Jung Verz. der europ. Schm. S. 100. Gleditsch Forstw. II. Th. S. 743. nr. 35. Ph. Palp. Die Rüsselmotte.

SEPP. Neederl. Inf. I. D. V. St. Tab. IV. p. 17. De Snuit - Vlinder.

DEGEER Mem. Tom. I. p. 61. Tab. 4. Fig. 7. — 665. Ph. à antennes, à barbes et à trompe; grise à ailes en toit, dont le corcelet est raboteux, et dont les barbillons longs et larges s'avancent en museau. — To. II. Part. I. p. 334. nr. 2. — *Phalene en museau.* — Chénille à seize pattes rase verte, à lignes longitudinales blanches, avec du jaune citron sur le devant du corps, qui vit sur le saule. — Götze Uebers. I. Band. I. Quart. S. 52. gleiche Taf. — 4. Quart. S. 117. — II. Th. I. B. S. 242. nr. 2. — Die Rüsselphalene.

SEBAE Thes. To. IV. Tab. 48. Fig. 8. (sehr schlechte Fig.)

Die sämtliche Gattungen bestäubter Flügler, haben mit der größten Anzahl der übrigen Insekten ein Werkzeug gemein, das man die Fühlspitzen die Palpi oder den Barth nennt. Sie finden sich an dem Vordertheil des Kopfes und bedecken die Zunge. Ihr Gebrauch möchte nicht sowohl zum Schutz dieser Theile und deren Zierde dienen, als vielmehr zur Reinigung, und dem feinern Gefühl. Sie sind fast bey jeden Gattungen von ganz veränderter Form und Bildung, doch insgemein mit Fasern, Haaren, oder einer Wolle bekleidet. Die Phalene die ich jetzt zu beschreiben habe, führt sie von vorzüglicher Länge, sie hat von daher die Benennung der Palpina, der Phalene mit grosen Fühlspitzen oder der bärtigen erhalten. Es stehen diese Organe etwas rückwärts gebogen über dem Kopf hervor, und betragen in der Länge über die Hälfte der Fühlhörner. Sie beſtehen aus zwey breiten aneinander ſchließenden Federn, mit dichten und ſteifen Faſern. Sie bilden in ſolcher Lage, vornen eine Oefnung mit ſechs ausſtehenden Spitzen. Es ſcheint, daß die Phalenen in dieſen Theilen eine vorzügliche Empfindung haben. Sie laſſen ſich öfters ohne eine Bewegung zu äuſern mit einer Nadel durchſtechen, aber bey der Berührung der Fühlſpitzen, geben ſie durch Flattern, die Regungen des Lebens genugſam zu erkennen. Ich muß ſie nun in der Ordnung ihrer Stände beſchreiben. Sepp hat die erſten und zugleich die vollſtändigſten Nachrichten von derſelben geliefert.

Nach der Raupe und dem Falter, war dieſe Gattung in unſeren Gegenden längſtens bekannt, und wir fragen ſogar, wie ſie Röſel unbemerkt gelaſſen? Man findet die Phalene in der Mitte des Aprils. Nach dem langen Winter des 1785. Jahres aber, erſchien ſie erſt gegen Ende des May. An den Stämmen der Weiden und Aſpen, oder den ihnen nächſt gelegenen Wänden und Mauern trift man ſie öfters an. Die Flügel liegen in ſitzender Lage gedränge an dem Leib, und ſind mehr walzenförmig als niederhangend gebildet. Die Fühlſpitzen ſtehen gerade hervor, die Antennen aber liegen rückwärts zwiſchen der Bruſt und den Flügeln. Die federichte Endſpitze des Hinterleibs, welche das Männchen führt, raget in einer aufrechten Krümmung über den Flügeln hervor.

Die Eyer werden im Julius und Auguſt an erſterwähnten Pflanzen einzeln, auf die untere Seite der Blätter abgeſetzt, gefunden. Sie ſind kugelförmig gerundet, von weiſer Farb, mit einem gelben Punkt in der Mitte bezeichnet. Da wir die Phalene ſchon ſo frühe beſitzen, ſo ſcheint eine zweyfache Erzeugung des Jahres, ſehr wahrſcheinlich zu ſeyn, da doch das Ey kaum eine Zeit von vier Monathen zur Entwiklung bedarf. Früher iſt ſie mir noch nicht zu Händen gekommen. Vielleicht ſind die von der erſten Erzeugung, mehreren Zufällen, als die in den wärmeren Tagen des Sommers unterworfen, und ſind ſich etwa auch in der Fruchtbarkeit nicht gleich.

Die Raupe iſt in dem jugendlichen Alter von grauer Farb, wenn ſie aber zur Stelle gewachſen, verändert ſie ſich mehr ins Weiſe, und dann erſcheint ſie mit ſchregen, dunklern Linien, gürtelförmig umzogen. Die Seite gegen die Luftlöcher aber führt einen hochgelben Streif, der zuweilen in das Pomeranzenfärbige oder Rothe fällt. Er ist mit einer blaugrünlichten Linie gegen den Rücken gesäumt. An der Seite der vordern Ringe und an der Endspitze stehen einige hochrothe Punkte. Der Unterleib so wie die Bauchfüße sind dunkelgrün. Der Kopf ist sehr flach und gerade hervorgestreckt. So gleicht die Raupe dem ersten Anblick nach, der Larve eines Tenthredo oder Ichnevmons, sie hat auch in ihrem ersterem Alter gleiche Gestalt, nach den krümmenden Bewegungen des Körpers. Vielleicht ist sie eben dadurch den ersten Beobachtern entgangen, welche in diesem Anblick keine Raupe eines Schmetterlings vermuthet hatten. Wie Sepp beobachtet, häutet sie sich viermal, und dieß von acht zu acht Tagen. Sie verzehrt das Blat bis an die mitlere Rippe zu beyden Seiten; und dieß von dem unterem Theil des Stiels gemeiniglich an. Nach erreichtem Wuchs, begiebt sie sich durch Fäden von der Höhe herab, und gehet zur Verwandlung in die Erde. Hier wölbt sie sich eine Höhlung, die sie mit Fäden bevestigt.

Die Chrysalide, giebt in ihrem Bau und der Farb von so vielen andern dieses Geschlechts, nichts erhebliches zu erkennen. Sie durchlebt den frostigen Winter, um in den warmen Tagen des Frühlings in der Vollkommenheit ihres irdischen Ziels zu erscheinen.

Der Schmuck der Phalene ist eben nicht auffallend so wie es insgemein bey diesen Arten, um Bewunderung zu erwecken gefordet wird. Dem Kenner aber sind die fast ins Unendliche verschwendete Auszierungen Bewunderung genug. Nur für diesem sind sie da, und für einem einzigem Beobachter wäre es auch Absicht genug, daß sie die unermeßliche Schöpferskraft hervorgebracht hat. Die Beschreibungen jeder Züge, Punkte, und Schattirungen, sind nach richtiger Angabe zu vielen Bögen nicht zureichend, und sie würden dennoch nach bester Schilderung unkenntlich bleiben. Ich bemerke nur mit wenigem für den systematischen Unterschied, daß auf der mit Silbergrau und Ockergelb bemahltem Fläche, zwey schwärzliche verlohrene Binden, sich durch die Oberflügel in gleichen Entfernungen ziehen. An dem Weibchen sind sie noch mehr verblichen. Man wird auf der ersten gegen den Rand, eine doppelte Reihe schwarzer spitziggestalteter Punkte gewahr, und noch verschiedene derselben so wie eine grose Anzahl feiner geraden und gekrümmten Striche, sind hin und wieder auf der Fläche vertheilt. Bey verschiedenen Exemplaren haben diese Zeichnungen die feinste Anlage, und sind kaum zu erkennen. Die Grundfarb ist bald mehr grau bald von einfärbigen bräunlichem Gelb. Das Männchen führt eine getheilte Endspitze, mit sehr verlängerten Haaren. Es hat die Gestalt eines Fischschwanzes, und daher ist auch die teutsche Benennung der Phalene, entstanden. Das Weibchen hingegen hat einen walzenförmigen am Ende gerundeten Körper. Der zahnförmige Ausschnitt an dem innern Rand der Vorderflügel, besteht in beyden Geschlechtern aus einer geraden Reihe steifer Borsten von schwarzer Farb. Sie schließen im ruhenden Stand, über dem Rücken winklicht zusammen.

Der acht und neunzigste europäische Nachtschmetterling.

BOMB. (SPIRIL.) DORSO CRIST. CLAVIS.

Der Nagelspinner.

Tab. LXIII. Fig. 5. Der männliche Falter von beyden Seiten.

Bomb. spiril. dorso cristato, alis superioribus griseo-fuscis stigmate claviformi, fasciaque marginali macularum nigrarum triangularium.

Berl. Mag. II. B. S. 426. nr. 47. Ph. Clavis. Die Nagelmotte. Grau mit einem Nieren- und einem nagelförmigen braunem Fleck auf den Oberflügeln. In den Fugen der Zäune und Bäume. Junius, von der dritten Gröse häufig.

Natursf. VIII. St. S. 109. nr. 47. Ph. Clavis. von Rottemburg Anmerk. Götze Entom. Beytr. III. Th. III. B. S. 46. Ph. Cl. Die Nagelmotte. Jung Verzeichn. neuer Schm. Ph. Clavis.

Zum Schluß dieser Abtheilung der Spinner habe ich hier einige der neuen einzuschalten, wiewohl sie eben nicht den füglichsten Plaz zu haben scheinen. Sie stehen aber nach ihrer Aehnlichkeit, unter sich in genauester Verbindung. Den in Abbildung vorliegenden Falter hat bereits Herr von Rottemburg, nach Maasgabe der Hufnaglischen Tabellen sehr kenntlich beschrieben. Er hat ihn zugleich von der Ph. Exclamationis die ich auf der folgenden Tafel abgebildet, sorgfältig unterschieden *i*). Es sind an

i) Naturforsch. obenang. O. — „schon lange bin ich zweifelhaft gewesen, ob nicht vielleicht die P. Clavus (Ph. Exclamationis L.) das Weibchen von der Clavis sey, und ich weiß bis jezt nicht recht was man von dieser Phalene halten soll. Es ist mir indessen beynahe mehr als wahrscheinlich, daß es zwey verschiedene Arten sind. Ph. Clavis hat eben den nierenförmigen Fleck, und näher nach der

sich zwey eigene Gattungen, wiewohl nach den Abänderungen sehr nahe verbunden. Zur Zeit ist mir die Raupe noch nicht bekannt. Die Phalene finden wir im May und Junius an den Mauern, Zäunen und Stämmen der Bäume, und gemeiniglich in verborgenen Winkeln. Die Grundfarb ist gewöhnlich ein lichtes Braun, nach den Abänderungen aber, wenn sie anderst nicht eigene Racen, oder wesentliche Verschiedenheiten sind, das sich in dem Mangelhaften ihrer Naturgeschichte noch nicht entscheiden läßt; ist der Grund zuweilen sehr helle, fast aschgrau, oder auch bis ins Röthlichbraune, nach unterschiedenen Graden gemischt. Der nierenförmige dunkle Flecken in der Mitte der Vorderflügel, hat an dem obern Theil noch einen kleinen, daneben einen hellen, meistens gelblichen Punkt. An der innern Seite ist der größere durch einen schwarzen Strich, mit einem Ring von gleicher Farbe, verbunden. Unter demselben aber findet sich ein breiterer Streif. Gegen den Rand zeigt sich in gleichem Abstand, eine Binde von winklichten Flecken. Die Hinterflügel sind weiß, etwas ins Violette spielend und haben in der Mitte eine schwarze Mackel. Die Fühlhörner des Männchens besitzen starke Fasern, an dem Weibchen aber sind sie ganz kahl. So viel zur schuldigen Anzeige dieses nach möglichster Genauigkeit abgebildeten Falters.

Der neun und neunzigste europäische Nachtschmetterling.

BOMB. SPIRIL. DORSO CRIST. SPINULA.

Spitznarbigter Spinner.

Tab. LXIII. Fig. 6. Eine angeblich weibliche Phalene. Fig. 7. Die männliche.

Bomb. spiril. dorso crist. alis superioribus griseo - fuscis, stigmate reniformi inserta parti anteriori macula triangulari seu spiniformi.

Auch von dieser Species kennen wir zur Zeit die Raupe nicht, wenn sonst ihre Phalenen an sich keine Seltenheiten sind. Wir finden sie im Herbst an gleichen Orten mit voriger an den Wänden und Zäunen. Die siebente Figur giebt die gewöhnliche Gestalt und Farbe zu erkennen. Die männ-

Einlenkung zu, einen starken schwarzen Strich, wie die Ph. Clavus, aus welchen beyden Flecken, Linne ein signum exclamationis macht, doch ist der Fleck ohnweit der Einlenkung, welcher bey der Ph. Exclamationis, nur einen dicken kohlschwarzen Strich vorstellt, bey der Ph. Clavis vielmehr ein dunkelgrauer länglicher Fleck, der mit einer schwarzen Linie umzogen ist rc. rc."

männliche Phalene wie sie hier vorgestellt ist, hat sehr lange Fühlhörner in gemächlicher Verdünnung der Fasern gegen die Spitze. Die weibliche führt gleiches Colorit, Zeichung und Umriß der Flügel, nur die Fühlhörner sind ganz fadenförmig gestaltet. Die Grundfarb der etwas mehr als an ähnlichen Arten verlängerten Flügel, ist ein röthliches doch sehr dunkles Braun, mit schwärzlich verlohrnen Schattirungen. Der nierenförmige Flecken hat an dem Vordertheil eine schwarze öfters in die Länge verbreitete Spitze, und ist dadurch am vorzüglichsten von letzterer Gattung verschieden. An dem Rand finden sich zwey sehr stumpf abgeschnittene Linien. Die Hinterflügel sind weiß ohne einen Flecken in der Mitte zu haben, und sind nur an dem Rand bräunlich schattirt. Sie spielen ins Violette. Hievon ist eine Abänderung, oder ist es vielmehr eigene Gattung, abermahl verschieden. Sie wurde mir unter dem Nahmen des Weibchen, mitgetheilt. Doch führt sie kammförmige Antennen. Die Spitze des narbenförmigen Fleckens, ist sehr kurz, und die Flügel haben grösere Breite. Es finden sich auch mehrere Verzierungen von Punkten und Linien darauf, die jene nicht hat. Sie kommt der Ph. Clavis, am nächsten. Es werden nähere Erfahrungen das Gewisse entscheiden.

Der hunderste europäische Nachtschmetterling.

BOMB. SUBSPIRILINGUIS DORSO CRIST. EXCLAMATIONIS.

Der Spinner mit dem Ausrufzeichen.

La double tache. GEOFFR.

Tab. LXIV. Fig. 1. Der männliche Falter. Fig. 2. Eine Abänderung.

LINN. S. N. Ed. XII. p. 850. Sp. 155. Noctua *exclamationis*. Spirilinguis cristata, alis incumbentibus fuscis: lineola atra maculaque cordata; inferioribus albis. Zünglichter Spinner, mit kammförmiger Brust, braunen niederhangenden Flügeln, einer schwarzen Linie und dergleichen herzförmigem Flecken, nebst weissen Hinterflügeln. — *Faun suec.* ed. nov. 1190.

Müllers Uebers. des Nat. S. V. Th. S. 695. nr. 155. Ph. Excl. Das Verwunderungszeichen.

GEOFFROI Hist. des Inf. Tom. II. p. 161. nr. 101. Ph. seticornis spirilinguis; alis deflexis superioribus ferrugineo cinereis; macula duplici longa rotundaque nigra, inferioribus albidis. Long. 8. lign.

FABRICII S. Ent. p. 605. nr. 65. Noctua Exclam. Linn. Char. — Spec. Inf. Tom. II. p. 225. Sp. 86.

System. Verz. der Wiener Schm. S. 80. Fam. N. Erdraupen, gem. Eulen. nr. 2. Ph. Excl. Kreutzwurzeule.

Berl. Mag. III. Th. S. 298. nr. 48. Ph. Clavus. Das Schlüsselloch. Braungrau, mit einem dunkelbraunen nierenförmigen und einem nagelförmigen Fleck, so zusammen ein Schlüsselloch vorstellt.

Naturforsch. VIII. St. S. 109. und IX. S. 119. nr. 48. Ph. Excl. Fueßli Schweiz. Ins. S. 38. nr. 732. Ph. Excl. Das Verwunderungszeichen. MÜLLERI Zool. Dan. Prodr. p. 122. nr. 1403. Ph. excl. PONTOPP. Naturgesch. von Dännem. S. 220. nr. 32. Ph. excl. Götze entom. Beytr. III. Th. III. Band. nr. 155. N. Exclam. Das Verwunderungszeichen. — S. 250. nr. 365. Murina die mäusegraue Eule.

Jung Verz. eur. Sch. Ph. Excl. S. 51.

CLERK Icon. ins. Tab. I. fig. 4.

SCHAEFFER Ic. inf. Rat. Tab. 112. fig. 1. 2.

DEGEER Mem. Tom. I. p. 406. nr. 3. Tab. VI. fig. 22. Ph. murina. *Phalene gris de souris à 4 taches noires.* Ph. à antennes filiformes à trompe, à ailes croisées d'un gris de souris avec 4 taches irregulaires noires, à ailes inferieures en parties blanches. — Götze Uebers. II. Th. I. B. p. 293. nr. 3. gleiche Tafel. Die Mausfahle Phalene mit 4 schwarzen Flecken ꝛc. — RETZIUS gen. et. Spec. Degeer etc. p. 45. Ph. murina.

In Beschreibung der vorletzteren Gattung habe ich bereits dieser Phalene erwähnt. Herr von Rottemburg hat deren Unterschied von der Ph. Clavis gezeigt, und in der That ist sie dadurch auch am genauesten charakterisirt. Der nierenförmige Flecken, hat keinen Zusatz, keine weitere Verzierung gegen die Seite des Rands, er ist fast ganz gerundet, und durch keine Linie mit dem kleinern daneben verbunden, sie sind beyde ganz abgesondert. Noch fehlen die spitzwinklichten Flecken gegen den Rand, an deren Stelle hier eine zackigte Binde stehet. Man hat die Abbildungen beyder Falter selbsten zu vergleichen, um das Abweichende wahrzunehmen. Nach der Grundfarb ist die Verschiedenheit sehr beträchtlich, und noch überdiß sind einige Zusätze daran zu bemerken. Die erste Figur stellet sie in ihrem gewöhnlichsten Colorit, einem Lichtbraun vor. Andere fallen mehr ins Aschgraue, andere ins Dunkelbraune. Nach der Farb der zweyten Figur kommt sie uns öfters zu Handen. Hier ist das Braune mehr mit Rothem vermengt, und die Zeichnungen dunkler aufgetragen. Beyde Exemplare waren nach den gekämmten Fühlhörnern wirkliche Männchen. Die weibliche Phalene hat sie fadenförmig und sehr dünne. Die Raupe nährt sich von Gräsern und

und niederen Pflanzen. Ich hoffe sie in der Folge in Abbildung darzulegen, und das Mangelhafte ihrer Naturgeschichte damit zu ergänzen. Man findet die Phalene im Herbst mit voriger an gleichen Orten. Sie kommt auch öfters bey Nachtzeit in die Zimmer geflogen, und hält sich des Tages an den Wänden auf.

Der hundert und erste europäische Nachtschmetterling.
BOMB. SPIRIL. DORSO CRIST. CALIGINOSA.
Düsterfleckigter Spinner.

Tab. LIV. Fig. 3. Der männliche Falter von beyden Seiten.

Alis ruso - fuscis, nigro - nebulosis, stigmatibus atris, superioribus subtus puncto nigro.

Diese Phalene im abermahl im geringen Abstand, beyden vorigen, sehr ähnlich. Fast sollten wir sie für zufällige Abänderung erklären. Es fanden sich aber theils wesentliche Zusätze, theils Veränderungen daran, die jene nicht haben. Die Erziehung der Raupe wird das Gewissere ergeben, ich habe lediglich zur Zeit die Anzeige zu machen. Die Grundfarb der Vorderflügel ist ein dunkles röthliches Braun, mit schwarzen wolkigten Schattirungen. Die Flecken haben gleiche Lage wie an der Ph. Exclamationis, sie sind aber grösser, und ganz mit dunklem Schwarz ausgefüllt. Dazu kommt noch nächst der Grundfläche ein vierter, von kleinerer Gestalt. Die Unterseite der Vorderflügel hat einen schwarzen Punkt in der Mitte, den die Ph. Exclamationis niemahlen besitzt. Die Ph. Clavis aber führt ihn in ganz veränderter Gestalt. Bey letzterer zeigt sich eine dergleichen Verzierung auch in der Mitte der Hinterflügel, welche dieser und den beyden ersteren Gattungen fehlt. Diß wären in der Kürze die vorzüglichste Unterscheidungszeichen, man hat die übrigen aus der Abbildung, oder der Vergleichung der Originale abzunehmen. Die Unterflügel sind weis, mit bräunlichem Rand, und in schiefer Richtung ins Violette spielend. Die Antennen haben sehr kurze, zu beyden Seiten parallel-ausstehende Fasern, und sind sonach wie alle Spinner kammförmig gefiedert. Diese Phalene erscheint öfters nach den Vorderflügeln in noch weit düsterem Gewand, wo kaum die Zeichnungen darinnen zu unterscheiden sind. Dann kann sie leicht mit einem ganz ähnlichem Falter, der aber eine Noctua ist, verwechselt werden. Es ist würklich sehr schwer die Merkmale ihres Unterschieds anzugeben. Noch ist so vieles ihrer Naturgeschichte verborgen. Man hat noch kaum angefangen die mit minderem Putz gezierte Phalenen einer Aufmerksamkeit zu würdigen, und doch sind sie gemeiniglich dem Oeconom am meisten angelegen. Die im schönerem Gewand, so unschädlich sie sind, musten unsere Aufmerksamkeit erwecken, um die im minderem Putz nicht zu verachten, mit deren Kenntnissen, sich manchfaltige Vortheile verbinden, sollten sie auch nur zu Verhütung nachtheiliger Folgen dienen.

Der hundert und zweyte europäische Nachtschmetterling.

BOMB. SPIRIL. DORSO CRIST. FUSCOSA.

Braunfleckigter Spinner.

Tab. LXIV. Fig. 4. Der männliche Falter von beyden Seiten.

Bomb. Spirilinguis dorso cristato, alis superioribus fuscis, stigmate reniformi maculisque plurimis sparsis, abdomine inferioribusque albis immaculatis.

Von dieser Phalene weiß ich nicht mehreres zu berichten, als daß sie in unseren Gegenden gefunden worden. Sie ist mir aus der Sammlung des C. R. Jung zu Uffenheim mitgetheilt worden. Ich hatte sie Anfangs, für eine Abänderung der Ph. Segetum, (Tab. LX. fig. 5) gehalten, der sie am nächsten kommt. Doch die Zeichnungen und die Lage der Flecken sind allzubeträchtlich verändert, und es müste die Erziehung der Raupen uns das Gegentheil, belehren. Die Grundfarb ist ein blasses Braun, die Flecken aber von dunkler Anlage, und fast schwärzlich. Dem gröseren nierenförmigem fehlt die weisliche Einfassung, und der darunter, ist noch gröser, zwischen beyden aber findet sich gegen den Vorderrand ein breiterer, in Form einer kurzen Binde. Noch sind verschiedene bindenförmige Züge, und einzelne Punkte darauf wahrzunehmen, deren Lage die Abbildung auf das genaueste bestimmt.

Der hundert und dritte europäische Nachtschmetterling.

BOMB. SPIRIL. DORSO CRIST. MELALEUCA.

Dunkelbrauner Spinner mit weispunktirten Binden.

Tab. LXIV. Fig. 6.

Alis superioribus fuscis stigmatibus binis albo-inductis, fasciisque tribus ex punctis s. maculis lunulatis albidis.

Mit diesem Spinner hat es gleiche Bewandnis, wie mit vorigem. Ich habe ihn lediglich nach seiner Gestalt und Farb, welche die Abbildung auf das genaueste ergiebt, anzuzeigen. Er ist mir ebenfalls durch die Güte des Herrn C. R. Jung mitgetheilt worden. Doch fand ich ihn auch in hiesiger Gegend. Die Grundfarb ist zuweilen mehr schwärzlich, bey einigen aber dunkelgrau. Auch die beyden nierenförmige Flecken und Binden, sind theils weis, theils von blassem Hellgrün, und öfters sehr verblichen. Der Hinterleib und die Unterflügel sind gleichfalls weis, und etwas bräunlich angelaufen. Die gefiederte Fühlhörner, haben eine rothbraune Farb.

Der hundert und vierte europäische Nachtschmetterlirg.

BOMB. EL. AL. DEPR. DORSO CRIST. PURPUREA.

Die Purpurphalene.

L'écaille mouchetée. GEOFFROI.

Tab. LXV. Fig. 1. Die männliche Phalene. Fig. 2. Die weibliche. Beyde von der Ober- und Unterseite der Fl. Fig. 3. Die Raupe auf einem blühendem Zweig des Ginsters (Sparrium Scoparium L.) Fig. 4. Die Chrysalide. Fig. 5. Das Gespinnste.

LINN. S. N. Ed. XII. p. 823. Sp. 67. Purpurea. Ph. Bomb. elinguis, alis deflexis: superioribus flavis fusco-punctatis: inferioribus rubris nigro-maculatis. Unzüngliche Spinner mit dachförmigen Flügeln, kleineren braunen Flecken, und rothen Hinterflügeln mit grösseren schwarzen Flecken.

Müller Uebers. des Nat. S. V. Th. S. 674. nr. 67. Ph. Purp. Der Purpurbär.

GEOFFROI Hist. des Inf. T. I. p. 105. nr. 6. Ph. pectinicornis elinguis, alis deflexis, superioribus flavis, maculis fuscis; inferioribus rubris, nigro-maculatis. Larg. 23. Long. 10.

FABRICII Syst. Ent. p. 580. nr. 82. B. purp. Linn. Char. — Hab. in Europae Ribe. Larva hirsuta, grisea, albo-maculata odorem Mari veri spargit. — *Spec.* inf. T. II. p. 196. nr. 114. B. Burp.

System. Verz. der Wiener Schm. S. 53. Fam. E. Bärenraupen, edle Spinner. (Galii Molluginis). Fueßli schw. Ins. S. 36. nr. 680. Ph. Purp. Der Purpurbär. Götze entom. Beytr. III. Th. III. B. S. 26. nr. 62. Ph. purp. Der Purpurbärspinner. Jung Verz. eur. Schm. S. 118. — Gladbach der S Bär. Naturf. VI. St. S. 75. Die schnelllaufende rare Raupe des gelben S Bärs. Ph. Purp. *Onom. hist.* nat. P. VI. S. 404. Ph. Purp. Der Stachelbeervogel. Maders Raupencal. S. 54. nr. 148. Ph. purp. Der gelbe Purpurbär. Der gelbe S Bär.

k) Der in der Ordnung unsers Systems dieser Gattung vorgesetzte Bomb. Morio. findet sich oben S. 224. beschrieben und Tab. 43. fig. 67. abgebildet.

Rösels Ins. Bel. I. Th. Nachtv. II. Cl. S. 65. Tab. X. Die schnellkriechende hell- und rothgelbe haarige Raupe mit weissen Flecken. SCHAEFFER Icon. inf. ratisb. Tab. 59. fig. 4. 5. SEBAE Thes. To. IV. Tab. 59. fig. 4. 5. MERIAN Europ. I. Tab. VI. — *Albin.* Inf. Tab. 22.

Die Vorzüge dieser Phalene, ihr ausnehmender Puß und die Schönheit des Colorits, bedürfen keiner Lobsprüche, sie wurden von allen Liebhabern bewundert. Zu Rösels Zeiten, war sie eine der seltensten Gattungen, und stunde in vorzüglichem Werth. Noch wird sie in den meisten Gegenden Teutschlands gänzlich vermißt. Bey uns ist sie nach der Raupe alle Jahre zu finden, und leicht zu erziehen. Im Freyen aber habe ich die Phalene niemalen wahrgenommen. Sie hält sich äuserst verborgen und geräth nur bey dunkler Nacht in lebhafte Bewegung. Nach den Varietäten hat man zur Zeit noch keine sonderlich erhebliche Abweichung bemerkt. Die Grundfarb der Vorderflügel ist zuweilen dunklergelb, und die braunen Flecken darauf sind mehr mit Schwarzem gemischt. Einige ziehen sich in eine gedoppelte Krümmung, welche der Figur des römischen S in etwas gleichet. Auch die mit so sehr erhöhetem Roth gezeichnete Hinterflügel gehen zuweilen ins Blasse, oder Rosenfärbige über. Die schwarzen Flecken sind gemeiniglich gerundet, öfters aber mehr verbreitet und zusammenhangend gebildet. Ich habe sie nie in einer mehr beträchtlichen Grösse, als vorliegendes Muster erweißt, gefunden. Gewöhnlich ist sie um ein paar Linien kleiner. Das Männchen hat starke gefiederte Antennen von brauner Farb.

Die Raupe gehört unter die vielfräßigen. Man kan sie mit manchfaltigen Arten niederer Gewächse, als dem Salat, Kohl, Klee und diesen ähnlichen Pflanzen erziehen. In unseren Gegenden, wo der Ginster, (Spartium Scoparium L.) so häufig ist, hält sie sich lediglich an diese Pflanze, und sonderlich sind ihr dessen Blüthen die angenehmste Nahrung. Sie wird an anderen Orten im Grase gefunden, das ihr ebenfalls zur Speise dient, wie nicht minder in Hecken an den Stachelbeeren, und niederen Gesträuchen. Man hat nur eine einzelne Erzeugung des Jahres wahrgenommen. Es werden von dem Weibchen zu Ende des Julius die Eyer abgesetzt. Sie sind gerundet und von grünlicher Farb. In Zeit von drey bis vier Wochen erfolgt die Entwicklung, und die ausgekommene Räupgen pflegen noch vor dem Winter die erste, zuweilen auch die zweyte Häutung anzugehen. Dann aber suchen sie sichere Plätze zu ihrem künftigen Aufenthalt. Man trift ſie in den erſten Tagen des Frühlings, ſo bald vorerwähnte Pflanzen ausgebrochen, in dieſer Gröſe an. Dann iſt aber auch ihre Erziehung noch mißlich. Im jugendlichen Alter ſind ſie nach den Haaren ganz röthlichbraun, faſt wie die Raupe der Caia geſtaltet. Bey zunehmendem Wuchs aber zeigen ſie nach Erweiterung der Ringe, die weiſſen zwiſchen denſelben über den Rücken, in einer Linie ſtehende Flecken, welche ſie auch am weſentlichſten bezeichnen. Zur Seite der Luftlöcher finden ſich ähnliche weiſe Flecken. Man hat nach der Farb der Haare, zweyerley Abänderungen dieſer Raupe, oder ſind es vielmehr eigene Racen. Ich habe ſie nach beyderley Geſchlechter erzogen, an deren Faltern aber, keinen Unterſchied zur Zeit wahrgenommen. Die erſtere Art, hat, wie dieſe vorliegende Abbildung ergiebt, fuchsfärbige, und öfters ſehr dunkelbraune Haare. Die andere aber führt ſie gelb und zuweilen faſt weiß. Meine Leſer können ſich dieſe Veränderung daraus leicht gedenken, und ich habe deßhalb Abbildungen für überflüſſig gehalten, zumahl es noch zwiſchen beyden gemächliche Abweichungen giebt. Im Lauf ſind dieſe Raupen ungemein behende, ſo träge ſie auch ſcheinen. Bey einer Berührung rollen ſie ſich ſchneckenförmig zuſammen. Zum Schuß ihres nächſten Standes fertigen ſie ſich ein dünnes unregelmäſiges Gewebe das öfters ſehr geraumig iſt. Die Chryſalide iſt ablangrund, am Ende ſehr ſtumpf, und von dunkelbrauner Farb. Die Entwicklung der Phalene erfolgt in drey, oder längſtens vier Wochen.

Zweyte Familie der Spinner.
BOMBYCES SPIRILINGUES.
Spinner mit einer Spiralzunge. Spiralzünglichte Spinner.

Wir kommen auf die zweyte Abtheilung der Spinner in der Ordnung unſeres Syſtems, da ich die weiteren Ergänzungen zur Zeit auszuſetzen habe. Die Charactere ſind zwar nach ihrer Angabe ganz richtig beſtimmt, in der Anwendung aber finden ſich gröſſere Schwierigkeiten, als ſich kaum vorzuſtellen iſt. Dieſe Familie enthält die Spinnerarten mit verlängter Zunge. In ſtufenweiſer Abnahme, ſind hier die Gränzen öfters ſehr ſtrittig, und vollends bey getrockneten Exemplaren, iſt zuweilen das Gewiſſe noch weniger zu entſcheiden. Wie ich ſchon erwähnt, bedarf hier unſer Syſtem einer Verbeſſerung. Sie iſt aber in Rückſicht des Ganzen, und nach gegenwärtigen Vorrath, ſehr gering. Die einzuſchaltende Gattungen betragen an ſich keine ſehr beträchtliche Zahl. Ich habe verschiedene beygebracht, wo ich nicht entscheiden können, ob sie nicht näher zur ersten Abtheilung gehören. Es ist wenigstens zur Berichtigung auf die Fortsetzung verspahrt, da jetzt die beyzubringende Neuigkeiten oder die Ergänzungen des Systems, das angelegenste sind. Diese Familie theilt sich nach dem Entwurf des Herrn Archiaters in zwey Linien, deren Merkmale sehr kenntlich sind, nehmlich der glatten oder kammförmigen Brust. Sämtlich führen sie niederhangende Flügel und sonach sind sie auch von den Artackern, und Spinner der ersteren Abtheilung, nach sorgfältiger Distinction des Herrn von Linne, unterschieden. Jene haben, wenn auch die Zunge verlängert ist, jederzeit offene Flügel, oder sie überdecken sich zum Theil und schliesen sich nicht an dem innerem Rand winklicht an. Er nannte sonach die

Erste Linie

BOMB. SPIRILINGUES DORSO LAEVI.

Spiralzünglichte Spinner mit glattem Rücken. Glattrückigte Spiralzüngler.

Ihre Anzahl war nach damahligem Vorrath sehr klein. Die untergeordnete Gattungen sind sämtlich Bewohner unseres Welttheils, es waren die neueren Ausländer, dem Herrn Ritter nothwendig noch unbekannt. Es ist auch schon bey den Verzeichneten genugsam zu berichtigen übrig gelassen. Wer hat bey denen in entlegenen Gegenden, auf richtige Merkmahle Rücksicht genommen? und wie wenig lassen sich die geforderte Kennzeichen nach den herübergebrachten Exemplaren ohne mißliche Zerstöhrung öfters entscheiden. Herr von Linne hat folgende Gattungen, sie finden sich hier sämtlich beschrieben, zu dieser Linie gezehlt. Es sind Sp. 68. Aulica. Sp. 69. lubricipeoae. Sp. 70. Iota. Sp. 71. Russula. (Sp. 72. Russina, das Weibchen des vorigen.) Sp. 72. Graminis. Sp. 74. lusoria. Sp. 75. Grammica. Sp. 76. Cribrum. Sie betragen an sich nur acht würkliche Species. Nach neueren Entdeckungen hat sich ihre Anzahl beträchtlich vermehrt.

Der hundert und fünfte europäische Nachtschmetterling.

BOMB. SPIRILING. DORSO LAEVI. AULICA.

Der Brocadspinner. Die Hofdame.

La dure-pelisse. GOED.

Tab. LXV. Fig. 6. Der männliche Falter. Fig. 7. Der weibliche von beyden Seiten

LINN.

LINN. Syst. nat. Ed. XII. Tom. II. p. 829. Sp. 68. Ph. B. Aulica. Spirilinguis alis deflexis: superioribus griseis flavo-punctatis; inferioribus fulvis nigro-maculatis. Spiralzünglichter Spinner mit niederhangenden Flügeln, röthlich braunen gelbgefleckten Vorderflügeln, und rothgelben schwarzfleckigten Hinterflügeln. *Fauna Suec.* ed. n. nr. 1133 *).

Müller Uebers. d. N. S. V. Th. I. B. S. 675. nr. 68. Ph. Aul. die Hofdame. Die beygefügte Abbild. Tab. XXII. Fig. 5. zeigt nach Houtuyn eine Chinesische Phalene von ganz verschiedener Gattung.

FABRICII Syst. Entom. pag. 576. nr. 67. B. aul. Lin. Char. — Spec. Ins. Tom. II. p. 190. nr. 92.

System. Verz. der Wiener Schmett. S. 53. Fam. E. nr. 6. Ph. aul. Tausendblattspinner (Achillaeae Millefolii.) Göze entom. Beytr. III. Th. III. B. S. 28. Ph. aul. die Hofdame. Fueßli Entom. II. Band S. 226—231. Ph. aul. Jung Verz. europ. Schmett. S. 16. Ph. aul. Catholicon L. A. S. 651. Ph. aul. die Hofmotte.

Naturforsch. IV. St. S. 141. Tab. Fig. I. 8. — VI. St. S. 15. Tab. V. Fig. 3. CLERK. Icon. Tab. 5. Fig. 3. Ph. aulica. WILKES Engl. M. a. B. p. 19. Tab. 3. a. 3. MERIAN. Europ. 2. Tab. 8. ALBINI Hist. ins. Sab. 22. GRONOVII Zoophylac. 658.

Man hat diese Phalene, so gar nach der genauesten Beschreibung des Herrn von Linne, lange verkannt. Sie wurde auch erst vor wenigen Jahren in unserem Franken entdeckt. In den Gegenden um Leipzig, Wien und Preßburg hingegen, ist sie häufiger zu finden. Sie stehet mit der Ph. Purpurea in nächster Verwandtschaft, nur ist die Zunge weit mehr verlängert. Nach der Grösse aber ist sie um vieles kleiner, da schon dieß vorliegende Original, im Ausmaas eines der beträchtlichsten ist. Die Vorderflügel sind gelbbraun, zuweilen noch dunkler, und mit fünf hellgelben Flekken, nebst einigen Punkten geziert. Der nächste an der Brust, ist verlängert, und wie aus zweyen zusammengesetzt. Die Hinterflügel sind auf beiden Seiten rothgelb, oder pomeranzenfärbig, und mit vier breiten Flekken von schwarzer Farbe bezeichnet. Herr von Linne stehet zwar an, ob

*) „Habitat in Gramine, *larva* hirsuta, similis Caiae. D. D. Hartmann. *Descr.* Parva. Alae *superiores* griseae, maculis 5 flavis, quarum antica longior e duabus composita, praeter minora aliquot puncta ad apicem alae. *Inferiores* nigrae rinulis fulvis, ut quisnam color praevaleat non facile liquet. *Abdomen* dorso fusco et ad latera punctis fuscis.“

III. Theil. Tt

nicht jenes die eigentliche Grundfarbe, und das Gelbe nach näherem Recht die Flecken zu nennen sind. Doch einmahl stehen diese, einzeln abgesondert und auch der Rand ist mit Gelbem begränzt, und so ist das Dunkle, wenn es auch einen geringern Theil der Fläche beträgt, dennoch die Grundfarbe zu nennen. Noch finden sich auch Exemplare, wo die gelben Flecken sehr klein sind und dadurch alles Strittige heben. Beyde Geschlechter, wie hier die Abbildung am deutlichsten ergiebt, sind auch lediglich durch die unterschiedene Grösse dieser Verzierung, von aussen kenntlich. Das Männchen hat einen haarigen Hinterleib und gefiederte Antennen. An dem Weibchen sind schwarze, mondförmig gestaltete Einschnitte über dem Rücken deutlicher wahrzunehmen.

Die Abbildung der Raupe habe ich auf die Fortsetzung zu verspahren, da es sich für jezt verspätet, sie beyzubringen. Nach allen übereinstimmenden Nachrichten, die mir mitgetheilt worden, kommt sie der Raupe der Ph. Caja fast gleich, nur ist sie von geringerem Maas. Die Haare sind röthlichbraun, und nach der ganzen Fläche des Körpers einfärbig. Sie erscheint in den ersten Tagen des Frühlings in ausgewachsener Grösse, nach Art der Raupe der Ph. Fuliginosa. Bey so früher Entwicklung scheint es, daß eine zweyfache Erzeugung des Jahres erfolgt. Ihre Nahrung sind niedere Gewächse, die ich nach der Anzahl nicht sämmtlich angeben kann. Am besten wird sie, wie fast alle haarigte Spinnen-Raupen, mit Salat erzogen. Herr von Linne giebt in dem System, das Cynoglossum, die Angelic, die Nessel, und das Gras an. Wie leicht läßt sich bey diesem in Geschmack so gut gearteten Geschöpfen der Kuchenzettel noch mehr erweitern.

Der hundert und sechste europäische Nachtschmetterling.

BOMB. SPIRIL. DORSO LAEVI, AL. DEFL. LUBRICIPEDA.

Gelber schwarz punktirter Spinner. Gelbe Tieger Motte. Der gelbe Haasen-Spinner. Die Hermelinmotte.

Phalene liévre. Phalene tigre. DEGEER. La roulante GOED.

Tab. LXVI. Fig. 1. Die Raupe nach der zweyten Häutung. Fig. 2. eben dieselbe nach vollkommenen Wuchs, auf einem blühenden Stengel der wilden Münze, (Mentha Cataria L.). Fig. 3. Das Gespinste. Fig. 4. Die Chrysalide. Fig. 5. Die männliche Phalene.

LINN. Syst. Nat. Ed. XII. Tom. II. p. 829. Sp. 69. Ph. B. Lubric. Spirilinguis, alis deflexis albidis (luteis) punctis nigris (ex linea transversa), abdomineque quinquefariam nigro-punctato. Spiralzünglichter Spinner, mit niedergebogen gelblichten schwarzpunktirten Flügeln, nebst fünf Reihen schwarzer Punkte über den Hinterleib. — Faun. Suec. ed. n. num. 1138.

Müllers Uebers. des Nat. Syst. V. Th. 1. B. S. 675. Ph. Lubr. Der Glitschfuß.

RAII Hist. Ins. pag. 196. nr. 155. Ph. media, ex albido sublutea; alis exterioribus punctis paucis nigris στικτοῖς.

FABRICII Syst. Entom. p. 576. nr. 68. Bomb. Lubr. — Lin. Char. — Variat alarum colore et punctorum numero. Larva pilosa fusca, punctis caeruleis lineaque dorsali pallida-pupa folliculata, caerulescens, stigmatibus rubris. — *Species Ins.* Tom. II. pag. 190. nr. 93.

Fueßli Schweiz. Ins. S. 35. nr. 981. Ph. Lubr. Die Tigermotte. — Mag. der Entom. 11. B. S. 7. Ph. Lubr. Auf den Zichorienblättern. System. Verz. der Wiener Schmett. S. 54. Fam. F. Haasenraupen. Larvae celeripedes. Gelbfüssige Spinner. Ph. B. luteopedes. Sp. 1. B. Lubricip. Hollunder Spinner (Sambuci nigrae). Berlin. Mag. (Hnf. Tab.) II. B. S. 412. nr. 25. Ph. Lubr. lutea. Die Tigermotte. Ockergelb mit kleinen schwarzen Flecken. Glaser von schädl. Raup. S. 35. Ph. Lubr. schnellfüssige Raupe. Neue Ausg. 1780. S. 43. Naturf. VIII. St. S. 104. nr. 26. Ph. Lubr. lutea. Herr von Rottemburg. Göze Entom. Beytr. III. Th. III. B. S. 28. nr. 69. Ph. Lubr. Der Haasenspinner (der Haase). Gleditsch Forstw. I. S. 646. nr. 11. Ph. Lubr. Die Tigermotte. ONOMAST. Hist. Nat. P. VI. p. 381. Ph. Lubr. *Syst. Nat.* du regne anim. II. p. 145. nr. 15. Phalene blanc ä points noirs. Neue Ausg. S. 43. Jung Verz. europ. Schmett. Ph. Lubr. S. 81. Gladbachs Catalog. Das Muschenbärgen. Maders Raup. Kal. S. 116. nr. 327. Ph. Lubr. der Glitschfuß, die Hermelinmotte.

Rösels Ins. Bel. I. Th. Nachtr. II. Kl. S. 260. Tab. 47. Fig. 1 — 8. Die weißliche oder hellbraune, haarichte, geknöpfelte und gestreifte Raupe.

SCHAEFFER Icon. Ins. rat. Tab. 24. Fig. 8. 9.

DEGEER Mem. Tom. I. Mem. V. pag. 178. Tab. XI. Fig. 1 — 8. Chenille velue brune, à dix tubercules, qu'on trouve en automne sur plusiers arbres, et qu'on a nommé le *Lievre* ou *Chenille de la Vigne.* — pag. 696. Tab. XI. Fig. 7. 8. — *Phalene* à antennes à barbes, sans trompe, à ailes ou blanches, ou d'un jaune clair, à points noirs. — Tom. II. pag. 304. nr. 5. — Ph. lievre. Göze Uebers. I. Quart. 5. Abs. S. 132. Gleiche Taf. — 4. Quart. S. 118. Gleiche Taf. — II. Th. I. B. S. 218. nr. 3. Der Hase.

Fritsch Beschr. d. Ins. III. Th. S. 22. nr. 11. II. Pl. Tab. VIII. Fig. 1 — 5. Von der braunhaarigen Nessel- oder Meldenraupe.

MERIAN europ. Tom. I. Tab. 46. Fig. 65. ALBINI Hist. Ins. Tab. 24. Fig. 36. GOEDARDI Hist. Ins. I. Tab. 23. 38. Ed. Listeri Lond. 1685. p. 210. nr. 93. Fig. 93.

WILKES engl. M. a. B. p. 20. Tab. 3. a. 5.

ADMIRAL VIII. Verand. VI. De Lospoot.

In der Ordnung unseres Systems habe ich hier zwey sehr ähnliche Phalenenarten anzuzeigen. Beyde kommen auch nach ihrer Gestalt und Lebensart mit einander überein. Nur die Farbe der Raupe, und der Falter, ergiebt den wesentlichsten Unterscheid. Man hat sie lange für zufällige Abänderung einer einzigen Species gehalten, ihre Erziehung aber und unveränderliche Paarungen, haben das Gewisse nun nach genugsamen Beobachtungen bestättigt.

Diese Raupen erscheinen zweymahl des Jahres. Man findet sie in den ersten Tagen des Frühlings in fast schon ausgewachsener Grösse. Häufiger kommen sie im Herbst, von dem August an, zum Vorschein. Spätlinge überwintern, gemeiniglich aber gehen sie noch ihre Chrysaliden-Verwandlung an, und es entwickeln sich dann die Phalenen im April und May des folgenden Jahrs. Ihre Nahrung sind verschiedene niedere Gewächse. Man trifft sie in Gärten auf den Aurikeln, den Salat, Kohl, Portulac und andern diesen ähnlichen Pflanzen an. Im Freyen finden sie sich an Rainen, oder den Ufern der Bäche, wo sie sich von der Pilosella, dem Taraxacum, der Myosotis, der Mentha und dergleichen Gewächsen ernähren. Sie leben einzeln zerstreut, und man hat nie über erheblichen Schaden Klage geführt. In ihren Bewegungen sind sie ausserordentlich geschwind, und dieser Eigenschaft wegen haben sie auch von dem Herrn von Linne den Namen der schlüpfrigen oder schnellfüssigen (lubricipeda) erhalten. Im jugendlichen Alter ist die Farbe sehr verändert. Die Fläche ist ein blasses Grün, öfters ganz weiß; gegen dem Kopf und Hinterleib aber, ins Gelbliche verlohren. Zwey kappenförmige Linien von schwarzer Farbe ziehen sich über den Rücken. Die Raupe ist ganz dünne mit langen ausstehenden bekleidet. Bey der nächsten Häutung verändert sich die Farbe ins Braune. Die Haare erscheinen dann Büschelförmig gestaltet, und von röthlichem Braun. Ueber dem Rücken zeigt sich ein blasser und zu beiden Seiten ein hellweisser Streif. Noch finden sich über jedem Ring ein paar rothgelbe Knöpfe. Von dieser Farbe aber, weicht die Raupe der folgengen Gattung, der Ph. Menthastri ab, wie ich in deren Beschreibung zu bemerken habe.

Das Gespinnste, in welchem sich die Raupe verwandelt, ist eine dünne Membrane, mit ihren eigenen Haaren durchwebt. Die Chrysalide hat eine sehr bauchigte Gestalt und starkgerundeten Vorderleib, mit einem Stachel an der Endspitze. Die Fläche ist rothraun.

Beyde Geschlechter sind nach der Farbe und Zeichnung übereinstimmend gebildet. Die Flügel haben ein helles Ockergelb, mit einer schregen Linie von schwarzen Punkten. Es mangeln zuweilen einige derselben, dagegen finden sich öfters mehrere. Auch giebt es Exemplare, wo sie gänzlich bis auf erstere Reihe fehlen. Der Hinterleib ist rothgelb, mit schwarzen Flecken über dem Rücken und zu beyden Seiten bezeichnet. Das Männchen hat stark gefiederte Fühlhörner von schwarzer Farbe, an dem Weibchen aber sind sie fadenförmig gestaltet.

Herr Drury hat unter dem Namen der Ph. Lubricipeda, zwey Abbildungen vorgeblicher ausländischer Varietäten beygebracht. Sie sind ihm von Neu-York geliefert worden. Auch in Virginien, wo diese Falter zweymal des Jahres erscheinen, sollen sie sehr häufig seyn. Die Raupe ist nach der Beschreibung ebenfalls im jugendlichen Alter weiß, und verwandelt sich dann nach den filzigten Haaren ins rothbraune. Doch es hat diese Phalene *), nach zwar sehr grosser Aehnlichkeit zu viel abweichendes von unserer Art. Sie ist nach der Länge der Flügel zweimal grösser, und die schwarzen Flecken sind von ganz anderer Lage und Form, auch von denen, wie sie die P. Menthastri hat, genugsam verschieden. In der Beschreibung wird die Grundfarbe weiß angegeben, in der Abbildung aber ist sie grünlich. Die dritte Figur seiner Tafel kommt der ersterwähnten Phalene, nach den weissen Vorderflügeln, und den einzeln zerstreuten Punkten, würklich am nächsten. Allein die Hinterflügel sind hochgelb, wie auch der Hinterleib. Dieß ist doch, zumahl nach allen übereinstimmenden zahlreichen Exemplaren, für eigene Gattungsrechte, wesentlich genug.

*) Es ist die 2te Figur, seiner III. Tafel des I. Th. S. 7.

Der hundert und siebente europäische Nachtschmetterling.

BOMB. SPIRIL. DORSO LAEVI. MENTHASTRI.

Tab. LXVI. Fig. 6. Der männliche Falter. Fig. 7. Der weibliche, nach einer Abänderung von schwärzlichem Rand. Fig. 8. Die Raupe. Fig. 9. Das Gespinnste. Fig. 10. Die Chrysalide.

Spirilinguis, alis deflexis albis punctisque sparsis nigris abdomine fulvo, quinquefariam nigro-punctato.

System. Verz. der Wiener Schmett. S. 54. Fam. F. Sp. 2. Ph. Menthastri. Roßmünzspinner (Menthae Sylvestris.)

RAII Hist. Ins. pag. 195. nr. 40. Ph. media pulcherrima, alba, alis exterioribus punctis nigris perbelle ςικτοῖς.

GEOFFROI Hist. d. Ins. T. II. p. 118. nr. 21. Phalena pectinicornis elinguis, alis deflexis albidis, punctis nigris, abdomine ordinibus quinque nigrorum. La Phalene-tigre. Long. 9 lign.

SCOPOLI Ent. carn. p. 208. nr. 513. *Ph. Lubric.* Long. lin. 9. Lat. 5. Alba; oculis antennisque nigris, alis deflexis, anticis nigro punctatis, abdomine supra paleaceo, punctorum nigrorum ordinibus quinque. Göze Entom. Beytr. III. Th. III. B. S. 28—32. S. 58. nr. 61. Ph. Menth.

Müller Faun. Frider. p. 42. nr. 374. Ph. Lubric. Lin. Char. — Zool. Dan. Prodr. p. 119. nr. 1375. — Variat. punctis sparsis; linea punctorum interrupta transversa, ac punctis binis, altero remotiore agre conspicuo.

Rösel Ins. Bel. I. Th. Nachtr. II. Clas. S. 57. Tab. 2. 46. Die schwarz und streifhaarichte Raupe mit dem gelben Rückenstreif rc.

SCHAEFFER Icon. Ins. Rat. Tab. 114. Fig. 2. 3.

GOEDART Ed. List. p. 213. Num. 96. Fig. 96.

Hier habe ich nur den Abstand von erst beschriebener Phalene anzuzeigen, da beyde nach ihren Eigenschaften und Naturtrieben übereinkommen. Die Flügel sind weiß, doch von etwas unreiner Mischung. Sie führen zerstreute Punkte von schwarzer Farbe, die zuweilen grösser, öfters auch kleiner sind. Ich habe sogar Exemplare wahrgenommen, wo sich auf den Vorderflügel nur zwey, auch nur ein einzelner dieser Punkte fanden. Nach der siebenten Figur, erscheint eine Abänderung nach dem weiblichen Geschlecht, die ich unter andern aus der Raupe erzogen. Es sind die Vorderflügel etwas bräunlich und nach dem Rand und Endspitzen, schwärzlich angeflogen. An sich sind sonsten beyderley Geschlechter nur durch die kamm- und fadenförmige Fühlhörner verschieden.

Die Raupe hält sich lieber an Gewächse von starkem Geruch, dergleichen der Lavendel, die Frauenmünze und die Wirbeldoste (Origanum Vulgare) sind. Am gewöhnlichsten wird sie auf der wilden Mente (Mentha Sylvestris) auch in unseren Gegenden gefunden, besonders da, wo sie im starken Wuchs an Bächen oder Sümpfen steht.

Die Herren Verf. des Syst. Verz. haben ihr von daher obige Benennung beygelegt. Gödart fand sie auch auf der Weide. Er giebt zugleich die für damalige Physic hinreichende Erklärung an, warum sich so viele Raupenarten gerade auf diesen Gewächsen enthalten. Er glaubt, die Weidenblätter sind trockenen, und die Raupen allzunassen Temperaments, und so schickten sie sich vollkommen zusammen *). Welche Vortheile hatten unsere lieben Alten in Auflösung jeder Probleme der Naturlehre und wie bald waren sie damit fertig!

Diese Raupen sind im September und October am gewöhnlichsten vorhanden. In ihrem jugendlichen Alter haben sie ebenfalls eine veränderte Farbe, sie sind grün, doch dunkler und von schwärzeren Haaren. Die achte Figur stellt sie in ausgewachsener Grösse vor. Die Fläche ist dunkelbraun und die Haare von glänzendem Schwarz. Sie sind weit dichter und filzigter, als die von voriger Gattung; man bemerkt daher nicht sogleich weder den rothgelben Rückenstreif, noch die blauen Wärzgen zur Seite jeder Ringe. Dieß ist dennoch der wesentlichste Charakter. Das Gespinnste hat von den eingewebten schwarzen Haaren eine dunklere Farbe, so wie auch die Chrysalide ganz schwarz ist. Sie führet rothgelbe Luftlöcher. Die Zeit ihrer Entwicklung ist mit der von der Lubricipeda einerley, wie ich dorten schon angezeigt habe.

Der hundert und achte europäische Nachtschmetterling.

BOMB. SPIRIL. DORSO LAEV. LOTA.

Die Lota. Der Schwarzpunkt.

Tab. LXVII. Fig. 1. Der männliche Falter von beyden Seiten.

LIN. Syst. nat. Ed. XII. Sp. 70. Lota. B. Spirilinguis, alis cinereis; puncto disci atro posticeque striga purpurascente fracta. Spiralzünglichter Spinner, mit

*) l. c. „Multas erucas experior salicum foliis delectari, inter quas haec est, cuius figuram tabula exhibui. Ratio rei mihi videtur esse, quod folia salicum sint sicci temperamenti, quo nimia erucarum humiditas moderatur et corrigitur. —“

aschgrauen Flügeln, einem schwarzen Punkt in der Mittenfläche, und einem rothen abgesetzten Streif gegen die Endspitzen. Hab. in Eur. Alae superiores cinereae atomis aliquot nigris: in stigmate posteriore ad latus interius punctum atrum. — Faun. suec. Ed. nova nr. 1137. *)

Müllers Verz. der Wiener Schmetl. S. 76. Fam. L. Spreckenraup. Larvae albo punctatae. — Geradgestrichte Eulen. Ph. Noctuae rectolineatae. Nr. 6. Ph. Noct. *Lota*. Wasserweideneule. (Salicis pentandrae.)

FABRICII Spec. Ins. Tom. II. p. 191. Sp. 95. B. Lota. Linn. Char. — *Larva* cinerea, lineis nigris albisque, punctis albidis. Pupa folliculata, brunnea.

Fueßli Entom. Magaz. II. B. S. 9. Ph. Lota. Die schwarzgrüne Raupe mit weiß und schwarzen Streifen, und weißlichen Pünktgen.

Göze Entomol. Beytr. III. Th. III. B. S. 32. Ph. Lota. Der Schwarzpunkt.

CLERCK Icon. Ins. rar. Tab. VIII. Fig. 1.

Herr von Linne hat diese Phalene mit vorzüglicher Genauigkeit charakterisirt, und es hält nicht schwer, diesen Falter nach seinen Merkmahlen zu erkennen. Es erscheint hier die erste Abbildung, wenigstens ist die in dem Clerkischen Werk, allzu räthselhaft ausgefallen, als daß wir irgend einige angegebene Kennzeichen dahin anwenden können.

Die Fühlhörner sind sehr lang, aber ungemein zart gefiedert. Die Ausenseite der Vorderflügel ist aschgrau, gegen die Mitte etwas ins gilbliche verlohren. An diesem Exemplar fallen sie mehr ins schwärzliche, so wie auch die Hinterflügel um vieles dunkler sind. Bey andern bemerkte ich ein lichteres Colorit. Die Fläche der vordern ist mit einigen schwarzen Punkten bestreut. Ich füge noch hinzu, daß sich gegen den Rand, eine Reihe derselben in paralleler Krümmung zeigt. In der Mitte der Flügel finden sich zwey nächst mit einander verbundene nierenförmige Flecken. Sie sind aber meistentheils nur nach ihrem Umriß ersichtlich. Der Obere ist mit einer blassen Mackel ausgefüllt, der untere aber hat dagegen einen dunkelschwarzen gerundeten Flecken. Weiter gegen den Rand ziehet sich schrege

*) „Magnitudo media. *Antennae* vix manifeste pectinatae. *Alae superiores* cinereae, atomis aliquot nigris maculisque duabus obsoletis, solo margine conspicuis: interiore orbiculari, posteriore ad latus interius punctum magnum atrum. Striga fulva s. purpurascens latere posteriore albida: Striga haec versus posteriora semel diffracta est. *Subtus* alae pallide cinereae cum puncto atro et striga fusca, obsoleta, arcuata."

schrege eine dunkelrothe Linie durch den ganzen Flügel. Sie ist gegen die obere Spitzen etwas eingerückt, oder wie gebrochen, gegen den Rand aber mit einer weissen Linie gesäumt. Die Unterseite ist blässer gefärbt. In der Mitte eines jeden Flügels findet sich ein schwarzer Punkt, und daneben eine bogenförmige Linie von gleicher Farbe. Damit stimmen nun die Charaktere unseres Systems, und die Beschreibung der Faun. su. pünktlich überein. Ich fand diese Phalene zufällig im Herbst an den Stämmen der Bäume, mehr aber weiß ich nicht von ihrer Geschichte zu erzählen.

Unter dem Namen der Ph. Lota Lin. haben die Herren Verf. des Syst. Verz. nach obiger Anzeige auch die Raupe bemerkt, und Herr Fueßli beschreibt sie sehr genau. Ohnfehlbar ist die nehmliche Phalene damit gemeint, da die Beschreibung fehlt. Sie ist zur Zeit unter dieser Benennung noch sehr wenig bekannt. Ich füge ihre sorgfältige Beschreibung hier bey *), welche auch nach obigen Bemerkungen des Herrn Fabricius übereinstimmt, und hoffe die Bestättigung in der Folge anzuzeigen.

Der hundert und neunte europäische Nachtschmetterling.

BOMB. SPIRIL. DORSO LAEVI. RVSSVLA.

Rothgerandeter Spinner. Der Rothrand.

La bordure ensanglantée. GEOFFR.

Tab. LXVII. Fig. 1. Die Raupe auf einem blühenden Zweig des Apostemkrauts, (Scabiosa arvensis L.) nebst dem Gespinnste. Fig. 3. Die Chrysalide. Fig. 4. Der männliche Falter. Fig. 5. Der weibliche. Fig. 6. 7. Abänderungen nach geringerer Grösse beyderley Geschlechts.

LIN. S. N. Ed. XII. pag. 830. Sp. 71. B. Russ. Spirilinguis: alis deflexis luteis margine sanguineo lunulaque fusca; inferioribus subtus immaculatis. Spi-

*) Magazin. der Entom. obenang. O. Ausz. aus Herrn Chorherrn Meyers Bemerk. „Ph. Lota Lin. 70. Die Raupen, aus denen diese Schmetterlinge kommen, haben einen hellbraunen Kopf, einen schwarzgrauen Oberleib, mit 2 Reihen weißlichter Pünktgen, zwischen drey gleichfarbigen Linien. Auf jeder Seite befindet sich ein samtschwarzer, und unter demselben ein schneeweisser Strich der Länge nach. Der Unterleib ist sehr viel heller als der Oberleib. Ich

ralzünglichter Spinner, mit niederhangenden gelben, blutroth gerandeten Flügeln und einem mondförmigen braunen Flecken nebst ungefleckten Hinterflügeln nach der Unterseite. — Hab. in Lactuca, Scabiosa-Coniungo tres sexu vel aetate forte diversas. Alarum margo coccineus, uti abdomen inter femora. Die 1) ist Ph. *Sannio* Fauna suec. nr. 1135. in Beziehung auf Rob. ic. Tab. 30. Fig. 1. Acta ups. 1736. p. 23. nr. 41. Rai Ins. 228. nr. 75. *Descr.* Antennae pectinatae rachi coccinea, radiis fuscis. *Corpus* pilosum crinibus flavis. Abdomen inter pedes rubrum. Alae superiores extus flavae: in medio alae extus lunula ferruginea seu fulva in macula fusca: *subtus* fusco-nebulosae. Inferiores alae extus cinereae, macula in medio fusca, oblonga, et arcu intra marginem fusco; ergo alae inferiores extus simillimae alis superioribus a latere interiore. Alae inferiores subtus pallidae macula in medio obscura; omnes alas cingit margo pilis coccineis. Es ist dieß das Männchen der gegenwärtigen Abbildung. Die 2te, Ph. *Vulpinaria.* Syst. Nat. Ed. X. p. 520. Sp. 136. Ph. Geometra pectinicornis, alis anticis flavescentibus lunula ferruginea marginibusque rubris; subtus fuscis. Hab. in Gramine. Die nehmliche, mit voriger, oder etwa die kleinere Abänderung. Die 3te. Ph. Russula, nach der Fauna su. nr. 1156. — Spirilinguis laevis, alis *fulvis rubro venosis*, maculaque ferruginea, inferioribus nigro-variegatis. Habitat passim frequens. Simillima Ph. *Sannioni* (Russina Ed. XII.) ac si solo sexu differret, sed metamorphosi non innotuit. *Corpus* fulvum. *Antennae* fulvae. *Alae superiores* supra fulvae: lunula obsoleta rubra in medio; subtus flavae nigro-variae. *Inferiores* supra flavae nigro variae; subtus flavae maculis nigris.

Müllers Uebers. des Nat. S. V. Th. 1. B. S. 676. nr. 71. Ph. Russ. der Rothrand.

RAII Hist. Ins. p. 228. nr. 75. Ph. minor, corpore crasso, e fusco et rubro diversicolore; alis exterioribus obscure rufis seu pullis, duobus maculis nigris notatis, interioribus e pullo et rubro variis.

GEOFFROI Mem. des Ins. To. II. p. 129. nr. 39. Ph. pectinicornis, spirilinguis alis deflexis, pallido-luteis, limbo roseo, superioribus macula, inferioribus fascis duplici fusca. Long. 10 lign.

SCOPOLI Entom. carn. p. 211. nr. 520. Ph. *Sannio.* Alae omnes macula media obscuriore: anticae subtus, posticae supra fascia fusca. In Carniolia calidiore. Variat 1) alis anticis *supra* paleaceis: media rubro-fuscoque varia margine undique rubro, *subtus* disco fuscescente; limbo paleaceo; macula fusca reni-

nenne sie: die schwarzgraue Raupe mit weiß und schwarzen Streifen, und weißlichen Pünktgen. Ihre Nahrung sind Weidenblätter, hinter deren einigen zusammengezogenen sie sich zu verstecken pflegen. Sie verwandelten sich in Häusgen von Seide und Erde; die erste that es den 28. Heumonath, und der Schmetterling kam den 15. Herbstmonath hervor." —

formi, paleacea atmosphaera cincta. — *Posticis* supra albidis: fascia obsoleta maculaque fuscis; margine rubro. — Subtus paleaceis, absque macula et fascia. 2) alis iisdem, sed posticis subtus macula fusca media obsoleta. 3) alis cereis, absque margine rubro; anticis subtus fascia postica maculaque fuscis; posticis subtus immaculatis. 4) alis albis, absque margine rubro; anticis macula fusca obsoleta; posticis supra macula fasciaque fuscis obsoletis; subtus rudi maculae mediae vestigio.

FABRICII Syst. Ent. p. 579. nr. 80. Bomb. Russ. Linn. Char. — Spec. Ins. Tom. II. p. 294. Sp. 111. System. Verz. der Wiener Schm. S. 54. Fam. E. nr. 13. Ph. Russ. Apostemkrautspinner. (Scabiosae arv.) Fueßli Schw. Jns. p. 36. nr. 682. Ph. Russ. Der Rothrand. Müller Zool. Dan. Prodr. p. 119. nr. 1389. Ph. Sannio. Linn. Char. Göze Entom. Beyträge III. Th. III. B. S. 33. nr. 71. B. Russ. Der Rothrand. Maders Raup. Cal. S. 48. nr. 130. Ph. Russ. Der Rothrand S. 67. nr. 191. Jung Verz. europ. Schm. S. 128. B. Russ. Syst. Nat. du regn. an. Tom. II. pag. 149. nr. 28. Ph. du Gramen ou Chiendent.

Kleemanns Beytr. S. 172. Tab. 20. Die kleine, überaus schnelllaufende, mit braunrothen Haaren, einem gelben Rückenstreif und schwarzen als kupferglänzenden Kopf versehene Raupe.

SCHAEFER Icon. Ins. ratisb. Tab. 83. Fig. 4. 5.

ROBERT Icon. Tab. 30. Fig. 1.

CLERCK Icon. Ins. rar. Tab. 4. Fig. 1.

Die Ph. Russula erscheint nach beyden Geschlechtern in sehr verschiedenem Gewand, und auch nach den Abänderungen ist sie sich sehr ungleich. Den erstern Beobachtern, da sich die Raupe so spät entdeckte, muste sie nothwendig befremdend scheinen und zu Irrungen Anlaß geben. Herr von Linne hat in seinen Werken diese Phalene nach drey unterschiedenen Nahmen, als eigenen Gattungen angegeben, in der zwölften Ausgabe hingegen sie für eine einzige erklärt. Sie wurde Sannio, Vulpinaria und Russula geheissen. Ich habe diese Erörterung bereits oben angezeigt. Noch kommt vollends auch die vierte vermeintliche Gattung hinzu. Es ist seine in nächster Folge angegebene Ph. Rufina, die ich für keine andere als das rothbraune Weibgen dieser Russula nach zufälliger Abänderung, zur Zeit erklären kann. Er hält sie selbsten damit am allernächsten verwandt. Auch die angegebene Binden finden sich in einigen Varietäten, wie die Merkmahle sie besagen. Sie wurde vorhin Helvola geheissen. Gerade ergiebt die Abbildung des Clerks nichts entscheidendes,

U u 2

dahin wir verwiesen werden. Es lassen sich wenigstens keine angegebene Merkmahle dahin erklären. Ohne diese Auskunft ist mir die Ph. Rufina das räthselhafteste Geschöpf, wenigstens sind nicht hinreichende Merkmahle angegeben. Ich füge hier die ihr zugetheilten Charaktere bey, und zugleich die Anzeige der Schriftsteller, die sich dahin bezogen, doch ohne weitere Eröterung zu geben *). Sind auch diese Irrungen beygelegt, so haben sich noch andere, wegen des Geschlechtsunterscheids ergeben. Man hat die Falter der 4ten und 5ten Figur dieser Tafel für verschiedene Gattungen erklärt. Nach einzelner Erziehung haben sie freylich auch nur einen oder den andern ergeben, und ich habe selbsten noch keine Erfahrung von der Nachkommenschaft eines Weibchens nach Absetzung der Eyer angegangen. Wir haben diese Bedenklichkeiten aber wohl nicht nöthig.

Beyde Phalenen befinden sich im Freyen beysammen. Nie wird man noch von dem Falter der vierten Figur als dem Männlichen, einen in gleichem Colorit mit fadenförmigen Antennen, dem Kennzeichen des weiblichen Sexus, gefunden haben. Gleiche Bewandniß hat es mit dem Falter der fünften Figur. Er hat jederzeit fadenförmige Antennen, nie ist er mit kammförmigen jemahlen entdeckt worden, es müßte denn eine der seltsamsten Ausarten seyn. Noch sind beyde Phalenen, nach dem wesentlichsten ihrer Bildung übereinstimmend, und nur das Colorit, wie es bey mehreren Gattungen sich ereignet, ist verschieden. Auch Herr Kleemann hat sie von gleichen Raupen erzogen. Ich ersehe wenigstens hier die Schwierigkeiten nicht, die man deshalb erhoben, und wovon ich auch meine Leser mit einer umständlichen Anzeige nicht zu belästigen habe. Es ist vielmehr das erheblichste der Naturgeschichte zu erzählen.

*) Syst. N. Ed. XII. Sp. 72. Rufina. Ph. B. Spirilinguis alis depressis rufis: fasciis fuscescentibus: postica latiore; subtus rufescentibus. Syst. N. Ed. X. pag. 822. Ph. *Helvola*. Faun. su. nr. 1142. alis rufis: fasciis subfuscentibus postica latiore. — Clerck Ic. Tab. 4. Fig. 8. Hab. in Europa. Affinis Ph. Russulae; Tentacula saturatius rufa. Antennae augustissimae.

Müller Uebers. des N. S. V. Th. I. B. S. 676. Ph. ruf. Der Rothflügel.

Syst. Verz. der Wiener Schm. S. 85. Fam. R. Halsschildraupen, röthlich braune Eulen. nr. 9. Ph. Noct. Rufina Loheicheneule. (Quercus Roboris.) Es ist ungewiß, welche Gattung damit gemeint ist.

Göze entom. Beytr. III. Th. III. B. S. 34. Sp. 72. Ph. Rufina. Der Rothflügel.

Die Raupe ist, wie mehrere dieser Haarigten, nicht an eine eigene Pflanzengattung gewöhnt. Man trifft sie insgemein auf dem Apostemkraut, der bey uns in allen Wiesen gemeinen Scabiose an. Man kann sie mit Salat, dem Wegerich und andern niedern Gewächsen erziehen. Sie erreicht zu Ende des Junius ihre ausgewachsene Grösse. Im Lauf ist sie sehr behende, und verbirgt sich im tiefen Gras an den Wurzeln. Nach ihrer Gestalt ist sie sehr schlank, und gegen den Hinterleib verdünnt. Die Oberfläche ist schwarzbraun, und führt über dem Rücken eine hellgelbe Linie, welche über jedem Ring durch ein rothgelbes Knöpfgen unterbrochen ist. Zur Seite eines jeden dieser Ringe, finden sich noch vier schwarzbraune Knöpfgen. Die Luftlöcher erscheinen als helle Punkte von weisser Farbe, die Haare aber sind sehr filsig, am Hinterleib mehr verlängert, und von fuchsrother Farbe.

Sie baut sich ein ziemlich weites Gewebe, das sie gemeiniglich an flache Körper anlegt. Die Chrysalide ist röthlichbraun, und sehr glänzend. Sie äussert eine lebhafte Bewegung. In Zeit von 14 Tagen, sonach ohngefähr in der Mitte des Julius, erfolgt die Entwickelung der Phalene. Sie hält sich in lichten Waldungen auf dem Gras auf, und fliegt bey Tag. In unseren Gegenden ist sie, wie an andern Orten sehr häufig. Nur gehet das Frische ihres Colörits in wenigen Tagen verlohren, sie werden ganz ausgebleicht, und verliehren ihre leicht befestigten Schuppen.

Der männliche Falter, wie die vierte Figur ergiebt, hat nach der Aussenseite der Vorderflügel ein sehr schönes Gelb, das ins Ockerfärbige gemischt ist. Es ist zuweilen höher, gemeiniglich aber blässer, die von hellerem Gewand hingegen sind verflogene Exemplare. Der Rand ist mit rosenrothen Borden verschönert, und ein Flecken von dergleichen Farbe stehet in der Mitte, der mit einem dunkleren vermengt ist. Die Hinterflügel haben ihn schwarz und führen gegen den Rand eine unterbrochene Binde von gleicher Farbe. Sie ist bey einigen stärker angelegt, bey andern fehlet sie gänzlich, so wie die Unterseite in ihrer Fläche keine Verzierungen hat. Die Fühlhörner sind nach dem Stiel, dunkelroth, nach den Fasern aber gelblich braun.

Die weibliche Phalene ist nach dem Sexus schon durch die beträchtliche Stärke des Hinterleibs, und die fadenförmigen Fühlhörner leicht kenntlich. Die Grundfarbe des ganzen Körpers ist röthlichgelb, die Flügel sind mit bräunlichrothen Adern durchzogen, und haben einen dergleichen gedoppelten Flecken in der Mitte, wie eine Binde gebildet. Weiter gegen den Rand zeigt sich ein verlohrner Schatten, der in einigen Exemplaren gleiche Stärke wie ersterer Flecken und eine vorzügliche Breite hat. Und darinnen käme der Charakter, mit dem der Herr von Linne die Rufina bezeichnet, ganz pünktlich überein. Abänderungen beziehen sich hauptsächlich auf das mehr erhöhete Rothbraun der Aussenseite, und der schmalen oder breiteren Flecken von schwarzer Farbe.

Eine weit mehr beträchtliche Abweichung habe ich nach der sechsten und siebenten Figur, nach beyden Geschlechtern in Abbildung beygefügt. Sie sind eigene Racen, und behalten in ihren Erzeugungen gleiche Grösse, im übrigen aber sind sie nicht verschieden gezeichnet. Geoffroi *) hat derselben bereits erwähnt; doch es scheint, er habe nur eines dieser Geschlechter gekannt. Es halten sich diese Arten in der Gegend von Leipzig auf, und wurden auch von Herrn Oelmann aus der gleichgestalteten Raupe erzogen. Die Originale der vorliegenden Abbildung finden sich in der Sammlung des Herrn Walthers.

Der hundert und zehente europäische Nachtschmetterling.

BOMB. SPIRIL. DORSO LAEVI AL. DEFL. GRAMINIS.

Der Grasspinner. Die schädliche Grasmotte.

Phaléne de l'herbe. DEGEER.

Tab. LXVIII. Fig. 1. Die männliche Phalene von beyden Seiten.

LINNEI Syst. Nat. Ed. XII. p. 830. Sp. 73. Ph. Graminis. Bomb. Spirilinguis alis depressis griseis: linea trifurca punctoque albidis: Spiralzünglichter Spinner, mit niederhangenden röthlichbraunen Flügeln, einem Flecken mit drey Spitzen, und einem Punkt von weisser Farbe. Faun. su. Ed. n. nr. 1140. **).

*) Obenang. O. „Il y a une variété plus petite, qui n'a que six lignes de longueur. Elle est beaucoup plus jaune, de couleur de Tabac d'Espagne et ressemble tout a fait a l'autre, mais ses antennes sont moins barbues.“

**) „Habitat in Gramine (Alepecuro intacto) pessima nostratibus, prata certis annis nec determinatis, devastans, foenum omne consumens, unde pecora periclitantur, pretium foeni adscendit; prata inde proximis annis flo-

Ed. I. nr. 826. Ph. *calamitosa.* Müllers Uebers. des Natur S. V. Th. I. B. S. 676. nr. 53. Ph. Gram. Der Grasmäher. ROGGENKAMP Disquis. phys. Vermium in Norvegia etc. Tab. I—III. *Acta acad. Upsal.* 1736. pag. 25. nr. 75. Abhandl. der schwed. Acad. der Wiss. IV. Th. S. 51. Uebers. von Kästner. Abraham Bäcks Beschr. der Grasraupen Tab. II. Fig. A — E. — XII. Th. p. 185. — XX. Th. p. 48. Grasraupen. RAII Hist. Ins. p. 228. nr. 104. Ph. e minoribus maiuscula, alis oblongis, exterioribus e cinereo albicantibus, nigris punctis et maculis variis, et linea alba tridente in medio. FABRICII Syst. entom. p. 586. nr. 106. B. Graminis. Linn. Char. — p. 577. nr. 71. *Bombyx popularis*, alis deflexis fuscis, albo striatis, stigmatibus albis, pupilla brunnea. — *Spec.* Ins. Tom. II. pag. 204. nr. 148. Habit. in Gramine, excepto Alopecuro, prata devastans. *Larva* glabra, obscura stria laterali dorsalique flavis, praedatur a suibus, corvis. Quies quatuordecim dierum. System. Verz. der Wien. Schm. p. 31. Fam. O. Breitstreifraupen, Jaspisfärbige Eulen. nr. 13. Ph. Gram. Futtergraseule. OTTO FABRIC. Fauna Groenland. Havn. et Lips. 1780. pag. 193. nr. 144. Ph. Gram. Linn. Char. Allgem. Magaz. der Nat. IX. Bd. S. 328. §. 3. Wiesenlarven. Wiesenwürmer. Fischers Nat. Geschichte von Livland, S. 152. nr. 358. Der Grasmäher. CATHOL. Lit. G. S. 235. Chenille du Gramen. Die Grasraupe; der Grasmäher. Ph. Graminis. DEGEER Mem. Tom. II. Part. I. p. 340. nr. 5. Phal. à antennes barbues à trompe, à ailes rabatues d'un gris brun, avec une raye longitudinale branchue blanchâtre, et trois taches jaunâtres sur les superieures. Ph. de l'herbe. — *Chénille* rase d'un gris obscur avec une raye jaune de chaque côte du corps et une ligne jaune le long du dos. — Göze Uebers. I. Th. S. 42. Anm. Ph. Gram. — II. Th. I. B. S. 39. Anm. Ph. Gram. — 247. nr. 5. Die Grasmotte. Göze entom. Beytr. III. Th. III. B. S. 34. nr. 73. Ph. Gram. Die Grasspinner. ONOMAST. Hist. Nat. P. VI. p. 373. Ph. Gram. Der schädliche Grasraupenvogel. MÜLLERI Faun. Frider. pag. 42. nr. 375. Ph. Gram. Spirilinguis, alis depressis griseis; linea ramosa lunulaque glaucis. — ZOOL dan. Prodr. p. 119. nr. 1376. Ph. Gram. Linn. Char. Jung Verz. europ. Schm. S. 63. Ph. Gram. BECKMANNI Epit. Syst. Lin. pag. 163. nr. 73. Ph. Gram. — Physical. öconom. Bibl. II. Th. S. 313. Ph. Gram.

rent florentibus plantis, antea solo gramine tectis. Pellitur cornicibus, suibus, fossis. *Desc.* Est e Phalaenis mediis. Tota satis brevis, hirsuta. *Alae superiores* cinereo-fuscae, quas lineae aliquot longitudinales glaucae exarant. Vbi haec striae ramosae evadunt, observatur lunula grisea cornibus posteriora respiciens; supra hanc lunulam punctum griseum est. Alae hac subtus cinereo-fuscae, cum puncto nigro in medio: *alae inferiores* pallide griseae cum fuscedine versus marginem, et puncto subtus nigro."

—

Die Raupen dieser Phalene haben sich in den nördlichen Erdstrichen unseres Welttheils, durch die Verwüstungen der Wiesen allgemein furchtbar gemacht. In unseren vaterländischen Gegenden würden sie noch nicht entdeckt, und wir werden auch nie ihren Besitz verlangen. Unter dem Nahmen der Ph. Graminis hat man wohl verschiedene, jedoch ganz andere Gattungen angegeben. Es wurde die Ph. Mi, die oben beschriebene Ph. Lolii, die Dentina, und die hier nächstfolgende sehr ähnliche Tricuspis insgemein darunter verstanden. Ich habe den ächten Falter nach der ersten ausgemahlten Zeichnung meinen Lesern hier mitzutheilen. Es wurde mir durch die gütige Bemühung des Herrn Hofrath Böber in Petersburg, ein Exemplar aus der Gegend von Stockholm, übersendet. Von der Raupe habe ich eine genaue Zeichnung, so wie einige in Weingeist verwahrte Exemplare nach sicheren Verheissungen zu erwarten. Es hat sich für jetzt damit verspätet, und ich muß sie dann auf die Fortsetzung verspahren. Einstweilen habe ich nach den ausführlichen Bemerkungen der Schwedisch. Abhandl. und anderen zuverlässigen Urkunden ihre Geschichte zu erzählen.

Nach den gemeinsten Exemplaren, erreicht sie eine Länge von einem Zoll, und eine Linie in der Dicke. Sie ist ganz glatt, und kommt der Ph. Lolii am nächsten, mit der sie fast gleichartig ist. Der letzte Ring und der nächste am Kopf ist mit einer harten Schaale umgeben und von vorzüglicher Glätte. Die Grundfarbe wird schwärzlich angegeben, einige aber fallen mehr ins braune. Ueber dem Rücken vom Kopf bis an die Endspitze ziehet sich ein gelblichter oder lichterer Streif, dergleichen auch zur Seite der Luftlöcher sich findet, und den Körper umgiebt. Nach einer Beugung gegen die Endspitze vereinigt er sich mit dem in der Mitte. Unter jedem dieser Seitenstreifen ziehen sich noch mehrere in paralleler Lage, über sämmtliche Ringe, doch gehen sie nicht bis in die Einschnitte. Unterhalb denselben hat jeder Ring eine etwas flache Vertiefung. Die Schwanzfüsse sind vorzüglich dicker als die übrigen, und auch länger, dabey über der Endspitze heraus stehend. Die Unterseite des Leibs ist ganz schwärzlich. So

*) Die Raupe, welche nebst dem Falter in Frisch Beschr. d. Ins. X. Th. p. 24. nr. XXI. Tab. 21. fig. 1. 2. 3. gezeichnet ist, und die man für die Ph. Graminis gehalten, ist wohl eine ganz verschiedene Gattung. Es stimmen keine der angegebenen Merkmahle überein, als daß sie ebenfalls im Niedern sich aufhält und vom Grase ernährt.

So weit geht die Beschreibung in Bemerkung der wesentlichsten Kennzeichen, und diese ist auch hinreichend genug!

Die Futterpflanzen dieser Raupen, sind nur gewisse Gattungen der Gräser, besonders diejenigen mit glatten Blättern. Sie lassen einige, wie den Alopecurus, und sogar die Getreidarten, gänzlich verschont. So wird uns nach den Berichten der oben angezeigten Schwed. Abhandl. gemeldet; daß sie einstens eine Wiese gänzlich verwüstet hatten, und um weitere Nahrung zu suchen, sich über ein Kornfeld verfügten, das sie aber ganz unversehrt gelassen. Dann zogen sie weiter über eine Anlage von Gartengewächsen, wo ihnen gleichfalls bei allem Hunger nichts anständig war, bis sie endlich wiederum auf eine Wiese gelangten. Auch der Klee, die Chamille, der Hahnenfuß und andere Gewächse werden von denselben verschont. Sie halten sich, wie die Erzählung besagt, lediglich an die weicheren Grasarten. Der Schade, den sie dadurch verursachen, ist von den betrübtesten Folgen. Sie leben in der Tiefe nächst an den Wurzeln verborgen, in zahlreicher Menge. Hier zernagen sie die Keime, ohne die Blätter ganz zu verzehren, und so sind in wenigen Tagen ganze Fluren verödet, die dann bey dem Grünen anderer Gewächse, wie von der Kälte des Winters verdorben scheinen. Man hat beobachtet, daß sie sich nur an den Gegenden nächst den Ufern, ohnfehlbar wegen der wärmeren Luft aufhalten, eine oder anderthalb Meilen Landwärts aber nicht mehr gefunden werden. Sie kamen auf dürren ungebrachten Feldern, wo sich kleine Erdhügel fanden, zuerst zum Vorschein, und verbreiteten sich dann in zahlreichen Heere. Dieß ereignete sich besonders im Jahr 1741, wo sie in Helsingeland, Gestrikeland und andern schwedischen Provinzen große Verwüstungen und die daraus entstandene Theuerung des Heu veranlaßt hatten. Im folgenden Jahr fanden sie sich um Christiania in Norwegen in zahlreichen Heeren ein, wo sie sich als noch unbekannte Geschöpfe äusserst furchtbar machten *). Es meldet Herr Otto Fabricius in seiner Grönländischen

*) Roggenkamp Obenang. O. Es ist diese Schrift die erste Nachricht, die wir von diesen Raupen haben. Sie wurde mir durch die Güte unseres berühmten Herrn Hofrath Schrebers mitgetheilt. Wegen ihrer Seltenheit füge ich hier den ganzen Titel bey: „Disquisitio physica vermium in Norvegia, qui novi visi, una cum tabulis aeneis, quam Praeses G. Detharding Fac. med. et Coll. med. Dec.; ulteriori eruditorum examini proponit Respondente Alb. Aug. Rog-

Fauna, daß sie im Jahr 1778 in der Gegend des Meerbusens Angmaksivic, bey der Colonie Friedrichshaab, alles Gras verzehrte, und um weitere Nahrung zu suchen, sich ins Meer und die nächst gelegenen Gewässer gestürzt hätten. Sie halten sich sonach auch in den äussersten Gränzen der nördlichen Erdstriche auf und wo sich nur ihre gewohnte Fütterung findet. Sie dringen sogar in die Hütten der Grönländer ein, um weitere Nahrung zu suchen. Diese Nationen, welche sonst nicht die reinlichsten sind, haben für Raupen, wie unser Pöbel, den empfindlichsten Eckel. Die Verwüstungen des Grases hingegen sind ihnen eine sehr gleichgültige Sache. Sie vertreiben diese Raupen, als die unangenehmsten Gäste, durch Anzündung der Fluren. Doch schon zu Ende des Junius haben sie ihre vollkommene Größe erreicht, sie gehen dann die Chrysaliden = Verwandlungen an. Das gemeine Landvolk, dem diese Ereignisse unbekannt sind, stellet dann Dankfeste an, da es zu Anfang des Sommers Buß und Bettage gehalten. Würden auch diese Thiere eine nicht so kurz bestimmte Lebenszeit haben, so hätten sie längstens ganze Reiche vernichtet. Bei aller Unwissenheit dieser Einwohner in natürlichen Ereignissen, kann ich eine würkliche Verehrung der Allmacht nicht ganz zum Aberglauben rechnen, dahin es andere ausgelegt haben. Wissen wir doch selbsten so vieles Verborgene nicht zu erklären. Es ist einmahl alle Absicht erreicht, wenn wir durch Betrachtung der Werke des Schöpfers auf höhere Kenntnisse geleitet werden, wenn wir den unendlichen

genkamp Philos. Baccal. Ad diem Sept. 1742. Havniae. Ex Typ. Reg. Maj. et Vnivers. Typogr. I. G. Höpffneri. 4to. pag. 1—38.“ Auf der Iten Kupfertafel wurden die Raupen und die Phalene nebst der Chrysalide, in natürlicher Größe und verschiedenen Lagen vorgestellt, auf der IIten aber die Raupe nach der Ober = und Unterseite, in sehr starker Vergrößerung. Die IIIte Tafel stellt die Phalene, nach gleicher riesenmäßiger Vergrößerung vor; jedoch nur nach der Unterseite. In der Vorrede erzählt der Verfasser die Geschichte der Verwüstungen dieser Raupe in dasiger Gegend. Er handelt dann von dem Allgemeinen dieser Geschöpfe nach Jonston, Mouffet, Gödart und andern ältern Entomologen. Genaue Charakteristik findet man hier nicht. Der Verf. hatte bey seinen Zeiten noch allzugroße Vorurtheile zu besiegen. So hatte er ausführlich zu erweisen, daß diese Raupen aus Eyern entstehen, daß sie nicht vom Himmel gefallen, weder für neu zu halten, noch wegen ihrer schwarzen Farbe für eine Vorbedeutung künftiger Unglücksfälle zu erkennen wären.

Urheber, nach seiner Weisheit und Güte verehren, das einzige Glück vernünftiger Wesen!

Ich habe noch der Mittel zu erwähnen, deren man sich bedient, den Verwüstungen dieser Thiere zu begegnen. Sie haben ihre eigenen Feinde. Die Raben und Krähen lesen sie begierig auf, und würden sie bald vertilgen, wenn sie nicht in einigen Gegenden sich allzu zahlreich fänden. Auch die Schweine werden dahin abgerichtet. Man hat ferner durch gezogene Wassergräben ihre weiteren Verwüstungen beschränkt. Durch ernstlichen Fleiß würden noch mehrere Mittel anzuwenden seyn, deren ich zum Theil schon bey andern Gattungen erwähnt habe. So dürfte man nur Belohnung auf gewisse Lieferungen setzen, es würden Raupen dieser Art für die Zukunft nur allzu große Seltenheit werden, wenn sie anderst den Aufwand selbsten verdienen. Es haben einige mit großen Kosten um ihre Plätze Ameishaufen geschüttet, wo aber nothwendig diese Thiere mehr auf ihre eigene Sicherheit, als auf den Angriff der Feinde den Bedacht genommen. Ueber ein unterhaltenes Feuer, wie einige vorgeschlagen, waren sie freylich nicht vermögend wegzuziehen, da sie die Probe der Unschuld nach alten Rechten nicht zu erweisen vermochten. Zu diesem Mittel wird mehreres Holz als der Ertrag einer Wiese erfordert. Doch es sollten sich nach anderer Meinung, die auskommenden Phalenen dahin ziehen, und gutwillig ihr Leben in den Flammen verliehren. Es kommt einmahl nur auf den Ernst der Behandlung an. Sind doch auch Bären und Wölfe, die ursprünglichen Bürger unsers lieben Vaterlandes, nun gänzlich ausgerottet worden; man könnte sich schädlicher Raupen, wenn man wollte, doch leichter bemeistern! Doch wir haben nicht einmahl diese in nördlichen Gegenden so verhaßten Geschöpfe eigen. Man kennt aber ähnliche Gattungen, und diese würden uns leicht eben so nachtheilig werden, es ist ihre Kenntniß nöthig.

Die Verwandlung ihrer Raupen hat nach obigen Bemerkungen nichts vorzügliches. Man hatte kein Gespinnst bemerkt, die Chrysaliden lagen auf freyer Erde, und sie waren nach der gemeinsten Art von schwarzbrauner Farbe und sonsten nicht auszeichnend verschieden. Das Auskommen der Schmetterlinge erfolgt schon in vierzehen Tagen, und sie zeigen sich auch im Flug vom Anfang bis in die Mitte des Julius. Sie sind in jenen Ländern ausserordentlich häufig auf Wiesen, doch eben nicht alle Jahre, so wie auch

Xx 2

die Raupen selbsten sich nicht in gleicher Menge finden. Die Grundfarbe ist braun mit grauem vermengt. Die Verzierungen sind hauptsächlich eine weisse nach der Länge verbreitete Linie, die sich gegen den äussern Rand in zwey Spitzen und eine gerundete Mackel endigt. In der Mitte befindet sich noch ein dergleichen zirkelförmig gestalteter kleinerer Flecken. Nächst an den lichtgrauen glänzenden Borden stehet eine Reihe dreyeckigter Flecken von schwarzer Farbe. Das Männchen hat etwas stark gefiederte Fühlhörner, das Weibchen aber führet sie fadenförmig.

Der hundert und elfte europäische Nachtschmetterling.

BOMB. SPIRIL. DORSO LAEVI. TRICVSPIS.

Braungelber Spinner mit dreykantigen weissen Flecken.

Tab. LXVIII. Fig. 2. Der männliche Falter. Fig. 3. Der weibliche nach einer Abänderung.

Bomb. spiril. alis depressis rufescentibus, macula longitudinali trifurca, basi binis linearibus albis.

Man findet diese Phalene in unsern Gegenden, wiewohl sehr selten. Sie wurde aus der Raupe öfters erzogen, jedoch ohne genaue Bemerkungen anzugeben. Nach vorläufigen Nachrichten nährt sich sich gleichfalls vom Gras, und soll nach den Zeichnungen der erst beschriebenen gleichen. Auch hier ist sonach das Mangelhafte ihrer Geschichte in der Fortsetzung zu ergänzen.

Von der Phalena Graminis, der sie nach dem dreykantigen weißen Flecken auf den Vorderflügeln, sehr gleicht, weicht sie dennoch beträchtlich ab. Die Grundfarbe ist rothbraun mit Ockergelbem vermengt, und bei dem Weibchen um vieles lichter, als welches fast einförmig mit lezterer Farbe überzogen ist. Ersterwähnter weisse Flecken endigt sich in drey Spitzen, da bey jener Gattung eine davon mehr gerundet erscheint. Es fehlt die Reihe der dreyeckigten Flecken gegen dem äussern Rand, oder es zeigen sich wenigstens an dem Weibchen kaum sichtliche Spuhren. Von der Grundfläche an, verbreiten sich noch zwey fast gleichbreite, an ihrem Ende gerundete Linien gegen die Mitte der Flügel. Auch die Mackel in der Mitte ist durch die Sehnen getheilt, bey dem Falter der dritten Figur aber ablangrund gestaltet. Dieß giebt den vorzüglichsten Abstand, der sie von der Ph. Graminis wesentlich unterscheidet.

Der hundert und zwölfte europäische Nachtschmetterling.

BOMB. SPIRIL. DORSO LAEVI AL. DEFL. LVSORIA.

Die Lusoria.

Tab. LXVIII. Fig. 4. Die männliche Phalene von beyden Seiten.

LINNEI Syst. Nat. Ed. XII. p. 831. Sp. 74. Ph. Lus. Bomb. Spirilinguis, alis incumbentibus: superioribus glaucis lunula thoraceque antico ferrugineis. Spiralzünglichter Spinner mit überdeckenden Flügeln, grauen röthlich schattirten Vorderflügeln, und einer rostfärbigen mondförmigen Mackel nebst dergleichen gegen die Vorderseite gefärbten Brust. REAVM. Ins. Tom. I. Tab. 14. Fig. 10. Hab. in Germania. *Wilke.* Statura et magnitudo Ph. Cribariae. *Thorax* cinerascens, antice versus caput ferrugineus. *Antennae* parum pectinatae, corpore dimidio breviores. *Alae* incumbentes, glaucae, temere adspersae lineolis tranversis griseis; in medio macula transversa ferruginea parva, et ante hanc punctum ferrugineum. Inferiores alae pallidae.

Müllers Uebers. des Nat. Syst. V. Th. 1. Bd. Ph. Lus. Die Spielart.

Göze Entomol. Beytr. III. Th. III. Bd. S. 32. Ph. Lus. Die Spielart.

Unter obenstehendem Nahmen hat Herr von Linne einen aus dem teutschen Reich ihm zugebrachten Falter bezeichnet, von dem wir eben zur Zeit das Gewisse nicht hatten entscheiden können. Wir finden ihn nirgend angegeben. Es beziehet sich zwar unser System auf eine Zeichnung des Reaumür, wo wir aber bey räthselhafter Abbildung, sogar die angegebenen Merkmale vermissen. Er findet sich dorten mit einigen der Ph. Pronuba ähnlichen Arten abgebildet, wo wir aber weiter keine Zeichnungen, als einen schwarzen Flecken gegen die Flügelspitze zu ersehen haben. Er gehört also gar nicht hierher. Wir haben nun die angegebenen Charaktere auf irgend eine unserer Phalenen anzuwenden, und wo sie am genauesten einstimmen, sie nothwendig für die Lusoria zu erklären. Giebt es mehrere Gattungen, welchen sie ebenfalls angemessen sind, so ist unsere Irrung verzeihlich, wenn die Charaktere selbsten nicht die erforderliche Genauigkeit hatten. Der in Abbildung hier beygebrachte Falter findet sich in unsern Gegenden, wiewohl etwas selten. Wir treffen ihn in Waldungen des Sommers an. Er kommt von einer den Spannenmessern ähnlichen Raupe mit vier Bauchfüßen. Nach diesen Merkmahlen vermuthe ich, daß auch die Herren Verfasser des Syst. Verz. gleichen Falter unter eben dieser Benennung möchten gemeint haben *). Sie bestimmten eine eigene Familie der Spinner, welche breite und flache Vorderflügel, mit düstern undeutlichen Querstreifen haben, deren Raupen sich aber denen Spannenmessern nähern. Die Falter fliegen meistens bey Tage.

Herr von Linne vergleicht die Phalena Lusoria mit der Ph. Cribraria. Man hat sie zwar beynahe in gleicher Größe, doch ihre Gestalt ist so ähnlich nicht, es seyen dann die breiten Hinterflügel, und die solche etwas überdeckende Vorderflügel. Doch die übrigen Charaktere bezeichnen sie genauer. Die Brust ist aschgrau und gegen den Kopf rostfärbig angeflogen. Die Fühlhörner haben die halbe Länge des Körpers, und sind mit sehr feinen sichtlichen Seitenfasern besetzt. Die Vorderflügel führen eine aschgraue, etwas hin und wieder ins Blaulichte und Röthliche schattirte Farbe. Es zeigen sich in schreger Lage, eine Menge kleiner dunkelbrauner Linien darauf. In der Mitte aber steht ein dergleichen mondförmiger Flecken, und vor demselben noch ein kleinerer Punkt. Die Hinterflügel haben keine Verzierungen, sie sind blaßgrau mit Gelblichem vermengt. Mit diesen Merkmahlen kommt nun unsere Phalene ganz überein, und wir haben daher wohl nicht zu zweifeln, daß sie nicht die angegebene Lusoria ist.

Der hundert und dreyzehente europäische Nachtschmetterling.

BOMB. SPIRIL. DORSO LAEVI AL. DEFL. GRAMMICA.

Schwarzgestreifter Spinner. Der Streifflügel.

La Phaléne chouette. GEOFFR.

Tab. LXVIII. Fig. 5. Die Raupe auf einem Zweig des Beyfus, (Artemisia vulgaris Lin.) Fig. 6. Die Chrysalide. Fig. 7. Der männliche, Fig. 8. der weibliche Falter.

LIN. Syst. nat. Ed. XII. pag. 831. Sp. 75. Grammica. Bomb. Spirilinguis: alis deflexis luteis: superioribus flavis nigro-lineatis; inferioribus fascia terminali nigra. Spiralzünglichter Spinner, mit niederhangenden gelben Flügeln, die

*) S. 94. Fam. Aa. Larvae serpentinae, Schlangenraupen. Noctuae geometriformes, Spannerförmige Eulen. Raupen mit einigem Anfang von allen Bauchfüssen — Phalenen, mit einer schwärzlichen unvollkommenen Mondmakel auf den Vorderflügeln. Sp. 2. Lusoria Lin. Lackritzwicken-Spinner, (Astragali Glycyphylli).

vordern von etwas blasserem Gelb, mit schwarzen Linien, die Hinterflügel aber mit dergleichen begränzenden Binde. Faun. su. ed. nova. nr. 1134. *). — Ed. X. p. 502. nr. 31. Ph. Striata.

Müllers Uebers. d. N. S. V. Th. I. B. S. 677. nr. 75. Ph. Gramm. Der Streifflügel.

GEOFFROI Hist. d. Ins. T. II. p. 115. nr. 17. Phalena pectinicornis elinguis, alis deflexis, superioribus fasciis pallido flavis nigrisque alternis longitudinalibus, inferioribus croceis fascia marginali nigra. Long. 5 — 7. lign.

FABRICII Syst. Ent. p. 579. nr. 81. B. Gram. Linn. Char. — Larva fusca, linea dorsali alba, pedibus rufis. Pupa nuda, brunnea. — *Spec. Ins.* Tom. II. p. 196. Spec. 113.

System. Verz. der Wiener Schm. S. 54. Fam. E. B. Gramm. Schwingelspinner (Festuca duriuscula).

Fueßli Schweiz. Ins. S. 36. nr. 683. Ph. Gramm. Berlin. Magaz. II. B. S. 418. Hufn. Tab. nr. 34. Ph. Grammica. Das Eichhörnchen. Die Oberflügel mit schwarzen Streifen der Länge nach. Die Unterflügel oraniengelb mit einem breiten schwarzen Rand. Naturforsch. VIII. St. S. 106. nr. 34. Ph. Gramm. Göze entom. Beytr. III. Th. III. B. S. 37. B. Gramm. Der Streifflügel. Jung Verz. europ. Schm. S. 63. B. Gramm. Maders Raup. Cal. S. 23. nr. 84. Ph. Gramm. Der Streifflügel. Gladbach Verz. Das gelbe Strohhütchen.

Rösels Ins. Bel. IV. Th. S. 150. Tab. 21. Fig. a — d. Die kleine schwarzbraune und kurzhaarichte Raupe, mit dem rothgelben Rückenstreif, und einer weissen Einfassung an jeder Seite, nebst ihrer Verwandlung in einen ungemein niedlichen Papilion, zur II. Cl. der Nachtv. ꝛc.

SCHAEFFER Icon. Ins. rat. Tab. 92. Fig. 2. LINNEI Amoen. Acad. T. V. Tab. III. Fig. 31. MERIAN. Europ. I. Tab. V.

Nach der Gestalt der walzenförmig überschlagenden Flügeln in sitzender Lage, würde man diese Phalene zu denen Moten (Tineae) rechnen. Sie ist auch unter den Spinnern zur Zeit die einzige dieser Art, wenigstens in so beträchtlich abweichender Bildung. Doch man hat die Gattungen der kleineren Motten selbsten, noch nicht genugsam untersucht, von denen etwa

*) „*Descr.* Statura Ph. Iacobeae. *Alae superiores* angustae, luteae, pallidiores, striis longitudinalibus nigris subramosis: subtus versus apicem fuscescentes. *Inferiores* saturate luteae: posticae supra fascia latiuscula nigra; subtus puncto maiusculo fasciaque nigra. *Abdomen* luteum, quinquefariam nigro punctatum. *Antennae* nigrae, vix manifeste pinnatae.“

mehrere noch zu dieser Abtheilung gehören. Die gefiederten Fühlhörner, die Gestalt der Raupe, und ihre mit erstern gewöhnliche Kunsttriebe, ordnet diese Phalene am füglichsten hieher. Die Vorderflügel sind von hellerem Gelb als die Untern, die stärker mit Röthlichem vermengt sind, und eine Pomeranzenfarbe haben. Erstere sind mit gerade ausgehenden schwarzen Linien, die bald feiner, bald stärker sind, nebst zwey schregen in bogenförmiger Krümmung und einem Punkt in der Mitte bezeichnet. Letztere aber führen einen dergleichen sehr breiten Saum. Die weibliche Phalene, wie die 8te Figur sie darstellt, hat blaßgelbe Vorderflügel mit wenigen sehr feinen Streifen, und einer fleckigten Einfassung der Hinterflügel. Der Hinterleib ist beträchtlich stärker, die Fühlhörner aber fadenförmig gebildet [a]). Man trifft diese Phalenen im Junius und zu Anfang des folgenden Monats in lichten Waldungen, gemeiniglich an Grasstengeln sitzend an. Sie sind bey uns etwas selten.

Die Raupe findet man im May auf verschiedenen niederen Gewächsen, besonders dem Beyfuß, Wegerich und Gras. Doch wurde sie auch auf Eichen gefunden. Sie ist fast nach allen Ringen von gleicher Stärke und sehr geschmeidig gebildet. Die Grundfarbe ist schwarzbraun. Ueber den Rücken zieht sich eine feine rothgelbe Linie, und zur Seite der Luftlöcher eine weiße; zwischen beyden aber bemerkt man eine von gleicher Farb in sehr feiner Anlage, die nach den letzten Ringen einzelne Punkte enthält. Alle Ringe haben rothbraune Knöpfgen. Die Haare sind etwas dünne und kurz, und wie die Bauchfüsse von fuchsrother Farbe. Zur Sicherheit ihrer nächsten Verwandlung legt sie ein weißgraues Gewebe zwischen Blättern an. Die Chrysalide ist rothbraun, sehr stumpf, doch am Ende mit einer kurzen Spitze versehen. Sie äußert keine merkliche Bewegung, so lebhaft auch ihre Raupe war. In Zeit von 3 Wochen erfolgt die Entwicklung der Phalene.

Der

a) Herr von Linne bezieht sich im Syst. oben ang. Ort auf die Beschreibung des Rai nach pag. 169. nr. 28. und pag. 228. nr. 13. Nach ersteren hat die Phalene ganz schwarze Flügel, und ihre Raupe ist glatt, von grünlich blauer Farbe. Sie ist dieser Gattung also gar nicht ähnlich. Nach dem zweyten Citat aber, finde ich die Ph. fuliginosa Lin. sehr kenntlich beschrieben. — Rösel scheint den weiblichen Falter nicht gekannt zu haben, da seine beyden Abbildungen vom Männchen genommen worden.

Der hundert und vierzehente europäische Nachtschmetterling.

BOMB. SPIRIL. DORSO LAEVI, AL. DEFL. CRIBRVM

Der Siebspinner. Schwarzpunktirter Spinner. Der Siebflügel.

Tab. LXIX. Fig. 1. Der männliche Falter von beyden Seiten.

LINN. Syst. Nat. Ed. XII. p. 831. Sp. 76. *Cribrum*. Bomb. spirilinguis, alis incumbentibus: superioribus albis, transverse nigro punctatis. Spiralzünglichter Spinner, mit übereinandergeschlagenen Flügeln und weissen nach schregen Reihen schwarzpunktirten Vorderflügeln. Hab. in Europa. Abdomen postice lutescens. Alae inferiores fuscae. — Ed. X. p. 507. Sp. 52. Ph. *Cribraria*. — Faun. suec. Ed. n. p. 302. nr. 1136. Ph. Cribrum. — Habitat in Suecia australi, rarius. — Statura et magnitudo Ph. Iacobaeae. Alae *superiores* supra albidae, fere transverse pluries nigro-punctatae. *Superiores* subtus et inferiores utrinque fuscae.

Müller Uebers. des Nat. S. V. Th. I. B. S. 677. Sp. 76. Ph. Cr. Der Siebflügel.

FABRICII. Syst. Entom. pag. 588. Sp. 112. Bomb. Cribr. Linn. Char. — *Spec. Ins.* Tom. II. p. 206. nr. 155. — Hab. in Eur. boreali. Göze ent. Beytr. III. Th. III. B. S. 39. nr. 76. Ph. Cribr. Der Siebflügel. Jung. Verz. europ. Schm. Ph. Cribr. p. 38. Naturf. II. St. S. 117. nr. 3. Tab. I. Fig. 3.

Auch diese Phalene hat man lange nicht nach obigen Nahmen gekannt, und wir finden ausser den Linneischen Kennzeichen auch keine weitere Erläuterung. Man hat eine etwas ähnliche Motte, die Reaumür *) angezeigt, dafür gehalten, wenn auch die Merkmahle gar nicht dahin zu erklären sind. Sie war dem Herrn von Linne, als ein einheimisches Product zuerst bekannt geworden. In unseren Gegenden haben wir sie noch nicht ausfindig gemacht. Doch es sind ein Paar Jahre, wo man sie in den Gebür-

*) Mem. Tom. I. Pl. 38. Fig. 7—9. — Geoffr. Hist. d. Ins. Tom. II. p. 190. nr. 21. Tinea alis argenteis, corpori circumvolutis, fascia duplici transversa punctorum nigrorum. *Le Manteau* à point. Long. 8. lign. — Göze Entom. Beytr. III. Th. III. B. S. 39. nr. 76. Diese Phalene des Reaumürs und Geoffroi, scheint die der Evonymella gleichende Phalene zu seyn, von der sie aber ausser der Größe schon genugsam verschieden ist. Sie hält sich bey uns einzeln auf Gebürgen auf. Von der Ph. Cribrum, weicht sie sehr wesentlich ab.

gen bey Regensburg fand, von wo sie an unsere Liebhaber gekommen. Nun weiß man, daß sie auch in Oesterreich, Sachsen und andern Ländern sich vorgefunden. Herr D. Kühn hat sie bereits vor zehen Jahren, jedoch ohne weitere Nachrichten, als eine neue Gattung in dem Naturforscher angezeigt. Ich kann wenigstens nach der beygefügten Abbildung, die mir etwas zu sehr vergrößert bedünkt, keinen andern als diesen Falter daraus erkennen.

Das Original der hier vorliegenden Figur habe ich aus der Sammlung des Herrn Hofrath Rudolph mitgetheilt erhalten, und zugleich nachgehends verschiedene andere nach pünktlicher Uebereinstimmung damit verglichen. Nach den Merkmahlen unseres Systems hat es nicht den mindesten Anstand, sie geben diesen Falter auf das genaueste an. Die Flügel liegen in sitzender Lage übereinandergeschlagen, etwas einwärts gebogen, doch nicht wie an den Motten zusammengerollt. Die Grundfarbe der vordern ist nach der Aussenseite weiß, aber unrein, etwas ins blaulichte oder aschgraue abstehend. Die Fläche derselben ist mit verschiedenen schregen Reihen schwarzer Punkte geziert. Gemeiniglich sind sie länglich gezogen, und nicht deutlich begränzt. Doch erscheinen sie auch bey einigen Exemplaren mehr gerundet. Die Unterseite der Vorderflügel ist so, wie die der Hinterflügel, ganz mit einem schwärzlichen Ockergelb überzogen. Der Hinterleib hat eine gelbe Endspitze, und dadurch ist diese Gattung von einer andern etwas kleineren Art, die zu den Tineis gehört, verschieden. Die Fühlhörner sind sehr fein gefiedert, an dem Weibchen aber ganz fadenförmig gebildet. Dieß sind die Charaktere des Herrn von Linne, und zugleich die genaueste Beschreibung unserer Phalene. Mehreres aber bin ich zur Zeit nach der Vollständigkeit ihrer Natur-Geschichte anzuzeigen nicht vermögend. Eine Irrung der Citate habe ich noch zu bemerken, da sie zu Verwirrungen Anlaß gegeben. Unser System verweißt uns auf eine Abbildung des Clerk *). Hier erblicken wir eine Phalene von beträchtlicher Größe, und ganz gelber Farbe, mit schwarzen, weißgerandeten Punkten. Sie ist eine ausländische Gattung, vermuthlich die Tinea bella. Es stimmen keine Merkmahle des Herrn von Linne selbsten damit überein. Eben diese Phalene hat Herr Cramer **) nach glei-

*) Icon. Ins. rar. Tab. 54. Figur. 4.

**) Vitlands. Kap. Tom. III. p. 27. Ph. Cibraria. Pl. 208. Fig. C. Mit Drury

cher Beziehung der Clerkischen Abbildung unter dem Nahmen der Ph. Cribraria beygebracht. Umstände, die zur Berichtigung der Ausländer gehören!

Zweyte Linie.

BOMBYCES SPIRILINGVES CRISTATAE.

Spiralzünglichte Spinner mit kammförmigen Rücken.

Kammsauger. — Göze.

Mit dieser Linie endigt unser System die sämtlichen Abtheilungen der Spinner. Es kommen hier Gattungen vor, die sich der Gestalt nach, schon mehr denen Noctuis nähern, wenigstens ist die kammförmige Brust dorten eine gemeinere Verzierung, von welcher Art sich unter diesen nur wenige finden. Doch ich habe zum Schluß der Spinner, noch eine Familie, die Sichelfalter, (Bombyces falcatae) beyzufügen, die unter die Spannenmesser vorhin vertheilt waren. Sie folgen auf diese nach den bisher bekannten Gattungen in ihrer Ordnung beysammen.

Der hundert und funfzehente europäische Nachtschmetterling.

BOMB. SPIRIL. DORSO CHRIST. AL. DEFL. CELSIA.

Die Celsia. Das Roßkreuz.

Tab. LXIX. Fig. 2. Der männliche Falter in sitzender Stellung. Fig. 3. Ebenderselbe mit ausgebreiteten Flügeln.

LINN. Syst. Nat. Ed. XII. p. 831. Sp. 77. B. Celsia. Bomb. spirilinguis cristata, alis depressis supra viridibus: fascia grisea dentata. Spiralzünglichter Spinner, mit niederhangenden nach der Oberseite grünen Flügeln und einer röthlich-braunen zackigten Binde. — Faun. suec. Ed. n. 1141. Tab. II. Fig. 1141. — Habitat Vpsaliae in Lupuletis, lecta ab. O. *Celsio.* Th. Prof. primario. *Descr.* Est e mediocribus. *Caput* viride. *Alae superiores* virides: fascia in medio alarum lineari, transversali, grisea: in singula ala denticulo unico antrorsum et alio opposito retrorsum spectante; praeter denticulum alium ad marginem exteriorem alae antrorsum prominentem punctum lunare gri-

Yy 2

Tom. II. Tab. VI. Fig. 3. übereinstimmend. — pag. 172. Tab. 288. Fig. D. mit mehr ins Gelbliche fallenden Flügeln. Beyde sind nun keineswegs die Ph. Cibraria oder Cibrum. Lin.

seum in medio alae pone denticulum. Margo alarum posticus simili glauca linea terminatur, quae in singula ala duos denticulos antrorsum exserit; alarum superiorum margo interior et exterior vix conspicue griseus. *Thorax* et *abdomen* villis glauco ferrugineis teguntur. *Alae superiores* fuscae; subtus fascia obscurior transversa repanda cum puncto obscuriore ante fasciam. Antennae ferrugineae.

Müllers Uebers. des Nat. S. V. Th. 1. B. S. 677. nr. 77. Das Roßkreuz.

Göze entom. Beytr. III. Th. 1. B. S. 39. B. Celsia. Das Roßkreuz. Jung Verz. europ. Schm. S. 27. B. Cels. *Syst. nat. du regn. An.* Tom. II. pag. 143. nr. 8. Phal. pectinicornis, alis supra viridibus, fascia transversali sinuato-dentata glauca.

Ohne die sorgfältigen Beobachtungen des Herrn von Linne wäre uns diese Gattung noch gänzlich unbekannt geblieben. Sie ist noch jezt die größte Seltenheit unter unseren europäischen Spinnerarten. Ich kenne wenigstens zur Zeit keine Sammlung in Teutschland, die sie besitzt, außer dem einzigen Exemplar unseres berühmten Herrn Hofrath Rudolph, eben dasjenige, wovon ich hier, nach gütiger Mittheilung die erste ausgemahlte Abbildung zu liefern vermögend war. Sie ist selbsten in Schweden, ihrem Vaterland, sehr selten. Herr Hofrath Böber in Petersburg, hat nach allen verwendeten Bemühungen, nur ein einzelnes Exemplar erhalten können, so sehr ist sie auch in den nördlichen Gegenden gesucht. Der Fleiß emsiger Forscher, welcher in diesem Jahrhundert so viele Seltenheiten gemeinnützi-ger gemacht, läßt uns indessen nicht an weitern Entdeckungen zweifeln. Nie ist jedoch eine einmal bekannte Gattung noch ausgegangen. Nach obiger Anzeige ist es nur die Gegend von Upsal, wo diese Phalene, und zwar in Hopfengärten gefunden wurde. Der erste Endecker war Herr von Celse, (Celseus), erster Lehrer der Gottesgelahrheit besagter Universität, dem zu Ehren sie diese Benennung erhalten. Nachrichten von ihrer Raupe und sämtlich übrigen Umständen, welche die Naturgeschichte verlangt, gehören zu den allzufrühen Forderungen unserer Zeiten. Es ist genug, wenn ich sie nach der Natur hier habe darlegen können. Nur die Abbildung erfordert noch eine Anzeige.

Die Vorderflügel haben nach der Aussenseite ein blasses ins Gelbliche fallendes Grün. Mitten durch zieht sich eine breite nach beyden Seiten ästiggeformte Binde von röthlich brauner Farbe. Daneben steht noch ein sehr kleiner mondförmig gestalteter Punkt. Es ist der Rand mit gleicher Farbe gesäumt, und zwar der äussere etwas breiter mit zwey kappenförmigen einwärts gehenden Spitzen. In sitzender Stellung hat diese Binde, nach dem nicht ganz bedeckten Hinterleib, die Gestalt eines Kreuzes, wie nach der zweyten Figur ersichtlich ist. Die Hinterflügel sind von aussen, wie die ganze Fläche der Unterseite, röthlich braun. Man bemerkt nur eine verlohrene schwärzliche Binde darauf. Die fein gefiederten Fühlhörner, der haarige Hinterleib, der Kopf und die Füsse sind von gleichem Rothbraun. Auch die Brust ist nach der kammförmigen Erhöhung damit gesäumt.

Der hundert und sechszehente europäische Nachtschmetterling.

BOMB. SPIRIL. DORSO CRIST. AL. DEFL. LIBATRIX.

Gefranzter Spinner. Spinner mit ausgezackten Flügeln. Zackflügel. Der Näscher.

Phaléne friande. DEGEER. La Découpure. GEOFFR. Het Roesje. SEPP. The Furbeloe. PETIVER. Groote Mot-Vil. SEBA.

Tab. LXIX. Fig. 4. Die männliche Phalene. Fig. 5. Die Raupe auf einem Weidenzweig. Fig. 6. Ebendieselbe in der Gestalt vor ihrer Verwandlung. Fig. 7. Die Chrysalide.

LIN. Syst. Nat. Ed. XII. p. 831. Sp. 78. B. Libatrix. — Spirilinguis cristata, alis incumbentibus dentato-crosis ruso-griseis: puncto albo. Spiralzünglichter Spinner mit kammförmigen Rücken, und überschlagenden, zahnförmig gezackten, roth und braun gefärbten Flügeln, nebst einem weissen Punkt in der Mitte. — Hab. in Glechomate, Rosa, Salice. *Larva* geometrica, nuda viridis. Punctum album ad basin antennarum, in femoribus, ad basin alarum, inque medio alae. — Faun. suec. Ed. nova nr. 1143. — *Acta Vpsal.* 1736. pag. 25. nr. 63.

Müllers Nat. Syst. V. Th. I. B. S. 676. Ph. Lib. Der Näscher. RAII Hist. Ins. p. 183. nr. 2. Phal. media, domestica, alis exterioribus rubro, rufo, cinereo et albicante colore variis, cum transversa linea albicante, imo margine laciniato. FABRICII Syst. Ent. pag. 604. nr. 62. *Noctua* Libatr. Linn. Char. Larva nuda viridis, flavo annulata; lineis tribus fuscis, stigmatibus rubris. *Pupa* folliculata, nigra. — *Spec. Ins.* Tom. II. pag. 224. Noct. Lib. Sp. 82. — Quies 16 dierum. System. Verz. der Wiener Sch. S. 62. Fam. Q. nr. 1. Ph. Bomb. Libatrix. Dottenweidenspinner. (Salicis vitellinae.) Fueßli Schweiz. Ins. S. 36. nr. 684. Ph. Lib. Die Sturmhaube. — Magazin der Entom.

II. Th. S. 10. GOEDARTI Hist. Ins. Tom. II. p. 221. nr. 26. Ph. Pectinicornis elinguis, alis cinereo-flavoque rufis, margine laceris. La *Decoupure*. Long. 10. lign.

SCOPOLI Entom. carn. pag. 209. nr. 516. Ph. Lib. Alae anticae cervinae, basi maculis 4 ochreaceis; media longa prismatica: fasciis binis linearibus pallidioribus: postica duplici, punctis duobus albis, margine externo denticulato, ita ut distantia apicis a primo dente eadem sit, quae ab eodem dente ad angulum posticum. Long. 9 lin. Lat. 5.

Berlin. Magaz. II. B. S. 414. Hufn. Tab. nr. 28. Ph. Lib. Die Sturmhaube. Theils oraniengelb, theils braunroth, mit zwey weissen Queerstreifen, und stark ausgezackten und ausgeschwungenen Flügeln. *Syst. nat. du regn. anim.* Tom. II. p. 148. nr. 24. Ph. Lib. MUELLERI Faun. Frider. pag. 42. nr. 377. Ph. Lib. Linn. Char. — ZOOL. dan. Pr. p. 119. nr. 1377. Ph. Lib. — Strigis obliquis tribus, postica pallida etc. — Faun. Frid. p. 42. nr. 378. Ph. Modesta. Alis erosis flavo-rubentibus; strigis obliquis tribus, postica pallida, punctisque duobus albis. In Salice. — ZOOL. dan. Pr. p. 119. nr. 1377. Ph. Modesta. Gleditsch Forstwiss. II. Th. p. 742. nr. 31. Ph. Lib. Die Sturmhaube. Leske Anfangsgründe der N. G. I. S. 461. nr. 10. Ph. Lib. Dotterweidenspinner. Göze entom. Beytr. III. Th. III. B. S. 40. nr. 78. Ph. Lib. Der Näscher. — p. 47. nr. 8. Ph. Modesta. Der sanftfarbige Spinner. (Müller Faun. Frid.) Jung Verz. europ. Schm. p. 78. Ph. Lib. Gladbach Catal. Der Capuziner.

SEPP. Neederlandsche Ins. IV. St. 14. Verhandel. Nacht. VI. II. Gez. I. Bende. *Het Roesje*, Smitje, Roest-Vlinder. Tab. XV.

Rösels Ins. Bel. IV. Th. S. 144. Tab. XX. Die schöne gelblich grüne Raupe des Weidenbaums.

SCHAEFFER Icon. Ins. Rat. Tab. 124. Fig. 1. 2.

DEGEER Mem. Tom. II. P. I. pag. 332. nr. 1. Tab. V. Fig. 5. Ph. à antennes barbues sans trompe, à corcelet huppé, à ailes découpées voutées grises nuancées d'orange, avec deux lignes blanchetres, et deux points blancs. *Ph. friande.* — *Chenille* a 16 pattes, rase, vélontée, verte, à deux lignes longitudinales noires bordées de blanc. Fig. 3.

Göze Uebers. II. Th. I. B. S. 240. nr. 1. gleiche Tafel. Der Näscher.

PODA Mus. Graec. p. 93. Tab. II. Fig. 9. Ph. Salictaria.

Sulzers Gesch. der Ins. S. 160. Tab. 21. Fig. 7. Ph. Lib. Die Sturmhaube.

HARRIS Engl. Lepid. Tab. I. Fig. C. D.

PETIVERI Gazoph. Tab. XIX. Fig. 4. Ph. fasciata perelegans, extremitatibus serratis — in Kent. — ALBINI Hist. Ins. Tab. 32. Fig. 50. GOEDARTI Hist. Ins. Tab. 67. Edit. LISTERI. pag. 81. Fig. 30.

Wir treffen diese Raupe fast das ganze Jahr hindurch, so lange die Weide grünende Blätter hat, auf derselbigen an. Es scheinen daher mehrere Generationen, oder wenigstens in unbestimmten Zeiten zu erfolgen. Doch am gewöhnlichsten wird sie im August gefunden. So späte ich sie im Herbst auch bey schon übergegangenem Frost erhalten, so hat sich dennoch die Phalene noch in dem nemlichen Jahr entwickelt. Im Freyen mag sie die Kälte zum Ueberwintern bringen; wenigstens sind ihre Chrysaliden in den ersten Tagen des Frühlings nichts seltenes, die wir in den abgefallenen oder verwebten Blättern finden. Man giebt mehrere Futterpflanzen an, es scheint aber, daß sie sich derselben nur aus Noth bedient. Gewöhnen sich doch auch Seidenwürmer an ihrem Geschmack ganz widrige Pflanzen. Diese Raupe ist sehr schlank von einförmigen Grün, sie führt hin und wieder einzelne, kaum merklich feine Haare. Nach der dünnen Membrane, die sie umgiebt, scheint sie fast wie durchsichtig. Die Einschnitte der Ringe sind gelb, und eine dergleichen Linie umgiebt die Seite des Körpers. Das sonderbare ist die Veränderung der Farbe, wenn sie sich bereits zur Verwandlung in ein dünnes Gewebe eingesponnen. Ich habe sie in dieser Veränderung nach der sechsten Figur in Abbildung dargelegt. So kam sie mir selbsten bey dem ersten Anblick befremdend für, und man würde eine ganz eigene Gattung vermuthen. Herr Sepp und Herr Fueßli haben vor kurzem, wie ich ersehe, gleiche Bemerkung gemacht. Die Raupe zieht sich sehr verengert in ganz veränderter Form zusammen. Der nächste Ring an dem Kopf erhält dann einen gerundeten braunen Flecken, und an beyden folgenden Absätzen erscheinen zur Seite zwey dergleichen von schwarzer Farbe. Der Rückenstreif geht ins Schwärzliche, nnd der zur Seite ins Bräunliche über. Nach und nach färbt sich endlich der ganze Vorderleib ins Dunkelbraune, und die schwarzen Flecken erscheinen noch mehr gewölbt. Dann wird die Haut abgestreift. Außer dem dunklen Rückenstreif und der schwarzen Flügelscheiden erscheint der Körper der ausgekommenen Chrysalide ganz grün. Schon in Zeit von drey Stunden aber ist die Haut erhärtet und düster schwarz gefärbt. Es hat die Chrysalide weiter keine Verzierung. An dem Hinterleib ist sie spitzig gestaltet, und mit dem Gewebe befestigt. Eine Zeit von vierzehen Tagen bringt gewöhnlich den Falter hervor.

Diesen ausführlich zu beschreiben, halte ich wohl, als eine der gewöhnlichsten Gattungen, für überflüssig. Der so sonderbar gestaltete Ausschnitt der Vorderflügel, das mannichfaltige Gemische der Farben, und überhaupt das seltsame Ansehen, würde ihn, und zumahl als Ausländer, vor andern den Vorzug geben. So ist aber nach alltäglichem Anblick dieß alles nicht auffallend genug. Ich bemerke nur, daß beyde Geschlechter einfärbig gezeichnet sind, wie die vorliegende Abbildung auf das genauste erweißt. Nach den Abänderungen zeigt sich in der Höhe des eingemengten Rothen und Gelben, ein unerheblicher Unterscheid. Einige Exemplare erscheinen ganz blaß. Diese Phalene verirret sich zuweilen in unsere Wohnungen, ohnfehlbar durch die mit den Chrysaliden eingesammelten Gesträuche, denn dem Licht geht sie eben nicht nach. So trifft man sie auch öfters in Kellern und Speise-Gewölben an. Man glaubte vollends, sie hielte sich an unsere Nahrungen, und deßhalb wurde ihr der Nahme Libatrix, der Näscherin, gegeben. Nach andern vorgefaßten Begriffen lassen sich die übrigen Benennungen leicht erklären. Die Eyer sind grün, und werden einzeln zerstreut auf die Blätter gelegt.

Der hundert und siebzehente europäische Nachtschmetterling.

BOMB. SPIRIL. DORSO CRIST. AL. DEFL. CAMELINA.

Kameelraupenspinner.

La créte de coq. GEOFFR. Kroon-Vogeltje. SEPP.

Tab. LXXVI. Fig. 1. Der männliche Falter. Fig. 2. Der weibliche. Fig. 3. Eine Abänderung, nach angeblichen Merkmahlen, (die Ph. Capucina Lin.) Fig. 4. Die Raupe auf einem Weidenzweig. Fig. 5. Die Chrysalide.

LINN. Syst. Nat. Ed. XII. p. 832. Sp. 80. Ph. B. Camelina. — Spirilinguis cristata, alis deflexis denticulatis brunneis: omnibus denticulo dorsali. Spiralzüngichter Spinner, mit kammförmigen Rücken, niederhangenden röthlich braunen gezähnten Flügeln. *Larva* nuda, virescens corniculis 2 purpureis caudae, punctumque purpureum ad singula stigmata. *Phalaena* sedens erigit a tergo cristas 2, quarum prior ex alarum exteriorum, posterior ex interiorum dentibus s. lobulis conniventibus. Alae inferiores flavae, immaculatae. Faun. suec. Edit. nova. nr. 1145. Hab. in Tilia, Malo, Betula, Alno. T. *Bergmann. Descr.* Alae deflexae, erosae, brunneae lineis tribus fasciis transversis: *superiores* in medio marginis tenuioris dente erecto; *inferiores* versus finem marginis tenuioris dente instructae. Inter singulum par dentium alarum, fasciculus est.

Müllers

Müllers Uebers. des Nat. Syst. V. Th. 1. B. S. 678. nr. 80. Ph. Cam. Tab. XXII. Fig. 6. Der Kronenvogel.

GEOFFROI Hist. d. Ins. T. II. p. 111. nr. 12. Phal. pect. eling. pallido-rufa, crista dorsali nigra. La crête de coq.

FABRICII Syst. Entom. pag. 575. nr. 66. B. Cam. Linn. Char. *Larva* nuda, virescens, corniculis duobus, caudalibus, stigmatibus purpureis. — *Pupa* folliculata, antice brunnea, postice fusca. — *Species Ins.* Tom. II. pag. 190. Sp. 91. B. Cam. — Hab. in Tilia, Alno, Betula.

Fueßli Schweiz. Ins. p. 36. nr. 686. Ph. Cam. Der Flügelzehe. — Magaz. der Ent. II. B. p. 11. Ph. Cam. System. Verz. der Wiener Schm. S. 63. Fam. R. nr. 3. Ph. Cam. Erlenspinner (Betulae alni). Berlin. Mag. II. B. S. 414. nr. 29. Ph. Cam. Die Kameelmotte. Gelbbraun mit stark ausgezackten Oberflügeln, in deren Mitte ein weisser Punkt und eine Kappe über den Kopf; ingleichen eine Spitze am Rande der Oberflügel. Göze entom. Beytr. III. Th. III. B. S. 42. Ph. Cam. Der Kameelspinner. Jung Verz. europ. Schm. S. 25. Gleditsch Forstw. I. Th. S. 389. nr. 5. Ph. Cam. Die Kameelmotte. ONOMAST. Hist. nat. P. VI. p. 335. Ph. Cam. Der Kameelvogel. MÜLLERI Zool. Dan. Prodr. p. 119. nr. 1378. Ph. Cam. Linn. Char.

Rösels Ins. Belust. I. Th. Nachtr. 2. Kl. S. 164. Tab. 28. Die meergrüne, glatte mit einzelnen Härchen besetzte, und auf dem hintersten Absatze mit zwey rothen Stacheln versehene Raupe.

SEPP Nederlands. Ins. IV. p. 1. Tab. I. Fig. 1—10. De Kroon-Vogeltje.

REAUMUR Mem. Tom. II. Tab. 20. Fig. 13.

In der Ordnung unseres Systems hat Herr von Linne unter dem Nahmen Capucina*) eine Phalene als eigene Gattung vor dieser verzeichnet. Nach allen Merkmahlen ist sie nur eine Abänderung der Camelina. Sie

*) Syst. Nat. Ed. XII. p. 832. Sp. 79. *Capucina*. B. spiril. cristata, alis deflexis denticulatis ferrugineis: denticuloque dorsali reflexo fasciaque ferruginea. Hab. in Europa. Sequenti (Camelinae) structura affinis. — *Faun. suec.* ed. n. p. 304. nr. 1444. — *Fascia cinerea*. Descr. Media. *Alae* deflexae, margine postico dentatae, colore *rufo-ferrugineae*, fascia obliqua fusca. *Subtus* omnes rufae. Caeterum sequenti (Camel.) structura simillima est haec Phalaena. — Göze ent. Beytr. III. Th. III. B. S. 42. Ph. Cap. Der Kapuciner Spinner. In dem System. Verz. der Wien. Schm. findet sich zwar ebenfalls die Capuzina Lin. unter dem Nahmen des Bachweidenspinners S. 63. Fam. R. nr. 4. angegeben. Es ist aber unbekannt, welche Gattung die Herren Verfasser damit gemeint haben.

kommt mit derselben, nach der Größe, den Umriß der Flügel, und den Zeichnungen überein, nur die Grundfarbe ist verschieden. Die Capucina hat düstere auf beyden Seiten rostfärbige Flügel mit einer dunkleren Binde. Die Camelina hingegen hat sie von lichterem Braun, und die Hinterflügel sind von hellem Ockergelb. Ein Unterscheid, der nicht wesentlich ist, da wir wissen, wie sehr diese Species nach der Farbe abzuändern pflegt. Ich habe daher eine dieser Varietäten nach der dritten Figur dieser Tafel in Abbildung dargelegt, wo eben angezeigte Merkmale auf das genauste übereinstimmen. Sie wurde mir als ein schätzbarer Beytrag aus der Sammlung des Herrn Gerning mitgetheilt. Ich habe sonach die Camelina zu beschreiben.

Beyde Geschlechter haben nach ihrem Gewand sehr wenig Verschiedenes. Es sind lediglich die fadenförmigen Fühlhörner, und der stärkere Hinterleib, wodurch sich das Weibchen von außen kenntlich macht. Das Männchen hat zuweilen einen mehr ins Blasse gefärbten Grund, gewöhnlich aber ist er röthlich braun. Die Fläche der Vorderflügel ist mit blaßgelben Sehnen durchzogen, die mit schwärzlichen Linien eingefaßt sind. Sonsten bemerkt man noch unterschiedene dunklere und hellere Streifen, so wie eine schwärzliche ins Gelbliche verlohrene Binde. Der äußere Rand ist fast halbcirkelförmig gerundet, und führt an den ausgehenden Sehnen kappenförmige Borden. Der innere Rand hingegen hat einen einzelnen hervorstehenden Zahn, von parallelen sehr steifen Schuppen. Dergleichen führt auch die Endspitze der Hinterflügel. Beyde bilden in sitzender Lage zwey hervorragende Höcker, die der Phalene ein seltsames Ansehen geben. Es schlagen diese Borsten aneinander, und stellen pyramidenförmige Auswüchse vor. Die größeren sind von dunkelbrauner Farbe, die kleineren aber schwärzlichblau gefärbt. Auch die Brust hat nach den kammförmigen Verzierungen eine ganz eigene Bildung. Es vereinigen sich die sehr verlängerten Haare nach dichter Anlage, in eine über dem Kopf hervorragende Spitze. Nach den Rücken aber, wo sie weißgrau gefärbt sind, bilden sie eine ebene Fläche. Die Augen stehen sehr tief in diesem filzigten Gewebe. Herr Sepp hat der Phalene, wegen dieses eigenen Kopfputzes den Nahmen des Kronenvogel sehr schicklich gegeben.

Sie kommt im Julius zum Vorschein. Es finden also sehr wahrscheinlich zweyfache Erzeugungen statt, wenn man auch die Raupen im Frühjahr zur Zeit noch nicht wahrgenommen. Sie erscheinen öfters sehr spät im September und October. Ihre gewöhnlichen Futterpflanzen sind Weiden mit glatten Blättern. Auf Erlen sind sie gleichfalls anzutreffen, wie auch auf den Eichen. Rösel hat sie sogar auf einem Apfelbaum gefunden. Die Eyer werden von dem Weibchen einzeln auf die untere Seite der Blätter in geringer Anzahl gelegt. Sie sind glatt von weißer Farbe. Bey dem Auskommen haben die Raupen eine grüne, und bey der dritten Häutung eine gelbe Farbe. Man bemerkt hier schon ihre eigene Verzierung, zwey hochrothe Spitzen an dem lezten Ring, die sich nachgehends noch mehr verschönern. Die Augen haben schwarze Flecken, welche sich aber in der Folge verkleinern. Nach vollendetem Wuchs erscheint die Fläche grün mit Weißem über dem Rücken verlohren, wo sich gegen die Mitte ein paar blaulichte Streifen zeigen. Die Seite der Luftlöcher umgiebt eine gelbe Linie, die Spitzen der Füsse sind roth gefärbt. Die Raupe nimmt im ruhenden Stand gewöhnlich ihren Aufenthalt auf der Unterseite eines Blatts. Hier ist die Stellung merkwürdig, die sie gewöhnlich hält. Sie ruht auf den Bauchfüssen, und der Körper ist nach den hintern Ringen in die Höhe gerichtet, so daß man ihn fast für das Vordertheil halten sollte. Der Kopf ist mit den nächsten Ringen einwärts gegen den Rücken gekrümmt. Diese Stellung behält sie beständig im ruhendem Stand, bis sie zum Aufsuchen ihrer Nahrung gerade fortzuschreiten genöthigt ist. Nach der Rößlischen Abbildung erscheint diese Raupe sehr verändert. Sie ist dunkelgrün von Farbe, und nur mit einem schwärzlichen Rückenstreif, und rothen Endspitzen gezeichnet. Von gleichem Grün kam sie mir ebenfalls zu Handen, nur war sie nicht von so beträchtlicher Stärke. Sie hat einerley Falter gegeben. Man hat diese Raupen für glatt angegeben, sie führen aber würklich, wie auch Herr Sepp in ihrer ausführlichen Geschichte bemerkt, sehr feine Haare. Der lezte Ring hat eine pyramidenförmige Erhöhung, und dieß hat zur Benennung der Kameelraupe Anlaß gegeben. Bey ihrer Chrysaliden-Verwandlung verändert sich die Farbe, die Raupen werden roth, doch dieß kaum einen Tag zuvor, ehe sie ihr Gewebe fertigen. Sie legen ein leichtes Gespinnst zwischen zusammen gezogenen Blättern an, oder auch von den nächsten Materialien, ohne bestimmte Form. Die Chrysalide ist schwärzlich braun, mit einem Stachel an der Endspitze versehen. Nach unserer späten Erziehung durchlebt sie in Ruhe den Winter, und es kommt dann schon in dem May die Phalene gewöhnlich hervor. Sie hat sich aller Orten niemahlen gemein, noch weniger schädlich gemacht.

Der hundert und achtzehente europäische Nachtschmetterling.

BOMB. SPIRIL. DORSO CRIST. AL. DEFL. CVCVLIA.

Weißstreifigter Kameelraupenspinner.

Tab. LXXII. Fig. 1. Der männliche Falter von beyden Seiten.

Bomb. spirilinguis, cristata, alis deflexis denticulatis ochraceis maculis ferrugineis, fasciaque marginali albida striis intertexta fuscis.

Hier habe ich in ganz richtiger Stuffenfolge eine mit ersteren verbundene Gattung einzuschalten, die uns bisher unbekannt geblieben. Ihre Entdeckung haben unsere Liebhaber, den Bemühungen des Herrn C. R. Jung zu danken. Er fand solche in der Gegend von Uffenheim, und erzog sie aus der Raupe. Sie ist noch sehr selten, und bey nun sechzehenjährigen Beschäftigungen der Entomologie kam sie ihm nur zu dreymahlen nach der Raupe zu Handen. Ein einziges Weibchen wurde im Freyen gefangen. Es ist nach der Farbe und den Zeichnungen mit dem Männchen ganz übereinstimmend, nur sind die Flügel etwas länger, und die Fühlhörner fadenförmig gebildet. Diese Phalene hat mit der Ph. Camelina die nächste Verwandschaft. Die Brust führt gleiche kammförmige Erhöhungen, nur der äußere Rand hat die hervorragenden Spitzen nicht, er ist gleichförmig begränzt, und die Borden bilden durch die schwarzen Züge kappenförmige Einfassungen. Der Zahn an dem inneren Rand ist wie an jener vorhanden. Die Grundfarbe der Fläche ist Ockergelb, wie die einfärbige Unterseite. Man bemerkt darauf zwey rostfärbige verlohrene Flecken, nebst unterschiedene schwarzen Streifen. Der wesentlichste Zusatz ist der größere weiße Flecken an dem äußern Rand. Er ist mit winklichten und gräuen Mackeln, wie es die Abbildung auf das Genauste anzeigt, durchzogen. Den übrigen Abstand wird die weitere Vergleichung leicht ergeben.

Die Raupe kommt nach der Gestalt und Bildung mit der von der Camelina ganz überein, sie hat auch gleiche Spitzen. Nur die Farbe ist verschieden. Sie führt statt des Grünen ein sehr erhöhtes Rosenroth. Jene verändert sich zwar kurz vor ihrer Häutung gleichfalls ins Rothe, hier ist aber die Farbe beständig, es wurde die Raupe acht bis zehen Tage lang ge füttert. Ihre Nahrung sind Eichenblätter, auf denen sie im September wo auch die Raupe der Camelina erscheint, gefunden worden. Das Ge spinst und die Chrysalide hat nichts vorzüglich abweichendes. Die Phalen entwickelte sich im May, jenes Weibchen aber wurde im Julius im Freye gefunden.

Der hundert und neunzehente europäische Nachtschmetterling.

BOMB. SPIRIL. DORSO CRIST. OO.

Der Spinner mit dem gedoppelten O. Das doppelte O.

Tab. LXXI. Fig. 2. Die männliche, Fig. 3. Die weibliche Phalene nach einer Abänderung. Fig. 4. Die Raupe auf einem Weidenzweig. Fig. 5. Die Chrysalide.

LINN. Syst. Nat. Ed. XII. p. 832. Sp. 81. *Oo.* Bomb. spirilinguis cristata, alis depressis cinerascentibus, oo notatis. Spiralzünglichter Spinner mit kammförmiger Brust, niederhangenden, gelblich grauen Flügeln, mit ringförmigen Zügen, einem doppelten o gleichend. Faun. suec. Ed. nov. nr. 1139.

Müllers Uebers. des Nat. Syst. V. Th. 1. B. S. 678. Sp. 81. Die Nullnull.

FABRICII Syst. Entom. pag. 575. Linn. Char. *Larva* nuda rubra: punctis lineisque albis; dorsali interrupta, capite nigro. In den Spec. Ins. ist sie nicht angezeigt.

Berlin Magaz. II. B. S. 414. nr. 30. Ph. Oo. Das doppelte Oo. Weißgrau mit röthlichen Zeichnungen auf den Oberflügeln, welche unter andern zwey O vorstellen. Syst. Verz. der Wiener Schm. S. 87. Fam. F. Larvae larvicidae. Mordraupen. Noct. undatae; gewässerte Eulen nr. 1. Noct. Oo. Viereicheneule. (Quercus Roboris). Fueßli Schw. Ins. S. 36. nr. 687. Ph. Oo. Göze Entom. Beytr. III. Th. III. B. S. 44. nr. 81. Ph. Oo. Das doppelte O. Jung Verz. europ. Schm. S. 98. Oo. Gleditsch Forstwiss. I. Th. S. 647. nr. 12. Ph. Oo. Das doppelte O. Maders Raupen-Cal. pag. 17. nr. 25. Ph. Oo. ONOMAST. Hist. nat. P. VI. p. 590. Ph. Oo.

Rösels Ins. Belust. I. Th. Nachtr. 2. Ll. S. 311. Tab. 63. Die glatte braunrothe, mit besondern weissen Flecken gezierte, schwarzköpfigte Raupe.

WILKES engl. Meth. a. B. 6. Tab. 1. a. 5.

Mit dieser Phalenen-Gattung hat unser System die Abtheilung der Spinner geendigt. Sie ist mit den Noctuis am nächsten verbunden, dahin sie auch von Einigen gerechnet worden. Doch die würklich kammförmigen Fühlhörner gesellen sie mit Recht hierher. Noch lange nicht ist aber damit das Vollständige dieser Horde geleistet, es ist noch vieles auf die Fortsetzung verspart. Nach den eingeschaltenen Gattungen ersehen unsere Gönner, was uns noch mangelt, und ihre großmüthige Unterstützung wird mich im Stande setzen, das Möglichste in deren Ergänzung zu leisten.

Die in Abbildung hier vorliegende Phalene hat nach ihren netten Zeichnungen eine vorzügliche Achtung der Liebhaber erworben. Sie ist eben nicht gemein, und kommt uns nur selten im Flug zu Handen. Sie wurde zuerst durch Erziehung aus der Raupe entdeckt. Der Aufenthalt derselben ist die Eiche, die so viele Gattungen dieser Geschöpfe zugleich ernährt. Wir finden sie schon im Monath May in ausgewachsener Größe, oder so bald diese Bäume etwas erstarkte Blätter haben. Die vollkommene Verwandlung erfolgt in wenigen Wochen, gemeinichlich zu Ende des Junius. Ihre ganze Fläche ist glatt, und von rosenrother Farbe, zuweilen aber mehr mit Braunem vermengt. Sie ist ganz mit weißen Flecken, und zur Seite mit einer dergleichen Linie bemahlt. Die über den Rücken haben eine eigene Form; Rösel vergleicht sie nach ihrer Gestalt mit den Eicheln. Der Kopf und der erste Ring sind schwarz. Sie geht zur Verwandlung in die Erde, in deren Ermanglung aber weiß sie auch aus zernagten Blättern sich eine Wohnung zu fertigen. Die Chrysalide ist rothbraun und glänzend, am Ende mit einem Stachel versehen.

Die Phalenen sind nach beyderley Sexus, abermahl wenig, von außen unter sich verschieden. Die Grundfarbe ist gelblich in unterschiedener Mischung, zuweilen dunkler mit Aschgrauem vermengt, öfters aber mehr ins Blasse erhöht, wie hier die dritte Figur nach einem Weibchen zeigt. In Sammlungen verliehren sie gemeiniglich das Frische ihres Colorits, und werden ganz weiß. Die Vorderflügel führen schrege kappenförmige Queerstreifen von dunkelrother Farbe, nebst einem dergleichen Flecken gegen die Flügelspitze, und einen andern an der Grundfläche, der gemeiniglich dunkler ist, oder in das Graue fällt. In der Mitte zeigen sich zwey ovalgerundete Züge, die einem gedoppeltem O gleichen, davon auch diese Gattung den Nahmen erhalten. Ueber diesen steht noch ein größerer nierenförmiger Flecken mit einem Punkt in der Mitte. Die Hinterflügel sind wie die Unterseite weiß und mit Gelblichen vermischt. Bey einigen Abänderungen, wie ich nach der dritten

Figur zugleich angegeben, erscheinen die rostfärbigen Linien der Vorderflü gel sehr schmal, sie kommen aber nach den wesentlichen Zeichnungen mit er stern überein.

Dritte Familie der Spinner.
BOMBYCES FALCATAE.
Spinner mit sichelförmigen Flügeln. Spinner von vierzehenfüssigen Raupen.

Herr von Linne hat die Horde der Spinner nach der längern und kür zern Zunge in zwey Familien geordnet, und nach diesen Merkmalen würde sie keine weitere Abtheilung verstatten. Doch sind Gattungen übrig, die nac ihrer äußeren Bildung etwas eigenes haben, und eine dritte Familie ergeben, wenn sie auch nach strengsten logicalischen Eintheilungen sich nicht mit erster zu verbinden scheinen. Es erfordern die Spinnergattungen nach ihrer so zahl reichen Vermehrung überhaupt eine Verbesserung des Systems, wie ich scho erwähnt habe. Dann würden auch die hier verzeichneten Gattungen abgeson dert bleiben, sie stehen unter sich in genauester Verbindung. Es sind dies diejenigen Arten, welche von ihren Raupen vierzehenfüssige Spanner heißen Ihre Phalenen haben das Eigene, daß die Vorderflügel spitzig gestaltet, und nach dem äußern Rand in hohlen oder zackigten Krümmungen ausgeschweif sind. Sie haben überdieß eine vorzügliche Breite der Flügel, und komme nach den geschmeidigen Körper und der ebenen Lage der Flügel, denen Span nenmessern am nächsten. Dahin wurden sie auch vorhin geordnet. Unser Sy stem hat nur zwey derselben angegeben, und unter jene Horde vertheilt. Es ist die Ph. Lacertinaria und Falcataria. Derzeit wurden mehrere ent deckt, und es läßt sich eine noch größere Vermehrung erwarten. Durch diese Absonderung glaubte ich die öfters so zweifelhaften Merkmale der Horde der Spannenmesser-Phalenen genauer zu bestimmen. Einmahl sind doch die vor züglichsten Kennzeichen derselben von der Gestalt der Raupe genommen. Würk liche Spannenmesser können nicht die volle Anzahl der acht Bauchfüsse haben. Diese Arten gehörten also keineswegs dahin. Schon kommen unter den Spin nern ähnliche vor, die nach den Raupen, weil sie nur vierzehen Füsse haben, auch dahin müssen gerechnet werden, ich meine die Ph. Vinula, Erminea und Furcula. Wer hat diese jemahlen für Spannenmesser erklärt, und doch sind die Raupen der hier untergeordneten Gattungen von gleicher Gestalt, nothwendig werden sie also nach gleichen Rechten auch zu den übrigen gehören. Dadurch sind wenigstens sehr verwirrende Ausnahmen gehoben. Nur Phalenen von Raupen, welche acht, zehen, oder zwölf Füsse haben, machen dann die Horde der Spannenmesser alleine aus, so weit wir sie wenigstens nach diesem Stand zuverlässig kennen. Noch haben diese Sichelfalter sämmtlich gekämmte Fühlhörner, wenigstens nach den Arten des männlichen Geschlechts; und so sind abermahl die Charaktere für die Spinnenarten um so richtiger bestimmt. Dieß wäre zu Erläuterung meines Verfahrens genug; ich habe nun die mir zur Zeit bekannten Gattungen selbsten anzuzeigen.

Der hundert und zwanzigste europäische Nachtschmetterling.

BOMB. ALIS FALCATIS. SESQVISTRIATARIA.

Seladonfärbiger Sichelspinner.

Tab. LXXII. Fig. 1. Die weibliche Phalene. Fig. 2. Die männliche.

Bomb. alis subfalcatis angulatis virescentibus, superioris striis duabus transversis albidis, inferioribus unica.

Berliner Magaz. 4. B. 5. St. S. 506. nr. 4. Hufnagels Tab. Ph. Vernaria. Das weisse Band. Blaßgrün mit zwey weissen Querstreifen durch die Ober- und eine durch die Unterflügel.

Knoch Beytrag z. Ins. Gesch. S. 1. Tab. I. Fig. 1. Ph. Geometra sesquistriataria. Der grüne Spannenmesser mit anderthalb weissen Streifen. P. Geom. pectinicornis, spirilinguis, alis patentibus, subangulatis alvo-virescentibus seu margaritaceis: superioribus strigis duabus albidis, inferioribus una. Magn. lin. $9\frac{1}{2}$. Lat. 6. — *Descr. Palpi* compressi. *Oculi* fusci. *Antennae* pectinatae; spina albida, pectinibus pallide ferrugineis; foeminae setaceae albidae. *Thorax* lacteus. *Abdomen* ejusdem coloris; foeminae crassius; maris ad latus cristatum, ano barbato albo. *Pedes* supra ferruginei; tibiae spinosae. *Alae* superiores ad marginem anteriorem albescentes; puncto ferrugineo in apice; inferiores subemarginatae. Subtus omnes margaritaceae, totidem strigis atque in pagina superiori maxime obsoletis.

Man hat diese Phalene unter die Gattungen der Spannenmesser gezählt, da sie nach der Gestalt ihnen am nächsten kommt. Sie wurde mit

mit andern ähnlichen Arten verwechselt. Ich erwähne nur der Phalena Papilionaria, die jedoch aus einer gedornten Spannenraupe entsteht*), und der Vernaria des Herren von Linne. Berichtigungen, die zur Geschichte jener Gattungen gehören. Ich fand die Raupe unserer Phalene vor einigen Jahren in den ersten Tagen des Frühlings auf Eichen, wo die Knospen dieser Bäume noch kaum ausgebrochen waren. Sie hatte schon ihre vollkommene Größe erreicht, und bereits über Nacht ein Gewebe sich gefertigt. Des andern Tages fand ich sie schon in eine Chrysalide verwandelt. Nach vierzehn Tagen erschien der Falter, in welcher Zeit ich ihn auch im Freyen an gleichen Orten gefunden. Bey dieser frühen Erscheinung ist es leicht zu ersehen, warum uns diese Raupe so selten zu Handen gekommen, indem man in dieser Zeit die Eichen nicht zu durchsuchen pflegt. Nach ersterwähnten Umständen war ich nicht vermögend, eine genaue Zeichnung davon zu nehmen, sie blieb unvollendet, und bis jezt ist mir keine dieser Raupen zu Handen gekommen. Sie hatte eine Länge von anderthalb Zollen und einen fast walzenförmigen Körper in der Dicke gegen zwey Linien. Die Grundfarbe war ein dunkles etwas mit Grünem vermengtes Braun. Ueber dem Rücken und zur Seite zeigten sich weiße verlohrne Flecken, nebst einigen schwärzlichen Strichen und Punkten, in undeutlicher Zeichnung. Sie bewegte sich bogenförmig nach Art der Spannenmesser. Das lezte Paar der Bauchfüsse war am meisten verlängert, und das nächste um vieles kürzer, das dritte aber sehr klein, und an dem vierten bemerkte ich kaum sichtliche Spuren. Sie kam daher denen Raupen der Ph. Pacta und Sponsa am nächsten, die auch bey sechzehen Füssen, wegen der Kürze der erstern in bogenförmigen Krümmungen gehen. Die Schwanzfüsse stunden beträchtich verlängert hervor, die sechs Vorderfüsse aber hatten starke Klauen von hellbrauner Farbe. Nach der Raupe gehörte sie also nicht unter die Spanner, aber auch nicht eigentlich in die hier angegebene Abtheilung. Denen Raupen der Sichelfalter fehlen die Schwanzfüsse, der Hinterleib endigt sich in eine Spitze, hier aber sind sie, wie ich erwähnt, würklich vorhanden. Doch fehlt dagegen das erste Paar der Bauchfüsse, wenigstens sind sie kaum merklich, und so kommt doch die Anzahl der-

*) Linn. Syst. Nat. Sp. 255. Geom. Die größere Art nach Röſels Abbild. IV. Th. Tab. 18. Fig 3. Die kleinere, welche Linne unter gleichen Nahmen, nach Röſels Abbildung I. Th. Tab. XI. anführt, ist eine gänzlich verschiedene Species.

selben denen der übrigen den vierzehenfüßigen gleich. Von den Spannerarten ist sie beträchtlich genug verschieden. Doch wir haben mehr auf die Charaktere des Falters zu sehen, und nach diesen steht derselbe mit den folgenden Arten in genauerer Verbindung. Ich habe ihm in dieser Ordnung wegen der Größe den Vorzug gegeben.

Die Vorderflügel sind gegen die Endspitze etwas ausgeschweift, und der übrige Rand bildet ein stumpfes Eck. Die Hinterflügel aber sind nach der Mitte des Randes in einem spitzigen stärker hervorragenden Winkel gebildet, wie es die erste Figur nach dem Weibchen deutlich ergiebt. Die Grundfarbe der Außenseite ist ein blasses Grün, das bey einigen mehr ins Blaulichte spielt. Im Freyen, wie auch in Sammlungen, verliehrt sich diese Farbe nach wenigen Tagen ins Weißliche. Durch sämmtliche Flügel zieht sich in fast ganz paralleler Richtung ein weißer in die Fläche etwas verlohrener Streif. Er ist gegen die Grundfläche mit Dunkelgrünem, zuweilen mit Gelbbraunem gesäumt. Ein dergleichen kleinerer ist noch zwischen diesem und dem Körper, in der Mitte, doch von blässerer Anlage zu sehen. An dem Männchen ist er deutlicher wahrzunehmen. Diese Züge haben Herrn Knoch zu Benennung des Falters Anlaß gegeben. Die vordere Spitze der Flügel hat einen röthlichbraunen Strich. Die Unterseite ist heller mit Weißem gemischt. Dieser Falter ist weiblichen Geschlechts, wie es von außen die fadenförmigen Fühlhörner, die Stärke des Hinterleibs und andere Merkmale ergeben. Ich hatte auch öfters Eyer erhalten, welche diese Weibchen bey der Zubereitung abzusetzen pflegen. Das Männchen hat kammförmige Fühlhörner, und nach gleicher Zeichnung eine übereinstimmende Größe.

Es ist noch eine kleinere Art bekannt, von der es noch nicht hat können ausgemacht werden, ob sie Varietät, eigene Race oder Gattung ist. Sie ist zugleich mit dieser in unseren Gegenden und andern Orten vorhanden. Aus Lion wurden mir gleichfalls ein paar ganz übereinstimmende Exemplare zugestellt. Nach der zweyten Figur dieser Tafel, habe ich ein Männchen in diesem Ausmaas vorgelegt. Oefters findet man solches um vieles kleiner. Es hat stark gefiederte Antennen von blaßröthlichem Braun, wie erstere Art. Das Weibchen hat sie fadenförmig, und so ist auch nach der Farbe und den Zeichnungen keine Verschiedenheit wahrzunehmen.

Der hundert und ein und zwanzigste europäische Nachtschmetterling.

BOMB. AL. FALCATIS. LACERTVLA.

Sichelfalter mit gezahnten Flügeln.

Tab. LXXII. Fig. 3. Die männliche Phalene, Fig. 4. Die weibliche, Fig. 5. Die Raupe auf einem Birkenzweig. Fig. 6. Die Chrysalide.

LINN. Syst. Nat. Ed. XII. p. 860. nr. 204. *Lacertinaria*. *Geom.* pectinicornis, alis erosis lutescentibus, postice saturatioribus, lineis duabus punctoque fuscis. Spanner (Spinner) mit zernagten gelblichen und dunkler eingefaßten Flügeln, nebst zwey braunen Linien und einem dergleichen Punkt. Hab. in Quercu, Betula. *Larva* cauda simplici, apoda, Vinulae affinis, nuda, rubra, dorso angulata. Alarum margo postice inter dentes albus. Faun. suec. Ed. nov. nr. 1229. *Descr.* Media. *Alae superiores* flavae, subnebulosae, postice obscuriores, margine inaequaliter dentato; strigae duae, ferrugineae obliquae inter quas punctum fuscum; inter dentes marginis postici maculato albae. *Inferiores* supra albicantes. Subtus omnes flavae, postice subnebulosae, puncto fusco in medio.

Müllers Uebersetz. des Nat. Syst. V. Th. I. B. S. 706. nr. 204. Ph. Lacertin. Der Eiderschwanz.

Berlin. Magaz. IV. Bd. S. 510. nr. 9. Ph. Lac. Die Zahnmotte. Schmuziggelb. Die Oberflügel mit zwei braunen Queerstreifen und ausgezackt.

FABRICII Syst. Entom. pag. 622. Sp. 11. Ph. Lac. Linn. Char. — Spec. Ins. Tom. II. p. 243. nr. 14. Phalena lacertin. — Pupa folliculata, conica, brunnea, atomis albis.

System. Verz. der Wiener Schmett. S. 64. Fam. T. Spannerförmige Spinner. Nr. 5. Lacertula, *G.* Lacertinaria Lin. Hangelbirkenspinner. (Betulae albae.)

MUELLERI Faun. Frider. pag. 47. nr. 418. Ph. Lacert. — ZOOL. dan. Prodr. p. 125. nr. 1438. — Linn. Char.

Göze Entom. Beytr. III. Th. III. B. S. 287. Sp. 204. Ph. Geom. Lacert. Der Eiderschwanz.

Jung Verz. europ. Schmett. Ph. Lac.

Fueßli Schweiz. Ins. p. 39. nr. 755. Ph. Lac. Der Eidermesser.

Gleditsch Forstwiss. I. Th. S. 652, nr. 30. Ph. Lac. Die Zahnmotte.

BECKMANN. Epit. S. E. pag. 166. nr. 204. Ph. Lac.

DEGEER Mem. Tom. I. Mem. X. Tab. X. Fig. 5 — 8. Chenille à 14 jambes, brune avec des nuances et des taches obscures, dont le posterieur, qui manque des jambes, se termine en pointe simple, et qui vit, sur le Bouleau. — pag. 695. — Phal. à antennes à barbes et à trompe; d'un brun clair jaunâtre, dont les ailes superieures, qui ont deux lignes transversales brunes, sont courbés en crochet vers l'angle exterieur. — Tom. II. Pars I. pag. 335. nr. 3. Tab. V. Fig. 6. la Chénille. — Ph. Lacert. etc. Göze Uebers. 1. Th. 2. Quart. S. 94. — 4. Quart. S. 117. — II. Th. 1. B. S. 242. nr. — Die Eiderenmotte. — Gleiche Tafeln und Fig.

Unser System hat wie andere, diese Phalenenart unter die Spannenmesser gerechnet. Die Herren Verfaßer des Syst. Verzeichnißes haben sie zuerst zu dieser Abtheilung der Spinner gebracht. An der Raupe erblicken wir nichts denen Geometern Aehnliches, sie geht nicht in bogenförmiger Krümmung, sie hat ihre vollkommene Bauchfüsse. Nur fehlen die Hinterfüsse, und die lezten Ringe sind kegelförmig verengert, sie endigen sich in eine scharfe Spitze. Der übrige Körper ist walzenförmig gerundet, und von röthlichbrauner Farbe. Ueber dem Rücken der vordern Ringe ist sie mehr weißlich gefärbt, und mit zwey winklichten Höckern geziert. Nach der Abbildung des Reaumürs kommt sie der Raupe der Ph. Vinula, würklich sehr nah, mit der sie auch Herr von Linne nach dieser Angabe verglichen. Auser der Endspitze, und diese ist allzu kurz, kann ich abermal nichts Aehnliches finden *). Eben so wenig gleicht sie einer Eidere, von der sie obenstehenden Nahmen erhalten. Bey dem ersten Anblick sollte man sie eher für ein noch nicht ganz aufgeblühetes Kätzgen (amentum) der Birke halten, der sie der Farbe und Gestalt nach am nächsten kommt. Sie äußert wenige Bewegung, und zieht sich in fast eyrunder Gestalt zusammen. Ich fand sie vor etlichen Jahren zu Ende des Junius auf einem jungen Birkenbaum, in schon ausgewachsener Größe. Bereits nach zwey Tagen hatte sie sich zwischen Blättern eingesponnen, und in eine Chrysalide verwandelt. Sie war ganz weiß, mit einem feinem doch fest anhangendem Staub überzogen. Nur die mittleren Ringe wurden durch die Umwalzungen abgeführt, und erschienen nachgehends von brauner Farbe. Bereits nach zehen Tagen hatte sich die Phalene vollkommen daraus entwickelt.

*) Reaumur nennt sie den Cheval marin, das Meerpferd (Hippocampus L.) Er hat aber keine Phalene daraus erzogen, da sie eine Made enthalten, aus der eine Mücke zum Vorschein kam. Er fügt nach der 6. Figur noch eine ähnliche Raupe bey, die ihm einen weißlichen Papillion gegeben. Diß sind alle Charaktere.

Sie trägt die Flügel in ebener Lage, doch sind die Untern zum Theil überdeckt. Der Rand der Vordern ist kappenförmig ausgeschnitten, und schwärzlich gesäumt, die hohlen Ausschnitte aber führen weiße Borden. Die Oberflügel haben zur Grundfarbe ein helles Ockergelb, und sind mit schwärzlichen Atomen bestreut. Zwey ausgeschweifte Linien und ein schwarzer Punkt in der Mitte sind die sämmtlichen Verzierungen. Das Männchen, wie die dritte Figur erweißt, hat stärker gekämmte Fühlhörner. Bey einigen Exemplaren ist die Oberseite dunkler, und der mittlere Raum zwischen den beyden Linien mit schwärzlichen Schatten ausgefüllt. An dem Weibchen bemerkt man, wenigstens nach den meisten Exemplaren, keine dunklen Atome; die Streifen sind mehr röthlich und von feinerer Zeichnung. Doch habe ich sie auch an einigen um vieles stärker wahrgenommen *).

Der hundert und zwey und zwanzigste europäische Nachtschmetterling.

BOMB. ALIS FALCATIS. HARPAGVLA.

Brauner gelbfleckigter Sichelfalter.

Tab. LXXIII. Fig. 1. Die männliche, Fig. 2. Die weibliche Phalene.

Bomb. alis falcatis repandis griseis, apice uncinatis, fascia e maculis sagittatis nigris, mediaque disci rotundata flava luteis foeta.

Von diesem sehr nett gezeichnetem Sichelfalter finde ich ebenfalls noch keine Anzeige. Es hat Herr Cammerrath Jung bereits vor einigen Jahren solchen in der Gegend von Uffenheim endeckt, und auch öfters aus der Raupe erzogen. Nur konnten nach verschiedenen Hinternissen nicht die genauesten Beobachtungen angegangen werden. Sie soll von der Raupe der nächstfolgenden Gattung wenig verschieden seyn. Es ist sonach ihre Geschichte auf weitete Belehrung auszusetzen.

Die Phalenen beyderley Sexus sind fast nur durch die Größe, dem erhöhten Colorit, und etwas veränderter Zeichnung, hauptsächlich aber

*) In Sulzers abgekürz. Gesch. der Ins. S. 161. Tab. XXII. Fig. 10. ist unter dem Nahmen Falcataria L. eine ganz andere Phalene angegeben, die ein wahrer Spannenmesser, aber nicht diese Linneische Gattung ist.

durch die Fühlhörner verschieden. Die Vorderflügel sind sehr stark durch eine tiefeingehende Krümmung ausgeschweift, die Hinterflügel aber fast ganz nach den äußern Rand gerundet. Die Grundfarbe ist ein sattes Ockergelb, und von Außen nach den Vordenflügeln mit Röthlichem gemischt. Sie sind mit dunkleren, oder mehr bräunlichen geraden und kappenförmigen Streifen nebst dergleichen Flecken geziert. In der Mitte der Fläche ist ein größerer von dunkelgelber Farbe. Er ist gerundet, und scheint wie aus Dreyen zusammengesezt. Auf diesem stehen etliche hellgelbe Punkte, meistens in eckigter Form. Zur Seite des Randes zeigt sich eine mondförmig gezogene Binde, von schwarzen winklichten Flecken, deren mittlerer Raum mit Stahlblau ausgefüllt ist. An dem Weibchen finden sich diese Züge in zweyfachen Reihen. Dieß sind die vorzüglichste Charaktere, nach deren sie sich auch von der nächstfolgenden Gattung am wesentlichsten ausgezeichnet.

Der hundert und drey und zwanzigste europäische Nachtschmetterling.

BOMB. ALIS. FALCATIS. FALCVLA.

Der schwarzstreifigte Sichelfalter.

Tab. LXXII. Fig. 3. Der männliche, Fig. 4. Der weibliche Falter. Fig. 5. Die Raupe auf einem Birkenzweig. Fig. 6. Die Chrysalide.

LINN. Syst. Nat. Ed. XII. p. 859. Sp. 202. *Falcataria.* *Geometra* pectinicornis, alis falcatis glaucis: anticis undis fasciaque griseis puncto fusco. Spannenmesser, (Spinner) mit kammförmigen Fühlhörnern, sichelförmigen, röthlichockergelben Flügeln, die vordern mit roth-braunen wellenförmigen Zügen, und einer dergleichen Binde, nebst einem Punkt in der Mitte, Hab. in Betula alba, Alno. Mas puncto ferrugineo in medio alae iuxta fasciam, quo foemina caret. Larva coercetata uti Lacertinaria. Faun. Suec. Ed. nov. nr. 1224. Geom. *Falcataria.* — Striga ferruginea pone punctum maiusculum fuscum.

Müllers Uebers. des Nat. Syst. V. Th. I. B. S. 705. nr. 202.

System. Verz. der Wiener Schmett. S. 64. Fam. T. Spitzraupen, Larvae cuspitatae. Spannenförmige Spinner, Bomb. geometriformes. Sp. 2. Ph. Falcula. Weißbirkenspinner.

FABRICII. Syst. Entom. pag. 621. nr. 8. — *Spec. Ins.* Tom. II. pag. 242. nr. 10. Phalena falcataria. — Larva fusca, striis albis, quiescit capite caudaque elevatis.

MÜLLERI Faun. Friederichd. p. 97. nr. 415. Ph. Falcataria. — ZOOL. dan. prodr. p. 124. nr. 1434. Fueßli Schweiz. Ins. p. 39. nr. 753. Ph. falcat. Der Sichelmesser. Berliner Magaz. IV. B. S. 514. nr. 20. Ph. Falcat. Der Kukuck. Ockerbraun mit vielen blaßbraunen ausgeschweiften Querstreifen; die Spitzen der Oberflügel sichelförmig. S. 623. I. Die Raupe beschr. Göze entom. Beytr. III. Th. III. B. S. 283. nr. 202. Falcat. Der Sichelflügel. Jung Verz. europ. Schmett. Falcula. S. 52. Gleditsch Forstwiss. I. S. 556. nr. 9. Ph. Falcat.

Naturf. IX. St. S. 96. (D. Kühn) von der seltsamen Puppe einer Birkenraupe. Tab. I. Fig. 6. Die männliche Phalene. SCHAEFFERI Icon. Ins. Rat. Tab. 74. Fig. 1. 2.

DEGEER Mem. Tom. I. Mem. X. pag. 333. Tab. XXIV. Fig. 1—7. *Chénille* à 14 jambes, verte, à six tubercules coniques et charnus sur le dos, dont le dessus du corps est d'un brun tirant sur le pourpre, et dont le posterieur, qui est dépourvu de jambes, se termine en pointe conique — sur l'Aune — pag. 695. Tab. XXIV. Fig. 7. Phalene etc. — Tom. II. P. I. pag. 353. nr. 7. Tab. VI. Fig. 1. Ph. *Faucille*. (Das Männchen.) *Phalene* à antennes barbues à trompe, à ailes horizontales d'un blancheâtre feuille-morte rayées de brun, avec une ligne oblique et une tache brune, et dont l'angle extérieur est courbé en crochet. Göze Uebers. I. Th. II. Quart. S. 91. — 4. Quart. S. 118. — II. Th. I. B. S. 257. nr. 7. Die Sichelphalene. Gleiche Tafeln und Fig.

Gladbachs Beschr. neuer Schmett. S. 52. Der SVogel. Tab. 23. Fig. 5. 6. — Verz. D. der gelbe Rasch.

Es erscheint die Raupe der hier in der Ordnung beygebrachten Phalene, zugleich mit der vorigen, der Lacertula, sie bedient sich einerley Futterpflanzen, der Birken, Erlen und Eichen. Sie kommt sogar nach der Zeit ihrer Entwicklung mit jener überein, ich hatte sie zugleich auf dem nehmlichen Baum erhalten. Im übrigen aber ist die Farbe und Gestalt gänzlich verschieden. Der Körper ist an beyden Enden verdünnt, und der lezte Ring durch eine stumpfe Spitze begränzt. Zur Seite und unter dem Leib ist sie von hellem Grün, über dem Rücken aber zieht sich ein hellbrauner Streif, der mit dunkelrothen Strichen und dergleichen Einschnitten verschönert ist. Der dritte Ring ist gleichfalls grün und höckerigt erhöht. Sie trägt die lezten Glieder etwas überwärts gekrümmt. Ihre Verwandlung erfolgt in zusammenverwebten Blättern. Die Chrysalide ist sehr geschmeidig gebildet, und besonders am Ende gemächlich verdünnt. Die Farbe ist glänzendbraun, an der Endspitze aber, so wie nach dem Vordertheil, von düsterem Schwarz. Sie führt noch einige Erhöhung über den Rücken, die aber in der Abbildung nicht deutlich auszudrücken waren. Herr D. Kühn erhielte den Falter erst das folgende Jahr. Mir kam er mit vorigen in Zeit von zehen Tagen aus.

Es tragen diese Phalenen ihre Flügel in ruhenden Stand ganz eben, und haben nach dem Ausschnitt mit der erstbeschriebenen Gattung einerley Bildung. Auch beyde Geschlechter sind nach den Verzierungen ganz übereinstimmend gezeichnet. Die Grundfarbe ist ein blasses Ockergelb, das öfters ganz ins Weißlichte fällt. Das Männchen, das um vieles kleiner ist, führt sie um vieles dunkler. Man erblickt verschiedene wellenförmige Züge und Linien auf der Fläche, so wie einige Punkte. Am meisten nimmt sich die rostfärbige Schleyer aus, die von der Endspitze gegen die Mitte des inneren Randes sich zieht. Ueber derselben findet sich ein cirkelförmiger Flecken, den Herr von Linne einen Punkt genennt; er ist in der Mitte mit kleinen Linien durchkreuzt. Daneben steht ein ganz einfacher in sehr geringer Größe, der aber einigen Exemplaren, doch sehr selten fehlt. Herr von Linne erwähnt, daß dem Weibchen der größere Punkt gänzlich mangelt, ohngeachtet er nach genauester Beschreibung des zweyten gar nicht gedenket. Ich habe dieß bey so vielen Exemplaren niemahlen beobachtet, und es müßten vielleicht sehr seltene Ausnahmen seyn, oder es wurde einer dieser ähnlichen Arten damit verwechselt, dahin besonders die unter dem Nahmen Sicula nächstfolgende Gattung, gehört. Das Weibchen hat fadenförmige Antennen.

Der hundert und vier und zwanzigste europäische Nachtschmetterling.

BOMBYX ALIS FALCATIS. HAMVLA.

Sichelfalter mit zwey Punkten.

Tab. LXXIV. Fig. 1. Der männliche, Fig. 2. Der weibliche Falter. Fig. 3. Die Raupe auf einem Schlehenzweig.

Bomb. alis falcatis fulvis lineis binis, (tribus in foem.) angulato-sinuatis flavis, punctis duobus disci nigris.

System. Verz. der Wiener Schmett. Fam. T. Spitzraupen. Bomb. geometr. nr. 1. Sicula. Mayenspinner. (Aus Sachsen.)

FABRICII Syst. Ent. pag. 629. Spec. Phal. 49. Ph. *Falcata*. Seticornis, alis falcatis fulvis: punctis duobus fuscis inter strigas luteas. Hab. Anglia. Statura Falcataria. Alae falcatae, fulvae, strigis duabus undatis, luteis, inter quas

quas puncta duo fusca approximata. Versus apicem alae litura fusca. Alae posticae dilutiores. Subtus omnes flavae, immaculatae. — *Spec. Ins.* Tom. II. pag. 254. Sp. 68.

Göze entom. Beytr. III. Th. III. B. S. 415. nr. 276. Falcata. Der englische Sichelspanner (nach Fabricius). — S. 62. nr. 85. Hamula, nach dem Syst. Verz. Die Rothbuchenspinner.

Nach denen mir mitgetheilten zuverlässigen Nachrichten ist dieß derjenige Falter, welchem die Herren Verf. des Syst. Verz. d. Wiener Schm. obstehenden Nahmen gegeben. So bestimmt ihn schon die eigene Familie, zu der sie ihn geordnet haben, wenn auch die Herren Verf. ihn durch keine Merkmahle weiter bezeichnet hätten. Auf Nahmen kommt es zwar nicht an, doch ist es Pflicht, die einmahl, angenommenen beyzubehalten, und das Gedächtniß nicht durch andere zu beschweren. So hatten unsere Liebhaber obige Benennung schon angenommen, ehe sie die von Herrn Fabricius kannten, welche vielleicht zu gleicher Zeit unserem Falter beygelegt worden.

Die Raupe kommt uns nicht selten vor. Wir treffen sie auf Eichen, Aspen, Weiden und Birken an, doch gemeiniglich im späten Herbst, und so ist es sehr wahrscheinlich, daß wir sie nur nach den zweyten Erzeugungen kennen. Die Chrysalide überwintert, und nach meinen Erfahrungen erschien die Phalene sehr zeitig im Frühling. Hat man die vierzehenfüssige Raupenarten nach dem in die Länge gestreckten Hinterleib mit anderen Geschöpfen, und zwar aus der Classe der vierfüssigen Amphibien, den Eideren verglichen, so kommt diese wenigstens in einiger Vergleichung ihnen am nächsten. Der ganze Körper ist sehr schlank und zart gebaut, er ist durchscheinend, wenigstens kann man die Säfte sich bewegen sehen. Der Hinterleib ist in eine einfache Endspitze gemächlich verdünnt, und im Gehen wird dieselbe sowohl als das Vordertheil in einer Krümmung in die Höhe gerichtet. Die Grundfarbe ist ein röthliches Braun, über dem Rücken aber zieht sich nach unterschiedener Breite und Verengerung ein hochgelber Streif. Noch sind an dem dritten Ring ein paar höckerichte Spitzen zu bemerken. Die Abbildung ergiebt mehrere Merkmahle, so wie den Unterscheid von der Raupe der folgenden Gattung. Die Chrysalide hatte ich nicht so genau bey der Erziehung beobachtet, sie kam nach meinen Bemerkungen mit der, der folgenden Gattung überein.

Die Vorderflügel sind nicht so stark, wie an den beyden erst beschriebenen Phalenen ausgeschweift. Die Grundfarbe ist eine Mischung von röthlichem Gelb, das an dem Männchen um vieles dunkler ist. Es führt zwey winklichte oder ausgeschweifte Linien von hellem Gelb, und in der Mitte zwey schwarze neben einander stehende Punkte. Gegen die Flügelspitze aber steht eine schwarze ins stahlblaue verlohrene mondförmige Mackel. Das Weibchen, oder der Falter nach der zweyten Figur hat noch die dritte hellgelbe Linie, und führt fadenförmige Antennen. Die Unterseite ist nach beyden Flügeln von sehr erhöhetem Gelb, an dem Rand aber etwas ins Braune gemischt. In der Sammlung des Herrn Gerning findet sich ein Exemplar von gleicher Größe und Umriß, wo aber die Grundfarbe dunkelbraun und die Linien schwärzlich sind. Es haben sich ihre Gattungsrechte zur Zeit noch nicht entschieden.

Der hundert und fünf und zwanzigste europäische Nachtschmetterling.

BOMB. ALIS FALCATIS. SICVLA.

Bandirter Sichelfalter.

Tab. LXXIV. Fig. 4. Der männliche, Fig. 5. Der weibliche Falter. Fig. 6. Die Raupe auf einem Schlehenzweig. Fig. 7. Die Chrysalide.

Bomb. alis falcatis fulvis; fascia lata rufſa.

System. Verz. der Wiener Schm. S. 64. Fam. T. Spitzraupen, Spannerförmige Spinner. nr. 1. Sicula. Mayenspinner (aus Sachsen).

Kleemanns Beytr. S. 177. Tab. XXI. Die kleine zimmtbraune, mit einem hochfleischfarben Flecken gezierte und mit einer besondern Rücken- auch Schwanzspitze versehene Raupe, ohne Nachschieberfüsse, mit ihrer Verwandlung in einem Nachtpapilion 2ter Classe.

Nach dem körperlichen Bau ist die Raupe dieser Phalene mit der vorigen ganz übereinstimmend gebildet. Nur die Farbe ist verschieden. Der Streif über dem Rücken ist rosenroth, zuweilen auch dunkler gefärbt. Zur Seite ist sie mehr bräunlich als roth. Sie nimmt wie erstere, wenn sie gestört wird, gleiche Stellungen an, sie ruht auf den Bauchfüssen, und erhebt die vordern Ringe in einer gedoppelten Krümmung, so wie dann auch die Endspitze in die Höhe gerichtet steht. Man findet sie zu einerley Zeiten in dem Herbst; und auf gleichen Bäumen. Auch die Buchen, die Schlehen,

Weiden und Eichen sind ihre gewöhnliche Kost. Zur Verwandlung fertigt si sich ein röthlich = braunes dünnes Gespinnst auf einem Blatt, das sie zur Hälfte zusammen zu rollen pflegt. Die Chrysalide ist mit einem blaulichten Staub überzogen, welcher sich nach dem Hinterleib am ersten abzuführen pflegt. Die Grundfarbe der Schale ist dann ein lichtes Braun. Die End spitze zeigt unter der Vergrößerung, zur Seite ausstehende Häckgen, die zwar mehreren eigen sind, doch haben auch diese wiederum ihre veränderte Gestalt Das Auskommen der Phalene erfolgt nach Beschaffenheit der früheren oder späten Witterung, im April oder May. Nothwendig sind die im später Herbst uns zu Handen kommenden Raupen von der zweyten Erzeugung, da es zur Entwicklung jeder Stände keine so geraume Zeit bedarf.

Ich habe hier gleichfalls beyde Geschlechter in Abbildung beygefügt, wenn sie auch wenig verschieden sind. Es werden dadurch die Bedenklichkeiten gehoben, welche sich bey ähnlichen Arten, auch nach der genauesten Beschreibung ergeben. Der wesentlichste Abstand des Männchens besteht nur in der minderen Größe, den kammförmigen Fühlhörnern, und einer dunkleren Anlage des Colorits. In beiden ist die Grundfarbe ein helles Ockergelb mi Röthlichem gemischt. In der Mitte steht eine breite rostfärbige Binde, die zur Seite dunkler gesäumt ist, gegen den Rand aber zeigt sich ein gleicher Streif, der an dem Weibchen gedoppelt ist, von etwas lichterer Anlage. Es finden sich niemahlen Punkte oder Flecken darinnen. Die Phalenen, die man also nach Albin und Wilkes *) für diese Gattung erklärt, stimmen damit nicht überein. Sie sind vielleicht nach gleichförmiger Raupe, die vorhin beschriebene, da sie mit zwey Punkten in der Mitte der Vorderflügel bezeichnet sind.

Dieß sind die mir zur Zeit bekannten Gattungen der Sichelfalter. Es wären noch mehrere beyzufügen, es hat sich aber das Gewisse nach den Raupen noch nicht entschieden. Zum Schluß dieses Theils füge ich noch einige Spinnerarten bey, die nach den schon ausgefertigten Tafeln nicht in ihre Ordnung einzuschalten waren. Die neueren Endeckungen sollen in den Fortsetzungen beygebracht werden.

* * *

*) ALBINI Hist. Ins. Tab. 65. p. 65. WILK. engl. M. a. Butterfl. p. 14. Tab. 30.

Der hundert und sechs und zwanzigste europäische Nachtschmetterling.

BOMB. SPIRIL. DORSO CRIST. DECOLORA.

Aschgrauer braunfleckigter Spinner.

Tab. LXXV. Fig. 1. Die männliche Phalene von beyden Seiten.

Alis deflexis cinerascentibus, fascia lunulaque fusca.

Die Vorderflügel dieser Phalene sind von bräunlichem Aschgrau, und mit abwechselnd braunen und weißlichten Borden besetzt. In der Mitte zeigt sich ein mondförmiger schwarz eingefaßter Flecken. Weiter gegen den Rand zieht sich eine durch kleine Krümmungen ausgeschweifte Linie mitten durch. Sie ist gegen die Grundfläche ins Bräunliche verlohren. Noch sind verschiedene Flecken dieser Farbe und zerstreute Atomen darauf wahrzunehmen. Die Hinterflügel sind heller gefärbt, und führen in ihrer mittlern Fläche einen schwarzen Punkt. Die Fühlhörner haben eine röthlichbraune Farbe. Die Zunge ist spiralförmig gerollt.

Es findet sich dieser Falter in hiesigen Gegenden. Man hat ihn auch von der Raupe gezogen, doch ohne genaue Beobachtungen zu machen.

Der hundert und sieben und zwanzigste europäische Nachtschmetterling.

BOMB. SPIRIL. DORSO CRIST. OPACA.

Aschgrauer weißfleckigter Spinner.

Tab. LXXV. Fig. 2. Der männliche Falter von beyden Seiten.

Alis deflexis cinereis, striga maculisque duabus albis.

Es kommt diese Phalene nach den Zeichnungen der erstbeschriebenen sehr nahe. Die Grundfarbe ist etwas dunkler. Hier finden sich zwey nierenförmige Flecken von weisser Farbe, und eine dergleichen ausgeschweifte Linie gegen den Rand. Noch sind verschiedene einzelne Mackeln und Punkte dieser Farbe, wie auch schwärzliche Striche, nach der Lage wie es die Abbildung ergiebt, darauf wahrzunehmen. Den Hinterflügeln mangelt der schwarze Punkt, sie sind überdieß gegen den Rand dunkler schattirt. Der Hinterleib ist etwas flach und zu beyden Seiten mit fleischfarbenen Haaren besetzt. Die Fühlhörner sind ganz schwarzbraun und zart gefiedert. Man trift den Falter gleich=

falls in hiesigen Gegenden an. Nähere Umstände aber kann ich zur Zeit no[ch] nicht berichten.

Der hundert und acht und zwanzigste europäische Nachtschmetterling.

BOMB. SPIRIL. DORSO LAEVI. RVBRICOSA.

Lichtgrauer Spinner mit gelblichrother Binde.

Tab. LXXV. Fig. 3. Die männliche Phalene von beyden Seiten.

Alis defl. grisescentibus, fascia lata rufa et macula reniformi in medio fusca serieque punctorum marginalium nigrorum.

Auch diese Phalene wurde in unseren Gegenden entdeckt, ohne daß ich von ihrer Naturgeschichte mehreres erzählen kann. Sie ist unter denen, die man insgemein Plebejer nennt, fast von hellester Farbe, und in der That sehr nett gezeichnet. Der Grund sämmtlicher Flügel ist ein blasses Fleischfarb. Durch die Mitte der vordern geht eine breite mit einer braunen Einfassung kappenförmig begränzte Binde von röthlicher ins Gelbe gemischte Farbe. Ueber derselben ist noch ein gleicher Streif, und nächst an dem Rand eine Reihe sehr fein gezeichneter schwarzer Punkte zu sehen. In der Mitte der breiten Binde findet sich ein dunkelbrauner weiß eingefaßter Flecken. Die Fühlhörner sind von etwas starker Anlage und sehr sichtlich gefiedert. Das übrige, besonders die Zeichnung der Unterseite, ist aus der genauesten Abbildung zu ersehen, ich bedarf wenigstens zu Bezeichnung der wesentlichsten Charaktere keiner weitern Anzeige.

Nach der vierten Figur dieser Tafel, füge ich hier einen nach dem Colorit ganz ähnlichen Falter bey. Zur Zeit war ich nicht vermögend, seinen wesentlichen Unterscheid anzugeben. Anstatt des dunkleren Fleckens zeigt sich hier eine nierenförmige Mackel, und unter derselben eine cirkelförmige mit blaßröthlicher Einfassung. An dem Rand mangelt die Reihe schwarzer Punkte, und statt des rundlichen Fleckens auf der Unterseite dieser Vorderflügel, ist einer in mondförmiger Gestalt angebracht. Dieser Falter wurde in Neustadt an der Aisch gefangen, und findet sich in der Sammlung des Herrn Straßkirchers daselbst.

Der hundert und neun und zwanzigste europäische Nachtschmetterling.

BOMB. SPIRIL. DORSO LAEVI. FVSCAGO.

Braungelber Spinner mit kappenförmiger Binde.

Tab. LXXV. Fig. 5. Die Phalene von beyden Seiten.

Alis deflexis luteo-fuscis, fascia crenata e maculis nigricantibus, punctoque in medio nigro.

Hier ist uns abermal von der Naturgeschichte einer nach sehr wesentlichen Kennzeichen unterschiedenen Gattung, weiter keine Nachricht bekannt, als daß sie sich in unseren Gegenden vorgefunden. Die Fühlhörner sind sehr lang, von etwas starkem Stiel, und mit ungemeinen feinen Fasern besezt. Sie kommen denen der Eulen am nächsten, sie sind aber durch die regelmäsigen Reihen der Fasern von jenen verschieden, wenigstens sind hier nach den einmahl angenommenen Charakteren, die Gränzen beyder Horden vereint. Die Grundfarbe der Vorderflügel ist gelb mit Braunem gemischt. In der Mitte findet sich ein gerundeter Punkt von schwarzer Farbe. Auf der Fläche stehen verschiedene dunkelrothe und kurze Striche in schreger Richtung, nebst einigen von schwarzer Farbe. Gegen den Rand nimmt sich eine Binde von schwärzlichen unter sich verbundenen Flecken am meisten aus. Sie sind gegen die innere Seite mit einem weißlichten und schwarzem Saum gerandet, nach dem äußerem Rand aber, mit geraden dunkelrothen Strichen, die abermahl mit weissen gesäumt sind, begränzt. Die Borden sind kappenförmig eingeschnitten. Die Unterseite der Hinterflügel hat einen schwarzen Punkt in der Mitte, und daneben eine ausgeschweifte Linie von gleicher Farbe.

Der hundert und dreyßigste europäische Nachtschmetterling.

BOMB. SPIRIL. DORSO CRIST. TRIGONALIS.

Spinner mit dreieckigten Flecken.

Tab. LXXII. Fig. 6. Die männliche Phalene nach beyden Seiten.

Alis deflexis cinerascentibus, fascia macularum trigonarum, stigmate reniformi fusco, et circinali albo.

Es kommt diese Phalene der auf der 63sten Tafel abgebildeten Ph. Clavis am nächsten, und möchte nur als Abänderung derselben bedünken.

Man wird aber nach genauer Vergleichung eine sehr wesentliche Abweichun gewahr. Es ist die Form der Flügel sehr verändert, sie sind kürzer, un im Verhältniß breiter gestaltet. Die dreyeckigten schwarzen Flecken stehen au einem weißem Grund, und der nierenförmige ist größer und von veränder ter Bildung. Es fehlt auch der kleinere an der vordern Spitze, so wi verschiedene andere Züge, die jener Falter besitzt. Ich habe ihn mit mehre ren übereinstimmend verglichen. Er ist aus hiesigen Gegenden.

Der hundert und ein und dreyßigste europäische Nachtschmetterling.

BOMB. SPIRIL. DORSO CRIST. GOTHICA.

Spinner mit Gothischen Buchstaben. Gothischer Spinner.

Tab. LXXVI. Fig. 1. Die männliche Phalene, Fig. 2. Die weibliche. Fig. 3. Eine vermuthliche Abänderung.

LINN. Syst. Nat. Ed. XII. p. 851. Sp. 159. Gothica. Ph. (*Noctua*) Bomb. spirilingnis cristata, alis deflexis: superioribus fuscescentibus: arcu nigro linea alba marginato. Eule (Spinner) mit einer Spiralzunge, kammförmiger Brust und niederhangenden Flügeln, nach den vordern aschgrau ins röthliche gemischt, nebst einer schwarzen bogenförmigen weiß eingefaßten Mackel. Hab. in Europa *Alae* in medio arcu nigro, extrorsum verso, albo marginato, cum adjecto. Puncto nigro ad latus interius. Fauna suec. Ed. n. nr. 1192. Descr. *Alae superiores* cinereae absque maculis ordinariis; in medio alae arcus, extrorsum curvatus, niger, linea alba marginatus; Postice striga repanda pallida. *Subtus* alae puncto fusco et arcu obsoleto.

Müllers Uebers. des Nat. S. V. Th. 1. Bd. S. 696. Ph. Goth. Die gothische Schrift.

Fueßli Schweiz. Ins. S. 38. nr. 736. Ph. Goth. etwas selten.

MÜLLERI Zool. Dan. Prodr. p. 122. nr. 1412. Ph. Goth. Linn. Char.

FABRICII Spec. Ins. Tom. II. pag. 229. nr. 102. Ph. Goth. *Noctua* cristata, al. defl. anticis fuscescentibus, arcu punctoque medio atris.

Göze Entom. Beytr. III. Th. III. B. S. 156. nr. 159. Ph. Goth. Die gothische Schrifteule.

System. Verz. der Wiener Schm. Eulen Fam. M. Seitenstreifraupen, Larvae albilateres. Schwarzgezeichnete Eulen, Noctuae atro - signatae. nr. 9. Nun atrum, Klebkrauteule. (Galii Aparines).

Jung Verz. europ. Schm. Nun atrum. S. 95.

CLERCK Icon. Ins. rar. Phal. Tab. I. Fig. 1. Ph. Goth.

Nach obigen Charakteren ist dieß diejenige Phalene ganz entscheidend, welche Herr von Linne mit diesem Nahmen bezeichnet. Auch die Abbildung, auf welche er sich nach dem Clerkischen Werk bezogen, stimmt damit überein. Sie wurde unter die Eulen gerechnet, da ihm das Männchen mit gefiederten Fühlhörner nicht bekannt gewesen. Doch in erstangezeigter Abbildung, finde ich diese Werkzeuge sehr deutlich angegeben. Die Herren Verf. des System. Verz. haben die Ph. Gothica nach den Linneischen Nahmen nicht eingetragen. Dagegen erwähnen sie eines andern unter der Benennung des Nun atrum, welchen ich von dasigen Gegenden unter gleichem Nahmen erhalten habe. Der schwarze bogenförmige Strich in der Mitte der Vorflügel gleichet einem Buchstaben, dem hebräischen (נ) Nun am nächsten. Herr von Linne fand mit einem Charakter der Gothischen Schrift einige Aehnlichkeit, und so ist dann der Nahme der Gothica entstanden. Die ächte Leßart ist, zumahl bey so vielen Varianten, einem jedem zur Entscheidung überlassen.

Es ist diese Phalene in unseren Gegenden nicht sonderlich selten. Wir finden sie in den wärmeren Tagen des Frühlings, an den Wänden und Zäunen, oder den Stämmen der Bäume in ruhiger Lage sitzend. Man hat sie auch aus der Raupe gezogen, deren genauere Beschreibung und Abbildung aber ich auf die Fortsetzung verspahren muß. Nach dem Colorit und Zeichnungen der Flügel, habe ich sehr mannichfaltige Abweichungen bemerkt. Einige waren ganz blaßgrau, andere aber nach der Grundfarbe dunkelbraun gefärbt. In dem schönsten Gewand erschienen sie nach vorliegender Abbildung mehr mit Röthlichem vermengt. Der, einem hebräischen Nun gleichende Zug, war bald mit Gelbem, bald mit Weissem gesäumt. Gleiche Veränderung hatten auch die Streifen, mit denen die Fläche geziert ist. Ich habe nach diesen beyderley Geschlechter vorgestellt, wenn ich sie auch an einem wie dem andern wahrgenommen. Das Männchen hat starke gefiederte Fühlhörner, doch von etwas feinen Fasern. An dem Weibchen aber sind sie ganz fadenförmig.

Nach der dritten Figur habe ich noch die Abbildung einer Phalene beygefügt, die zwar nach den vorzüglichsten Kennzeichen übereinkommt, aber sehr viel Abweichendes zu erkennen giebt. Der schwarze Zug in der Mitte der Vorderflügel ist hier von veränderter Bildung. Er ist sehr schmal und an beyden Enden gleich erhöht. Es mangelt hier die der unter demselben gegen den inneren Rand, dorten angebrachte schwar Streif. Dabey ist hier eine unterbrochene Linie durch den Flügel wahrz nehmen, anstatt daß hellere Streifen daselbst zu ersehen waren. Ueberdi hat auch der äußere eine sehr breite schwärzliche Einfassung. Die Fühlhörn sind fadenförmig. Zur Zeit habe ich nicht mehr als zwey einzelne Exempla vergleichen können. Es ist mir daher noch unbekannt, ob auch das Männ chen kammförmige Fühlhörner hat, und diese Phalene nicht zu den Eulen arten gehört. In diesem Fall würde ihr die Benennung des Nun atrun am schicklichsten beygelegt werden.

Der hundert und zwey und dreysigste europäische Nachtschmetterling.

BOMB. AL. DEFL. DORSO LAEVI. VAV PVNCTATVM

Der Spinner mit dem punktirten Vau. Das punktirte Vau.

Tab. LXXVI. Fig. 4. Die Phalene von beyden Seiten.

Alis omnibus cinereis, superioribus charactere V nigro notatis ex punctis singularibus, lunulaque adiacente nigra.

Es wurde mir die in Abbildung hier vorliegende Phalene vor einigen Jahren aus Lion zugeschickt. Bald hernach entdeckte ich sie auch in unsren Gegenden. Man hatte sie für die Ph. C. nigrum des Herrn von Linne erklärt, wohin aber keine Charaktere sich anwenden lassen. Jener wurde dieser Nahme von der bogenförmigen Binde auf der Unterseite der Hinterflügel ertheilt, welche aber diesem Falter mangelt. Das C. nigrum hat nach der Beschreibung des Systems vielmehr die nächste Aehnlichkeit mit der Ph. Gothica.

Der ganze Körper dieses Falters ist wie die Flügel von einem bräunlichem Aschgrau. Die vordern hatten etwas dunklere Flecken, und eine Reihe feiner Punkte von schwarzer Farbe gegen den Rand. In der Mitte zeigt sich eine eigene Verzierung. Es ist der einem Vau nächst ähnliche Zug, der aus einzelnen schwarzen Punkten zusammengesezt, oder durch die weißlich gefärbten Sehnen getrennt ist. Hinter demselben gegen die Grundfläche steht noch ein anderer in Form eines halben Cirkels. Nach einigen Exemplaren hat dieser die Gestalt eines Comma, er ist am Ende spitzig und vornen verdickt. Die Fühlhörner haben etwas starke Seitenfasern, sie stehen dicht aneinander, sind aber sehr kurz.

Der hundert und drey und dreysigste europäische Nachtschmetterling.

BOMB. SPIRIL. DORSO LAEVI. PVLVERVLENTA.

Braungelber schwarzbestäubter Spinner.

Tab. LXXVI. Fig. 5. Der männliche, Fig. 6. Der weibliche Falter.

Alis deflexis superioribus griseis, atomis nigricantibus adspersis, et stigmate obliterato fusco.

Man findet diese Phalenart in unseren Gegenden nicht selten auf Eichenbäumen, wo sie gemeiniglich durch eine Erschütterung mit den Raupen herabfällt. Sie erscheint im Junius und dem folgenden Monath. Die Vorderflügel sind röthlichbraun, mit unzähligen der feinsten Punkte von schwarzer Farbe bestreut. Hin und wieder zeigen sich einige verlohrene röthlichgelbe Flecken. In der Mitte steht eine dunkelbraune etwas verblichene Mackel, aus zwey Flecken zusammengesezt. An dem weiblichen Falter oder dem nach der sechsten Figur, ist sie nach der lichteren Grundfarbe deutlicher begränzt. Man bemerkt dann noch eine dritte gegen die Grundfläche in spitzwinklichter Lage mit jener. Die Fühlhörner sind braun, und haben nach Verhältniß der geringen Größe des Körpers sehr starke Fasern.

Der hundert und vier und dreysigste europäische Nachtschmetterling.

BOMB. ELINGVIS DORSO SVBCRIST. ROSEA.

Rosenrother Spinner.

La Rosette. GEOFFR.

Tab. LXXVII. Fig. 1. Die weibliche, Fig. 2. Die männliche Phalene. Beyde von der Ober- und Unterseite. Fig. 3. Die Raupe auf dem Blatt eines Grases.

FABRICII Syst. Entom. pag. 587. Sp. 109. Bomb. *Rosea.* — Spec. Ins. Tom. II. pag. 205. Sp. 152. — Alis incumbentibus roseis, strigis tribus fuscis, secunda undata, tertia punctata. — Hab. in Europae Hortis.

Syst. Verz. der Wiener Schm. S. 68. Fam. C. Spindelraupen; Larvae fusiformes. Schabenartige Eulen, Noctuae Tineiformes. Sp. 10. Noctua *Rubicunda* (Ph. Geom. Miniata. FORST.) La Rosette GEOFFR. Fleischfarbene rothgerandete Eule.

FORSTERI Novae Spec. Ins. Cent. I. p. 75. *Phalaena miniata* geometrica seticornis, alis rotundatis, omnibus pallide miniatis, anticis linea undata ad basin, characteribus in medio et punctis versus marginem posticum nigris. Hab. in Quercetis Angliae.

GEOFFROI Hist. d. Ins. T. II. p. 121. nr. 25. Phalena pectinicornis elinguis alis deflexis roseis, superioribus punctorum arcumque nigrorum ordine duplici. Long. 6. lign.

RAII Hist. Ins. pag. 227. nr. 86. Phal. minor, alis veluti miniaceis, punctis et lineolis nigris in medio notatis.

Göze entom. Beytr. III. Th. III. Bd. S. 53. Rosea Fabr. Der rosenflüglicht Spinner. Rubic. des Syst. Verz.

Jung Verz. europ. Schm. Ph. Rosea, Rubicunda.

Naturforsch. XIII. St. Nr. III. Walchs Beytr. S. 60. Tab. 1. Fig. 18. Das Weibchen. HARRIS engl. M. a Butt. Tab. 30. Fig. p. Gladbachs Beschr. S. 36. Tab. XVI. Fig. 6. 7. Das rare Rosenvögelgen.

Nach Anzeige vorstehender Schriftsteller wurde dieser Falter zu den Spinnern, den Eulen und Spannenmessern gerechnet. Der Streit ist aber sehr bald entschieden, es kommt nach unserem System auf die Fühlhörner an. Diese sind würklich gefiedert. Doch sind die Fasern sehr fein, und stehen etwas weit auseinander. Herr Fabricius hat für die Bombyces noch andere Charaktere bestimmt, und nach denselben auch einige Gattungen mit fadenförmigen Antennen dahin gerechnet. Hier hat es keinen Anstand, das Männchen kommt nur seltener vor. Das Weibchen hat diese Organe nach einem sehr dünnen fadenförmigen Stiel.

Die Phalene erscheint bey uns zu Anfang des Julius, zuweilen auch früher. Sie hält sich auf den Blättern der Eichbäume oder deren Stämmen auf. Beyde Geschlechter sind außer der Größe, wie die hier vorliegenden Zeichnungen erweisen, wenig unter sich verschieden. Die Grundfarbe sämmtlicher Flügel ist ein etwas blasses Fleischfarb. Die vordern haben einen breiten tief in die Fläche verlohrenen Saum von frischem Mengroth. Es finden sich auf denselben drey Reihen bindenförmiger Züge von schwarzer Farbe. Die erste nächst an dem Rand besteht aus einfachen Punkten, bey dem Weibchen aber in länglichen Strichen. Die zweite ist aus schlangenförmigen Linien gebildet, die dritte aber nächst der Grundfläche mehr ausgeschweift oder kappenförmig gezogen. Sie fehlt gemeiniglich an dem Männchen.

Ccc 2

Die dritte Figur giebt die Gestalt der Raupe zu erkennen. Ich abe sie von einem Freund mitgetheilt erhalten, der sie erzogen. Ich fand e einstens an dem Stamm einer Eiche, und ein andermal auf dem Gras, as sie benagte. Es ist sonach die bestimmte Futterpflanze nicht anzugeben. Sie ist in der Mitte des Junius vorhanden, und entwickelt sich in wenigen Wochen. Der ganze Körper hat lange filzigte Haare von schwärzlichbrauner Farbe, nur der Kopf ist roth. Das Gehäuse ist ein Gewebe von zarten Fäden. Die Chrysalide ist schwarz. Es entwickelt sich die Phalene daraus in wenigen Wochen.

Der hundert und fünf und dreyssigste europäische Nachtschmetterling.

BOMB. EL. DORSO LAEVI. CVCVLLATELLA.

Die Sperbermotte.

Tab. LXXVII. Fig. 4. Die männliche Phalene. Fig. 5. Die weibliche. Fig. 6. Eine Abänderung. Fig. 7. Die Raupe. Fig. 8. Das Gespinnste. Fig. 9. Die Chrysalide.

Linn. Syst. Nat. Ed. XII. Tom. II. p. 889. Sp. 376. Tinea Cucullatella. Alis albido-cinereis: antice striga nigra recurvata. Mit hellaschgrauen Flügeln; und einem schwarzen, rückwärts gebogenen Streif an der vordern Fläche. Hab. in Sorbo intra folliculum conicum pilosum. Roes. I. Ph. 4. Tab. XI. Fauna su. ed. nov. nr. 1384. *Desc.* Media. *Alae superiores* pallide canescentes: antice arcu nigro recurv o notatae; dein duabus tribusque strigis fuscis albidisque undatis. *Inferiores* albicantes. Subtus obscure cinerascentes puncto centrali in inferioribus.

Müller Uebers. des Nat. Syst. V. Th. 1. B. S. 742. nr. 376. Ph. Cuc. Die Sperbermotte.

Fueßli Schw. Ins. S. 42. nr. 830. Tin. Cucul. Auf Birn- und Apfelblättern. — Mag. der Entom. II. St. S. 39.

Fabricii Syst. Entom. pag. 660. nr. 29. Tinea *Cucullatella.* Alis argenteis; arcu dorsali fusco. *Larva* pilosa 14 poda, fusca; dorso albo maculato. *Pupa* folliculata obtusa, fusca. — Spec. Ins. Tom. II. p. 296. nr. 37.

Onomast. Hist. Nat. VI. pag. 346. Die Sperbermotte. Gleditsch Forstwissensch. II. Th. S. 848. nr. 3. Tin. Cuc. Die weisse Vogelbeerbaum-Motte. Göze Entom. Beytr. III. Th. IV. B. S. 95. nr. 376. Tin. Cuc. Die Sperbermotte. Jung Verz. europ. Schm. Tin. Cuc.

Röfels Ins. Belust. I. Th. Nachtr. IV. Kl. S. 24. Tab. XI. Das kleine braune, haarige Apfelbaumräuplein mit weißen Schildern.

Diese kleine Phalene hat alle Kennzeichen der Spinnergattungen, und wir haben sie nothwendig dieser Horde beyzufügen. Unter den Motten, wohin sie gerechnet worden, würden sich mehrere finden, wenn wir mit ihren Raupen nähere Bekanntschaft erhalten. Dann ist auch bey jener Abtheilung um so leichter Aushülfe getroffen, da die mit kammförmigen Fühlhörnern, oder auch die Spannenmesser davon zu sondern sind. Diese Phalene hat nach beyden Geschlechtern gefiederte Antennen. Die Flügel stehen in dachigter Lage angeschlossen, wiewohl sehr flach, keineswegs aber nach Art der Motten zusammengerollt.

Die Raupe hält sich öfters in zahlreicher Menge auf den Blättern des Weißdorns (Crataegus Oxyacanthae L.) auf, man trift sie aber auch auf den Aepfelbäumen, Vogelbeerbäumen, den Schlehen und villeicht noch andern Gesträuchen an. Sie erreichen in der Mitte des Junius ihre vollkommene Größe, und dann pflegen die Phalenen schon in Zeit von vierzehen Tagen nach der Chrysaliden-Verwandlung auszukommen. Nach der Gestalt hat sie die nächste Aehnlichkeit mit den Schildraupen. Sie ist sehr flach, aber kurz gestaltet, doch kann sie die vordern Ringe sehr verlängern. Die Absätze bilden zur Seite kappenförmige Einschnitte. Die Fläche ist mit feinen Haaren auf einem braunem Grund besezt. Ueber dem Rücken steht eine weiße Linie, welche sich durch sechs weiße Flecken zieht. Noch bemerkt man verschiedene Knöpfgen zu beyden Seiten, darunter die zwey mittleren gelb gefärbt sind. Sie hat nur vierzehen Füße, nemlich sechs vordere, und eben so viel in der Mitte, deren ersteres Paar unter dem siebenten Ring sich befindet, und dann etwas verlängerte Schwanzfüße. Ihre Bewegungen sind sehr langsam.

Das Gespinnste, welches sie sich zur Verwahrung ihrer Chrysalide baut, hat eine sehr sonderbare Gestalt. Es ist kegelförmig angelegt, oder kommt seiner Form nach, einer Fischreuse am nächsten, und von weißgrauen nach der Länge gezogenen Fäden, zusammengewebt. Es ist eine Irrung unseres Systems, wenn nach obiger Anzeige gesagt wird, daß die Raupe ein Sackträger ist, oder in diesem Gehäuse ihre Wohnung hat. Die Chrysalide ist an beyden Enden sehr stumpf, und von dunkelbrauner Farbe.

Nach dem Colorit und den Zeichnungen habe ich an beyden Geschlechtern der Falter, kaum erhebliche Verschiedenheit wahrgenommen. Desto mehr aber pflegen sich Abänderungeu zu ereignen. Ich habe drey der vorzüglichsten auf dieser Tafel dargelegt. Die Grundfarbe ist ein helles Aschgrau. Ein großer Theil der Fläche nächst der Brust ist dunkelbraun, der übrige Raum aber mit dergleichen breiteren oder schmalen Binden und Streifen durchzogen. Am gewöhnlichsten kommen sie uns nach der sechsten Figur vor Augen, wo der vordere Theil der Flügel von hellem, etwas blaulichtem Aschgrau mit einer abgekürzten Binde an dem vordern Rand gezeichnet ist. Aus den Eyern kommen die Raupen noch das erste Jahr hervor, welche aber zu überwintern pflegen.

Der hundert und sechs und dreyssigste europäische Nachtschmetterling.

BOMB. ELING. DORSO LAEVI. FLAVIA.

Die Flavia. Die gelbe Caja.

Tab. LXXVIII. Fig. 1. Die männliche Phalene von beyden Seiten.

Bombyx elinguis, alis deflexis fuscis; rivulis albis; inferioribus flavis nigromaculatis.

Ich habe bereits eine Abänderung der Phalena Caja mit gelben Hinterflügeln in Abbildung dargelegt *). Damahls wurden die eigenen Gattungsrechte nach einem einzelnen Exemplar noch unentschieden gelassen. Nun hat sich nach vielen Beobachtungen das Gewißere ergeben. Man hat diese Phalene in Paarungen wahrgenommen, sie wurde in mehrerer Zahl aus den Raupen erzogen, und man fand sie überdiß an eigenen Wohnplätzen. Doch scheint es sehr wahrscheinlich zu seyn, daß diese Arten, Abkömmlinge oder eigene Racen der Ph. Caja sind, die sich in ihren Erzeugungen gleich geblieben. Von der Phalene der XXXI. Tafel wäre das Zufällige der Entstehung sicher zu vermuthen, es hat sich der Zeit weiter keine in unseren Gegenden vorgefunden. In der Schweiz aber wurden diese Falter zahlreicher entdeckt. Das Original der vorliegenden Abbildung ist von daher, und ich habe es aus der berühmten Sammlung des Gerning, nebst andern mitgetheilt erhalten. Nach der Anzahl, der Lage und Bildung der Flecken, ist die Abweichung derselben eben so mannichfaltig, wie an der gemeinen Caja. Hier haben die Hinterflügel auf ihrer hellgelben Fläche nur zwey ein-

*) S. 174. Tab. XXXI. Fig. 4.

zelne Flecken. An dem Exemplar in Herrn Fueßli's Magazin, sind dere mehrere und von beträchtlicher Größe. Gleiche Abweichungen ergeben au die weißen durchkreuzenden Züge der Vorderflügel, die bald größer, bal kleiner sind, und mindere oder mehrere Flecken bilden. An diesem Exempla ist der Rand der Vorderflügel ganz gelblichweis, wie die Binden in der Flä che, gesäumt. Auch der Umriß der Flügel ist mehr gerundet, und die Fle cken sind von sehr dunkler Anlage, welches wesentliche Kennzeichen zu erken nen giebt. Doch hat man an der Caja ähnliche Abweichungen wahrgenommen

Der hundert und sieben dreysigste europäische Nachtschmetterling.

BOMB. EL. DORSO LAEVI. ALBIDA.

Weißer Mückenspinner. Weiße Haar-Phalene.

Tab. LXXVIII. Fig. 3. Die männliche Phalene von beyden Seiten.

Bomb. eling. pilis abdominis albis, thoracis nigricantibus, alis fenestratis.

Diese neue Gattung einer Sackträger Phalene, hat sich vor kurzem in Frankreich, und zwar in der Gegend von Lion vorgefunden. Sie wurde von einem erfahrnen Kenner daselbst endeckt, und unter obenstehenden Nahmen Herrn Gerning geliefert. Durch deßen Güte habe ich diesen schätzbaren Beytrag meinen Lesern darzulegen. Nach dem körperlichen Bau und dem Umriß der Flügel, kommt sie mit der Ph. Atra fast gänzlich überein. Nur sind die Flügel ganz durchscheinend, jedoch von weißlicher Membrane. Die wolligten Haare des Hinterleibs hingegen sind ganz von hellweißer Farbe, über die Brust aber nach der Mitte schwarz. Die Fühlhörner sind sehr stark gefiedert. Den Unterschied des weiblichen Geschlechts kann ich zur Zeit nicht angeben, wenn sich auch diese Phalene nach mehreren Exemplanen übereinstimmend gezeigt.

Der hundert und acht und dreysigste europäische Nachtschmetterling.

BOMB. ELINGVIS DORSO CRIST. RAMOSA.

Grauer Spinner mit astförmigen Streif.

Alis superioribus cinereis, nigro maculatis, striga ad marginem tenuiorem flexuosa nigra albo inducta, inferioribus albis, supra puncto gemino nigro.

Nach dieser in einem etwas düsterem Gewand, einigen Liebhabern vielleicht nicht sonderlich auffallenden Phalene, habe ich eine vorzügliche Seltenheit darzulegen. Es haben sich zur Zeit nur zwey einzelne Exemplare meines

Wissens, und diese in unseren Gegenden vorgefunden. Wir haben ihre Entdeckungen den emsigen Forschungen des Herrn Straßkirchers in Neustadt an der Aisch zu danken, dessen ergiebige Beyträge ich schon öfters gerühmt habe. Er traf sie zufällig an einem Pfahl in dortigen Weinbergen an, und der Zeit war nach allen Bemühungen keine derselben weiter ausfindig zu machen. Beide Geschlechter sind nur nach den Fühlhörnern und der Stärke des Hinterleibs wie gewöhnlich verschieden. Die Grundfarbe der Vorderflügel ist aschgrau mit etwas Röthlichem gemischt. Von der Grundfläche an, bis gegen den äußeren Winkel zieht sich eine ausgeschweifte oder astförmig gestaltete Schleyer, von hellerem Grau. Sie ist zu beyden Seiten mit einer schwarzen Linie gesäumt. Von da bis an die Gränze des inneren Randes ist die Fläche mit einem schwarzen Schatten, der sich ins Bräunliche verliehrt, ausgefüllt. An dem äußeren Winkel, wo erstbesagte Linie sich endigt, zeigt sich noch eine andere gerundete und oben spitzig gestaltete, von gleichem hellerem Grau. In der Mitte der Flügel findet sich ein dergleichen eckigter Flecken, mit einem kleineren von brauner Farbe daneben. Der vordere Rand ist gleichfalls schwarz gesäumt und führt drey dergleichen Punkte. Die Fühlhörner sind stark gefiedert, und wie der Leib von gleicher Farbe. Die Brust führt sehr erhöhte kammförmige Verzierungen. Die Unterflügel sind zu beyden Seiten einfärbig weißgrau, mit einigem Glanz. Sie haben in der Mitte einen schwärzlichen Punkt. Auf der inneren Seite findet sich daneben noch ein kleinerer etwas in die Fläche verlohren. Dieß ist zur nöthigen Anzeige genug.

Tab. LXXVI. Fig. 4. Die Raupe der Ph. Erminea, auf einem Aspenzweig.
Zu Tab. XIX. S. 100.

Durch die gütige Unterstützung des Herrn Gerning in Frankfurt, habe ich zur Vollständigkeit der Naturgeschichte der oben beschriebenen Ph. Erminea, die genaueste Zeichnung ihrer Raupe mitgetheilt erhalten. Nach ihrem Bau und der Gestalt, ist sie von der, der Ph. Vinula im mindesten nicht verschieden. Nur die Farbe ist daran verändert. Sie hat schon bey der letzten Häutung ein dunkles Roth, das sich auf der untern Seite ins Braune zieht. Jene Gattung aber erscheint in diesem Gewand nur ein paar Tage zuvor, ehe sie sich zur Verwandlung bequemt. Das Gespinnst fand ich von dem der eben erwähnten Ph. Vinula nicht abweichend gebildet, und ich habe deßwegen eine Zeichnung für unnöthig erachtet.

Ver=

Verschiedene Eyer der Spinner-Phalenen.

Tab. LXXIX. Fig. 1. bis 10.

Die Müster, welche ich von einigen Eyern der Tagschmetterlinge dargelegt hatte *), sind von unseren Liebhabern mit solchem Beyfall aufgenommen worden, daß sie davon mehrere Tafeln und etwa nach allen Gattungen verlangten. Zur Zeit aber habe ich mich nur auf eine Probe nach den Geschlechtern die Schmetterlinge, oder ihren Hauptabtheilungen einzuschränken. Es ist der Vollständigkeit des Systems und die Entdeckung neuer Gattungen näher angelegen, es bleibt daher diese Ergänzung, wie mehreres, bey unstritigem Vorzug weiter ausgesetzt. Nur einige von den Gattungen der Spinner habe ich als die merkwürdigen darzulegen. Hier ist die Mannichfaltigkeit in dem Bau der Bekleidung ihrer Fläche und in dem Colorit weit grösser, als bey denen vom Geschlecht der Tagfalter. Die meisten sind zwar grün, doch nach der Mischung, der Höhe und Vertiefung der Farbe, fast nach jeder Gattung verschieden. Es ist das Grüne entweder blaß oder dunkel, und dann mit Blauem, Gelbem, Weissem, Braunem und andern Farben öfters vermengt. Die Gestalt giebt noch mehrere Verschiedenheit an. Bey gleichem Colorit sind einige dieser Eyer kugelförmig, andere breit gedruckt, die meisten aber oval, kegelförmig, oder hyperbolisch gebildet. Noch hat die Fläche der sie umgebenden Schale fast an jedem ihre eigene Form. Nach der stärksten Vergrößerung ist zwar bey einigen keine Ungleichheit wahrzunehmen, so sehr ist ihre Schaale geglättet. Dagegen zeigen sich bey den meisten, Linien, Ribben, Furchen und Höcker, ausgehohlte und erhabene Punkte, so wie andere Verzierungen, die auch schon mit unbewaffnetem Aug zu entdecken sind. So ist also von dem Ey an, und nothwendig auch von dem Keim, die Species charakteristisch bestimmt, die Schöpferskraft hat schon in der Ausbildung der ersten Anlage, gleiche Vollkommenheiten, wie in dem letzten Stand dieser Thiere daran verwendet. Und doch ist diß nur die Schale, der Schutz eines kurzen Aufenthaltes, wo wir so große Kunst als Schönheit zu bewundern finden, das alles eines so vorzüglichen Putzes gewürdiget worden. Es sind nun die nach einer mässigen Vergrößerung abgebildeten Eyer mit wenigen anzuzeigen.

Die erste Figur stellt das Ey der Ph. Bucephala vor (zu Tab. XXII.) Es ist grün, ohne merkliche Ungleichheit der Fläche. Nach

*) I. Th. S. 709. Tab. XXV.

der Form ist es kegelförmig, oder gegen die Spitze hyperbolisch gebildet. Der erhöhte Theil ist weiß, mit einem dunkelgrünen Punkt in der Mitte. Die Eyer werden ohne sonderlich regelmäßige Lage beysammen abgesetzt.

Nach der Fig. A. habe ich das Ey eines zwar nicht hieher gehörigen Insects, des Cimex bidens, der gemeinen grünen Baumwanze vorgestellt. Es ist in verschiedener Rücksicht merkwürdig, da es leicht mit den Eyern von diesen Arten verwechselt werden kann. Man findet diese Eyer sehr häufig, besonders im Frühling auf den Eichenblättern. Sie erscheinen in Parthien von zehen bis zwanzigen beysammen. Anfangs ist die Farbe ein helles Grün, das sich nachgehends mehr ins Dunkle verändert. So bald das Insect sich seiner Entwicklung nähert, so zeigen sich von außen, nach der durchsichtigen Schale sehr deutliche Spuren. Man wird den ganz gleichenden Charakter des griechischen Tau auf seiner Oberseite gewahr. Er ist von schwarzer Farbe, und enthält den Saugrüssel nebst beyden Augen. Zunächst erscheinen zwey rothgelbe Punkte, vermuthlich die Verzierungen der Flügel. Diese Zeichnungen vergrößern sich dann gemächlich, endlich wird man das Thier ganz unter dieser Hülle gewahr; es bricht in kurzem hervor.

Die zweyte Figur zeigt nach dieser Abbildung das Ey der Ph. Salicis, (zu Tab. LXI.) Es ist anfangs perlenfärbig, dann dunkelgrün, und nach der Gestalt etwas breit gedruckt. Die Phalene pflegt diese Eyer in kleinen Klumpen mit untermengtem weissen Schaum abzusetzen.

Nach der dritten Figur habe ich eines der gemeinsten, aber auch der schönsten Eyer vorgestellt. Es ist von der Ph. Quercifolia, (zu Tab. VI.) Die Form ist ablangrund, und die Grundfarbe ein helles Weiß. Auf der Spitze des obern Theils zeigt sich in der Mitte ein grüner Punkt mit einem weißen Ring. Von gleichem Grün ist die Seitenfläche mit schmalen und breiten Binden nach unterschiedener Richtung bemahlt. In einem größeren Raum steht in der Mitte ein einzelner Punkt, welcher zuweilen mangelt, so wie auch diese Verzierungen an sich bald mehr ins Breite oder Schmale gezogen sind. Diese Eyer werden sehr zahlreich und öfters in sehr dichten Klumpen übereinander gelegt angetroffen.

Fig. 4. Das Ey der Ph. Lubricipeda (zu Tab. LXVI.) Hier ist die Form der wesentlichste Charakter. Es ist fast durchsichtig, und ge=

gen die Spitze kegelförmig erhöht, doch an dem äußersten Theil gerundet. Die Farbe gleicht anfangs der einer Perle, sie verliehrt sich aber dann ins blaße Grün. Diese Eyer werden nach geraden Linien in gleicher Fläche neben einander gelegt.

Fig. 5. Das Ey der Ph. Vinula (zu Tab. XVIII.), ist nach dem Umfang cirkelförmig gerundet, zu beyden Seiten aber flach, doch mehr nach der obern gewölbt. Die Farbe ist rothbraun, die sich nachgehends mehr ins Dunkle verliehrt. Auf der Spitze zeigt sich ein schwarzer Punkt mit einem lichten Ring umgeben. Man trifft sie ohne Ordnung, öfters in beträchtlicher Zahl an den Rinden der Weidenbäume, oder deren Blätter befestigt an.

Fig. 6. Wenn die Ph. Vinula, auch nach der Raupe, mit der Ph. Erminea, bey geringscheinendem Abstand die größte Aehnlichkeit hat; so sind doch die Eyer von beyden um so mehr verschieden. Ich habe hier zur Vergleichung eines des letzteren Falters unter Fig. a. nach der Oberseite, und Fig. b. nach der Unterseite vorgestellt. Hier ist die Fläche ganz platt, und nur in der Mitte erhöht. Der Rand ist zur Seite nach dem ganzen Umfang verdünnt, oder mit einer scharf ausgehenden Membrane umgeben. Bey dem Ey der Vinula hingegen erscheint er ganz gerundet. Auch die Farbe ist von jener verschieden. Die Oberseite hat in dem erhabenen Theil ein helleres Grün mit einem dergleichen verlohrenem Ring und Flecken in der Mitte. Der Rand ist hellgelb, mit einem pomeranzenfärbigen Kreis umzogen. Die ganze Fläche erscheint mit schregen gitterförmigen Furchen, nach feinster Anlage durchzogen. Die untere Seite ist mehr flach gebildet, sie hat einen hellgelben Grund mit rother Einfassung und dergleichen dunkleren Flecken und Punkten. Hier hat sonach die Natur nach der Gattungs-Verschiedenheit, in den Eyern einen weit größeren Unterscheid gelegt, als in den Faltern selbsten; sie ergeben den wesentlichsten Charakter *). Vor dem Ausbrechen der Räupgen färben sich die Eyer dunkler, die Farbe der Schale aber bleibt unverändert. Das übrige habe ich in der Beschreibung dieser Phalene bereits angezeigt.

Fig. 7. Außer dem Ey der Pavonia major und etwa dem der Quercifolia, ist dieses der Ph. Pini, eines der größten. Die Fläche ist nach

*) Dissert. m. de Varietatibus specierum. Sect. II. pag. 10.

eringen Vertiefungen, etwas uneben, und nach der Farbe von unreinem Grün. Man trifft diese Eyer in Parthien, zu zwanzigen bis dreyßigen beysammen gelegt an.

Fig. 8. Das Ey der Ph. Cossus (zu Tab. LXI.), weicht von den übrigen am beträchtlichsten ab. Es ist auf eine eigene Art nach vielen die Länge und schrege gezogenen Furchen gegittert. Es hat zur Grundfarbe ein schmutziges Weiß, die Streifen aber sind dunkelbraun. Ohngeachtet der beträchtlichen Größe der Phalene, sind diese Eyer nach dem Verhältniß des Körpers sehr klein. Sie werden in unregelmäßigen Klumpen sehr zahlreich, an die innere Rinde der Bäume abgesetzt. Zu ihrer Beschützung sind sie mit einem klebrichten Saft überzogen, und mit braunen Haaren zusammen gewebt.

Fig. 9. Das Ey der Ph. Coryli (Tab. L.), ist nach den erhabenen Ribben am regelmäßigsten gebildet. Es hat eine kugelförmige Gestalt, doch ist es zu beyden Seiten etwas zusammengedrückt. Die Farbe ist blaßgrün, welche sich nachgehends ins Bräunliche ändert. Die erhöhten Rippen sind nach der Breite, mit kleineren gitterförmig durchzogen. Doch wird man sie nur bey starker Vergrößerung gewahr. Die Eyer findet man einzeln, auf die untere Seite der Blätter gelegt.

Fig. 10. Auch der nach seinem Bau von den übrigen Phalenen ganz abweichende Seidenfalter (B. Mori, Tab. XXIV.), macht nach seinem Ey eine Ausnahme. Es ist ablangrund gestaltet, und zu beyden Seiten zusammengedrückt. Ich habe es nach der Verschiedenheit der obern und untern Fläche vorgestellt. Jene ist aschgrau, diese röthlich gefärbt. Sie sind in der Mitte etwas eingedrückt, und sonsten bemerkt man kleine Vertiefungen darauf. Wir kennen nach gleicher Bildung noch keine von den europäischen Arten. Das übrige habe ich bereits in der Beschreibung dieser Gattung erwähnt.

FSC
www.fsc.org
MIX
Papier aus verantwortungsvollen Quellen
Paper from responsible sources
FSC® C141904

Druck:
Customized Business Services GmbH
im Auftrag der KNV-Gruppe
Ferdinand-Jühlke-Str. 7
99095 Erfurt